Nosferas

Ulrike Schweikert

Nosferas

Traduit de l'allemand
par Dominique Autrand

wiz
Albin Michel

Née en 1966, Ulrike Schweikert a fait des études de journalisme. Elle vit à présent de l'écriture et a ajouté la littérature fantasy à son répertoire, avec un talent reconnu. Elle a notamment reçu le fameux Hansjörg Martin Prize.

Titre original :
NOSFERAS
(Première publication : cbt/cbj Verlag,
a division of Verlagsgruppe Random House GmbH, München, 2008)
© Ulrike Schweikert, 2008

Pour la traduction française :
© Éditions Albin Michel, 2012

*Pour Renate Jaxt, ma sœur et mon amie,
pour Hanna Hofmann, mon amie et conseillère,
et pour Peter Speemann, mon époux chéri,
au côté de qui j'aimerais bien devenir
aussi vieille que mes vampires.*

Une rencontre secrète

La canicule s'était abattue tel un fléau sur la vallée où s'étendait le lac Léman aux eaux profondes. Sa surface était encore lisse comme un miroir. Pas le moindre souffle de vent ne venait rafraîchir l'air, et pourtant les premiers nuages sombres s'amoncelaient entre les cimes, cachant les étoiles. Ils s'élevaient de plus en plus haut dans le ciel, noirs et menaçants. Le grondement du tonnerre se répercutait entre les parois montagneuses. Un premier éclair fusa, qui se refléta, étincelant, dans l'eau. Puis le vent se leva, brisant le miroir du lac en vagues écumantes, malmenant les branches des arbres. Pareil aux hurlements de cent hordes de loups, il balayait les pentes et s'abattait en trombes sur la vallée.

La forteresse était comme un navire amarré à la rive, au milieu des vagues du lac. Ses murailles se fondaient dans la paroi abrupte qui, en dessous, tombait à pic dans l'eau noire. Au Moyen Âge déjà, le château fort montait la garde sur la route qui reliait le Grand-Saint-Bernard à Lausanne et réclamait un droit de péage au voyageur désirant emprunter l'étroit passage entre le versant escarpé et la rive. Par la suite, le château avait été utilisé comme arsenal et dépôt d'armes, et aussi comme prison. Aujourd'hui, nul châtelain ne l'habitait plus et il se trouvait même des gens qui auraient volontiers utilisé les murs épais de Chillon pour construire la voie du chemin de fer.

9

Un coup de tonnerre fit trembler les antiques murailles. La pluie se mit à tomber.

« Eh bien, est-ce un terrain assez neutre et isolé à votre goût ? » La voix vint troubler les pensées de la femme qui, appuyée à la balustrade, regardait par la fenêtre l'eau agitée du lac. L'accent viennois rendait les mots plus longs et plus doux, comme s'ils avaient été prononcés dans son pays natal, au nord du royaume d'Allemagne.

« Ce n'est pas moi qui ai exigé ce cadre théâtral ! » Elle se retourna et prit d'abord le temps de considérer l'autre femme avant de la saluer.

« Antonia, il y a bien longtemps. » Son ton ne trahissait ni joie ni réticence.

« Baronne Antonia, dame Elina », corrigea d'un ton acide la femme qui se tenait dans l'embrasure de la porte, et elle s'approcha dans un froufrou de satin. Des ruchés couleur prune se déversaient en cascade au-dessus de sa large robe à crinoline[1] qui oscillait à chaque pas. Son décolleté plantureux était magnifiquement mis en valeur par un liseré de dentelle noire. Le beau visage à la peau sans défaut était maquillé et ses cheveux sombres étaient relevés en une coiffure si élaborée qu'on l'aurait crue prête à se rendre cette nuit même à quelque bal au palais impérial de la Hofburg à Vienne. Toute sa personne était d'une beauté saisissante.

« Baronne Antonia », répéta dame Elina en réprimant un sourire, et elle posa dans le vide, à droite et à gauche des joues poudrées, un baiser léger comme un souffle.

« On porte encore ces monstrueuses robes à crinoline à Vienne ? Je croyais que même l'impératrice avait fini par découvrir la tournure[2] il y a dix ans... Je ne saurais dire d'ailleurs ce qui, des deux, est le plus incommode, ajouta-t-elle avec une grimace.

---

1. Armature de baleines et de cercles d'acier flexibles que les femmes portaient sous leur jupe pour la faire gonfler. (*Toutes les notes sont de la traductrice.*)

2. Rembourrage sous la jupe, au bas du dos.

« – Je préfère ne pas me demander de quelle époque date votre propre vêtement », répondit la baronne Antonia avec une moue dégoûtée, tandis que son regard glissait sur la robe toute simple en drap bleu foncé, sous l'ourlet de laquelle pointaient deux bottes de cavalier. Dame Elina avait noué ses cheveux gris en chignon. Elle ne portait aucun bijou et n'était pas maquillée. Malgré cela, ou peut-être justement pour cette raison, ses traits reflétaient une beauté noble et sans âge. Elle avait elle aussi une peau immaculée et très pâle.

« Ce n'est peut-être pas ce qu'il y a de plus élégant, mais c'est singulièrement pratique et confortable », dit-elle avec un soupçon délibéré d'accent allemand, ce qui eut le don de crisper encore un peu plus les traits de la baronne.

Les deux femmes s'examinaient toujours d'un regard dédaigneux quand la porte s'ouvrit, livrant passage à plusieurs individus que leur tenue aussi bien que leur stature distinguaient radicalement les uns des autres. Un petit homme trapu avec une couronne de cheveux gris souris s'approcha des dames en se dandinant et leur fit un baisemain.

« Baronne Antonia, dame Elina, j'espère que vous avez fait bon voyage. Votre honoré frère est-il venu aussi, baronne ? » À chaque mot qu'il prononçait, une odeur douceâtre de pourriture s'échappait de sa bouche.

La Viennoise déploya son éventail.

« Mais naturellement, comte Claudio, il est le prince des Dracas. Je ne suis que... disons, sa conseillère. »

Le comte Claudio s'inclina aussi bas que le lui permettait sa corpulence. Son habit brillait d'un éclat de rubis dans la lueur des bougies. Quand il se redressa, son regard tomba sur l'homme qui venait d'entrer dans la salle. Il était grand et d'allure athlétique, les cheveux brun foncé coiffés à la dernière mode, les vêtements de coupe élégante et taillés dans l'étoffe la plus coûteuse.

« Ma foi, quand on parle du diable ! Vous voilà, baron Maximilian. » Il serra aussi la main de deux rustres, les frères Lucien et Thibaut, du clan parisien des Pyras, et salua l'imposant Lord Milton, de Londres.

11

« Eh bien, notre lieu de rendez-vous suscite-t-il l'approbation de ces honorés messieurs et dames ? » demanda l'Anglais avec un regard à la ronde.

Dame Elina s'avança vers lui et consentit qu'il se penche pour déposer une ébauche de baiser sur sa main.

« Retiré et neutre, ô combien, et d'une beauté presque surnaturelle, on le croirait bâti à notre intention, dit-elle avec un soupçon de moquerie. J'ai déjà visité la chambre de tortures pour profiter de la vue sur le lac. Et si j'ai bien déchiffré les graffitis sur le mur du cachot, Lord Byron a lui aussi contemplé ce panorama de son vivant. »

Lord Milton acquiesça.

« Oh oui, son poème "Le Prisonnier de Chillon" est fameux.

– J'espère qu'il se porte bien ? s'enquit poliment dame Elina. Je n'ai point encore eu le plaisir mais le bruit court... »

L'Anglais se rengorgea.

« Certes, il est depuis plus de cinquante ans un très estimé membre de notre communauté. »

Les yeux gris de dame Elina brillèrent.

« J'ai eu vent de sa mort. Asthénie et excès de saignées, dit-on. »

Lord Milton montra ses puissantes dents blanches.

« Oui, on pourrait dire que notre grand poète est mort pour avoir perdu trop de sang. »

Ils se tournèrent vers les deux derniers arrivants. Le comte Claudio saluait déjà l'homme filiforme, d'un certain âge et tout de vert vêtu.

« Donnchadh, je vous salue. Comment vont les choses sur l'île verte ? »

Ils échangèrent une poignée de main, mais au lieu de regarder son interlocuteur dans les yeux, le gros Romain fixait la femme qui s'était arrêtée à quelques pas derrière le chef de clan irlandais. Elle était très belle, avec une peau d'une blancheur impeccable. D'épaisses boucles rousses ondulaient sur ses épaules. Ses atours de soie flattaient sa svelte silhouette. Le regard de ses yeux vert foncé répondit au sien, mais elle resta silencieuse et ne lui tendit pas la main.

Dans sa vie d'humaine, elle n'avait pas dû dépasser les vingt ans.

À quelle époque avait-elle vécu et quand cette vie s'était-elle terminée, ni dame Elina ni le comte Claudio n'auraient su le dire. En tout cas, elle n'était plus un être humain à présent, mais un vampire, de même que tous ceux qui se réunissaient cette nuit-là au château de Chillon. Et pourtant, il y avait entre eux des différences. De sacrées différences !

« C'est une ombre ! » bafouilla le comte Claudio en pointant le doigt sur la femme. L'attention des autres vampires s'était maintenant concentrée sur elle et ils la fixaient ouvertement.

« Fichez-la dehors, gronda le baron Maximilian. Nous n'allons pas discuter de choses aussi importantes à portée d'oreille d'une impure. À quoi pensez-vous donc, Donnchadh ? N'avez-vous pas remarqué que nous avons laissé tous nos serviteurs dans la grande salle ? »

L'Irlandais se retourna vers la jeune femme. Ils se regardèrent un moment en silence, puis elle baissa ses longs cils noirs.

« Je vous attends en bas », dit-elle d'une voix étonnamment grave, puis elle le salua d'une inclinaison de tête et quitta la pièce sans bruit. La porte se referma avec un léger cliquetis.

Dame Elina tira un siège et s'assit sur le coussin de cuir.

« Bien. Tout le monde est là. Si nous commencions ? » Elle jeta un coup d'œil à la ronde. Les autres suivirent son exemple et prirent place autour de la lourde table ovale en chêne. Pendant un moment, le silence régna. Des regards évaluateurs s'échangeaient, s'évitaient. La tension était palpable.

Dame Elina de Vamalia entreprit les présentations officielles. Elle salua le superbe vampire blond aux traits aigus qui se trouvait à côté d'elle.

« Lord Milton, du clan des Vyrad. » Il se leva légèrement et ébaucha une révérence. Dame Elina se tourna vers les deux vampires à sa droite.

« Seigneurs Lucien et Thibaut de Pyras. » Les deux rustauds venus des catacombes parisiennes ne bronchèrent pas ; Lucien émit un vague grognement, mais dame Elina ne se laissa pas troubler. Son regard se posa, plus loin, sur le petit vampire trapu venu de Rome.

13

« Comte Claudio de Nosferas. » Il sourit et la salua. Les visages des deux suivants exprimaient une franche aversion. Ce qui n'empêcha pas dame Elina de saluer également les deux Viennois, le frère et la sœur.

« Baron Maximilian et baronne Antonia du clan des Dracas. » Comme ils étaient beaux ! On avait peine à s'arracher à leur rayonnement.

Dame Elina se tourna pour finir vers le chef du clan irlandais, tout de vert vêtu, et dont les cheveux avaient déjà perdu leurs derniers reflets roux.

« Donnchadh, du clan des Lycana. » Il ne sourit pas, mais ses yeux sombres lui rendirent son regard avec une intensité qui la fit tressaillir.

Elle toussota et regarda à nouveau Lord Milton, qui prit la parole sans lui laisser le temps de terminer ses salutations, de cette voix rauque propre aux vampires et avec laquelle ils communiquent entre eux depuis le commencement des siècles.

« Nous nous sommes réunis ici parce que l'extrême gravité de la situation nous est apparue à tous. Je pense que nous sommes d'accord pour...

– Nous ne sommes absolument pas d'accord ! l'interrompit sèchement le baron Maximilian. De quel droit prenez-vous la présidence ?

– Eh bien, il faut que quelqu'un dise le Miserere », répliqua Lord Milton exactement sur le même ton. Les deux hommes échangèrent des regards incendiaires. Les seigneurs Lucien et Thibaut grondèrent en découvrant leurs canines.

« Le fait est que la perpétuation de nos familles pose un problème terrible ! » C'était la voix de dame Elina.

« Ah oui ? Et c'est pour cela que vous incitez vos impurs à s'emparer du pouvoir ? s'écria la baronne Antonia.

– Nous vivons dans la liberté et l'égalité de droits avec nos frères servants – car c'est ainsi que nous préférons les nommer ! C'est vous qui, par votre attitude, allez provoquer un soulèvement !

14

– Les esclaves doivent être traités comme des esclaves. » Les dents pointues de la baronne étincelèrent.

« Ils sont nos ombres et ils nous servent, oui, mais ce ne sont pas des esclaves, répliqua le comte Claudio, et il croisa les mains sur son ventre rond.

– Esclaves, serviteurs, soulèvement, là n'est pas la question, s'emporta le seigneur Lucien. La question, ce sont les enfants. Nos enfants.

– Qu'une révolte ne vous fasse pas peur en France, voilà qui ne m'étonne guère, remarqua le baron Maximilian. Vous avez une certaine expérience dans ce domaine. En Autriche-Hongrie, les rapports sont encore ce qu'ils doivent être et chacun sait rester à sa place. »

Dame Elina éclata de rire.

« Votre Empereur aimerait bien que ce soit le cas. À force de se cramponner à la Hongrie, la Bohême et la Croatie, il va se briser la nuque et devoir affronter plus de révolutions que la France n'en a jamais connues ! Et l'Herzégovine, par-dessus le marché ! Il est insatiable ! L'Autriche aurait mieux fait de laisser ces peuples partir et de se rattacher au grand royaume allemand. À présent votre décadence a déjà commencé. Regardez l'Italie. Elle a récupéré ses territoires et s'est libérée du joug de l'Autriche qu'elle déteste.

– Taisez-vous, femme, et ne vous mêlez pas de ces choses politiques auxquelles vous n'entendez rien. » Ils parlaient tous en même temps.

« Silence ! s'écria Lord Milton et il tapa du poing sur la table si fort qu'on entendit craquer le plateau de chêne. Que nous importe la politique des hommes ? »

Soudain, le seigneur Lucien bondit.

« Du sang humain ! » Les vampires se turent. « Mes narines me le disent. En bas, dans la grande salle. »

Le comte Claudio secoua sa tête presque chauve.

« Vous devez vous tromper, seigneur. Dans la grande salle, il n'y a que nos ombres.

– Il ne se trompe pas », confirma le seigneur Thibaut. Ses yeux

15

luisaient d'un éclat rouge. Ils étaient braqués sur la poignée de la porte, qui lentement s'abaissait.

Tous bondirent de leurs chaises. La porte s'ouvrit et une silhouette vêtue d'une robe vert foncé entra. Au premier abord, les vampires rassemblés ne purent que constater que, même pour une humaine, elle était inhabituellement petite et frêle. Les traits de son visage demeuraient cachés sous son capuchon. Deux loups la suivaient et, lorsqu'elle s'arrêta, ils s'immobilisèrent à sa droite et à sa gauche. Les deux bêtes féroces s'assirent, très droites ; seuls leurs yeux jaunes bougeaient, dardant sur les vampires un regard pénétrant.

« Je me doutais bien que vous alliez tous vous sauter à la gorge sitôt que vous seriez rassemblés ici », dit une voix douce accompagnée d'un sourire. Une main ridée sortit d'une vaste manche et repoussa le capuchon en arrière. La petite femme considéra l'assemblée de ses yeux verts, le même vert que celui de sa robe flottante. Son visage était marqué par l'âge, les rides creusaient de profonds sillons dans sa peau brunie par le soleil. La femme sourit et lorsqu'elle se hissa, non sans efforts, sur un siège libre, elle continua à se tenir étonnamment droite. En tout cas, le bâton qu'elle tenait à la main ne servait pas à la soutenir.

Donnchadh posa la main sur sa poitrine.

« Tirana, c'est un honneur pour nous. » Il s'avança vers elle, mais elle s'était déjà assise avant qu'il n'ait atteint la chaise.

« Tu sais bien que je ne suis pas landlord[1], corrigea-t-elle. La terre n'a pas de maître. Elle appartient aux animaux et aux plantes. Nous sommes seulement tolérés.

– Oui, Lady Tara », fut sa seule réponse, et il retourna à sa place.

Dame Elina tendit le cou.

« Vous êtes donc la druidesse Tara. » Les vampires se rassirent tous. La vieille femme acquiesça. Elle ne montrait aucune crainte.

---

1. Un landlord est un propriétaire terrien. *Tirana*, en irlandais, signifie à la fois lord, c'est-à-dire noble, et landlord.

« Du sang humain », répéta tout bas le seigneur Thibaut. Dame Elina aussi sentait l'odeur du sang de la vieille femme, mais elle percevait également autre chose. Une magie puissante et très ancienne, dont ne subsistait plus depuis longtemps la moindre trace dans la ville hanséatique libre de Hambourg. Un instant, à l'insu des autres, son regard se perdit dans le lointain... Les autres chefs de clan ne quittaient pas l'humaine des yeux. Sur leurs visages, elle pouvait lire la méfiance, sinon l'hostilité. Seul Donnchadh paraissait soulagé.

« Ainsi donc, vous voilà rassemblés au château de Chillon, vous êtes tous venus – tous ceux du moins qui ont reconnu les signes et qui peut-être aussi sont prêts à agir et à faire le nécessaire ! »

Très attentive, dame Elina se pencha un peu en avant sur sa chaise pour mieux entendre les paroles de la vieille femme. Elle avait le sentiment qu'il ne fallait pas en perdre une miette. Était-ce l'effet de la magie qui l'enveloppait comme une nuée ? Le baron Maximilian ouvrit la bouche pour l'interrompre mais la druidesse n'eut qu'à lever la main et il se tut aussitôt.

« Vous aurez bien assez d'occasions de vous disputer plus tard. Vos clans ont manifesté de tout temps un grand talent dans ce domaine ! » Cette fois, ce fut la baronne Antonia qui voulut l'interrompre, mais la druidesse ne lui en laissa pas le loisir.

« Laissez-moi exposer le problème en quelques mots : vos forces se tarissent, votre influence décroît et vous ne tarderez pas à disparaître. Rien de vous ne subsistera sur cette terre, pas même le souvenir. »

Les vampires se récrièrent. La vieille femme les laissa protester pendant quelques instants, et les mots fusèrent, ricochant d'une muraille à l'autre. Puis elle leva la main et les voix s'éteignirent.

« Dites-moi, à quand remonte la naissance de votre dernier enfant ? » Elle parcourut des yeux l'assistance. « Dix ou onze ans ?

– Neuf, dit doucement dame Elina. Notre plus jeune fils, Thankmar, a neuf ans.

– Neuf ans, donc. » La druidesse hocha la tête. « Il y a bien long-temps que l'on n'entend plus aucun cri d'enfants. La vieillesse a envahi les salles de vos palais. *De combien de vénérables avez-vous la charge, qui ne veulent plus mettre un pied devant l'autre et ne font plus que se lamenter nuit après nuit sur le déclin de leurs forces ?*

– Pour ce qui est des cris d'enfants, on peut vous en fournir, lança le comte Claudio.

– Ah bon ?» La druidesse haussa les sourcils. «*Es-tu en train de me dire qu'une pure de ta famille a mis un enfant au monde l'année dernière ?*»

Le gros Romain baissa les yeux.

«*Hélas, non, ce n'est pas ça.*

– *Alors elle est allée voler un bébé, parce qu'elle-même n'arrivait pas à en avoir ? Elle a fait d'un petit enfant un vampire, le condamnant ainsi à demeurer pour l'éternité un misérable nourrisson ? Et maintenant elle va s'occuper de cet être qu'elle a fabriqué jusqu'à ce qu'elle ne puisse plus le supporter ? C'est ça ?*»

Le comte Claudio murmura quelque chose d'incompréhensible. La druidesse le fixa encore un moment, puis son regard se reporta sur le cercle des chefs de clan.

«*Vous redoutez d'être supplantés par les êtres que vous avez vous-mêmes créés ? Eh bien oui, vous avez raison d'avoir peur ! Vous avez creusé prématurément vos propres tombes. Et ce ne sont ni les frères servants ni les hommes qui vont vous envoyer y croupir pour toujours. Vous vous en êtes chargés tout seuls ! Depuis des siècles vous vous faites la guerre et votre seule préoccupation, c'est que vos familles préservent la pureté de leur lignée et de leur sang. Vous n'entretenez que les pouvoirs et le savoir qui ont produit votre race. Tout le reste, vous l'avez écarté, ou oublié. Si vous continuez ainsi, je ne vois plus aucun espoir pour vous.*

– Pourquoi sommes-nous obligés d'écouter les radotages d'une vieille humaine ? ronchonna le seigneur Thibaut à voix basse.

– Nous ne sommes pas obligés, répondit dame Elina. Nous pouvons aussi continuer à refuser de voir la vérité en face, car ce qu'elle dit est vrai, on ne peut pas le nier !

– Et qu'est-ce que ça nous apporte ? demanda la baronne Antonia en dépliant son éventail avec un bâillement d'ennui.

– Peut-être un peu de discernement et la volonté de changer les choses ? suggéra la vieille druidesse.

– Mais encore ? voulut savoir le baron Maximilian.

– Cessez de cultiver l'isolement et apprenez les uns des autres. Conjuguez vos forces et surmontez vos faiblesses. » Elle fit une courte pause avant de prononcer la phrase monstrueuse : « Et permettez que vos lignées mêlent leur sang. »

Les vampires restèrent quelques instants bouche bée, les yeux braqués sur la druidesse, puis un tumulte de protestations s'éleva. La haine entre les clans, attisée au fil des siècles, déchira le fragile voile de politesse sous lequel ils l'avaient reléguée pour cette soirée. On vit s'exhiber des canines menaçantes, les paroles articulées se transformèrent en hurlements de bêtes sauvages. La druidesse se leva et se dirigea lentement vers la porte. Ses loups lui emboîtèrent le pas. Arrivée sur le seuil, elle se retourna une dernière fois et leva son bâton. Le silence se fit.

« Je me doutais bien que vous étiez perdus. Vous êtes trop vieux – non pas vos corps, mais vos âmes ! Votre espoir réside en vos enfants – vos derniers enfants ! À présent je vais aller me promener sur la rive, contempler avec mes loups la pleine lune qui se reflète à la surface du lac après cet orage purificateur. C'est une nuit magnifique. Avant que le soleil se lève, je serai de retour. Alors vous me direz si vous êtes prêts à accepter mon conseil. »

Elle referma la porte et le bruit de ses pas se perdit dans le lointain. Les voix des vampires s'élevèrent à nouveau, mais la force leur manquait. Dame Elina se laissa aller contre le dossier de sa chaise et se mit à l'écoute des sentiments qui se déchaînaient en elle, plus puissants encore que la soif de sang qui la saisissait à chaque réveil. Elle sentit un regard posé sur elle et souleva ses paupières jusqu'à ce que ses yeux gris rencontrent deux yeux sombres de l'autre côté de la table. Donnchadh ne détourna pas le regard.

« Est-ce que nous allons y arriver ? chuchota dame Elina, car elle savait qu'il la comprendrait malgré le tumulte des voix.

– Seulement si nous cessons de refuser le moindre changement. Le monde se transforme de plus en plus vite, mais nous, il y a trop longtemps que nous n'avons pas bougé.

– Pouvons-nous y arriver ? » demanda, sur un ton presque suppliant, la vampire qui dirigeait le clan de Hambourg.

Le vieil Irlandais réfléchit.

« Lady Tara est une femme pleine de sagesse. Je pense qu'elle a raison. Nos enfants, eux, en sont capables ! »

La maison de Kehrwieder

Le soleil, derrière une forêt de mâts, de haubans et de voiles, venait juste de sombrer dans l'Elbe quand Alisa souleva le couvercle de la longue caisse rectangulaire dans laquelle elle dormait le temps que durait la lumière aveuglante du jour. Elle se leva en bâillant de sa couche on ne peut plus austère.

« Je te souhaite le bonsoir, mademoiselle Alisa », dit une voix. Un homme grand et mince d'une vingtaine d'années s'avança vers elle d'un pas nonchalant.

« Bonsoir, Hindrik. » Alisa ne pouvait pas se rappeler un seul soir au cours de ses treize années de vie où il ne l'aurait pas saluée en prononçant ces mots-là. Mais tandis qu'au fil des ans elle s'était transformée en jeune fille, Hindrik avait conservé la même apparence, comme tous les frères servants qui avaient autrefois mené une vie d'homme avant qu'un vampire de pure lignée ne les métamorphose. Même sa coupe de cheveux et la barbe de trois jours qu'il avait au moment de sa mort étaient demeurées inchangées. Il y avait belle lurette que Hindrik avait renoncé à toute tentative de se raser ou d'adopter une coiffure plus moderne. Une fois, il s'était complètement rasé le crâne et lorsqu'il s'était relevé le soir pour sortir de sa caisse, ses cheveux étaient de nouveau longs et bouclés. Alisa ignorait quel âge il avait exactement, elle savait juste qu'il avait connu le XVIIᵉ siècle.

«Tu ne dors donc pas? demanda-t-elle en réprimant un nouveau bâillement.

– Si, naturellement, mademoiselle, je dors chaque jour comme un mort. Mais quand je me réveille, je suis un peu plus fringant que toi.

– Tu as aussi davantage d'entraînement», répliqua Alisa, tout en quittant sa longue chemise de toile qu'elle jeta dans la caisse. Puis elle enfila un pantalon délavé et une blouse blanche.

Elle ne s'étonna pas plus de voir les deux autres caisses encore fermées qu'elle n'avait été surprise de trouver Hindrik déjà debout. Son frère et son cousin, avec qui elle partageait la chambre dans l'entrepôt du haut, n'étaient jamais pressés, au coucher du soleil, de sortir de leur caisse. Ce qui convenait très bien à Alisa. Son frère cadet Thankmar, que tout le monde à l'exception de dame Elina appelait Tammo, était un vrai poison, il voulait toujours avoir raison et la plupart du temps il lui tapait sur les nerfs. Quant à Sören, il adorait lui faire sentir qu'il avait un an de plus qu'elle.

«Alors, quoi de neuf? Y aurait-il quelque chose de spécial que je devrais savoir?» demanda-t-elle à Hindrik, tandis qu'elle rassemblait ses cheveux blond roux en un chignon qu'elle enfouit tant bien que mal sous un bonnet froncé. Hindrik hésita une seconde avant de répondre que non.

Ses mains encore affairées autour du bonnet, Alisa se retourna.

«Se pourrait-il que tu sois en train de me mentir?» Elle le fixa d'un air sévère mais il soutint sans effort le regard bleu clair.

«Mais non, mademoiselle! Tu as dit: "que je devrais savoir".»

Alisa sourit.

«Je vois, il faudra que je choisisse mes mots avec plus de soin à l'avenir.»

Hindrik lui rendit son sourire, puis il s'approcha et referma le couvercle de la caisse où elle avait dormi.

«Oui, peut-être bien.

– Et alors, quelle est donc cette nouvelle que, selon toi, je ne devrais pas connaître et qui, j'en suis sûre, va beaucoup m'intéresser?»

Hindrik secoua la tête.

«Patience. Tu l'apprendras quand dame Elina le jugera bon.»

Alisa fit la moue.

«Tu n'aurais pas un petit peu peur d'elle?

– La peur est un sentiment que j'ignore, répondit Hindrik d'un air modeste. Mais j'éprouve du respect pour dame Elina et par conséquent je n'irai pas à l'encontre de ses désirs.»

Alisa comprit qu'il avait dit son dernier mot et renonça à le harceler davantage. Il lui faudrait trouver un autre moyen. Quelque chose remua dans l'une des deux caisses.

Alisa se dirigea vers la porte.

«Je préfère m'en aller.

– Et où veux-tu aller? demanda Hindrik.

– Le petit tour habituel, répondit-elle, évasive.

– Tu sais que dame Elina n'apprécie guère! Tu ne devrais pas aller courir les ruelles toute seule.

– Ah bon?» Furieuse, Alisa planta ses mains sur les hanches. «Et les autres alors? Toutes les nuits ils ont le droit de s'amuser! Ils vont se balader sur le port, rôdent à travers la ville et se mêlent aux noctambules de la Spielbudenplatz!»

Hindrik acquiesça.

«Oui, car ce sont des adultes.

– Pff!» souffla Alisa, qui déjà s'éloignait. Arrivée à l'escalier, elle se retourna encore une fois et regarda l'homme avec sa culotte depuis longtemps passée de mode et sa chemise ruchée. «Tu ne me trahiras pas?

« – Si personne ne me pose de questions, je n'aurai pas besoin de raconter quoi que ce soit. Et maintenant dépêche-toi de te sauver. Tu as entendu, ton frère est réveillé. S'il te voit, il voudra sûrement t'accompagner.

– Que les esprits de la nuit m'en préservent ! » dit Alisa avec un frisson, et elle se hâta de descendre les nombreuses volées de marches jusqu'au grand vestibule tout en bas, dont la poutre centrale portait la date de 1680.

C'est à cette époque que de riches commerçants s'étaient fait construire les superbes maisons de style baroque qui s'alignaient le long du Fleet jusqu'au port de Binnenhafen. À l'exception des deux derniers bâtiments, dont les Vamalia avaient fait l'acquisition plus d'une centaine d'années auparavant pour y loger les leurs, quelques-uns des marchands parmi les plus fortunés de Hambourg continuaient à vivre et à travailler dans ces maisons qui leur permettaient de loger leur famille, leurs commis et leurs employés, et offraient encore assez de place pour le comptoir de vente et pour entreposer les marchandises – sur deux étages sous les toits. La plus belle pièce de la maison principale des Vamalia était le vestibule qui occupait une hauteur de deux étages, avec une galerie tout autour, supportée par des colonnes de bois sculptées. Le plafond était lui aussi orné de sculptures, les caissons artistement décorés et peints à la feuille d'or. Sur la galerie s'ouvraient les pièces d'habitation et les chambres des membres dirigeants de la famille. Dans la maison voisine logeaient les vénérables. Les entrepôts autrefois d'un seul tenant avaient été divisés en chambres où dormaient les jeunes vampires et les frères servants.

Alisa sentit dans ses mâchoires la tension familière que suivrait bientôt le tourment de la faim, ou plutôt de la soif, obsédante. Elle aurait volontiers ignoré cette sensation mais elle savait d'expérience que sa promenade ne lui procurerait pas la moindre joie si elle cherchait à réprimer sa nature. Aussi se rendit-elle dans l'ancienne cuisine où trônait encore le gros foyer qui pouvait alimenter également le poêle carrelé de la grande salle. Depuis que le clan des Vamalia habitait la maison, ce poêle n'était plus utilisé. Les vampires ne ressentent ni le froid de l'hiver ni la chaleur de l'été.

« Bonsoir, Alisa », dit une femme en uniforme de domestique hambourgeoise. Elle appartenait comme Hindrik à la catégorie des servants, mais n'était dans la maison que depuis quelques années.

« Bonsoir, Berit. »

Sans avoir reçu aucun ordre, la jeune femme lui tendit un gobelet. Alisa avala goulûment le sang d'animal encore chaud que les commis allaient chercher chaque soir à l'abattoir voisin. Puis elle quitta la maison. Entre-temps, la nuit était tombée. Seules les lampes à gaz sur les ponts et dans les ruelles les moins étroites dispensaient un petit cercle de lumière jaunâtre. Alisa hésita. Elle savait que c'était dans les quartiers riches et autour de la Bourse qu'elle aurait le plus de chances de trouver ce qu'elle cherchait, mais elle se sentait attirée comme par magie vers le Wandrahm et les maisons au bord du canal de Doverfleet. Ce n'était qu'un quartier mal famé de Hambourg parmi d'autres, mais certainement celui où les conditions de vie des humains étaient les pires. Et pourtant, tout était habité, même les logements constamment humides des rez-de-chaussée qui, après chaque tempête, restaient souvent inondés sous l'effet de la marée pendant des journées entières. Les minuscules maisons de plusieurs étages se pressaient en rangs serrés autour de cours sur lesquelles donnaient encore, à l'arrière, trois ou quatre autres maisons. Des hommes, des femmes et des enfants dormaient ensemble dans les lits étroits, et la plupart du temps venaient s'y ajouter des étrangers de passage qui, pour quelques pfennigs, louaient les derniers recoins libres afin d'y installer leur camp pour la nuit.

L'odeur de ces humains rassemblés enveloppait Alisa d'un nuage enivrant. Ceux du quartier de Wandrahminsel ne dégageaient pas un parfum aussi suave et envoûtant que les jeunes demoiselles dans leurs étroites robes à tournure qui trottinaient sur le raidillon du Jungerfernstieg, ou les messieurs dans leurs costumes sombres qui se retrouvaient le soir pour boire un verre après leur travail à la Bourse ou dans les comptoirs de commerce. C'était un mélange d'odeurs, comme trop d'épices exotiques à la fois, aigrelet et sauvage – et d'autant plus excitant, justement. Alisa flânait au milieu des gens qui avaient terminé leur journée harassante. Elle passait devant des hommes assis en cercle sur des vieilles caisses et qui faisaient circuler un litron de vin. Des groupes de femmes, debout, riaient ou se chamaillaient. Des enfants couraient dans tous les sens au milieu d'elles en piaillant et en jouant à s'attraper.

Alisa se fit la réflexion, et ce n'était pas la première fois, que leur sang devait être délicieux. Jusque-là, elle n'avait encore jamais goûté de sang humain. « Trop dangereux », avait décrété dame Elina, en menaçant d'un châtiment exemplaire celui qui se risquerait à transgresser l'interdit. Alisa devrait attendre d'avoir l'âge, tout comme les jeunes vampires des autres clans. Leur première ivresse de buveurs de sang risquait de causer leur perte s'ils n'étaient pas encore assez forts pour la supporter, telle était l'explication qu'on leur donnait. Et pourtant – ou peut-être justement à cause de cela – Alisa avait bien du mal à résister.

Elle étouffa un soupir et se tourna vers le pont. D'abord elle ne voulait pas se laisser voler son butin par des femmes du marché ou quelque autre amateur, et deuxièmement il fallait qu'elle calme le tumulte de son cœur. Se mêler d'aussi près à ces corps remplis de sang chaud et tout transpirants était grisant et périlleux !

Alisa s'arrêta sur le pont qui, longeant la halle au blé, menait sur le Fleet, et respira l'air saumâtre. La marée était basse, si bien que plusieurs bateaux, dont les quilles reposaient sur la vase, avaient un petit air penché au-dessus de l'eau peu profonde. Elle poursuivit son chemin et sentit ses jambes devenir lourdes, mais elle ne se laissa pas déconcerter. Les Vamalia avaient appris depuis longtemps à traverser les canaux quel que soit le niveau de l'eau. Seule cette lourdeur dans leurs os venait leur rappeler qu'autrefois ils ne pouvaient franchir une eau courante qu'au changement de marée.

Alisa prit la ruelle qui menait au Nikolaifleet et suivit le canal jusqu'à la Bourse. Puis elle gagna la place sur laquelle l'hôtel de ville, en ruine, attendait encore d'être reconstruit. Depuis le grand incendie de 1842, le conseil de la ville de Hambourg tenait ses délibérations dans un orphelinat de la rue de l'Amirauté. Alisa emprunta un pont étroit puis se mit à flâner le long du lac de l'Alster, où circulaient encore quelques bateaux éclairés.

Un gros paquet sous le bras, elle s'en retourna vers Binnenhafen et les maisons de marchands de Kehrwieder.

« Alors ? » s'enquit Hindrik quand elle pénétra, aux alentours de minuit, dans la sobre pièce du bas où il était assis seul à la table et travaillait à un nouveau chef-d'œuvre.

« Qu'est-ce que ça va être ? » Alisa se pencha par-dessus son épaule.

« Un modèle réduit du *Wappen von Hamburg II*, un navire d'escorte qui a été lancé en 1686. Naturellement, tout est à l'échelle jusqu'au moindre détail. Pas comme ces maquettes bâclées que construisent les hommes et qui ne présentent qu'une grossière ressemblance avec l'original. »

Alisa désigna une rangée de sabords dans la coque.

« Tout ça, c'étaient des canons ?

– Mais oui, l'Amirauté envoyait ses convois vers l'Espagne et le Portugal bien armés. Ce qui ne nous a pas empêchés de nous retrouver plus d'une fois sous le feu des pirates.

– Tu as navigué sur ce bateau ? » demanda Alisa, presque avec respect.

Hindrik ne racontait pas souvent sa vie. Il se contenta d'un bref hochement de tête et changea de sujet.

« Alors ? Quelles nouvelles rapportes-tu du monde si excitant des hommes ? Qu'est-ce que tu as trouvé ? »

Alisa, rayonnante, défit le papier qui enveloppait son paquet. Elle aligna solennellement les journaux sur la table.

« Le *Norddeutsche Allgemeine Zeitung* d'hier, le *Kölnische Volkszeitung* d'avant-hier, le *Hamburger Fremdenblatt* d'aujourd'hui et le *Altonaer Nachrichten* d'hier.

– Pas mal, acquiesça Hindrik tout en stabilisant une vergue du bout de ses doigts.

– Ah, comme j'aimerais m'embarquer en fraude sur un de ces bateaux d'émigrants pour aller voir l'Amérique de mes propres yeux... »

Hindrik la regarda avec effroi.

« Tu ne vas pas faire une bêtise, au moins ? Ce n'est pas si beau que ça. Je me suis trouvé là-bas il y a quelques dizaines d'années et je n'étais pas mécontent de rentrer. Il va falloir que je te surveille d'encore plus près si des idées de ce genre te trottent dans la tête. »

Ils marchaient sur des œufs, aussi Alisa jugea-t-elle plus prudent de changer de sujet.

« Où sont-ils tous ? La maison était déserte quand je suis rentrée. »

Hindrik taillait deux haubans supplémentaires pour sa maquette.

« C'est l'inauguration de la nouvelle halle centrale. Un spec-

28

tacle grandiose. Cette fois ils l'ont bâtie en pierre, avec un imposant portail à colonnes et je ne sais quoi encore, à la dernière mode, naturellement. » Il fit la grimace.

« L'ancienne halle avait brûlé, c'est ça ? »

Hindrik acquiesça.

« Et pourquoi tu n'y es pas allé avec eux ?

– Parce qu'il faut que je vous aie à l'œil, toi et les garçons.

– Eh bien voilà, tu m'as à l'œil en ce moment. » Alisa feuilletait son journal, prête à poursuivre sa lecture, quand la porte s'ouvrit brutalement. Son frère Thankmar jaillit comme une flèche.

« On va aller dans une école », fulmina-t-il.

Alisa plissa le front.

« Qui t'a dit pareille sottise ?

– Ce n'est pas une sottise. C'est dame Elina qui vient de le dire ! Enfin, pas à moi directement, mais je l'ai entendue et j'en suis sûr.

– Tu écoutes aux portes, maintenant, Tammo ? »

Il acquiesça, tout fier :

« Et alors, qu'est-ce que tu dis de l'information ?

– Dans une école ? Mais c'est ridicule. »

Tammo secoua la tête.

« Je te jure que c'est vrai. Dans une académie pour jeunes vampires qui vient tout juste d'être créée. »

Alisa jeta à Hindrik un regard interrogatif.

« Et où serait cette académie ? »

Tammo haussa les épaules.

« Ça, je n'ai pas entendu.

– Alors à quoi bon venir nous voir avec des demi-nouvelles ! » pesta sa sœur, et elle quitta la pièce. Tammo la suivit des yeux puis vint s'asseoir à côté de Hindrik.

« Je parie qu'elle va réussir à le savoir », dit-il en ricanant, et ses canines étincelèrent dans la lumière trouble.

« Je ne parie pas le contraire, répliqua Hindrik. Mais ne pourrait-on pas envisager d'attendre tout simplement que dame Elina vous dise ce que vous devez savoir ? »

Tammo le regarda comme s'il était devenu complètement idiot. Hindrik capta ce regard. Un son intermédiaire entre un rire et un soupir lui échappa.

« Non, manifestement, tu exclus cette possibilité. »

Alisa se faufila au premier étage et suivit la galerie jusqu'à la porte peinte derrière laquelle se trouvait autrefois la pièce où habitait le marchand. C'est là que dame Elina avait coutume à présent de s'entretenir avec les personnalités les plus importantes de la famille. Alisa s'approcha prudemment. Elle avait comme tous les vampires une démarche presque silencieuse, mais dame Elina et quelques autres étaient dotés d'une ouïe particulièrement fine ! Épier leurs conversations était donc une entreprise délicate. Alisa retint son souffle. Elle ne voulait pas courir le risque de se faire prendre. Si la dirigeante du clan remplissait généralement sa fonction avec bienveillance, elle pouvait aussi se montrer fort désagréable si l'on enfreignait ses consignes. Et écouter les conversations qui se déroulaient à huis clos faisait certes partie des choses qu'elle n'aurait su approuver !

Alisa se retrouva finalement l'oreille collée contre le trou de la serrure, et voici ce qu'elle entendit :

« Ils n'iront pas tout seuls à Rome, bien sûr. Nous désignerons quelqu'un de notre cercle qui partira avec eux et nous leur choisirons aussi parmi les frères servants un ou deux accompagnateurs expérimentés, qui surveilleront les progrès de leur éducation. Peut-être serai-je aussi du voyage. »

Rome ? Elle avait bien entendu ? Dame Elina avait bien dit *Rome* ?

« Et comment les enfants se rendront-ils là-bas en toute sécurité ? C'est autre chose qu'un voyage dans le vieux pays sur l'autre rive de l'Elbe! Et encore, même ça, je n'oserais plus le faire aujourd'hui.» C'était la voix croassante du vénérable vieillard qui avait été le chef de famille au début du siècle.

«Les temps sont heureusement révolus où l'on ne disposait que d'équipages à cheval pour se déplacer par voie de terre. Nous prendrons le train. Il est même possible désormais de franchir les Alpes! D'après ce que je sais, il existe déjà deux passages.»

En train? À Rome? Alisa n'en revenait pas!

«Ces monstres de chevaux à vapeur? s'écria un autre vieillard. Jamais je ne mettrai les pieds dans un engin pareil. Les hommes n'ont pas encore la moindre expérience de ces machines qui vont si vite. Pourquoi pas en bateau?

– Cela fait déjà cinquante ans que les hommes utilisent des locomotives à vapeur. Il me semble qu'on peut considérer cela comme une expérience suffisante, rétorqua dame Elina.

– Cinquante ans, rugit le vieillard, qu'est-ce que c'est que cinquante ans?

– Dans une vie d'homme, c'est énorme. Les enfants et leur escorte voyageront par le train, répéta-t-elle sur un ton sans réplique. Et à présent, faisons-les venir. Puisque nous avons déjà un deuxième espion derrière la porte, j'estime le moment venu de leur communiquer tous les détails de notre décision.»

Alisa fit un bond en arrière. Comment était-ce possible? Elle était pourtant sûre de n'avoir fait aucun bruit. Il y avait de quoi s'inquiéter. Une fois de plus, on avait la preuve que ce n'était pas un hasard si dame Elina avait été choisie comme chef suprême du clan.

«Tu peux aller chercher Thankmar et Sören, dit dame Elina d'une voix un peu plus forte. Et amène aussi Hindrik.»

Alisa ne demanda pas son reste et, quelques instants plus tard, elle était de retour avec les trois autres. Son cœur se soulevait presque dans sa poitrine quand elle ouvrit la porte pour entrer.

D'un côté de la table, dans des fauteuils confortables, étaient assis les huit vénérables qui quittaient de temps à autre leur chambre et s'intéressaient encore un tant soit peu au destin de la famille. De l'autre côté leur faisaient face dame Elina et les vampires qui passaient pour les plus expérimentés du clan : le frère cadet d'Elina, Olaf, ses cousins Jacob et Reint, Anneke, une cousine au second degré, ainsi que les deux servants Marieke et Morten. Dame Elina fit signe aux deux jeunes vampires et à Hindrik d'approcher.

« Puisque vous spéculez déjà sur les propos que vous avez surpris à travers la porte, écoutez donc toute l'histoire. »

Elle raconta la rencontre secrète au bord du lac Léman et le conseil inouï que leur avait prodigué la druidesse d'Irlande. L'imagination d'Alisa se mit à courir.

Elle irait à Rome par le chemin de fer à vapeur et habiterait une année entière chez les Nosferas. Elle y suivrait des cours de défense contre les pouvoirs de l'Église et apprendrait aussi d'autres pratiques magiques. Elle étudierait la langue du pays et l'histoire des hommes qui y vivaient. Mais ce n'était pas tout. Elle ferait également la connaissance des jeunes vampires des autres clans : les Lycana d'Irlande, les Dracas de Vienne, les Vyrad de Londres et les Pyras de Paris. Combien de récits n'avait-elle pas déjà entendus à propos de ces familles dont les membres devaient être des vampires sournois et méchants et avec lesquelles les Vamalia étaient en guerre depuis des siècles. Et elle allait devoir suivre des cours en leur compagnie ?

Cette perspective aurait dû lui inspirer de la répulsion ou une forme d'appréhension, et au lieu de cela elle se sentait remplie d'une excitation joyeuse. Elle et les deux garçons – c'était un petit inconvénient, certes, mais il faudrait qu'elle en prenne son parti – s'apprêtaient à partir pour Rome, et ils allaient enfin échapper à cet ennui qui la consumait!

Le soir tombait sur la Ville éternelle. Ce serait encore une de ces tièdes nuits d'été qui invitaient à la promenade, à se rendre dans quelque théâtre ou salon de musique, dans une de ces auberges avec leurs nappes de toile blanche, ou dans un des innombrables bars, afin d'y boire une bonne rasade, accoudé au comptoir en bois. Au cours de la soirée, nombre de noctambules mâles se dirigeraient vers ces établissements qui se multipliaient comme le chiendent dans les ruelles étroites, un peu à l'écart des *palazzi* et des églises. La tenue très libre des «dames» – qui de fait n'en étaient pas! – et leur maquillage voyant disaient assez quel genre de plaisir les visiteurs venaient chercher ici.

Une de ces filles était postée dans un coin sombre. Le temps passait, et elle s'était mise à faire nerveusement les cent pas. Chaque fois qu'elle s'approchait de la porte du bar situé non loin de là, le rayon de lumière qui l'enveloppait alors révélait qu'elle était singulièrement jolie et propre, le visage encore empreint de cette délicieuse innocence qui sur le trottoir a tôt fait de disparaître. Étrange apparition en ce lieu et à cette heure. Ce n'était pas le hasard qui l'avait conduite ici. Sa main palpait la bourse cachée sous ses jupes. Pour une pareille somme, elle aurait été prête à exécuter des commandes encore bien plus bizarres!

L'homme qui l'avait choisie et installée à cet endroit s'approcha et lui tendit un verre rempli d'un liquide verdâtre.

«Bois, il ne va pas tarder. Et prends bien garde qu'il ne t'échappe pas. Il a des perspectives très séduisantes ce soir et ne voudra certainement pas s'attarder ici. Ta tâche consiste à le faire changer d'avis.»

La fille vida le verre et le rendit à l'homme. Le breuvage amer lui fit monter les larmes aux yeux. Elle secoua la tête pour endiguer le vertige croissant qui s'emparait d'elle. Pourvu qu'il vienne vite. Elle sentait ses jambes devenir lourdes.

Soudain elle le vit. Aucun doute. Son commanditaire lui avait déclaré qu'elle le reconnaîtrait à sa démarche et, effectivement, elle n'avait encore jamais vu un homme se mouvoir avec tant de grâce. On aurait dit que ses semelles effleuraient à peine les pavés. La fille prit une profonde inspiration, puis elle se planta en travers de son chemin.

« Pardonnez-moi, *signore* ! »

Erado déambulait d'un pas léger à travers les ruelles. Il se réjouissait à l'idée de cette soirée qu'il avait bien l'intention de passer sans les autres membres du clan, qui l'agaçaient de plus en plus. Toujours les mêmes beuveries, toujours les mêmes visages et les mêmes conversations. Et pourtant ils en avaient vu, des choses. Lui-même, qui était un des plus jeunes de leur cercle, avait connu le règne de Napoléon et de sa famille, les premières tentatives de rébellion, timides, qui avaient suivi sa chute, les sociétés secrètes et les contre-sociétés secrètes, les soulèvements et leur répression – et puis Garibaldi, qui avec une poignée d'hommes avait marché à travers le pays pour l'unifier. Désormais l'Italie était un royaume, et il n'y avait plus d'État religieux. L'ancien prince de Piémont-Sardaigne, Victor-Emmanuel II, était assis sur son trône, à Rome, tandis que le pape Pie IX s'était retiré en boudant dans son enclave misérable, tout ce qui restait de son Vatican. Il avait décliné l'offre d'asile de la France, mais le navire français continuait néanmoins à croiser au large de la côte. Ces dernières décennies avaient été passionnantes, et pourtant les autres ne s'intéressaient qu'à leurs existences repues et à leurs expériences dérisoires : comment rendre le sang encore plus goûteux grâce à une légère exhalaison de vin fin... Leurs ombres les véhiculaient à travers la ville dans des chaises à porteurs, trop faibles qu'ils étaient pour explorer la nuit sur leurs propres jambes.

Erado secoua la tête pour s'obliger à ne plus penser aux autres membres du clan. Cette nuit lui appartenait et il n'était pas question qu'on la lui gâche. Il jouissait des odeurs et de la chaude haleine du soir et, balançant son élégante canne, se hâtait d'un pas dansant sur les pavés. Son vaste manteau se gonfla dans le vent. C'était un vampire dans la force de l'âge. Sa chevelure noire était soignée, les premières mèches argentées apparaissaient tout juste sur ses tempes. Il se sentait plein de vigueur et se réjouissait des plaisirs qui l'attendaient cette nuit dans le salon d'une certaine dame : du chant, de l'art le plus raffiné, peut-être quelques parties de cartes et des échanges intéressants sur la politique, l'opéra et d'autres sujets qui pour l'heure échauffaient les esprits des Romains. Bien entendu son désir n'y trouverait pas pleinement son compte. Mais discrétion oblige ! Il avait l'intention de fréquenter cet établissement plus souvent à l'avenir, et un scandale de sang ne serait certes pas des plus indiqués !

Tandis qu'il bifurquait dans une étroite ruelle, une jeune fille surgit devant lui.

« Pardonnez-moi, *signore* ! »

Il n'eut pas besoin de lui demander ce qu'elle voulait. Sa tenue était assez éloquente. Erado s'arrêta net et leva la main en signe de refus. Il n'avait pas de temps pour ça aujourd'hui. C'est alors qu'il remarqua qu'elle avait l'air propre et soignée. Et mignonne, en plus. Il voyait le sang qui pulsait dans les veines de son joli cou. Son parfum était suave et déchaînait en lui une véritable fringale. Apaiser dès maintenant la première faim n'était peut-être pas si absurde. Elle exhalait une odeur de peau juvénile avec en plus quelque chose d'amer qu'il ne fut pas tout de suite capable d'identifier. Elle devait avoir déjà consommé ce soir-là plusieurs boissons alcoolisées qui circulaient à présent dans son sang, mais cela ne lui porterait aucun préjudice. Il avait l'habitude. Alors pourquoi pas ? Il sourit et fit un pas vers elle.

« *Signorina*, si nous allions dans la cour, juste à côté ? Il y a trop de lumière ici, et trop d'animation. »

Elle gloussa et rougit un peu. *Quelle étrange réaction pour une fille des rues*, songea-t-il, tandis qu'il la prenait par l'épaule et la guidait vers l'obscurité. Autre chose l'étonna. Une tension frémissante rayonnait autour d'elle comme une aura. Elle lui jeta un regard de biais au moment où il écartait ses longs cheveux pour dégager son cou.

Hélas, tant d'indices auraient pu le sauver s'il s'était seulement accordé une seconde de réflexion. Mais les innombrables nuits passées en compagnie de sa famille décadente avaient enveloppé ses sens d'un rideau de fumée et engourdi son esprit. Il découvrit trop tard la vérité. Le piège se referma sur lui.

Le premier signal d'alarme qu'il enregistra fut le goût du sang. Il avait quelque chose d'absolument anormal ! Mais il était trop tard. La paralysie le saisit aussitôt. Il perçut bien un mouvement derrière lui, mais déjà ses réactions étaient devenues aussi lentes que celles d'un humain. Quand il se fut enfin retourné, il ne put que regarder d'un œil rond l'homme qui, brandissant à deux mains l'épée au-dessus de sa tête, s'apprêtait à assener le coup mortel.

Le voyage à Rome

«Qu'est-ce que tu fabriques?» demanda Tammo d'un ton méfiant tandis qu'à moitié endormi encore, il s'asseyait dans sa caisse ouverte.

Hindrik le salua gaiement et déposa les deux grandes boîtes qu'il tenait coincées chacune sous un bras. Elles avaient à peu près la longueur et la largeur des cercueils des jeunes vampires.

Même s'il ne change pas physiquement, ses forces semblent croître sans cesse, songea Alisa qui s'était déjà habillée et avait relevé ses longs cheveux. Elle portait aujourd'hui une tenue en taffetas de soie bleu qui se composait d'un corsage collant, dit «cuirasse», à mi-hanches – fermé, avec un petit col montant –, d'un étroit jupon descendant jusqu'aux pieds avec des ruchés froncés et, par-dessus, d'une tunique retroussée, un peu plus courte et arrondie derrière par une petite tournure.

«Regarde-moi ça, Sören. Ce joli postérieur de canard qu'elle a», persifla Tammo. Alisa faillit déchirer ses jupes quand elle bondit pour le saisir par sa tignasse hirsute. Elle fit un faux pas et elle serait tombée si Hindrik ne l'avait pas rattrapée prestement. Les deux garçons ricanaient, goguenards. Alisa les foudroya du regard.

37

«Pourquoi dois-je porter ces satanés vêtements dans lesquels je ne peux plus bouger? Et ces chaussures!» Elle désigna les souliers de cuir finement ouvragés avec leurs talons ornés.

«Dame Elina attend de vous que vous fassiez bonne impression devant les autres familles.

– Et elle croit que si je me prends les pieds dans mes jupes étriquées je ferai meilleure impression...

– ... que si tu arrives fagotée comme un marin tout droit sorti des mauvais quartiers, compléta Hindrik. Oui, c'est à peu près ainsi que j'exprimerais la chose. Mais tu ne te prendras pas les pieds dans tes jupes. On peut traverser une pièce d'un seul trait dans des vêtements très ajustés si l'on se concentre suffisamment, ajouta-t-il.

– Je m'exercerai», dit Alisa avec toute la dignité possible, mais dans son for intérieur elle se proposa de dissimuler dans sa caisse à dormir sa blouse, son pantalon et ses mules pour les emporter à Rome. Sait-on jamais.

Hindrik alla chercher une troisième boîte. À ce moment-là seulement, Alisa remarqua que lui aussi était vêtu avec un soin particulier. Il portait un habit droit en soie orange, avec un col montant, des manches étroites et un gilet par-dessous, des culottes de soie jaunes, une cravate blanche avec un jabot de dentelle, des bas blancs et des souliers à boucles noirs – et pas de perruque, naturellement. Au lieu de cela, il avait attaché ses cheveux châtain clair avec un ruban de soie.

«Le tout dernier cri, j'imagine? dit Alisa après l'avoir observé sous toutes les coutures.

– Mais oui, le nec plus ultra de la mode masculine... d'il y a une bonne centaine d'années, déclara Hindrik avec une courbette, et il retourna à ses cercueils.

– Et maintenant, dis-nous à quoi vont servir ces caisses, insista Tammo en s'approchant de lui.

– Dame Elina vous donne une heure pour faire vos bagages

au cas où vous voudriez emporter à Rome quelques-unes de vos petites affaires. Choisissez-vous chacun une boîte et ensuite recouchez-vous dans vos cercueils. Je viendrai plus tard les chercher et je les chargerai sur la carriole qui attend en bas pour nous emmener à la gare.

– Nous allons devoir rester dans nos caisses pendant tout le trajet?» s'écria Alisa. La déception pointait dans sa voix. Hindrik acquiesça.

«Mais alors nous ne profiterons pas du tout du voyage! Je veux dire: le train part vers minuit. Il fera nuit!

– Exact, mais nous allons voyager presque deux jours. Il vaut mieux que nous fassions partie du fret.

– Toi aussi, et dame Elina, et les autres qui nous accompagnent?»

Hindrik hocha la tête.

«Oui, nous voyagerons tous de cette manière. Reint et Anneke viendront avec nous à la gare et veilleront à ce que nous soyons tous bien arrimés – et à ce que personne ne nous dérange pendant notre voyage.» Il se dirigea vers la porte. «Ne lambinez pas. Il faut partir à l'heure.»

Alisa commença à faire ses bagages. Elle y fourra d'abord les journaux qu'elle avait chapardés les nuits précédentes, puis ses livres préférés: *Voyage au centre de la Terre* et *Le Tour du monde en quatre-vingts jours* de Jules Verne, un recueil d'histoires d'Edgar Allan Poe, *Frankenstein* de Marie Wollstonecraft Shelley, et *Erewhon* de Samuel Butler. Encore que ce dernier titre fût celui qui lui plaisait le moins. Comment pouvait-on nourrir des pensées aussi pessimistes face aux inventions et aux découvertes incroyables que les hommes faisaient année après année?

«Comment peux-tu être aussi épouvantablement joyeuse, pestait son frère, qui se tenait les bras croisés devant sa caisse vide. Nous allons devoir aller à l'école! Ça ne te dit rien? Moi, j'ai entendu ce que racontent les enfants des hommes. Je sais ce que ça signifie. Réviser, rester assis en silence, et puis les coups de règle sur les doigts, le piquet. C'en est fini de notre liberté ! Et toi, tu t'en réjouis, en plus ? Je me demande parfois si les femmes sont douées de raison. »

Il recula prudemment de quelques pas, mais sa sœur était bien trop occupée à enfourner dans sa caisse à dormir un ballot de vêtements ainsi qu'un paquet bien ficelé qui émettait un cliquetis suspect.

« C'est quoi ? demanda Tammo.

– Rien qui te concerne, répondit sa sœur en rabattant le couvercle.

– Sans doute encore un de ces trucs complètement inutiles dont les humains ont le secret, marmonna Tammo avec une moue de mépris.

– Ce sera au contraire de la plus grande utilité, répliqua Alisa en tapotant sa caisse avec le plat de la main. J'en suis tout à fait certaine. »

Un homme se tenait caché parmi les ombres de la nuit et observait le personnel de service des chemins de fer occupé à charger dans un wagon plusieurs conteneurs de forme oblongue. Les caisses en bois faisaient près de deux mètres de long et ne devaient pas être légères, à en juger par les gémissements des porteurs. Un homme et une femme, tous deux élégants mais discrètement vêtus de sombre, supervisaient l'opération. Ils se tenaient à distance des lampadaires à gaz qui éclairaient le quai, pourtant il distinguait la pâleur surnaturelle de leurs visages et remarqua que leurs corps étaient dépourvus de la chaude aura des humains.

L'homme se tenait parfaitement immobile, ses yeux ne clignèrent même pas tandis qu'il suivait les progrès de l'opération. Une seule fois, il réajusta sa longue cape noire. Un court

40

instant, une bague étincela à son doigt. Un lézard d'or aux yeux d'émeraude. Puis il se fondit à nouveau dans les ténèbres.

Un contrôleur en uniforme bleu s'approcha des deux étrangers debout près du wagon et échangea quelques mots avec eux. Ses boutons dorés étincelaient à la lueur des réverbères. Il adressa un vague salut à ses deux interlocuteurs puis ferma la lourde porte en fer. Les manutentionnaires s'en allèrent chercher un nouveau chargement de bagages destinés à d'autres wagons également en partance pour le Sud. La femme appuya la paume de sa main contre la porte métallique, baissa la tête et ferma les yeux, comme si elle dialoguait avec quelqu'un. Ses yeux étaient d'un bleu fascinant. L'inconnu se tenait certes beaucoup trop loin pour le vérifier, mais il le savait. Quand elle releva les paupières, son regard parut glisser sur le hangar dans la pénombre duquel il était posté depuis plus de deux heures déjà. L'homme qui l'accompagnait se tourna vers elle et dit quelque chose. Elle fixa encore un instant l'obscurité, puis elle haussa les épaules et suivit le contrôleur et son compagnon qui retournaient dans le hall de la gare.

Celui qui les épiait resta dans sa cachette. Il observa les manœuvres d'autres wagons, leur accrochage. Les manutentionnaires avec leurs charrettes à bras et leurs chariots à ridelles véhiculaient des sacs et des caisses. Puis la locomotive arriva, qui fut accrochée aux wagons. Des hommes en sueur chargèrent du charbon dans le tender. L'inconnu dissimulé dans l'obscurité sursauta. Pour la première fois, un trouble parut le saisir. Une lueur vacillante balaya le quai lorsque le chauffeur entreprit de pelleter du charbon dans la boîte à feu. La chaudière émit ses premiers halètements et, lentement, les roues se mirent en mouvement. Le train passa devant les bâtiments de la gare et s'arrêta, laissant aux voyageurs le temps d'escalader les marchepieds de fer. Cette fois, ça y était. Une cloche, quelque part, sonna minuit, le conducteur de la locomotive tira sur un cordon et un sifflement aigu troua la nuit. Les deux chauffeurs se démenaient, le dos rond, pelletant toujours plus de charbon pour activer la chaudière. Le conducteur se pencha par la fenêtre et leva le pouce, le chef de gare répondit à son signal. Une dernière porte se ferma et le train démarra avec une secousse. Il quitta la gare en ahanant et prit aussitôt de la vitesse, ne laissant derrière lui qu'un nuage de vapeur et de suie qui flotta un long moment sur les voies désertes. On entendit encore un sifflement au loin, puis le silence de la nuit s'abattit sur la gare. L'inconnu attendit encore un certain temps, jusqu'à ce que les réverbères du quai s'éteignent, puis il quitta sa cachette, traversa le hall et sortit dans la rue. Il erra dans la ville, manifestement sans but. À plusieurs reprises, la lueur d'un bec de gaz, tombant sur son visage, éclaira pendant quelques secondes des traits aristocratiques, un nez fin sous la bordure du chapeau haut de forme. Il était grand, mais son corps était presque entièrement enveloppé dans sa vaste cape. Un observateur attentif aurait peut-être remarqué que l'homme ne projetait aucune ombre. Mais à part lui, plus personne n'arpentait la rue à cette heure.

La locomotive lâcha un sifflement strident. Puis les roues se mirent en mouvement. Le corps d'Alisa fut parcouru d'une vibration qui se mua en secousses brutales. Elle était allongée sur le dos dans sa caisse, les mains croisées sur la poitrine, les yeux fermés, et pourtant elle était tout à fait réveillée. Bientôt la vitesse des roues s'accéléra et les trépidations diminuèrent un peu. Un rythme régulier s'instaura, accompagné d'un bruit de fond qui, à chaque point de jonction entre les rails, était interrompu par un bref roulement de tambour. Alisa se concentra un moment sur ces bruits. « Nous allons à Rome, nous allons à Rome », lui murmuraient les rails, et à chaque point de jonction ils soulignaient le mot « Rome » par un petit bond joyeux. Le mouvement de berceuse du wagon aurait dû avoir un effet soporifique, mais Alisa, très agitée au contraire, sentait des fourmis dans ses jambes et elle avait bien du mal à rester tranquille. C'était comme si elle manquait d'air. Absurde, évidemment. Les vampires respirent par habitude et non par nécessité. Pourtant elle se sentait emprisonnée et aurait volontiers fait sauter le couvercle de sa boîte. Que Hindrik avait cloué avec un soin particulier. Alisa sentit le train accélérer. Ils devaient avoir laissé la ville loin derrière eux et rouler maintenant en pleine campagne. Elle chercha à se représenter les pâturages et les forêts qui défilaient, éclairés par la lune. Comme elle aurait aimé voir ça de ses yeux ! Être assise dans un compartiment confortable, pencher la tête par la fenêtre et laisser le vent secouer ses longs cheveux. Au lieu de cela, elle devait se contenter de sons, de sensations, d'odeurs, et tâcher de deviner où ils se trouvaient exactement.

La nuit avançait et, à plusieurs reprises, le train s'arrêta dans une gare. Elle entendit des voix. Elle pouvait même humer le parfum de certains humains quand ils passaient le long de son wagon solidement verrouillé. Lors d'un de ces arrêts, elle réalisa que l'on détachait leur wagon, qui s'immobilisa. Quand se remettraient-ils en route ? Le temps passa, la nuit commença à pâlir. Alisa perçut l'approche du soleil. Son corps devint lourd et bientôt elle ne fut plus capable de rester éveillée et sombra dans le profond sommeil, semblable à la mort, qui est le lot de tous les vampires.

Quand elle s'éveilla, le soir venu, le train roulait de nouveau. Il avançait lentement et elle devina qu'il grimpait une côte. Plus possible, cette fois, de réprimer son agitation, et sa curiosité la tenaillait plus encore que la faim. Il fallait qu'elle bouge à tout prix ! À tâtons, elle chercha le paquet qu'elle avait caché dans sa caisse à dormir.

« Un de ces trucs inutiles des humains », avait dit Tammo. Eh bien, voilà qui allait lui être précieux, au contraire ! Sa main palpa la surface métallique et froide des outils qu'elle avait subtilisés à l'arsenal lors d'une de ses virées nocturnes. Un marteau, des tenailles, une pince-monseigneur et un large coin. Avec ça, elle devrait y arriver ! En faisant le moins de bruit possible, elle s'attaqua aux clous. Au début, les outils dérapaient, parce qu'elle ne pouvait pas se redresser et avait du mal à atteindre les clous. Mais au bout d'un moment, elle en avait éliminé suffisamment pour être en mesure de soulever légèrement le couvercle. Elle fit levier avec la pince pour arracher du bois les dernières pointes, et le couvercle s'ouvrit. Une bouffée merveilleusement fraîche d'air nocturne l'enveloppa. Alisa s'assit et regarda autour d'elle. À côté, il y avait les caisses de Tammo et de Sören et aussi les trois autres qui contenaient leurs affaires. Celles de leurs accompagnateurs étaient empilées un peu plus loin. Alisa dressa l'oreille. Elle n'entendit rien d'autre que le cliquetis des roues et le halètement de la locomotive. Elle sauta par-dessus le rebord de sa caisse et se glissa jusqu'à la large porte coulissante sur le côté du wagon. Elle était fermée et vraisemblablement verrouillée. Mais celle, étroite, qui se trouvait à l'avant se laisserait peut-être ouvrir – avec l'instrument adéquat. Elle retourna en hâte à sa caisse et sortit de son paquet deux fines pointes en fer.

« Alisa ? C'est toi ? » entendit-elle – la voix de Tammo, assourdie par la paroi de bois qui le séparait d'elle. Elle s'immobilisa à côté de la caisse de son frère. « Qu'est-ce que tu fais ? Réponds ! Je sens que c'est toi !

– Oui, je suis là », dit-elle à voix basse et de ses ongles elle gratta légèrement le couvercle. Il lui répondit en toquant de l'intérieur contre la paroi.

« Comment as-tu fait pour sortir ? Moi je ne peux pas bouger de là. Ils ont oublié de clouer ta caisse ?

– Non, ils n'ont pas oublié, répondit Alisa en s'efforçant de ne pas rire. J'étais enfermée aussi bien que toi.

– Et comment as-tu réussi à ouvrir ?

– Je ne te le révélerai pas. Mais je te donne un indice : les "trucs des humains" que tu tiens en si piètre estime y sont pour quelque chose.

– Qu'as-tu l'intention de faire ?

– Je vais vérifier où nous sommes. Et maintenant tiens-toi tranquille. Les autres pourraient t'entendre.

– Je ne me tiens tranquille que si tu me libères, geignit Tammo.

– Oublie ça. Tu restes dans ta boîte. C'est beaucoup trop dangereux. Qu'est-ce que tu t'imagines. Je ne veux pas prendre la responsabilité de te voir te balader n'importe où dans ce train au milieu des passagers, ou même grimper sur le toit. S'il t'arrivait quelque chose, je ne me le pardonnerais pas. Mais quant à moi, c'est exactement ce que je vais faire. Hum, le vent nocturne sur le visage. Comme c'est tentant !

– Sois maudite ! pesta Tammo en toquant à nouveau contre le bois.

– Dors bien, petit frère, et prends des forces. Tu en auras besoin quand nous serons arrivés à destination. »

Alisa se mordit les lèvres pour ne pas rire. Elle se hâta vers la petite porte. Il ne lui fallut que quelques secondes pour ouvrir le cadenas. Le vent s'engouffra dans ses cheveux, dont les épingles s'étaient défaites, et tirailla ses nattes. Alisa sortit sur la plateforme et leva les yeux vers le toit. En posant un pied sur le garde-fou, elle pourrait s'agripper à un angle. Une forte traction. Cela ne posait pas de problème – ou du moins cela n'en aurait pas posé si elle avait porté son pantalon et sa blouse. Alisa baissa les yeux vers ses vêtements tout chiffonnés et pesta. Elle ne pouvait même pas lever le pied assez haut pour le poser sur le garde-fou sans déchirer sa jupe.

Sans hésitation, elle retourna à l'intérieur du wagon, déboutonna les innombrables boutons de son justaucorps, défit lacets et crochets et, d'un seul mouvement, se débarrassa du vêtement ainsi que de ses deux jupes. Sans aucun égard, elle balança le tout par-dessus la caisse. Les chaussures suivirent la même trajectoire. C'est donc pieds nus et vêtue de ses amples jupons lui arrivant aux mollets qu'elle escalada le garde-fou et se hissa sans encombre sur le toit du train.

Si l'espace entre les wagons était déjà venteux, là-haut c'était bel et bien une tempête qui vous soufflait au visage. C'était fantastique ! Elle se tourna et regarda tout autour d'elle. D'abord elle ne vit que des sapins qui se dressaient en rangs serrés. La locomotive montait en peinant un versant montagneux et eut bientôt dépassé les troncs noirs. Alisa s'assit en tailleur et contempla le panorama, émerveillée. La voie ferrée passait au ras d'une paroi abrupte qui semblait monter jusqu'au ciel. Cachée quelque part au fond d'une gorge, une cascade mugissait. De l'autre côté, le regard se perdait au-dessus des pâturages d'herbe juteuse où paissaient çà et là quelques vaches. La lune sortit de derrière les nuages. Les cimes se découpaient dans le ciel nocturne. Les champs de neige alternaient avec les rochers escarpés. La neige scintillait sous la clarté de la lune comme si elle était semée de diamants. Alisa poussa une exclamation de ravissement. Elle n'aurait jamais imaginé que les sommets des Alpes puissent être si hauts et si magnifiques ! L'air ici n'avait pas du tout la même senteur que l'air marin que le vent chassait devant lui là-bas, à la maison. Les odeurs à Hambourg changeaient suivant les marées, les relents lourds et putrides de vieux poisson alternant avec un parfum frais et salé. Quand le vent tombait, l'odeur de fumée des cheminées, celle de l'huile de baleine et du goudron ou celle des becs de gaz dans les ruelles prenaient le pas – sans parler de ce qu'exhalaient tous les humains qui se pressaient dans la ville.

Ici, dans les montagnes, l'air était pur et limpide. Alisa huma l'odeur de roche mouillée, de mousse et de lichen. Un alpage l'enveloppa d'un parfum épicé d'herbes. Les seuls animaux à sang chaud dont elle détecta la présence étaient des vaches et des chèvres.

Un sifflement aigu transperça la nuit. Alisa se retourna. Un petit nuage de vapeur s'échappait de la locomotive. Quand il se fut dissipé, libérant la visibilité vers l'avant du train, Alisa poussa un cri d'effroi. Une paroi rocheuse fonçait droit sur elle. Elle allait être réduite en bouillie! C'est alors qu'elle aperçut l'arche noire sous laquelle la locomotive disparut. Sans réfléchir, Alisa se laissa tomber à plat ventre. Mais déjà la montagne l'avait engloutie. Elle sentit la fumée brûlante sur son visage, et cette fois encore l'idée lui vint qu'elle allait s'étouffer. Le conducteur émit un nouveau coup de sifflet que les parois du tunnel amplifièrent en un hululement assourdissant qui, au bout de plusieurs minutes, résonnait encore dans ses oreilles. Puis ils furent de nouveau à l'air libre. Alisa poussa un gémissement, mais se tut aussitôt. Elle perçut sa présence, mais ne se retourna pas vers lui. Évidemment, l'ignorer ne servait pas à grand-chose. Loin de s'évanouir dans le brouillard, il s'approcha d'elle au contraire et s'accroupit sur ses talons, avec le souci manifeste, méticuleux comme il l'était, de ne pas tacher de suie sa culotte de soie.

«Je crois qu'il serait temps de regagner ta caisse», dit-il d'une voix calme qui ne donnait aucune indication sur son état d'esprit. Était-il contrarié? Franchement en colère? Ou seulement amusé? Peut-être la dernière hypothèse était-elle la bonne car, lorsqu'elle tourna son visage vers lui, Hindrik éclata de rire.

«Eh bien quoi? dit Alisa avec brusquerie.

47

« – Tu vas faire une sacrée impression quand nous arriverons à Rome !

– Pourquoi ? » demanda Alisa en baissant les yeux sur son vêtement. Ses dessous étaient couverts de suie et son visage devait ressembler à celui d'un livreur de charbon. Hindrik lui caressa la joue avec l'index et elle regarda, médusée, le bout du doigt tout noir, puis elle éclata de rire. « Oh non, ça va faire un drame. »

Hindrik hocha la tête.

« Oui, voyons ce qu'on peut encore sauver.

– C'est Tammo qui t'a lancé sur mes traces ?

– Non, ce n'était pas nécessaire. Nous ne sommes pas sourds, figure-toi. Dame Elina m'a chargé de te ramener. » Alisa cacha son visage dans ses mains sales et gémit à voix basse. « Je ne crois pas qu'elle soit très fâchée contre toi. Mais redescends avec nous, maintenant. »

Alisa lui répondit par une moue boudeuse.

« Ah, non ! Regarde un peu autour de toi. Est-ce que ce n'est pas magnifique, ici ? Pourquoi faudrait-il que je retourne m'enterrer dans ma caisse ? La nuit est encore longue – et de toute façon, je suis déjà dégoûtante. Ça ne peut pas être pire. »

Hindrik poussa un soupir.

« Ah oui, ça, on peut le dire. Et je te donne raison. Le paysage est fascinant. Moi non plus, je n'avais jamais vu des montagnes aussi hautes et couvertes de neige. »

Hindrik se tut et pendant un moment il sembla avoir oublié qu'il avait été chargé de la ramener dans le wagon. Ils se tenaient debout côte à côte sur le toit, les yeux tournés vers le col, là-haut, dont le train se rapprochait d'un pas de sénateur.

« C'est le col du Brenner ? » demanda Alisa.

Il acquiesça.

« Oui. C'est le seul passage qui permette à un train de fran-

48

chir les Alpes. Sur le nouveau tronçon de Vienne par le Semmering, il y a une douzaine de tunnels et on passe sous la montagne sur une longueur de un kilomètre et demi. Une performance technique!» Alisa le fixait, ébahie. Il se rengorgea. «Tu n'es pas la seule à t'intéresser aux récentes conquêtes des humains. Je dois avouer que la lecture de tes journaux s'avère parfois tout à fait passionnante.»

Alisa hocha la tête.

«Oui, c'est sûr. À Rome, les articles quotidiens vont me manquer. Certes, je me débrouille à peu près en anglais et en français, mais l'italien...

– Telle que je te connais, tu l'apprendras vite. Et de toute façon, j'ai peine à imaginer qu'avec les cours que tu devras suivre la nuit tu puisses encore trouver le temps de t'ennuyer.

– Espérons-le, dit-elle sur un ton si tragique que l'autre éclata de rire.

– Bon. Allez, viens à présent. Nous allons tâcher de te rendre une apparence à peu près convenable pour que les Romains ne nous considèrent pas comme des barbares.»

Alisa fit la grimace mais le suivit néanmoins à l'intérieur du wagon. Il lui faudrait attendre d'être à Rome pour pouvoir laver ses dessous, mais Hindrik nettoya au moins tant bien que mal la suie sur son visage et sur ses mains. Puis il l'aida à brosser ses cheveux et à refaire son chignon.

«À quoi je ressemble?» demanda-t-elle, et une fois encore elle regretta de ne pas pouvoir vérifier son apparence dans un miroir, comme le font les humains. Cela aurait surtout facilité le combat qu'elle devait livrer tous les soirs contre sa chevelure.

«Ça peut aller, dit Hindrik en lui pinçant la joue. Et maintenant, saute dans ta caisse. Je vais la reclouer et cette fois tu es priée de renoncer à te servir à nouveau de tes outils.

– C'est ce qu'on verra», grommela Alisa en retournant s'allonger sur sa couche.

Hindrik pointa vers elle un index menaçant.

«Dans ce cas, je me vois dans l'obligation de te les confisquer.

– Non!» L'effroi se lisait sur le visage d'Alisa. «Tu ne peux pas faire ça!

– Bien sûr que si. Dame Elina m'a conféré des pouvoirs étendus.

– Très bien, je promets de ne pas faire usage de mes outils jusqu'à Rome», dit Alisa très vite en fourrant ses trésors au fond de sa caisse. Hindrik n'insista pas, il se contenta de refermer le couvercle et d'enfoncer quelques clous. Puis il regagna sa propre couche.

Le calme revint dans le wagon. Alisa prêta à nouveau l'oreille au rythme régulier des roues, dont chaque battement la rapprochait un peu plus de Rome.

La Domus Aurea

Le ciel romain d'un rouge rosé s'était assombri, prenant une teinte d'un violet profond. L'horizon scintilla encore quelques instants, puis les dernières lueurs au-dessus de la mer s'éteignirent et la nuit étendit ses ombres sur la Ville éternelle.

Le silence planait encore sur les chambres de pierre sous les ruines des thermes de Trajan. Dans l'aile ouest, des sarcophages s'alignaient le long des murs. Certains d'entre eux ne présentaient qu'une surface de marbre lisse, d'autres étaient ornés de savants bas-reliefs et d'inscriptions dorées. Soudain, on entendit un crissement. La simple pierre plate qui recouvrait l'une des tombes commença à pivoter, dégageant une étroite ouverture. Des doigts blancs et courts aux ongles rongés surgirent des profondeurs du sarcophage et se figèrent un instant. Un gémissement résonna, répercuté par les parois. Puis la main prit appui contre le couvercle et, d'une forte pression, le repoussa suffisamment sur le côté pour que la créature allongée à l'intérieur puisse s'asseoir. Luciano marmonna quelques jurons en italien et inspira profondément l'air moite de l'édifice vieux de plus de deux mille ans. À présent, dans les tombes voisines également on entendait des grattements et le raclement de la pierre contre la pierre. Une nouvelle nuit s'éveillait.

51

Luciano bâilla de bon cœur et fourragea dans ses cheveux noirs qui se dressaient en bataille sur sa tête comme les piquants d'un hérisson. Il était joufflu avec un corps rondouillard, bien nourri.

« Francesco, où es-tu passé ? Bon sang, j'en ai assez de devoir chaque fois soulever tout seul cette pesante dalle ! À quoi sers-tu si tu es toujours ailleurs quand j'ai besoin de toi ? »

Il n'y eut pas de réponse mais on entendait des voix à quelque distance. Luciano tendit le cou, qu'il avait un peu trop court, et prêta l'oreille. Les hôtes seraient-ils déjà arrivés ? Il oublia sa colère contre son serviteur oublieux de sa tâche. Avec une agilité inattendue vu sa corpulence, il se hissa hors de son sarcophage et d'un geste puissant repoussa la dalle qui ne se remit qu'à moitié en place, si bien qu'elle était maintenant posée en travers sur son socle. Francesco n'aurait qu'à la réajuster plus tard. Qui s'en souciait ? Luciano haussa les épaules et lissa vaguement de la main ses vêtements froissés : avec sa culotte d'un brun profond, il portait une redingote verte sous laquelle on apercevait un gilet à motifs rouges et une cravate jaune. Comme la plupart des membres de la famille Nosferas, en matière de couleurs Luciano aimait les contrastes − et il était constamment en proie à une soif incoercible. Puisqu'il n'avait pas sous la main son ombre pour le servir, il courut lui-même dans la salle au plafond doré pour apaiser ce tiraillement insupportable dans ses mâchoires en buvant du sang d'animal.

« Les hôtes sont-ils déjà arrivés ? » demanda-t-il à la plantureuse femme aux cheveux gris qui lui remplit son verre. Ses vêtements gris, sans aucun ornement, la désignaient comme une impure.

Zita secoua la tête.

« Non, je n'ai pas entendu dire qu'une des calèches était déjà de retour. Ils ont fait atteler avant même le coucher du soleil et ils sont partis dès que le dernier rayon s'est éteint. »

Une femme plus jeune entra, avec un nourrisson dans les bras. Luciano la regarda d'un air béat. Tout le monde aimait la jolie et gaie Raphaela qui depuis quelques années donnait un coup de main à Zita. C'est à elle aussi que revenait désormais la charge de nourrir le bébé toujours affamé, semblait-il, que Melita, la cousine du comte Claudio, s'était procuré après avoir essayé en vain pendant de nombreuses années d'avoir un enfant à elle. Elle s'en était occupée pendant cinq ans mais ne pouvait apparemment plus supporter le petit poison qu'elle confiait de plus en plus fréquemment à Raphaela.

Luciano échangea quelques propos badins avec celle-ci, puis il se tourna à nouveau vers Zita :

« Sais-tu où Francesco est encore allé traîner ? » demanda-t-il en se dressant de toute sa hauteur et en prenant une mine sévère, mais Zita ne parut guère impressionnée. Elle sourit et lui passa la main sur ses cheveux hirsutes.

« Le comte Claudio l'a appelé pour qu'il l'accompagne à la gare. Est-ce que tu as assez bu, mon chéri ? »

Avant que Luciano ait eu le temps de répondre, Chiara surgit en trombe, suivie comme toujours de sa sœur servante Leonarda, à deux pas derrière elle. Chiara avait le même visage rond que son cousin Luciano et des formes féminines déjà opulentes bien qu'elle ne fût âgée que de treize ans, comme lui.

« Viens vite, les voilà ! » D'une main impatiente elle repoussa de son visage ses longs cheveux noirs.

« Qui ? Tous les hôtes ? voulut savoir Luciano, qui trottinait à côté d'elle, le souffle court.

– Non, je n'ai vu jusqu'à présent que les Dracas de Vienne. Ils sont... incroyables ! Mais tu verras par toi-même. » Elle roula les yeux avec un petit rire nerveux.

Luciano s'apprêtait à lui demander ce qu'elle entendait par là quand ils atteignirent la salle octogonale dans laquelle on accueillait les nouveaux arrivants. Le comte Claudio, le chef du clan romain, était là naturellement, entouré des membres les plus importants de la famille, mais Luciano constata aussi la présence de quelques-uns des vénérables, dont le premier d'entre eux, le comte Giuseppe, grand-père de Claudio et son prédécesseur à la tête du clan. Mais ses propres parents n'étaient évidemment pas ce qui intéressait Luciano. Chiara, devant lui, s'arrêta si brusquement qu'il faillit la heurter. Elle croisa les mains sur sa poitrine et poussa un soupir de ravissement. Luciano se faufila à côté d'elle et, suivant son regard, découvrit à son tour les hôtes viennois, dont le comte Claudio était en train de saluer l'arrivée avec force discours. Oui, maintenant il comprenait ce que Chiara avait voulu dire. Ils étaient incroyables ! Tous avaient en commun leur haute stature et la finesse de leurs traits, avec un nez fin et droit. Ils avaient une épaisse chevelure brun foncé, que les femmes relevaient en coiffures très élaborées, tandis que les hommes les portaient mi-longs, avec un nœud orné d'une pierre précieuse sur la nuque. Leur vêtement, taillé dans une étoffe de prix, mettait en valeur leur corps sans défauts. On n'aurait jamais dit qu'ils avaient passé deux jours dans leurs cercueils à faire le voyage de Vienne à Rome en franchissant les Alpes. Non, Luciano aurait plutôt imaginé qu'un essaim de génies venait tout juste de s'affairer autour d'eux afin de les pomponner en prévision de quelque bal à la Hofburg. Il essuya discrètement une tache de poussière sur son pantalon fripé.

Le comte Claudio avait salué avec déférence ses deux visiteurs les plus imposants – ce devait être le baron Maximilian et sa sœur Antonia – et serré la main de leurs accompagnateurs. À présent, il faisait signe à deux jeunes gens et deux jeunes filles de s'avancer et leur souhaitait la bienvenue avec un large sourire. Une des jeunes filles parut à Luciano plus âgée que Chiara et lui de quelques années, l'autre ne devait pas avoir plus de douze ans. Puis l'un des deux garçons s'avança à son tour et se présenta avec grâce au comte Claudio.

« Franz Leopold », énonça-t-il d'une voix au timbre harmonieux.

« N'est-il pas magnifique ? murmura Chiara en gémissant d'aise. Je n'ai jamais vu un être plus beau que lui. Et sa façon de bouger... »

Non sans dépit, Luciano fut obligé de lui donner raison. Le jeune homme s'effaçait à présent, laissant la place au second.

« Je vais te le chercher », dit Luciano, et il se dirigea résolument vers le vampire viennois inconnu.

Chiara posa la paume de sa main entre ses deux seins ronds.

« Je crois que je vais m'évanouir rien que s'il me regarde.

– Ne sois pas ridicule. Il va étudier avec nous, alors viens, allons faire connaissance.

– Salut à toi, Franz Leopold, je m'appelle Luciano et voici Chiara. Bienvenue à... »

Il s'interrompit. Le vampire viennois s'était retourné vers lui et l'examinait avec une expression de dégoût telle que Luciano en resta sans voix. Il éprouva une envie irrépressible de se ronger les ongles mais cela n'aurait fait qu'aggraver son cas. Il se sentait comme paralysé par le regard de l'autre. Les mains qu'il s'apprêtait l'instant d'avant à lui tendre pour accompagner son salut étaient à présent crispées derrière son dos et il sentait ses genoux mollir. Son interlocuteur étira ses jolies lèvres en un sourire. Luciano ignorait jusqu'à cet instant tout le mépris que peut exprimer un sourire.

« Par tous les démons, êtes-vous tous aussi gras et aussi hideux, ici ? On dirait que vous n'avez rien d'autre à faire que vous empiffrer ! Pas étonnant que la Ville éternelle soit depuis longtemps sur le déclin, à ce qu'on dit. Je me demande pourquoi le conseil a décidé de vous sauver de la ruine. Le jeu en vaut-il la chandelle ? » Il regarda autour de lui puis se tourna à nouveau vers Luciano, qui n'avait pas bougé. Ce fut comme si les yeux noirs s'enfonçaient telle une épée dans sa tête. L'expression de Franz Leopold se fit encore plus méprisante, si possible. « Seigneur de l'enfer, que tu es pitoyable. Allez vas-y, ronge-toi donc les ongles si cela te tranquillise. » Il se détourna et alla rejoindre les membres de sa famille, qui affichaient le même air arrogant et prétentieux.

Luciano resta planté là, comme pétrifié, jusqu'au moment où Chiara lui posa une main sur l'épaule.

« Comment a-t-il pu savoir ? » murmura-t-il. Il avait une sensation étrange dans la poitrine, pour un peu il se serait mis à pleurer – s'il en avait été capable.

« Le coup des ongles ? » Elle haussa les épaules. « Il ne pouvait pas le savoir. Il a dû le deviner.

– Ah bon ? » Luciano se tortilla. « Il n'a même pas vu mes mains. Comment cette idée a-t-elle pu lui venir ?

– À moins qu'il ne soit capable de lire dans les pensées d'autrui, dit Chiara d'un air songeur.

– Quelle horrible perspective ! gémit Luciano en cachant son visage dans ses mains. Nulle part je ne serai à l'abri de son mépris.

– Est-ce que tu pensais à tes ongles, à ce moment-là ? » Luciano opina, sans retirer ses mains de son visage.

Chiara soupira.

« Eh bien, ça va être charmant. Et moi qui me disais déjà que les méchantes histoires qu'on raconte à propos des autres clans étaient exagérées ! En tout cas, j'en ai eu ma dose ! Je ne veux plus rien avoir à faire avec eux ! Viens, Leonarda. » Elle fit signe à sa servante et sortit bruyamment. Luciano l'entendit encore qui disait, dans le couloir : « Comment peut-on être à la fois aussi beau et aussi désagréable ! »

Il voulut la suivre, mais la voix du comte Claudio l'arrêta.

« Où veux-tu aller, Luciano ? Reste ici, les autres familles vont arriver d'un moment à l'autre. »

De mauvais gré, Luciano alla se placer près de lui, à côté de Maurizio qui avait un an de plus et suivrait lui aussi les cours de l'institut.

« Ça va être charmant, répéta le cousin de Chiara en faisant la grimace.

– En effet ! Je ne tiendrai pas une nuit dans la même pièce que ces gens-là ! » L'impatience joyeuse qui, une heure auparavant, avait attiré Luciano hors de son sarcophage était bel et bien éteinte.

Alisa ne savait pas comment elle allait pouvoir supporter d'attendre une minute de plus au fond de cette boîte. Le train était arrivé à Rome et enfin elle sentait que l'on déchargeait les caisses et qu'on les hissait dans une calèche. Elle entendit les chevaux s'ébrouer et huma l'odeur de leur sang chaud, ce qui lui rappela qu'elle n'avait rien avalé depuis un temps fou. Mais si elle était incapable de rester tranquille, c'était plus à cause de la tension croissante que de la soif. Du bout du pied, elle tapotait la paroi en planches tandis que la carriole cahotait sur les pavés inégaux. Un brouhaha de voix lui parvenait ainsi que de merveilleux parfums inconnus. Puis la voiture s'arrêta. Une fois encore les caisses furent transportées quelque part. Enfin elle entendit le bruit tant attendu des clous que l'on arrache du bois. Alisa gigotait dans sa caisse jusqu'au moment où, enfin, ce fut son tour. Le couvercle s'ouvrit et la première chose qu'elle vit fut le visage de Hindrik. Il lui sourit et lui tendit la main pour l'aider à se lever.

« Enfin arrivés.

– Et une fois de plus, je suis la dernière à sortir », grommela Alisa en laissant courir son regard sur les autres membres de la famille qui l'attendaient déjà.

Hindrik eut un sourire entendu.

« On ne peut pas dire que tu sois celle qui a passé le plus de temps dans sa caisse.

– Est-ce que dame Elina a dit quelque chose ? » lui glissa-t-elle avec une mine de conspirateur.

Hindrik secoua la tête.

« Ta petite escapade n'aura pas de conséquences, semble-t-il. »

Alisa s'apprêtait à répliquer mais elle sentit le regard du grand chef du clan s'arrêter sur elle. Aussi préféra-t-elle se taire et, les deux mains modestement posées l'une sur l'autre, les yeux baissés, elle rejoignit le groupe. Dame Elina tira un mouchoir de dentelle blanche de son réticule[1] et essuya le cou d'Alisa. La grande femme vampire considéra le mouchoir d'un air perplexe. Le coin de sa bouche frémit.

« C'est étonnant toute cette suie que l'on récolte au cours d'un voyage en train comme celui-ci. »

Alisa bafouilla quelques mots incompréhensibles et fut bien contente de voir surgir un domestique de leurs hôtes, chargé de les conduire dans le hall d'accueil.

Si l'espèce de cave où les Vamalia avaient quitté leurs caisses était austère, humide et sombre, Alisa dut cligner les yeux tant elle fut éblouie quand ils pénétrèrent dans la salle octogonale. D'innombrables bougies brûlaient dans leurs supports fixés aux colonnes qui soutenaient le plafond. Ces colonnes étaient peintes et décorées à la feuille d'or. Des statues de différentes époques, isolées ou composant des groupes, étaient dispersées dans le hall. Cinq pièces disposées en étoile s'ouvraient sur cet espace central, révélant également de magnifiques peintures. La pièce du milieu était dotée d'une fontaine. Alisa compre-

---

1. Petit sac de femme.

nait enfin pourquoi la Domus Aurea s'appelait ainsi – la « Maison dorée ».

« Dame Elina ! Nous vous saluons ainsi que les membres de la famille Vamalia !

– Comte Claudio. »

Un petit vampire doté d'une couronne de cheveux gris souris s'inclina sur la main de dame Elina. Et lorsqu'il se redressa, elle le dépassait encore d'une demi-tête. Il avait un corps volumineux enveloppé d'une tunique flottante rouge qui chatoyait dans la lumière des bougies. C'était le chef de clan des Nosferas, les vampires romains. Alisa ne savait pas trop comment elle se l'était imaginé. À coup sûr pas comme ça. Tout, jusqu'à ses longs ongles pointus, lui donnait un air plus débonnaire que dangereux, mais peut-être ne fallait-il pas s'y fier. En tout cas, on semblait avoir une propension à l'embonpoint dans cette famille, constata Alisa tandis que son regard parcourait l'assemblée. Il s'arrêta sur un vieux vampire assis près d'une colonne. Celui-ci était décharné et la peau, tendue à se rompre, donnait à son visage l'apparence d'une tête de mort. On aurait presque pu croire qu'il ne faisait pas partie des Nosferas. Mais la forme de son nez et l'écartement de ses yeux lui donnaient une ressemblance avec le comte Claudio. Le vieillard répondit au regard d'Alisa et lui fit signe en recourbant son doigt osseux. La jeune fille s'approcha, hésitante.

« Comment t'appelles-tu, mon enfant ?

– Alisa, du clan des Vamalia, dit-elle en s'inclinant poliment.

– Et c'est ainsi qu'on s'habille aujourd'hui à Hambourg ? »
Il pointa l'index, désignant sa robe à tournure.

Alisa soupira.

« Oui, hélas. »

Le vieillard se pencha légèrement en avant.

« Cela ne semble guère commode.

– Ça ne l'est pas du tout, effectivement. Qui êtes-vous ?

– Giuseppe – le comte Giuseppe. Ou du moins l'étais-je, avant que mon petit-fils ne reprenne le titre. » Il désigna du menton le comte Claudio. « À présent je fais partie des vénérables. Mais pendant les cent ans où j'ai dirigé le clan, nous étions grands et puissants, c'est moi qui te le dis. »

Un autre vénérable s'approcha en claudiquant et renchérit :

« Oui, grands, puissants et indépendants. Nous n'étions pas obligés de nous embarquer dans des compromis douteux ni de briguer les faveurs des autres clans. » Son ton était amer. « Et dire que je dois vivre une chose pareille ! »

Alisa ne savait pas ce qu'elle était censée répondre. Par chance, dame Elina l'appela. Aussi, après une rapide courbette, se dépêcha-t-elle de retourner auprès des autres. Dame Elina l'informa de la suite des événements.

« Les délégations de Paris, Vienne et Londres sont déjà arrivées. Elles sont venues par le train comme nous. Le bateau sur lequel voyagent les Lycana d'Irlande n'a pas encore été annoncé. Ils ont probablement dû rencontrer du mauvais temps. Ils ne pourront certainement plus entrer cette nuit dans le port de Civitavecchia. »

Alisa entendit une voix étouffée derrière elle.

« Ils ne vont tout de même pas amener avec eux cette... » Celle qui parlait hésita un instant : « ... cette vieille femme ?

– Je les crois capables de tout, répondit une voix masculine. Elle a déjà eu l'audace de se montrer à Chillon. »

Alisa se retourna mais ne parvint pas à distinguer les deux interlocuteurs car ils se tenaient derrière un groupe de statues. En tout cas ils parlaient allemand avec un accent du Sud.

« Le mieux serait peut-être que le bateau sombre et n'atteigne jamais sa destination, dit la femme.

60

– Chut ! Je ne peux pas t'interdire de le penser, mais évite au moins de le dire tant que nous sommes ici avec les autres. »

Une femme svelte aux cheveux noirs s'éclipsa dans un frou-frou de jupons, suivie par un homme du même gabarit.

Alisa concentra de nouveau une partie de son attention sur dame Elina. Dans la salle au plafond doré ils purent apaiser leur soif, puis on les conduisit à travers la Domus Aurea pour leur montrer leurs chambres à coucher. Alisa se laissa encore une fois distraire. Une silhouette éveilla son intérêt. C'était un vampire d'apparence discrète et d'âge moyen qu'elle n'aurait sans doute pas remarqué s'il s'était déplacé normalement dans le hall. Mais sa façon de glisser d'abord un coup d'œil, dissimulé derrière un pilier, puis de se faufiler à toute allure le long du mur était bizarre. Elle constata aussi qu'il portait des vêtements salis et déchirés au niveau des genoux et des manches. Son regard qui survolait la salle était celui d'un être traqué. Quand le comte Claudio se détourna de ses invités, il se hâta de le rejoindre. Alisa s'approcha en catimini et tendit l'oreille.

« Il s'est volatilisé, dit l'inconnu d'une voix oppressée. Je l'ai accompagné la nuit dernière, comme il le souhaitait, et puis il m'a envoyé au ravitaillement. Quand je suis revenu, il n'était plus là. Je l'ai cherché jusqu'au lever du soleil, mais impossible de le trouver. Il ne me restait pas d'autre solution que de me cacher toute la journée dans une cave. Je ne sais vraiment pas quoi faire. On dirait que le sol l'a englouti ! »

Le comte Claudio ne l'écoutait apparemment que d'une oreille, ou alors l'histoire ne l'intéressait pas.

« De qui parles-tu ? demanda-t-il d'un ton négligent tout en observant un autre groupe qui entrait à ce moment-là dans la salle.

– D'Erado, de votre oncle Erado ! »

Le comte Claudio se retourna vers son interlocuteur. Un éclat étrange brillait dans ses yeux marron.

«Erado a disparu?» L'autre hocha la tête. Alisa perçut son découragement. «Et il n'y a plus d'espoir?» insista le comte Claudio.

L'homme discret haussa les épaules.

«Je peux me remettre en route immédiatement. Je voulais juste vous tenir au courant. Faut-il que je réunisse une équipe de recherche? La plupart des impurs sont en chemin avec les chaises à porteurs. Ils ont emmené les vénérables à l'opéra.»

Le comte Claudio hésita. Il jeta un coup d'œil en direction du vieux Giuseppe, assis droit comme un I dans son fauteuil. Avait-il pu suivre la conversation à cette distance? Alisa sentit qu'on la tirait par la manche.

«Allez, viens, maintenant, bougonna son frère cadet. Il y a enfin du sang. Je suis si affamé que je serais prêt à sauter sur des rats!» Et voilà! Elle avait raté la décision du comte! Déjà le vampire inconnu s'inclinait et quittait la pièce.

«Tammo, tu es vraiment la créature la plus assommante que la terre ait jamais produite!» pesta sa sœur.

Tammo, vexé, lui tourna le dos et s'éloigna. Alisa le suivit aussi vite que le lui permettait sa robe – qu'elle échangerait dès que possible contre quelque chose de plus pratique! En tout cas, elle avait déjà matière à réflexion, alors qu'ils ne séjournaient à la Domus Aurea que depuis une heure à peine. L'année à Rome promettait d'être encore plus intéressante qu'elle ne l'avait espéré!

Après leur repas, un vampire du nom de Lorenzo les conduisit à travers la Domus Aurea. C'était un cousin au deuxième degré du comte Claudio, il avait à peu près la moitié de son âge et aussi la moitié de sa corpulence. Et pourtant sa démarche était aussi lente et dégingandée que celle du chef de la famille. Il leur parla de l'empereur romain Néron sous le règne duquel, en l'an 64 après Jésus-Christ, plusieurs quartiers de Rome avaient été détruits par un incendie. L'empereur avait choisi ce site, avec les collines du Palatin, du Celio et du mont Oppius, et la vallée au centre, pour y édifier le plus grand palais de tous les temps – à l'échelle de sa personne et de son pouvoir ! Un paradis, avec des pavillons et des parcs à l'anglaise, une mer artificielle et des jardins remplis d'animaux exotiques.

« La mer de Néron s'étendait là où se trouve aujourd'hui le Colisée. La Domus Aurea constituait seulement l'aile est du palais et n'était pas conçue pour être le lieu de résidence de l'empereur et de son épouse, expliqua Lorenzo, tandis qu'il les guidait d'une pièce à l'autre dans ce dédale de pierre. C'est ici qu'il conviait ses hôtes importants à de grands festins, avec musique, danse et de nombreuses surprises – par exemple une pluie de roses tombant du plafond. » Lorenzo leur parla aussi des riches fresques qui ornaient les murs et les plafonds, représentant des scènes de la mythologie antique et des paysages fantastiques, et puis des statues et des incroyables pièces d'eau, des plafonds pivotants et des ciels artificiels.

Alisa constata bientôt que l'éclat de cette lointaine époque impériale n'était plus guère perceptible aujourd'hui que dans les zones du bâtiment que la famille considérait comme importantes : essentiellement dans l'aile est, dans les pièces situées autour de la salle octogonale et de la cour, où semblaient loger les vénérables. La salle avec le plafond doré était somptueuse. Alisa soupçonnait que le comte Claudio et quelques membres éminents de la famille devaient avoir fait aménager leurs caveaux avec luxe. C'étaient bien entendu des lieux qu'ils n'auraient pas le droit de visiter.

Les chambres à coucher des jeunes vampires et surtout celles des frères servants, dans l'aile ouest, étaient au contraire austères et humides. Les murs présentaient encore quelques restes des anciennes fresques, mais ici personne ne s'était donné la peine de faire disparaître les stigmates de presque deux mille ans d'existence. Le ruissellement de l'eau avait laissé des traces blanches de calcaire et en de nombreux endroits l'enduit des murs et des plafonds s'était effrité. Seules les parties en brique semblaient avoir laissé peu de prise au temps. Et tandis que les salles d'apparat de l'aile est étincelaient sous une débauche de lumière, ici ils ne passaient que rarement devant une lampe allumée. Mais il est vrai qu'aucun d'entre eux n'avait besoin d'éclairage pour trouver son chemin dans l'obscurité. Alisa tâcha de se concentrer de nouveau sur la voix de Lorenzo.

«Après la mort de Néron, ses successeurs eurent à cœur d'éradiquer le moindre souvenir de lui. Ils asséchèrent la mer et édifièrent sur son emplacement, à l'intention du peuple, le premier amphithéâtre en pierre, le Colisée. Le palais fut abattu.

– Sauf la Domus Aurea. Pourquoi l'avez-vous laissée debout?» voulut savoir Sören.

Leur guide sourit.

«Vous avez sans doute remarqué que nous sommes ici sous la surface du sol, plus précisément sous le mont Oppius. C'est pourquoi il fait humide et frais. Nous devons tout cela à l'empereur Trajan. Il voulait utiliser la Maison dorée comme soubassement pour de nouveaux thermes. Aussi ne l'a-t-il pas détruite. Trajan a fait creuser de longues galeries pour étayer les superstructures sur la colline, il a fait murer les cryptoportiques et remblayer les grandes cours. Au fond de leur tombeau de terre et de pierre, les grandes salles dorées sont tombées dans l'oubli. Même quand les thermes furent depuis longtemps devenus ruines, personne ne se douta jamais de ce qui sommeillait dans les entrailles de cette colline artificielle.

Un endroit idéal pour notre famille ! Peu à peu, nous avons adapté les pièces à nos besoins et à nos goûts. »

L'aube allait poindre quand Lorenzo termina sa visite guidée. Certains membres du clan romain revenaient tout juste de leur sortie nocturne. Jeunes et vieux vampires sautaient de leurs chaises à porteurs et se dirigeaient d'un pas nonchalant vers l'endroit où ils allaient dormir. Leurs tenues multicolores donnaient aux frères servants, tout de gris vêtus, qui avaient transporté leurs chaises, l'allure de rats trottinant alentour.

Quand la cour fut redevenue déserte, Lorenzo accompagna les invités jusqu'à une série de chambres de pierre, au bout de l'aile ouest.

« Nous appelons cette pièce la salle des petits hiboux, expliqua-t-il en désignant les peintures au plafond. Quand il n'y a pas cours, les élèves peuvent se tenir ici ou bien dans les galeries qui traversent l'ancien jardin de la cour. Les garçons dorment dans les chambres de droite, les filles dans celles de gauche. Vos serviteurs trouveront place auprès de nos impurs. À présent, allongez-vous dans vos cercueils. Nous commencerons dès ce soir. »

Marieke, que dame Elina avait choisie avec Hindrik pour accompagner les jeunes vampires, suivit Alisa dans une pièce où quatre lourds sarcophages se dressaient contre l'un des murs. En face, Alisa aperçut sa caisse à dormir ainsi que celle qui contenait ses petites affaires.

« On est obligés de dormir dans ces machins-là ? demanda-t-elle en essayant de pousser le couvercle de pierre, qui ne bougea pas d'un millimètre. Je préférerais ma caisse. »

Son regard alla de Marieke à une jeune fille aux cheveux noirs et à l'allure très féminine – contrairement à Alisa – qui s'avança vers elle la main tendue.

« Salut à toi, dit-elle dans le très ancien idiome des vampires. Tu es originaire du nouveau royaume allemand, c'est cela ? Je ne parle pas l'allemand. Quelle langue bizarre, d'ailleurs. Comment peut-on articuler des sons pareils ? Mon nom à moi, c'est Chiara.

– Je te salue moi aussi. Tu es une Nosferas, ça se voit. Je m'appelle Alisa et voici Marieke. »

Elles se serrèrent la main. Mais quand Marieke s'avança vers elle à son tour, Chiara fit un pas en arrière et croisa les bras derrière son dos.

« N'est-elle pas une ombre ? »

Alisa la fixa sans comprendre.

« Une ombre ?

– Eh bien oui, une impure, une domestique qui doit toujours te suivre et t'obéir. Chacun d'entre nous possède son ombre, non ? La mienne s'appelle Leonarda, elle avait treize ans, l'âge que j'ai maintenant, quand elle a été mordue. C'était il y a cinq ans. Depuis, elle est exclusivement à mon service. »

Alisa regarda la jeune fille en robe grise qui se pressait contre le mur, la tête baissée.

« Chez nous, sais-tu, c'est un peu différent, commença-t-elle avec prudence. Marieke et Hindrik sont des frères servants. Ils sont ici pour nous tenir compagnie mais ce sera plutôt à nous, je le crains, de faire ce qu'ils nous diront. Ils ont pour tâche d'assurer notre sécurité. Ils sont beaucoup plus expérimentés que nous. »

Chiara ouvrit de grands yeux.

« C'est vraiment bizarre. Et vous n'avez pas peur qu'ils s'emparent du pouvoir si vous leur laissez tant de liberté ? »

Alisa haussa les épaules.

« Pourquoi le feraient-ils ? Nous vivons tous ensemble et dame Elina nous dirige avec sagesse. »

À cet instant, une vampire à la mine sévère entra dans la chambre, poussant devant elle une jeune fille qu'elle présenta comme Joanne, du clan des Pyras, de Paris. Joanne était une fille solide au visage large. Elle portait ses cheveux noirs nattés en deux tresses irrégulières. Ses vêtements étaient d'étoffe grossière et rapiécés en plusieurs endroits. Quand elle adressa aux autres un sourire ricanant, on vit qu'il lui manquait deux dents.

«Le jour approche. Vos tombes vous attendent», dit la vampire et d'un geste vigoureux elle repoussa sur le côté un des couvercles de pierre. Elle fit signe à Joanne qui d'un seul bond sauta à l'intérieur et croisa ses mains sur sa poitrine. La dalle fut remise en place. La gracieuse Leonarda avait déjà préparé la couche de Chiara. Marieke aida Alisa à grimper dans le tombeau voisin de celui de Chiara.

«Je préfère aller dans ma caisse, protesta-t-elle. Ici je ne pourrai pas sortir si j'en ai envie, il faudra que j'attende que quelqu'un vienne me libérer !

– Peut-être était-ce justement le but recherché, répliqua Marieke en remettant le lourd couvercle sur son socle. Patientez donc un peu, les jeunes vampires que vous êtes prendront vite de la force et une petite dalle comme celle-ci ne sera bientôt plus un obstacle pour vous.

– À présent, reposez-vous, les enfants. Nous nous voyons ce soir. Et nous allons avoir beaucoup à faire ensemble, je vous le garantis !» déclara la dame sévère, puis ses pas s'éloignèrent, la porte se referma et le silence s'abattit sur la chambre.

Une petite représentation

Alisa s'impatientait déjà quand Marieke, le soir venu, la libéra enfin. Elle était si agitée que sa suivante dut lui enjoindre trois fois de se tenir tranquille avant de réussir à lui natter les cheveux et à les relever en chignon. Elle prit encore le temps de lui brosser ses vêtements et de remettre en forme les plis de sa jupe avant d'autoriser sa protégée à se rendre dans la salle au plafond doré, où les jeunes vampires se réunissaient déjà pour y prendre leur repas de sang. Entre-temps, Leonarda avait également achevé la toilette de Chiara ; Joanne, elle, ne se donna même pas la peine de rafraîchir un peu ses tresses. Ensemble, elles quittèrent la chambre. Tammo et Sören étaient déjà là quand Alisa entra avec les deux autres. Le quatrième sarcophage de leur chambre était resté vide depuis la veille au soir, et pourtant elles constatèrent la présence de quatre jeunes vampires inconnues. Chiara se pencha vers elle :

« Les deux filles d'un blond roux sont Ireen et Rowena de Londres. Je ne peux rien te dire sur elles. Nous n'avons pas échangé trois mots jusqu'à présent.

– Et le grand jeune homme à côté d'elles ? » voulut savoir Alisa. Il lui plaisait. Il était très bien proportionné et ses mouvements avaient quelque chose de calme et de souverain. Sa chevelure blonde avait des reflets légèrement cuivrés dans la lumière des lampes. Ses traits étaient distingués et déjà presque virils. Il devait avoir au moins trois ans de plus qu'elle.

« C'est Malcolm, répondit Chiara. Il a seize ans et ne daignera sans doute pas nous accorder un regard ! » Alisa dut en convenir en son for intérieur. Elle allait poser une nouvelle question à propos des Londoniens lorsque Chiara, désignant deux autres écolières, poursuivit ses explications :

« Regardez-moi ces deux beautés brunes venues de Vienne ! Elles ont fière allure et pourtant ce sont des démons de la pire espèce. Vous voilà prévenues ! Je n'ai pas encore eu beaucoup de rapports avec elles, mais le peu que j'ai eu m'a suffi et je me suis débrouillée pour ne pas avoir à partager la même chambre. Je crois que la petite s'appelle Marie Luise, et l'aînée Anna Christina.

– La plus jeune est vraiment extraordinairement belle, répondit Alisa.

– Oui, reconnut Chiara d'un ton accablé. Et tu verrais son frère ! Franz Leopold. Un type détestable. »

Alisa prit un air interrogateur mais Chiara poussa une exclamation étouffée. Alisa suivit son regard et elle avait beau être prévenue, elle sentit en elle un étrange flottement quand le vampire, enveloppé de la chaude lumière des lampes, s'immobilisa au milieu de la salle. Son visage était impassible, seuls ses yeux sombres et attentifs parcouraient l'assemblée. Alisa laissa échapper un bref soupir. Chiara eut un hochement de tête compréhensif.

« Oui, mais ne te fie pas à sa mine et ne lui adresse surtout pas la parole. Hier, il a gravement offensé mon cousin Luciano. Il est méchant et grossier ! »

À ce moment même, Franz Leopold se tournait vers elles. Chiara ferma les yeux.

J'ai peine à croire que quelqu'un d'aussi beau soit intérieurement le monstre que Chiara décrit, songea Alisa, et elle perçut comme une sourde pression dans sa tête. Les lèvres de Franz Leopold se crispèrent en un sourire qui n'avait rien d'amical.

Crois-tu? Peut-être suis-je encore pire qu'elle le dit! Mais depuis quand un rat peut-il offenser un aigle? L'aigle vole tellement haut au-dessus de sa tête qu'il n'y a aucune raison pour lui de se commettre avec cette vermine au fond d'un marécage.

Il était capable de lire dans ses pensées! C'était inquiétant. Il devait bien exister un moyen de l'en empêcher!

Bien sûr qu'il en existe un. Mais je crains que seules les familles supérieures ne maîtrisent cet art. Et je ne rangerais pas la vôtre dans cette catégorie.

Le bourdonnement dans la tête d'Alisa allait crescendo. Franz Leopold se délectait visiblement de leur malaise. Elle sentit la colère monter en elle. Elle aurait voulu sauter à la gorge de cet arrogant personnage. Mais soudain, elle se vit en train de trébucher dans sa jupe trop étroite et de tomber à ses pieds dans la boue.

Essaie seulement. Les yeux sombres étincelèrent. Était-ce lui qui avait fait surgir cette image et la lui avait envoyée? Alisa savait que certains vampires, doués de puissants pouvoirs mentaux, étaient capables de paralyser leurs victimes d'un simple battement de cils ou de les transformer en esclaves à leur service. Mais elle ne voulait pas croire que Franz Leopold fût un tel champion. Il ne devait pas être plus âgé qu'elle! Elle tenta de réprimer sa fureur et rassembla toute la force de sa volonté pour faire surgir une image qui le montre en gamin pusillanime et jaloux de ses camarades. Elle lui sourit et observa avec satisfaction qu'il sursautait et renonçait pour un instant à ses grands airs. Mais il se ressaisit beaucoup trop vite. Il s'approcha d'elle, et Alisa sentit qu'il s'immisçait encore plus profond dans ses pensées. Elle savait ce qu'il cherchait: ses faiblesses, ses difficultés, pour les savourer et s'en servir à la première occasion afin de la mettre dans l'embarras.

« Arrête ! siffla-t-elle.

– Et pourquoi donc, si j'en tire du plaisir ?

– Parce que tu vas me forcer à te faire souffrir.

– Quoi ? » Il parut estomaqué, mais une seconde après il éclatait de rire. « Je voudrais bien voir ça, par exemple !

– Eh bien tu le verras. » Elle bondit de son siège et se rua hors de la pièce. Elle préférait encore renoncer à son bol de sang plutôt que de devoir rester une minute de plus en sa présence.

De retour dans sa chambre à coucher, elle souleva le couvercle de sa caisse de voyage et fouilla parmi ses trésors à la recherche de quelques objets qui pourraient lui être utiles dans son combat. Si seulement ce réticule n'avait pas été si petit !

« Attends un peu, Franz Leopold, tu vas voir à qui tu as affaire ! » s'écria-t-elle dans le vide, avant de se mettre en route vers la grande cour où ils devaient tous se retrouver après le repas.

Quand Alisa pénétra dans la cour, un étrange spectacle s'offrit à elle. Presque tous les élèves et leurs accompagnateurs étaient déjà réunis ainsi que les membres les plus importants du clan Nosferas, mais alors que ces derniers s'étaient tous agglutinés autour de quelques objets dissimulés sous des toiles, les invités appartenant aux autres familles s'étaient disposés en un large cercle, le plus loin possible des maîtres de maison. Oui, on aurait presque dit qu'ils avaient peur. Surprise, Alisa rejoignit son frère Tammo qui se rongeait nerveusement les ongles.

« Qu'est-ce qui t'arrive ? » Elle n'avait pas terminé sa phrase qu'elle sentit, elle aussi. Quelque chose de douloureux

71

pénétrait dans son corps et commençait à la ronger. Alisa regarda autour d'elle. Elle fit un pas en avant, hors du cercle, et constata aussitôt que la souffrance augmentait. C'était une sensation étrange, comme si son esprit et son corps se désintégraient lentement. Alisa jeta un coup d'œil en direction des Dracas. Elle fut soulagée de voir que le clan viennois se terrait dans un coin. Franz Leopold avait cessé de faire le malin. Même les visages grossiers des Parisiens, les Pyras, grimaçaient de douleur. Les hôtes de Londres, en revanche, luttaient avec succès pour ne pas perdre contenance. Alisa considéra le plus âgé des quatre écoliers anglais, qui avait déjà attiré son attention dans la salle au plafond doré. Malcolm avait une expression tendue, mais il se tenait très raide et regardait droit devant lui. Il paraissait viril et fort.

Luciano et Chiara, quant à eux, étaient manifestement décontractés, bien que, tout comme Maurizio, le troisième écolier romain, ils fussent postés tout près des objets mystérieux. Un gros matou noir se frottait contre les jambes de Maurizio en miaulant. Un peu plus loin derrière, le vénérable Giuseppe était assis sur son fauteuil rembourré, que celui qu'il appelait son ombre, et qui se tenait à présent immobile derrière son maître, était sans doute allé chercher pour lui dans la grande salle. Le vieillard agita son doigt osseux jusqu'à ce que le comte Claudio le rejoigne et se penche vers lui. Quand son grand-père eut formulé sa requête, le comte acquiesça, se redressa et s'avança au centre de la cour. Il frotta ses mains aux doigts épais et courts contre sa poitrine aujourd'hui drapée de violet, et son regard survola l'assemblée.

«Une fois encore, soyez les bienvenus dans notre Domus Aurea. Approchez-vous davantage!» demanda-t-il à ses hôtes, mais aucun ne bougea d'un pouce. Les deux hommes trapus qui se tenaient aux côtés des petits Parisiens montrèrent les dents et feulèrent. Le comte Claudio rit et leur adressa un clin d'œil. « Puisque lors de notre rencontre à Chillon nous n'avons réussi à nous mettre d'accord ni sur le lieu où situer notre école ni sur celui qui la dirigerait, nous avons finalement décidé que nos héritiers recevraient chaque année un enseignement auprès d'une famille différente, afin que leur soit donnée la possibilité d'acquérir les talents particuliers de chacune. Le sort a décidé que la première année se passerait à Rome et sous ma direction. »

Le baron Maximilian souffla d'un air méprisant et sa sœur dit à haute et intelligible voix :

« Quel dommage que nos enfants doivent ainsi gaspiller leur première année de classe. »

Malgré l'offense, le sourire du vampire romain s'élargit encore :

« Gaspiller ? Oh, mes chers amis, vous m'en voyez navré. Puis-je vous prier de vous approcher ? Il faut que vous ayez les meilleures places pour assister à notre petit spectacle ! » Il attendit un moment, mais les Dracas ne bougèrent pas. Le comte haussa les épaules et, s'adressant à toute l'assistance : « Qu'est-ce que vous allez bien pouvoir apprendre parmi nous, jeunes vampires ?

– Comment on se remplit la panse ? » railla Tammo à voix si basse que le comte ne pouvait l'entendre. Sa sœur lui envoya un coup de coude dans les côtes.

« Le moyen d'accroître vos forces, d'étendre votre pouvoir et de dérober à vos ennemis les charmes les plus dangereux qu'ils utilisent pour leur défense ! s'écria le comte Claudio en levant les bras dans un geste théâtral. Commençons ! »

Deux frères servants entrèrent et soulevèrent la toile qui dissimulait le plus gros objet, dévoilant un gros parallélépipède de pierre.

« Spectaculaire, en effet », ironisa Franz Leopold, mais sa

voix tremblait un peu. Le baron et la baronne montrèrent les dents. Quelqu'un poussa un gémissement.

« N'est-ce pas un autel ? » demanda dame Elina.

Le comte Claudio acquiesça, radieux.

« Eh oui, un autel consacré qui provient d'une église tout près d'ici. J'ai chargé deux ombres de nous le rapporter.

– Voulez-vous dire que vos impurs sont capables non seulement de pénétrer dans cette église, mais encore d'y dérober un autel consacré ? » Sa voix d'ordinaire si froide était presque hystérique.

Quand le comte Claudio hocha la tête, un murmure s'éleva parmi les vampires. « Mais oui », dit-il fièrement, et il appuya la paume de sa main sur la surface de pierre polie, sans manifester le moindre signe de malaise.

« Il y a un truc là-dessous, soupçonna Tammo. Ce type ne peut pas faire une chose pareille !

– Je ne sais pas, répliqua Alisa. Peut-être que si. »

Quand le brouhaha se fut calmé, le comte poursuivit.

« Ce n'était qu'un début. » Il fit signe à la vampire d'allure sévère, qu'Alisa avait déjà vue la veille dans la chambre à coucher, d'approcher. « Voici l'honorée *professoressa* Enrica, qui dispensera à nos écoliers des cours d'histoire romaine et d'histoire des premiers chrétiens. C'est précisément en étudiant ces matières qu'elle est devenue une championne dans la lutte contre les forces de l'Église. »

La *signora* Enrica se dirigea vers un objet qui lui arrivait au-dessus du genou. Elle le souleva et ôta la toile qui le recouvrait. Un murmure sans fin s'éleva.

« Un crucifix », gémirent plusieurs voix. La baronne Antonia agitait son éventail avec frénésie pour se donner de l'air et les écoliers viennois paraissaient encore plus pâles que d'habitude. Alisa elle-même ne put réprimer un léger cri et pressa ses deux mains sur sa poitrine douloureuse. C'était comme si sa tête allait éclater en mille morceaux. Elle dut détourner les yeux.

« Ça ne se peut pas », gémit Tammo, qui s'était accroupi par terre à côté d'elle. Sören aussi semblait hagard, et il se rencogna derrière Hindrik en baissant la tête. Alisa jeta un coup d'œil à dame Elina, qui se tenait toujours très droite, mais on sentait bien quel effort sur elle-même cela lui coûtait.

Presque négligemment, la *signora* Enrica posa le crucifix sur l'autel et tira de sa poche un petit récipient. Il était fait d'or et d'argent et orné de pierres précieuses. Volé aussi dans une église, sans nul doute. Elle souleva très haut le calice et l'inclina de telle façon qu'un peu de liquide goutta dans la paume de sa main gauche. Il y eut un grésillement et un dégagement de vapeur, mais quand elle exhiba sa paume, elle était intacte.

« De l'eau bénite ! » On se passait le mot, avec respect.

« Vous connaissez désormais notre championne. Je voudrais à présent vous présenter notre champion dans la lutte contre les forces ecclésiastiques : le *professore* Ruguccio. »

Un homme grand et massif portant un élégant habit de soirée entra. Ses souliers vernis étincelants crissaient à chaque pas. Il ôta le dernier morceau de toile et prit dans sa main un petit coffret de forme cubique, un autre très bel ouvrage d'orfèvrerie. Il souleva le couvercle et en sortit une petite chose plate et blanche. Quand il leva haut le bras pour que tout le monde puisse voir, quelques hôtes hurlèrent : « Une hostie ! » Une vague de panique parcourut la cour.

« En aucun cas il ne peut s'agir d'une véritable hostie, s'écria la baronne.

– Vous êtes sûre ? répliqua le *signore* Ruguccio d'une voix profonde et sonore. Rien ne vous empêche de l'examiner de plus près. » Elle se mit à piailler dès qu'il s'approcha d'elle et cacha son visage derrière ses mains.

75

«Vous me croyez maintenant? Parfait.» Alors, sous les regards épouvantés de ses hôtes, il introduisit l'hostie dans sa bouche.

La baronne Antonia poussa des hurlements hystériques. L'agitation ne retomba que lorsque le comte Claudio eut donné l'ordre à quelques-unes de ses ombres d'emporter les objets sacrés et qu'ils disparurent donc de la vue de tous.

«Je réclame le silence!» Il attendit encore quelques instants, le temps que le calme revienne, puis il reprit la parole. «Bon, je pense que nous avons réussi à dissiper les doutes que conservaient certains d'entre vous. Nos écoliers ont devant eux la perspective d'une année laborieuse et qui sera souvent douloureuse, c'est sûr, mais quand elle se terminera et qu'ils retourneront passer l'été dans leurs familles, ils auront appris l'art de se défendre contre les pouvoirs de l'Église.»

Ses yeux parcoururent l'assemblée. Alisa suivit son regard. Sur les visages elle lut le doute et le refus, mais aussi l'enthousiasme et la renaissance de l'espoir. Elle-même était en proie à des sentiments contradictoires. Elle connaissait les histoires que l'on racontait, à Hambourg, aux jeunes vampires du quartier de Wandrahminsel. Au cours des siècles passés, de nombreux membres de sa famille avaient mordu la poussière. Usant de croix, d'eau bénite et d'hosties, les humains les avaient traqués et anéantis. Et maintenant, ils allaient apprendre à se défendre! Curieux tout de même que ce soient les Nosferas qui en aient trouvé le moyen, dans une ville qui, il y a quelques années encore, était gouvernée par les papes, et où l'on trouvait des centaines d'églises.

Ayant fini son discours, le comte Claudio, d'un signe de tête, déclara la séance levée.

«Et à présent, j'invite mes très honorés invités à une balade nocturne à travers Rome. Initiez-vous à nos merveilles – et à nos délicieuses spécialités!» Il suivit d'un œil attentif les petits groupes qui emboîtaient le pas aux membres de la famille Nosferas en direction de la porte principale de la maison, qui était gardée toute la nuit. Seuls les jeunes vampires et quelques-uns des frères servants furent contraints de rester.

« Qu'est-ce qu'on fait maintenant ? » demanda Tammo en regardant Sören. Alisa ne voulait même pas savoir si la question l'incluait. En fin de compte, les deux garçons choisirent de rester entre eux, exactement de la même façon qu'elle préféra éviter leur compagnie. Aussi s'éloigna-t-elle, seule, et plongée dans ses pensées elle se mit à flâner à travers les salles et les galeries ténébreuses.

Au fond, il n'était peut-être pas si surprenant que ce soient justement les vampires romains qui aient acquis ces talents extraordinaires. La toute-puissance de l'Église dans cette ville ne leur avait sans doute pas laissé d'autre issue. Sinon, ils auraient vraisemblablement été éliminés depuis longtemps.

Alisa s'arrêta un instant pour essayer de s'orienter. Où était-elle ? Elle avait marché au hasard. Personne en vue. Elle glissa un œil à l'intérieur de plusieurs pièces humides, dans lesquelles elle aperçut un alignement de tombeaux et de sarcophages. Ils étaient tous vieux et partiellement endommagés. Ce devaient être les chambres réservées aux ombres, à la limite de l'aile ouest. Alisa fit demi-tour, dans l'intention de se rendre dans sa propre chambre à coucher pour retrouver ses livres et bouquiner un peu, quand elle entendit un drôle de bruit qui venait du côté opposé. Qu'est-ce que c'était ? On aurait dit un gémissement étouffé. Puis comme un bruit de coup. Alisa retroussa ses jupes et bifurqua pour s'engager dans l'immense corridor qui longeait toute l'aile ouest. Il assurait au personnel domestique un accès rapide et discret aux différents secteurs de la Domus Aurea et retenait un peu l'humidité du sol derrière le mur de clôture, à distance des pièces d'habitation. De nouveau elle entendit un gémissement, suivi d'un rire haineux. Elle dévala le couloir jusqu'à l'extrémité de l'aile du bâtiment, où il décrivait une courbe. Là, droit devant elle, éclairées par la lumière trouble d'une petite lampe à huile, elle distingua deux silhouettes contre le mur.

« Quoi ? Je ne comprends pas ce que tu dis », raillait une voix qu'elle aurait reconnue entre mille. Franz Leopold était manifestement tout à fait remis de son malaise !

« Appuie plus fort avec ton pied. Il voudrait avaler encore un peu de poussière », cria une autre voix qui parlait avec le même accent autrichien.

Alisa piqua un sprint et s'arrêta en dérapage contrôlé devant les deux garçons. C'est alors seulement qu'elle remarqua le troisième. Elle connaissait cette chevelure en bataille ! Luciano était allongé par terre, le visage contre le sol, Franz Leopold debout sur son dos, tandis que Karl Philipp pressait sa chaussure contre la joue du malheureux, encourageant son cousin tant et plus. Tous les deux venaient de repérer Alisa.

« Tiens, regarde-moi celle-là, la demoiselle de Hambourg veut s'amuser un peu avec nous ! », s'écria Karl Philipp. La méchanceté luisait sans ses yeux. Alisa était beaucoup trop furieuse pour éprouver la moindre peur. Ces arrogantes petites ordures !

« Oh ça oui, nous allons bien nous amuser ensemble, répliqua-t-elle en fourrant sa main dans son réticule. Et la prochaine fois, je gage que vous y regarderez à deux fois avant de vous en prendre à Luciano. »

Les Dracas éclatèrent d'un rire moqueur. Karl Philipp essaya d'attraper Alisa, mais elle baissa la tête, réussit à passer sous ses bras et courut se retrancher dans l'angle du couloir. Elle entendit sa jupe se déchirer mais n'y prêta pas attention. Sa main se referma sur quelque chose qui avait la couleur de l'argent.

«Cette fois je te tiens», cria le plus âgé des deux garçons d'une voix triomphante. Le visage de Franz Leopold aussi exprimait une excitation joyeuse. Alisa ne se donna même pas la peine de répondre. Elle jeta un coup d'œil en direction de la lampe à huile, puis ferma les yeux en serrant bien les paupières. Son bras se détendit comme un ressort et elle jeta dans la flamme une poignée de cette chose couleur d'argent. Elle entendit le feu siffler puis les deux vampires se mirent à hurler, au comble de la douleur. Comme la clarté violente traversait ses paupières, elle protégea quelques instants son visage avec ses mains. L'éclair éblouissant s'éteignit aussi vite qu'il avait jailli, et pourtant l'effet du magnésium était encore plus sidérant que ce à quoi elle s'était attendue. Ses adversaires titubaient à l'aveugle dans le corridor et gémissaient, les mains pressées contre les yeux. Alisa aurait bien aimé vérifier combien de temps durait l'effet, mais mieux valait ne pas risquer d'être à leur portée quand la souffrance s'estomperait et qu'ils retrouveraient la vue. Aussi se dirigea-t-elle en hâte vers Luciano qui gisait toujours au sol ; elle l'attrapa par le bras et l'aida à se remettre debout.

«Qu'est-ce que c'était ? demanda-t-il d'une voix tremblante.

– Je t'expliquerai ça plus tard. Allez viens, filons !» Elle l'entraîna en le tirant par la manche.

«Je m'en souviendrai !» rugit Franz Leopold quand elle passa près de lui. Elle s'arrêta une seconde, s'approcha de son oreille et susurra :

«J'espère bien ! Je sais me défendre, tiens-le toi pour dit. Et je te garantis que ce n'est pas la seule surprise que je t'ai réservée.» Elle plongea sous ses bras qui la cherchaient à tâtons et, empoignant la main de Luciano, se remit à courir.

«Tout droit le long du couloir, et puis à gauche», articula-t-il d'une voix haletante, lui indiquant ainsi le plus court chemin pour rejoindre la grande cour. Il s'arrêta et elle lui lâcha le bras.

« Tu te sens bien, ça va ? » voulut-elle savoir.

Luciano hocha la tête et essuya ses joues noires de poussière.

« Merci. C'était très courageux de ta part, et très ingénieux aussi. »

Alisa agita la main dans un geste de dédain.

« Bah, n'en parlons plus, ça n'en vaut pas la peine. Mais que s'est-il passé, en fait ?

— Ils m'ont tendu un guet-apens là-haut et ensuite ils ont entrepris de "s'amuser" avec moi, comme ils disent. » Il fit une grimace.

« C'est tout ? Simplement parce que tu étais le premier qui leur tombait sous la main ?

— Non, en fait je ne me désignerais pas exactement comme une victime du hasard.

— Tu leur avais fait quelque chose ? »

Il parut un peu gêné.

« C'était une satisfaction pour moi de vérifier que notre petite démonstration avait guéri les Dracas de leur arrogance. Alors j'ai sauté sur l'occasion de moucher une bonne fois Franz Leopold et son cousin.

— Qu'est-ce que tu leur as dit ? »

Luciano haussa les épaules.

« Je leur ai assuré que j'avais pris grand plaisir au spectacle offert par leur baronne et que je les priais de prendre mon crucifix afin que j'aie à nouveau l'occasion de l'entendre pousser des cris hystériques. »

Alisa, épatée, resta un moment silencieuse puis elle éclata d'un rire sonore.

« Magnifique ! Mais il ne faut pas t'étonner qu'ils ne t'aient pas laissé avoir le dernier mot. »

Luciano hocha la tête d'un air grave, puis il ébaucha un sourire qui se transforma en rire.

« Non, en effet, je ne m'en étonne pas. Mais je n'ai pas pu m'empêcher d'essayer ! Tout s'est bien passé finalement – grâce à ton aide. » Il posa la main sur sa poitrine et s'inclina d'un air grave. « J'ai une dette envers toi et je ne l'oublierai jamais.

– Allons, je l'ai fait bien volontiers. D'autant que j'ai moi aussi un petit compte à régler avec ces messieurs les vaniteux. »

Elle prit congé de Luciano et se mit en route vers la salle des petits hiboux. Elle s'apprêtait à se laisser tomber dans un des confortables fauteuils quand elle reconnut les voix de Franz Leopold et de son cousin. Non, peut-être valait-il mieux laisser passer un peu de temps avant de croiser à nouveau leur chemin. Elle retroussa ses jupes et s'éclipsa sans un bruit.

Elle n'avait pas encore atteint la cour lorsqu'elle entendit des voix provenant de l'une des salles somptueuses réservées aux hôtes. Poussée par la curiosité, elle s'approcha. Impossible de s'y tromper : cette voix nasillarde était celle d'un de ces frimeurs ! Les Dracas étaient en passe de devenir un véritable fléau. Elle allait continuer son chemin quand les paroles du baron l'arrêtèrent net.

« Vous éludez ma question, disait le baron Maximilian avec humeur. Avez-vous oui ou non retrouvé votre oncle égaré ? Vous avez envoyé assez de vos impurs à sa recherche.

– Nous avons bien trouvé quelque chose – pas lui, évidemment, mais quelque chose tout de même. »

Le baron inspira un grand coup.

« Voulez-vous dire par là qu'il a été anéanti ?

– Disons qu'il n'existe plus. Cela se produit quelquefois. »

Alisa étouffa un cri. La voix du comte Claudio, elle, ne donnait aucune indication sur ses sentiments.

«Cela signifierait-il qu'il ne s'agit pas d'un cas unique? intervint la baronne. Que vous avez un problème avec les chasseurs de vampires, ici, à Rome, et que vous n'avez pas jugé bon de nous en informer?»

Le vilain mot était tombé. Les chasseurs de vampires qui, armés de toutes sortes de sortilèges défensifs, partaient en campagne pour dépister des vampires et les anéantir à jamais.

Quand le comte répondit, son ton était toujours impassible.

«De tout temps, il y a eu des humains qui croyaient aux vampires et d'autres non. Parmi ceux qui s'apercevaient de notre existence surgissaient toujours de nouveaux chasseurs de vampires, dont certains rencontraient le succès et d'autres pas. C'est comme les épidémies parmi les hommes. Elles surviennent et exigent des victimes. Et on doit les combattre. Mais cela ne signifie pas qu'Erado ait été victime d'une attaque. Vos vénérables ne s'en vont-ils pas quelquefois de leur plein gré, parce qu'ils sont lassés de vivre? Tôt ou tard. Il faut commencer par vérifier cette hypothèse.

– C'est absurde! Ne détournez pas la question. Vous cherchez à nous jeter de la poudre aux yeux. Erado, partir de son plein gré? À son âge? C'est ridicule! Il a forcément été attaqué. Comment pouvez-vous supposer que nous allons laisser ici, sous votre protection, ce que nous avons de plus précieux au monde, nos derniers descendants, alors que nous devons craindre qu'ils ne deviennent la proie d'un chasseur de vampires?» La baronne hurlait presque.

«Ne vous inquiétez pas, vos enfants sont en sécurité chez nous, répliqua le comte Claudio. La situation est sous contrôle.

– Ah oui? Je crois plutôt que vous n'acceptez pas l'idée que le pouvoir que le sort vous a donné vous soit repris aujourd'hui de plein droit. J'exige que l'académie soit transportée à Vienne, et pour cause. Nos héritiers bénéficieraient chez nous des meilleures conditions.»

À l'idée d'être livrée à la famille de Franz Leopold, Alisa sentit un frisson glacé lui parcourir l'échine. Surtout pas ça !

« Je renouvellerai ce soir ma demande auprès des autres chefs de clan et je vous assure, Claudio, que je n'en démordrai pas tant que tous les écoliers ne seront pas en route pour Vienne ! » Alisa entendit un bruissement de jupes. Elle eut tout juste le temps de se retrancher dans une chambre vide, déjà la baronne se ruait dans le couloir, crinoline au vent.

Le comte Claudio grinça des dents.

« Cette année scolaire aura lieu ici, à la Domus Aurea, ainsi que nous l'avons décidé à Chillon, et ensuite les élèves se rendront en Irlande. » Cette fois Alisa percevait la fureur contenue du Romain.

« Patience. Nous n'avons pas dit notre dernier mot », répliqua le baron. Puis il emboîta le pas à sa sœur, laissant seul le comte Claudio. Alisa entendit un soupir, puis le craquement du fauteuil quand son corps massif s'affala dans les coussins.

Plongée dans ses pensées, Alisa regagna le quartier des élèves. Quelques-uns d'entre eux s'étaient retrouvés dans la salle de réunion où ils étaient installés dans les sièges capitonnés. Cependant, Alisa ne se sentait pas d'humeur à bavarder. Avec qui aurait-elle pu parler de ce qui la tracassait ? Aussi se retira-t-elle dans sa chambre. Elle souleva le couvercle de sa caisse de voyage et en sortit la pile de journaux qu'elle avait apportés avec elle. Le simple fait de les feuilleter, le léger froissement des pages tournées la calmait, l'aidait à réfléchir. Et tandis que ses yeux parcouraient les articles qui relataient les heurs et malheurs des humains, ses pensées la ramenèrent aux paroles qu'elle avait entendues. Elle soupçonnait qu'il ne s'agissait pas seulement d'un vénérable qui, lassé de son existence de vampire, aurait décidé d'en finir. Non, c'était plus grave.

Ivy-Máire

La jeune fille s'ennuyait. Elle s'était laissée tomber dans le fauteuil élimé et la pointe de sa chaussure tambourinait avec impatience sur le tapis aux couleurs passées. Elle jeta un nouveau coup d'œil à la pendule dans le coin de la pièce. Cinq minutes seulement s'étaient écoulées depuis la dernière fois. Latona poussa un long soupir mais personne n'était là pour l'entendre. Combien de temps cela allait-il encore durer ? La nuit avançait, pourtant elle ne ressentait aucune fatigue. Il n'était pas question d'aller se coucher tant que l'oncle se baladait dehors. Dans cette ville de Rome, obscure et dangereuse !

Latona se leva d'un bond et se mit à marcher de long en large. Son regard revenait sans cesse au miroir accroché au-dessus de la commode. Elle s'arrêta. La surface un peu trouble renvoyait l'image d'une personne de taille moyenne, mince, presque maigre même. Les longs cheveux bruns s'échappaient déjà du chignon négligemment noué. Les pommettes étaient saillantes et les yeux de biche, couleur noisette, avaient un regard grave. Elle n'était pas tout à fait ce qu'on appelle une belle fille, hélas, Latona dut le constater une fois de plus. Rien à voir avec ses anciennes compagnes de pensionnat que leurs familles allaient bientôt exposer, dûment pomponnées, sur le marché du mariage et présenter dans les garden-parties et les bals. En revanche, elle faisait plus que ses quatorze ans. Peut-être cela tenait-il à ses yeux, qui avaient vu des choses qui seraient peut-être épargnées à jamais aux autres filles. Des choses qui lui revenaient dans ses rêves. Oui, c'était écrit dans ses yeux noisette. Même l'oncle Carmelo l'avait remarqué.

« Il n'en est pas question », avait-il dit ce soir et cette fois encore, il avait refusé de l'emmener. N'était-il pas un peu tard à présent pour vouloir la tenir en dehors de l'affaire et dans l'ignorance de ce qui allait se passer ? Latona poussa un soupir d'énervement et se remit à marcher. Elle s'arrêta devant le portemanteau dans un coin de la pièce. Là était suspendu le manteau à la mode d'autrefois, avec sa cape d'épaules, que l'oncle ne portait que pour une occasion bien précise. Sa main glissa dans la poche et elle sentit sous ses doigts l'objet qui faisait partie intégrante du costume et du mystère qu'il aurait tant préféré lui cacher. Mais une semaine auparavant, une fois où il avait bu trop de vin, elle avait réussi à lui extorquer quelques phrases qu'il semblait depuis lors regretter. Du moins lui avait-il enjoint à de multiples reprises d'oublier ces propos inconsidérés. C'est pour cette raison justement que Latona les gardait gravés dans sa mémoire et que son esprit y revenait sans cesse. Elle posa le manteau sur ses épaules et s'approcha du miroir. Le lourd tissu lui tombait jusqu'aux chevilles et enveloppait son mince corps de jeune fille en entier. Elle sortit de la poche le masque de velours rouge et le fixa contre son visage. Ses yeux paraissaient presque noirs derrière les fentes et elle se fit l'effet d'être devenue plus grande – plus imposante.

« Le Cercle des masques rouges », murmura-t-elle, et elle écouta ses paroles résonner dans cette pièce sordide. Cette pièce vide dans laquelle son oncle l'avait laissée seule, une fois de plus. Latona serra les poings et fixa dans le miroir son reflet, cette image d'elle si inhabituelle. À partir de maintenant, tout allait changer! C'était désolant d'être toujours traitée comme la petite orpheline dont Carmelo avait dû accepter la charge à contrecœur. Elle était presque adulte maintenant et elle voulait être plus qu'une nièce encombrante. Elle serait sa collaboratrice et sa confidente! Son assistante dans sa chasse contre le Mal de la Nuit!

Le couvercle pivota légèrement.

« Je vous souhaite le bonsoir, mon jeune maître », dit poliment le serviteur. Sans effort apparent, il souleva la lourde dalle et la posa contre le mur. Franz Leopold ne se donna pas la peine de répondre au salut. Sans se presser, il descendit de l'imposant tombeau de pierre. Il ôta ses vêtements de la nuit précédente, qu'il avait gardés pour dormir, et les laissa tomber un à un par terre. Matthias se hâta de les ramasser puis il aida son jeune maître à enfiler un costume neuf auquel il venait juste de donner un dernier coup de brosse, afin qu'aucun grain de poussière ne vînt déparer la fine étoffe noire. Franz Leopold restait planté les bras écartés tandis que Matthias lui passait d'abord sa chemise et sa culotte, lui boutonnait son gilet et lui nouait son nœud papillon blanc. Il attendit patiemment que son serviteur l'ait peigné puis lui ait attaché les cheveux dans la nuque avec un ruban noir. Malgré son corps trapu et ses mains larges, Matthias avait des gestes étonnamment délicats.

Il ne sait que trop bien que je m'entends à le châtier s'il se montre maladroit, songea Franz Leopold en souriant intérieurement. Il parcourut des yeux les cinq tombeaux et constata avec satisfaction que le sien était le plus grand et le plus somptueux. Ceux où dormaient les deux Romains Luciano et Maurizio étaient anciens, avec des inscriptions et des bas-reliefs dégradés par le temps, et le Parisien Fernand dormait même dans un sarcophage de pierre sans la moindre décoration, mais ça ne le dérangeait manifestement pas. Tandis que les Dracas se faisaient habiller de frais par leurs serviteurs et que les deux ombres des jeunes vampires romains s'affairaient à brosser au moins leurs vêtements, Fernand était assis sur le bord de son sarcophage, balançant ses courtes jambes. À douze ans, il était le plus jeune dans ce dortoir. Il n'avait visiblement aucun impur pour s'occuper de lui, et ne semblait pas le regretter outre mesure. En tout cas ses vêtements donnaient l'impression que personne ne s'en était soucié depuis des années. La culotte, sale, faisait des poches aux genoux, la blouse était informe et déchirée en deux endroits. Franz Leopold fit une moue dédaigneuse.

« Je me demande bien dans quelle porcherie vous vivez là-bas, à Paris », dit Karl Philipp, qui avait suivi le regard de son cousin.

Fernand ricana, révélant ainsi qu'il lui manquait une incisive.

« Nous habitons dans un dédale de couloirs et de chambres en dessous de la ville. C'est immense, vous seriez surpris. » Le sujet semblait clos à ses yeux car il se pencha au-dessus de son sarcophage et siffla doucement. On entendit un bruissement et un rat bien nourri surgit, qui grimpa le long de sa manche et se jucha sur son épaule. Il lui caressa le dos.

« Tu t'es procuré toi-même ton petit-déjeuner ! ironisa Franz Leopold. C'est répugnant ! »

Fernand secoua la tête avec vigueur.

« Non, il m'accompagne, je l'emmène partout avec moi.

– Où sommes-nous tombés... », gémit Franz Leopold tandis que Matthias l'aidait à enfiler la veste de son habit à la coupe impeccable. Il quitta le dortoir, la tête haute.

« Non, attendez avant de vous asseoir ! » s'écria la *signora* Enrica en levant les bras. Elle portait à nouveau sa robe sombre toute simple et son chignon sévère.

Les élèves qui s'étaient dirigés en petits groupes vers les bancs à deux places s'immobilisèrent. Les quatre Londoniens de la famille Vyrad étaient déjà assis au premier rang, tandis que Luciano et les deux autres Romains essayaient de se tasser sur les bancs du fond. Franz Leopold restait debout à la porte, l'air de s'ennuyer ferme. La salle de classe était une pièce rectangulaire dont les deux largeurs étaient ornées d'une double rangée de colonnes. Au centre, un mur avait dû autrefois s'élever, que l'on avait abattu par la suite. Une porte s'ouvrait sur un nymphée avec un grand bassin autour duquel étaient rassemblées quelques statues.

« Puisque nous nous proposons, dans le cadre de cette académie, de nous communiquer les uns aux autres nos talents respectifs et notre force au lieu de continuer à nous faire la guerre, nous souhaiterions que des représentants de familles différentes partagent un même banc. À présent, choisissez vos places. »

Franz Leopold observa Luciano qui s'approchait d'Alisa et s'inclinait devant elle.

« Si nous partagions un banc ? »

Elle hocha la tête en souriant et ils s'assirent tous les deux à une table du milieu.

Les tandems se formèrent peu à peu. Chiara, de sa démarche légère, rejoignit le blond et charmant Londonien Raymond sur un banc du premier rang. Son frère aîné partagea le banc voisin avec Anna Christina. Ils avaient seize ans tous les deux, c'étaient les élèves les plus âgés. Tammo, le frère d'Alisa, s'installa près de Joanne, la Parisienne aux épaules carrées. Il se serait bien caché dans le fond de la classe, mais la *signora* Enrica lui fit signe de venir occuper le dernier banc libre au premier rang. Avec un soupir théâtral, Tammo leva les yeux au ciel mais se soumit à son destin.

Tout le monde fut bientôt casé. La plus malheureuse semblait être Marie Luise qui se retrouvait à nouveau contre son gré à côté de Fernand, dont le rat trônait toujours effrontément sur son épaule. La gracieuse petite Viennoise rassembla ses jupes et se glissa le plus loin possible de son crasseux voisin. À la fin, il ne resta plus que deux bancs vides et les deux Dracas. Ils s'assirent derrière Alisa et Luciano. Franz Leopold se pencha en avant et susurra :

« Ah, il est rusé notre petit Luciano, il se réfugie sous les jupes de sa protectrice. » Il glissa un coup d'œil sous leur table. « Passablement déchirées, les jupes, au fait. Ce qui n'a rien d'étonnant quand on considère ton volume, mon gros. Il aurait peut-être fallu qu'elle mette une robe à paniers pour que tu puisses mieux te cacher dessous. »

Une canne de jonc siffla à quelques millimètres de son nez et vint s'abattre avec un bruit sec sur le plateau de la table. Franz Leopold tressaillit. Plusieurs autres élèves, qui bavardaient à voix basse avec leur nouveau voisin de banc ou qui rêvassaient tout simplement dans leur coin, sursautèrent aussi.

Lentement, le regard de Franz Leopold remonta jusqu'au visage blanc de la *professoressa* ; celle-ci, de ses yeux à demi clos, le jaugeait. Il fallait qu'elle soit bigrement rapide pour avoir surgi là sans qu'il l'ait vue venir.

« Tu estimes peut-être que tu n'as pas besoin de m'écouter ? » Son ton était cassant. « Tu es un Dracas de Vienne, pas vrai ? J'ai observé ta famille hier. Vous devriez vous montrer attentifs à ce cours en particulier. J'ai comme l'impression que vos évêques et vos prêtres vous tiennent entre leurs griffes avec une belle efficacité et vous soutirent lentement mais sûrement tout votre sang. Il est de votre devoir d'apprendre comment vous défendre contre eux. C'est le seul moyen pour votre clan d'éviter une ruine certaine. »

Elle se détourna, sa robe ondulant derrière elle, et retourna à son pupitre.

« En fait, mon intention était de vous initier à l'histoire de

Rome et de vous faire un exposé sur les débuts de la foi chrétienne, mais il vaut peut-être mieux remettre ce programme à demain. Commençons plutôt par un exercice pratique. Un volontaire pour une petite expérience?» Elle sourit si largement que ses canines étincelèrent dans la lumière de la lampe. Les élèves échangèrent des regards pas très rassurés. Maurizio et Chiara finirent par lever une main timide. «Merci, mes chéris, mais dans ce cas précis je préférerais un autre candidat. Pourquoi pas toi, Franz Leopold?» Il répondit par un regard glacial au sien, qui n'était pas précisément chaleureux. «Viens un peu par ici!»

Devait-il refuser? Il lisait dans ses yeux son désir de faire un exemple à ses dépens. Pas question de lui accorder ce plaisir. Il se leva aussi lentement que possible et se dirigea en traînant les pieds vers le pupitre de la *signora*. Elle prit un morceau de craie et dessina quelque chose sur le grand tableau d'ardoise fixé au mur.

«Peux-tu me dire de quoi il s'agit?» demanda-t-elle en se tournant vers Franz Leopold.

Il fut tenté de railler ses déplorables talents de dessinatrice mais s'abstint.

«Ça doit représenter un poisson, *signora*», dit-il sans conviction.

Elle acquiesça et poursuivit:

«Oui, c'est exact. Approche-toi et pose tes doigts dessus.»

Qu'est-ce que cela signifiait? Franz Leopold tendit la main et effleura la queue du poisson.

«Voilà. Et alors?»

Au lieu de répondre, la *professoressa* s'approcha du tableau et traça d'un seul geste un signe qui semblait représenter aussi un poisson, mais se composait d'un unique trait évoquant vaguement un huit un peu tronqué.

«Touche-le!»

Franz Leopold leva la main d'un air morne. Mais au moment où il effleurait le trait de craie, il recula, surpris. On aurait dit que la poussière de craie vibrait. Il sentit un picotement dans ses doigts.

« Je comprends à ta mine que tu ressens quelque chose. Décris-nous ton impression », demanda la *professoressa*. Il était encore trop étonné pour lui opposer une quelconque résistance.

Sans plus d'explications, la *signora* Enrica exhiba un petit carreau où figurait le même signe et lui enjoignit de toucher le dessin. Franz Leopold était maintenant averti et s'attendait à une réaction. Pourtant il retira vivement sa main quand une douleur fulgurante irradia dans tout son bras, alors qu'il avait déjà reculé de plusieurs pas !

« Eh bien ? » La *signora* Enrica paraissait tout à fait satisfaite. « Peux-tu expliquer ce phénomène ? »

Franz Leopold secoua la tête et se frotta le bout des doigts. Elle le renvoya à sa place et se tourna vers la classe.

« Quelqu'un connaît-il ce symbole ? »

Luciano leva lentement la main.

« C'est un symbole des premiers chrétiens et en grec ça signifie quelque chose qui avait un rapport avec leur foi. »

Notre petit gros veut se faire mousser auprès de la signora avec ses quelques miettes de connaissances. Franz Leopold tenta de projeter sa pensée vers le banc devant lui et vit avec plaisir Luciano se mettre à bafouiller, puis se taire. Ce fut Malcolm qui, avec son fort accent britannique, compléta la réponse à sa place.

« *Poisson*, en grec, se dit *ichthys*, et les premiers chrétiens ont lu ce mot comme un acrostiche[1] : *Iesous CHristos THeou Yios Soter.* »

---

1. Poème où les initiales de chaque vers, lues dans le sens vertical, composent un nom ou un mot-clé.

La *signora* Enrica acquiesça.

« Exactement. *Jésus-Christ Fils de Dieu Sauveur*. C'était une sorte de profession de foi et un signe de reconnaissance secret. Mais comment se fait-il que Franz Leopold ait pu toucher sans aucun problème le poisson dessiné au tableau noir, alors qu'avec le carreau, il a senti nettement la puissance de l'Église, avant même qu'il y ait eu contact ? C'était douloureux, n'est-ce pas ? »

Le hochement de tête de son élève fit apparaître comme par enchantement un sourire sur son visage revêche. Les jeunes vampires se lançaient des regards perplexes. Quelques-uns haussèrent les épaules.

« Bien, alors une autre question. Si je vous emmenais dans différents endroits de Rome : une vieille église, et puis une de construction récente, qui vient juste d'être consacrée, ou bien une salle de prière au fond des catacombes des premiers chrétiens... À votre avis, quel endroit serait pour vous le plus désagréable ?

– L'église neuve ? proposa Ireen.

– Pourquoi ? » demanda le professeur. Tous les regards se tournèrent vers la benjamine des vampires de Londres. Gênée, Ireen baissa les yeux.

« Je pense que c'est parce que les formules de bénédiction et tous les autres gestes que l'on a faits pour consacrer l'église sont encore récents.

– Le raisonnement se tient, reconnut la *signora* Enrica. Mais ce n'est pas l'élément déterminant ! Même aujourd'hui, alors que votre formation commence à peine, vous ne subiriez pas grand dommage si vous entriez dans une église récente, je vous l'assure. Les croix et les images saintes actuelles ne valent pas grand-chose parce que chez les hommes, de nos jours, l'esprit de la foi se perd. Y compris à Rome ! L'Église abrite sous son manteau une telle hypocrisie, une telle soif de pouvoir ! Ils ne prient plus que pour réclamer argent et gloire. Les mystères ont disparu. La science a pour mission de tout interpréter, tout expliquer. Mais *nous*, ils ne peuvent pas nous expliquer de cette façon, c'est pourquoi beaucoup d'humains rejettent purement et simplement la possibilité même que nous existions. Ce qui est un formidable avantage ! Celui qui ne croit pas en nous n'aura jamais l'idée de se défendre contre nous.

– Dans ce cas, le plus grand pouvoir de l'Église chrétienne est sans doute concentré dans les catacombes », conclut Raymond. Chiara, à côté de lui, hocha vigoureusement la tête. « Oui, même nous – qui pouvons pénétrer dans une église récente sans broncher –, nous avons du mal à y entrer.

– Ce sont bien des sortes de labyrinthes avec des tas de bifurcations ? voulut savoir Joanne.

– Ça, tu peux me croire ! confirma Chiara. À l'extérieur des anciens murs de la ville s'étendent des kilomètres de galeries souterraines, sur plusieurs étages. Je ne sais même pas si nos vénérables les connaissent toutes. »

Les yeux de Joanne s'illuminèrent.

« Comme c'est excitant ! Ça me rappelle notre Paris souterrain. J'aimerais bien voir ça ! »

Tammo, son voisin, prit un air dubitatif et jeta à sa sœur un coup d'œil inquiet.

La *signora* Enrica réclama le silence et récapitula ainsi ce premier cours :

« Un objet sacré tire donc son pouvoir de la foi de l'homme qui l'a fabriqué ou l'utilise.

– Et à quoi ça peut nous servir ? l'interrompit Fernand en passant sa main sale dans ses cheveux qui ne l'étaient pas moins. Si quelque chose est sacré, ça veut dire que c'est dangereux, aussi nous tenons-nous à distance de tout ce qui sent même vaguement l'église. C'est ce qu'on a toujours fait ! »

La *professoressa* pinça les lèvres et regarda le gamin crasseux d'un air contrarié.

« Non, ce n'est pas du tout ce qu'il faut comprendre. Quand nous nous approchons d'un objet ou d'un lieu sacré, nous devons mobiliser tous nos sens pour déterminer l'étendue de son pouvoir. Si nous réussissons à l'évaluer, alors nous pouvons décider si nous sommes oui ou non de taille à affronter les effets qu'il a sur nous. » Elle se tut brusquement. Un imposant matou noir venait de se glisser par la porte entrebâillée et avait couru jusqu'à Maurizio avec, dans la gueule, un gros rat qui se débattait encore. Le garçon prit le rat, lui mordit la gorge et le vida de son sang. Puis il laissa tomber le cadavre du rat sous son pupitre.

La *signora* Enrica explosa :

« Mais qu'est-ce que ça veut dire ? »

Maurizio haussa les épaules.

« Vous savez bien que j'ai dressé mon matou Ottavio pour qu'il me rapporte tous les rats qu'il attrape. » La fierté perçait dans sa voix.

La *signora* le fixa d'un œil noir, son long index pointé vers la dépouille du rat.

« Peu m'importe ce que tu fabriques dehors, dans les ruines, mais ici, dans l'enceinte de cette école, il n'en est pas question. Je ne te le dirai pas deux fois.

– Oui, tante Enrica, dit Maurizio d'une voix traînante.

– Oui, *signora* Enrica ! » le reprit-elle, puis elle se détourna abruptement pour montrer une nouvelle fois à la classe l'antique carreau avec le symbole du poisson. « La première chose, c'est que nous devons toujours nous efforcer d'évaluer les pouvoirs de nos ennemis. C'est le seul moyen de décider si nous allons ou non entrer en conflit avec eux. Pour nous, les Nosferas, c'est un peu plus facile, car nous avons développé au fil des générations une forme de résistance contre les pouvoirs de l'Église. Certains sont mieux armés que d'autres.

– C'est complètement injuste, glissa Tammo à sa voisine de banc.

– Mais vous aussi, vous apprendrez à concentrer vos forces et à les diriger contre une cible.» La *signora* souleva le dessin à bout de bras et son regard parcourut la classe. «Alisa, viens devant.»

Un rire mauvais résonna dans la tête de la jeune fille et son imagination lui fit voir des doigts aux bouts carbonisés. Elle se retourna et jeta un coup d'œil furieux à Franz Leopold, puis elle trottina vers l'estrade, en faisant bien attention que ses jupes ne se soulèvent pas trop.

La *professoressa* lui demanda de tendre sa main et de l'approcher le plus possible du dessin, jusqu'à ce qu'elle sente des picotements. Alisa était encore à plus de cinq pas que déjà l'extrémité de ses doigts commençait à lui faire mal. Elle s'arrêta et regarda la *signora* Enrica d'un air interrogateur. Celle-ci lui expliqua comment elle devait aller chercher l'énergie au fond d'elle-même et organiser ses pensées afin d'en faire un bouclier. À deux reprises, Alisa essaya de suivre la consigne et de se rapprocher de l'image.

«Elle n'y arrivera jamais, dit Franz Leopold avec dédain.

– Tais-toi donc! gronda Tammo. Tu n'y comprends rien. Ce qu'elle sait déjà, tu serais incapable de l'apprendre en cent ans.

– Silence! s'écria la *signora* Enrica. Et toi, concentre-toi!»

Peut-être était-ce sa colère contre Franz Leopold, ou sa propre vulnérabilité, si inhabituelle, en tout cas Alisa eut tout à coup l'impression qu'elle sentait la force en elle. Elle focalisa son attention sur sa main tendue et fit deux pas rapides en avant. Au troisième, un regain de douleur la cloua sur place.

«Bon, ce n'était pas si mal, la félicita la *signora* Enrica. Essaie de t'approcher encore un tout petit peu.»

Après deux autres tentatives, la *signora* arrêta l'exercice. Elle renvoya Alisa à sa place et appela Ireen, qui n'eut pas le temps de venir jusqu'à son pupitre car elle la stoppa net dans son élan.

«Chut!» ordonna-t-elle sur un ton si tranchant que les élèves se turent et que tous les regards convergèrent vers elle. Elle tourna la tête à droite, vers la porte fermée qui était juste à côté de son pupitre. Elle huma l'air ostensiblement. «Un loup?»

Les élèves fixaient eux aussi la porte, derrière laquelle on entendait à présent des bruits étouffés. La poignée s'abaissa, un courant d'air éteignit les lampes les plus proches. Un homme d'un certain âge, maigre comme un clou et dont les cheveux gris avaient gardé quelques éclats roux, entra, suivi d'une jeune femme au visage pur et d'une grande beauté, avec deux nattes rousses qui lui dégringolaient dans le dos. Elle se tenait légèrement en retrait mais son regard attentif parcourait la salle de classe.

«Oui? demanda la *professoressa* d'une voix un peu rogue.

— Ah, *signora* Enrica, si je ne m'abuse? Nous n'avions pas encore eu le plaisir. Je suis Donnchadh, dit-il poliment en inclinant la tête. Et voici mon ombre, Mrs Catriona. Notre vaisseau a dû affronter la tempête, pardonnez notre retard.

— Vous êtes le chef du clan des Lycana, j'ai entendu parler de vous. Soyez les bienvenus», répondit la *signora* qui semblait s'être ressaisie. Pourtant les ailes de son nez se gonflaient et Franz Leopold flairait lui aussi la présence d'une bête sauvage.

«Me voici enfin en mesure de vous présenter nos deux jeunes Lycana d'Irlande.» Donnchadh fit deux pas de côté. On vit d'abord entrer un garçon d'une quinzaine d'années. Il était grand, mince mais musclé, avec des cheveux courts et roux. Son regard grave fit le tour de la classe.

« Celui-ci est Mervyn », déclara le chef de clan. Après une rapide inspection, Franz Leopold le jugea sans intérêt. Ce garçon avait l'air si insignifiant qu'il ne serait bon à rien, ni comme allié ni comme victime. D'ailleurs que pouvait-on attendre d'une famille qui logeait dans une forteresse au milieu de nulle part, avec de l'herbe et des moutons d'un côté et, de l'autre, rien que la mer et des multitudes de mouettes.

« Et voici Ivy-Máire. »

Ce que Franz Leopold vit d'abord, ce fut le loup blanc qui surgit derrière Mervyn. L'animal s'immobilisa un instant et ses yeux jaunes parcoururent avec attention les rangs des jeunes vampires, comme s'il cherchait à repérer un possible danger. Puis il poussa un bref gémissement et alla s'asseoir à l'écart. Franz Leopold avait senti un frisson lui courir dans le dos pendant la fraction de seconde où le regard du loup avait croisé le sien. Il avait baissé la tête et ne la releva que lorsqu'il entendit le murmure qui se répandait dans la salle.

« Ivy-Máire. » Le nom déferla comme une vague jusqu'au fond de la classe quand la vampire fit son entrée. En taille, elle faisait une tête de moins que Mervyn et, physiquement, elle paraissait délicate, oui, presque fragile. Mais ce n'était pas ce qui rendait la bouche de Franz Leopold aussi sèche. Ce n'étaient pas non plus sa chevelure d'un blanc argenté, ni son vêtement sobre, de la même couleur brillante. Elle ne portait pas de bijou, si ce n'est, autour de son poignet, un simple anneau de pierre verte mouchetée. Franz Leopold ne pouvait même pas dire au juste ce qui faisait qu'elle éclipsait toutes les autres, comme la pleine lune couleur de miel ternit l'éclat des minuscules étoiles du ciel nocturne. Elle avait un visage étroit finement dessiné, avec des yeux turquoise. Elle promena autour d'elle un regard alerte puis, inclinant la tête, salua la *professoressa* et ses condisciples d'une voix mélodieuse. Franz Leopold avala sa salive. Des bribes de pensées lui traversaient le cerveau et il avait l'impression que le vertige le ferait tomber s'il cessait de se cramponner des deux mains à son pupitre. C'est à peine s'il entendit la *signora* Enrica saluer les jeunes Irlandais.

« Mervyn, Ivy-Máire, soyez les bienvenus à la Maison dorée. Asseyez-vous afin que nous puissions reprendre le cours. » Son front se plissa tandis que son regard inquisiteur survolait la salle de classe. « Karl Philipp, glisse-toi sur le banc d'à côté, afin que nos deux nouveaux venus puissent s'asseoir parmi vous. Quant à vous, Sir Donnchadh, vous voudrez certainement rejoindre les chefs de clan ? Je pense que le comte Claudio en sera ravi. »

Donnchadh inclina la tête.

« Mais naturellement. Nous ne saurions vous déranger plus longtemps. »

Les Lycana quittèrent la salle et refermèrent la porte derrière eux. Sans manifester la moindre hésitation, Ivy-Máire se dirigea tout droit vers la place que Karl Philipp venait de libérer. Peut-être n'avait-elle même pas conscience de tous les regards braqués sur elle. Elle n'eut pas besoin de donner d'ordre à son loup : il se leva et la suivit. Elle s'arrêta devant Franz Leopold.

« Ça te convient si je m'assieds à côté de toi ? demanda-t-elle et sa voix résonna dans les oreilles du garçon comme le chant des sirènes.

– Oh oui », parvint-il à articuler et il baissa les yeux. Il s'en voulait. Que lui arrivait-il donc ? S'il avait été un humain, il se serait mis à rougir par-dessus le marché ! Pour ne pas en être réduit à fixer bêtement le plateau de sa table, il porta son regard sur Luciano, à l'autre bout de la salle, dont il capta les pensées... et la déception.

Il faut que cette merveilleuse créature aille précisément s'asseoir à côté de ce prétentieux de Dracas!

Franz Leopold lui envoya un ricanement haineux. *Chacun reçoit ce qu'il mérite,* lui dit-il par transmission de pensée. Le gros Romain se détourna et concentra à nouveau son attention sur la *signora* Enrica qui avait repris ses explications là où elle en était restée. Elle appela Anna Christina, mais celle-ci ne réussit pas à approcher à plus de quatre pas du fameux carreau. Fernand, en revanche, s'en tira très bien, et Chiara, forte de son hérédité, parvint même à toucher le dessin.

Franz Leopold ne prêtait aucune attention au cours. Il observait du coin de l'œil sa voisine de banc. Le loup était assis à côté d'elle, telle une statue, et paraissait suivre l'exposé de la *signora* Enrica avec autant d'intérêt que sa maîtresse. Franz Leopold ne pouvait résister. Il fallait qu'il sache quels sentiments animaient Ivy-Máire. Un instant, il se demanda avec inquiétude ce qu'elle pensait de lui, mais ravala aussitôt sa question. Depuis quand se souciait-il de l'opinion des autres? À plus forte raison lorsqu'il s'agissait d'un membre d'une famille aussi médiocre!

Il étendit la portée de son esprit et dirigea sa pensée vers le joli front blanc. Rien. Étrange. Il accentua ses efforts. Rien. Rien du tout!

Ivy-Máire tourna la tête et le regarda tranquillement dans les yeux.

«Ce n'est pas très poli. Et de toute façon, tu n'obtiendras aucun résultat.

– Comment? De quoi parles-tu?»

Elle le gratifia d'un nouveau regard qui lui transperça le corps comme un éclair brûlant, puis se remit à écouter la *signora.*

Franz Leopold serra les poings, furieux. Qu'est-ce qu'elle se figurait, cette môme, à lui parler sur ce ton? Il allait lui apprendre le respect! Petite créature vaniteuse! Avait-elle lu dans ses pensées ou simplement deviné ce qu'il avait fait? Malgré lui, quelque chose comme de l'admiration se mêlait à sa colère. Il sentit le bref regard oblique qu'elle lui jeta, et son sourire fit courir le feu et la glace dans ses veines. Il allait devoir se méfier!

Dans le Colisée

Elle était tout simplement incroyable ! Alisa dut se retenir pour ne pas fixer la jeune fille d'un air béat. Et même lorsqu'elle se tourna à nouveau vers la *professoressa*, elle resta consciente de la présence d'Ivy-Máire dans son dos.

Devait-elle l'aborder à la fin du cours et se présenter, ou bien l'Irlandaise allait-elle la juger importune ? Il fallait qu'elle fasse preuve de tact et évite en tout cas de la lorgner comme certains des jeunes vampires continuaient à le faire. Une occasion finirait bien par s'offrir.

L'occasion se présenta pendant la pause de minuit. La *signora* Enrica prit congé d'eux en leur annonçant que le professeur Ruguccio donnerait le cours suivant dans une demi-heure.

Les vampires quittèrent la salle de classe, s'égaillèrent dans les couloirs pour aller se balader dans la cour ou faire une pause dans la salle des petits hiboux. Partout les conversations tournaient autour de la fille aux cheveux d'argent et de son loup, pour s'interrompre brusquement dès qu'elle se trouvait à portée de voix. L'Irlandaise ne se rendait compte de rien ou alors elle feignait d'ignorer les murmures et les chuchotements d'une façon très convaincante. Après avoir emporté ses effets personnels dans la première chambre à coucher, elle

101

rejoignit les autres – toujours accompagnée de son loup. Luciano s'arrêta au milieu d'une phrase quand Ivy-Máire surgit devant lui et il sourit d'un air benêt. Alisa se demanda s'il fallait s'en agacer ou en rire. Son regard alla de la jeune fille à Franz Leopold, qui fixait Luciano. Le visage du jeune Dracas prit une expression méchante. Il avait manifestement mis en œuvre son pouvoir télépathique et n'allait pas se gêner pour dévoiler devant tout le monde les sentiments de Luciano et ses pensées les plus secrètes. Ce serait un moment douloureux pour le jeune Romain, sans aucun doute, mais que pouvait-elle faire contre ça ?

Franz Leopold ouvrit la bouche, mais avant qu'il ait eu le temps de dire un mot, Ivy-Máire l'interpella :

« Je t'ai déjà fait remarquer une fois que c'était très impoli, dit-elle sur un ton de doux reproche. Quand je t'ai engagé à laisser tomber ce genre de pratique, ce n'était pas uniquement à mon égard. Tu ne devrais pas utiliser tes talents contre des condisciples qui n'ont pas encore appris à protéger leurs pensées. C'est une arme que nous devons réserver pour notre défense et pour la chasse. Vraiment, arrête de te donner tout ce mal. Tu n'arriveras à rien avec moi. »

Et elle lui tourna le dos.

« Ce n'est pas possible, bafouilla Franz Leopold. Seuls les Dracas sont capables de contrôler les pensées. » Il secoua la tête, décontenancé, et sortit sans demander son reste.

Luciano se hissa laborieusement hors de son fauteuil et, d'un pas lourd, se hâta de rejoindre Ivy-Máire.

« Merci, dit-il. C'était très gentil de ta part. Je ne sais pas exactement ce qu'il s'apprêtait à dire, mais ç'aurait été pour moi... » Il se tut et détourna les yeux, gêné.

Ivy-Máire en revanche ne paraissait pas troublée le moins du monde.

« C'était un plaisir pour moi, Luciano. »

Le Romain s'inclina gauchement.

«Je suis à ton service, dit-il, au cas où tu aurais un jour besoin de mon aide. Non pas que je pense que mes forces puissent venir compléter les tiennes, mais...»

Elle l'interrompit.

«Je te remercie et j'accepte ton offre. Que dirais-tu de m'emmener faire un petit tour dans votre royaume? Je crois qu'après le dernier cours nous aurons suffisamment de temps avant que l'aube ne nous oblige à regagner nos tombeaux.

– Oh oui, répondit Luciano radieux, si tu veux je te montrerai le Colisée et les ruines sur le mont Palatin.»

Ivy-Máire sourit.

«Ça a l'air passionnant. Est-ce que nous pouvons y aller seuls ou bien nous faut-il une escorte?» Elle fit un signe en direction des frères servants qui s'étaient retirés dans un coin de la pièce sans quitter toutefois leurs protégés des yeux.

«Si j'ordonne à Francesco de rester ici, il respectera mon désir!

– Parfait.» Elle sourit. «Je suis impatiente.»

Luciano jeta un coup d'œil oblique et se mit à tirailler sur sa veste avec ses ongles rongés.

«Si ça ne te dérange pas, nous pourrions demander à Alisa, de la famille des Vamalia de Hambourg, de nous accompagner.»

Le regard d'Ivy-Máire se tourna vers la jeune fille qui s'efforça de prendre un air détaché; elle se demandait si Luciano avait simplement peur de se retrouver seul avec l'Irlandaise ou s'il éprouvait déjà des sentiments suffisamment amicaux à son égard pour vouloir lui montrer à elle aussi les ruines romaines.

Ivy-Máire vint vers elle, la main tendue.

«Mais bien sûr! Je me réjouis de faire ta connaissance. Je m'appelle Ivy.» Elles échangèrent une poignée de main solennelle. Alisa jaugea Ivy, mais ne découvrit en elle aucune méchanceté, aucune perfidie cachée. Peut-être était-elle réellement aussi bienveillante qu'elle le paraissait. Et pourtant Alisa avait la sensation d'une barrière, un mur infranchissable qui entourait la jeune fille, maintenant fermement à l'extérieur tout ce qui ne devait pas entrer. La franchise de la jeune vampire n'allait pas au-delà des limites qu'elle s'imposait. Elle devait savoir garder pour elle ses secrets en toutes circonstances. Et des secrets, elle n'en manquait pas, Alisa en était persuadée !

« Moi aussi, je m'en réjouis, Ivy. » Son regard se posa sur le loup dont les yeux jaunes l'observaient. Elle approcha de sa tête une main hésitante. Le loup ne bougea pas d'un pouce, mais les poils de sa nuque se hérissèrent. Alisa regarda Ivy d'un air interrogateur. « Est-ce qu'il va me mordre ? »

À sa grande surprise, Ivy traduisit sa question à l'intéressé. Alisa comprit seulement le nom du loup : Seymour. Peut-être parlait-elle gaélique avec lui. Le loup poussa un court gémissement, puis ses poils se couchèrent.

« Tu peux le toucher, dit simplement Ivy.

– Seymour », répéta Alisa en posant la main sur la nuque de l'animal. Comme ce contact était doux !

« C'est un grand honneur, sais-tu ? Il a ses préférences et d'ordinaire il n'apprécie pas du tout qu'un étranger le touche.

– Il est magnifique », s'extasia Alisa.

Le sourire d'Ivy s'effaça.

« Oui, mais c'est aussi mon ombre, et je ne peux pas lui ordonner de ne pas me suivre aussi facilement que je le souhaiterais.

– Ce n'est qu'un loup, objecta Alisa, et pas un vampire adulte qui vient sans arrêt mettre son grain de sel et vous gâcher le plaisir. Nous, à Hambourg, nous n'avons pas d'ombres. Nous vivons tous ensemble, ce qui a ses avantages et ses inconvénients. Dame Elina a décrété que Hindrik était responsable de nous si bien qu'il ne doit jamais nous perdre de vue. Et quand on n'a pas envie qu'il soit là, on ne peut pas le renvoyer aussi facilement que Luciano le fait avec son Francesco. C'est lui qui décide si ce que nous projetons de faire présente un danger et si nous avons besoin de sa protection.

– Dans ce cas, il faudra nous éclipser le plus discrètement possible tout à l'heure, proposa Ivy.

– Il le faudra, oui ! »

Les jeunes vampires n'apprirent pas grand-chose de plus au cours de la seconde moitié de la nuit. Le professeur Ruguccio leur fit encore pratiquer quelques exercices de défense, plutôt faciles, puis un bruit de pas dans le couloir détourna une nouvelle fois l'attention des élèves. Toutes les têtes se tournèrent vers la gauche quand la porte s'ouvrit, livrant passage au comte Claudio – vêtu aujourd'hui d'un costume bleu roi avec des broderies d'or du plus bel effet. Derrière lui entrèrent les autres chefs de clan accompagnés de leur suite. Le professeur Ruguccio inclina la tête et céda la place au comte qui se posta aussitôt devant le pupitre. Il frotta l'une contre l'autre ses mains dodues et joignit ses grands ongles.

« Héritiers des Nosferas, des Pyras et des Vamalia, des Dracas, des Vyrad et des Lycana, entonna-t-il, votre formation a commencé cette nuit. Quant à nous, les chefs de vos familles, nous ne nous sommes pas non plus tourné les pouces pendant ce temps-là et nous avons rassemblé ce dont vous avez besoin pour la suite de votre apprentissage. Nous avons apporté des livres qui vous familiariseront avec l'histoire de Rome et avec notre langue et vous dévoileront bien d'autres secrets. Ils vous aideront à venir à bout des épreuves que nous avons imaginées pour vous dans nos vastes salles souterraines. »

Des livres ! Alisa avait peine à cacher sa joie. Mais elle constatait aussi que les autres élèves ne manifestaient pas le même enthousiasme. Seuls Ivy et les Anglais semblaient accueillir cette annonce avec plus de plaisir que d'effroi. Deux frères servants entrèrent, les bras chargés de grosses caisses, et entreprirent de répartir les ouvrages. Puis chaque chef de clan remit aux membres de sa famille des cartables remplis. Tous n'avaient pas été traités de manière identique, cela sautait aux yeux. Alisa grimaça intérieurement quand elle se saisit de son sac très ordinaire en cuir marron. Le cartable de Luciano, en revanche, était en cuir fin et souple, noir avec des coutures en relief et une boucle argentée. Mais lui non plus ne pouvait pas rivaliser avec le luxe des cartables viennois. Marie Luise caressait avec un sourire radieux la courroie dorée, sertie de minuscules pierres précieuses. Fernand tendit le bras pour toucher le sac de sa camarade, mais elle le lui retira vivement avec un regard assassin.

« Ôte tes sales doigts de mes affaires. »

Fernand se contenta de hausser les épaules. Il prit son rat, juché sur son épaule, ouvrit son sac et laissa sa bestiole chérie en flairer l'intérieur à loisir. Le rat disparut dans les entrailles du banal cartable de cuir et s'installa à son aise entre le papier, les plumes et l'encrier. Maurizio profita du chahut dans la classe pour faire entrer Ottavio par la porte de derrière et lui faucher sa proie. Il avala d'un trait le sang du rat avant que quiconque ait pu intervenir, puis repoussa le chat et le cadavre du rat dehors à travers la porte entrebâillée.

C'est le moment que choisit le comte Claudio pour reprendre la parole.

« L'heure du départ approche. »

« S'il pouvait pleurer, il irait certainement de sa larme, persifla Franz Leopold. Et pourtant il doit être diablement content de les voir tous quitter sa maison. Ce qui est sans doute largement réciproque.»

Alisa ne put que lui donner secrètement raison. Entre les grands chefs des familles régnait une tension palpable. Dame Elina semblait avoir eu un litige avec les deux seigneurs de Paris, en tout cas ils continuaient à la toiser sans aménité, et la dispute entre les Dracas et le comte, dont Alisa avait entendu des bribes, couvait toujours. Le Romain ou peut-être l'ensemble du conseil des chefs de clan avait, il est vrai, obligé les deux prétentieux à en rabattre provisoirement, mais Alisa devinait que le frère et la sœur ne céderaient pas aussi vite.

Eh bien soit, l'année scolaire débuterait à Rome. Mais ce n'était qu'un recul provisoire, semblait dire le regard de la baronne.

Seule la délégation irlandaise paraissait ne pas se soucier de la querelle. Le chef de clan Donnchadh restait légèrement à l'écart. La belle impure qu'il avait choisie comme ombre se tenait derrière lui, tout près, et lui murmurait de temps à autre quelque chose à l'oreille.

Enfin tous les discours d'adieux s'achevèrent, et les voyageurs se rendirent dans la cour où ils prirent place dans les cercueils qui allaient les abriter pour leur voyage de retour. Des courroies furent bouclées, des petits verrous poussés, des clés tournèrent dans des serrures. Puis les frères servants chargèrent les voitures qui les emporteraient vers la gare ou vers le port.

Les élèves, qui s'étaient rassemblés dans la cour pour dire au revoir, assistaient à la scène. La plupart d'entre eux avaient l'air plutôt soulagés.

«Vous avez de la chance, soupira Luciano en prenant le bras d'Alisa.

– Pourquoi?

– Vous pouvez renvoyer presque tous les vôtres à la maison.

107

Tandis que nous, nous allons être surveillés toute l'année par des milliards de regards sévères. »

Alisa eut un sourire coquin.

« Eh bien ce sera le moment de vérifier si nous sommes capables de leur échapper.

– Bonne idée ! s'écria Luciano radieux. Je suis partant ! »

Les trois jeunes vampires se glissèrent par l'entrebâillement de la porte secrète à laquelle Luciano les avait conduits. Le loup blanc se faufila le dernier, juste avant que Luciano ne referme précautionneusement derrière eux. Ils se tapirent derrière un buisson et attendirent quelques instants, au cas où quelqu'un leur crierait de rentrer, mais le silence était total.

« C'est bon, allons-y ! » s'écria crânement Luciano. Le loup fut le seul à remarquer qu'une silhouette franchissait la porte et les suivait à bonne distance.

Luciano se dirigea tout droit vers le Colisée qui se dressait devant eux. Ici, du côté qui faisait face à la colline, le mur d'enceinte circulaire était encore debout, avec ses quatre étages impressionnants : trois niveaux d'arcades superposées et le quatrième pourvu de petites fenêtres carrées. Quand ils atteignirent le pied des murailles, Alisa se dévissa le cou pour mieux voir.

« Quelle hauteur a ce mur ? C'est stupéfiant ! Ce doit être plus haut que le plus haut des mâts.

– Quatre-vingts pas. »

Alisa réfléchit.

« Autrement dit, soixante mètres. C'est énorme ! »

Le loup poussa un gémissement et se pressa tout contre Ivy.

« Qu'est-ce qui lui arrive ? demanda Luciano. Allons, ne t'inquiète pas. Personne ne chasse plus ici depuis le VIe siècle. » Il tendit la main pour flatter le loup, mais l'animal se mit à grogner et à montrer les dents. Luciano battit en retraite.

« Je croyais que dans les jeux du cirque, c'étaient les hommes qui étaient pourchassés par des loups et autres bêtes féroces, et pas l'inverse », fit remarquer Alisa.

Luciano acquiesça.

« C'est exact, quand ce n'étaient pas des gladiateurs qui devaient se battre entre eux. Mais ces pratiques-là ont cessé bien plus tôt encore.

– Les humains nous ressemblent beaucoup plus qu'ils ne le croient, dit Ivy, les yeux brillants. Eux aussi connaissent la fièvre de la chasse et la soif de sang, même s'ils parviennent à dissimuler tant bien que mal cette exigence de leur nature sous les jolis atours de ce qu'ils nomment civilisation.

– Si tu le dis », marmonna Luciano, manifestement sceptique. Et sans lui laisser le temps de développer ces considérations philosophiques, il invita les deux jeunes filles à poursuivre la visite. « Ce devait être magnifique autrefois. Un de nos vénérables a passé plus de cent ans à rassembler tous les documents qu'il a pu trouver. Il possède aussi des croquis qui montrent qu'il y avait des statues partout sous les arcs. Et une gigantesque bâche tendue fournissait de l'ombre aux visiteurs. »

L'amphithéâtre romain était à présent enfoui sous ses propres décombres, si bien qu'on ne pouvait plus accéder à l'intérieur par les couloirs voûtés d'origine.

Luciano s'arrêta et désigna une ouverture dans le sol.

« Si on se faufile dans ce trou, on arrive dans la partie souterraine du théâtre et, de là, jusqu'à l'arène et aux gradins. »

Le dos courbé, ils se glissèrent dans l'étroit passage qui ne tarda pas à devenir plus haut de plafond, si bien qu'Ivy au moins pouvait marcher en se tenant droite. Ils atteignirent des petites pièces et des corridors à moitié ensevelis. Les murs étaient courbes et les couloirs se rejoignaient en formant des

109

angles aigus, comme s'ils se trouvaient dans la coque d'un gigantesque bateau.

« C'est ici que devaient se trouver les cages des bêtes féroces et les cellules des prisonniers qu'on leur jetait en pâture, expliqua Luciano. Et à cet endroit on avait probablement construit des plateformes en bois qui, actionnées par des cordes et des treuils, faisaient office de monte-charge.

– Et les gladiateurs ? voulut savoir Alisa. Ils habitaient là-dessous, eux aussi ? » Elle regardait autour d'elle avec beaucoup d'intérêt. Tout cela était très vieux, certes, et à moitié en ruine, mais à l'époque déjà, ce devait être passablement exigu et inconfortable.

« C'est certainement ici qu'ils s'équipaient de leurs casques et de leurs jambières et attendaient le moment d'aller se battre, mais ils logeaient et s'entraînaient dans des casernes, à l'extérieur. »

Ils poursuivirent leur chemin. Il leur fallait sans cesse contourner des monceaux de pierres et de gravats. À un moment, ils parvinrent à un endroit où il y avait un trou dans le plafond, et ils aperçurent un instant le ciel nocturne.

« Le vénérable Giuseppe raconte qu'il y a une centaine d'années, dit Luciano, les humains sont descendus par là en se servant d'échelles. Ils se sont promenés alentour avec des flambeaux et des lampes, émerveillés, et en prenant plaisir à se faire peur. Oui, sur les gradins, en haut, avaient lieu de véritables parties de pique-nique. Les gens trouvaient particulièrement romantique de se balader sous les étoiles, parmi les ruines. »

Alisa regarda le ciel. Les nuages découvrirent un étroit croissant de lune, dont la lueur faisait briller les cheveux d'Ivy comme de l'argent liquide.

Luciano poursuivit :

« Les hommes se sont soudain mis à s'intéresser aux ruines.

Ils ont entrepris de consolider les murs, de les débarrasser des broussailles et des mauvaises herbes et d'exhumer les temples et les palais. Ce fut une époque horripilante, je me l'imagine sans peine. Bien des Nosferas redoutaient que les humains se rappellent l'existence de la Maison dorée et réussissent à y pénétrer malgré toutes nos mesures défensives. Et puis les hommes se sont de nouveau éclipsés et le calme est revenu sur les sites et dans le Colisée.

– Ils ont cessé de fouiller ? demanda Ivy.

– Oui, affirma Luciano. Peut-être ont-ils cessé de s'intéresser aux temps anciens. Ils ont d'autres chats à fouetter maintenant que le pape a perdu le pouvoir et que Rome est devenue la capitale d'un nouveau royaume. À ce qu'il semble, les Romains ne sont plus obligés de se soucier de l'antique splendeur impériale de leur ville, ils peuvent oublier leurs ruines – et nous en abandonner la jouissance ! »

Ils avaient entre-temps grimpé une rampe abrupte et se tenaient à présent à l'intérieur de l'amphithéâtre. Là aussi, le spectacle était imposant. On pouvait imaginer, en bas dans l'arène ovale, les gladiateurs avec leur épée et leur bouclier, ou bien armés d'un trident et d'un filet, en train de défendre chèrement leur vie, accompagnés par les cris assourdissants des milliers de spectateurs assis sur les gradins. Luciano désigna les arcs à moitié écroulés de part et d'autre de l'arène.

« Là, à l'ouest, c'est la *porta triumphalis* par laquelle les gladiateurs pénétraient sur le lieu du combat. Et par la *porta libitinaria*, à l'est, on évacuait leurs cadavres. »

Le loup se pressa contre Ivy en montrant les crocs. Nerveux, il remuait les oreilles.

« Seymour voudrait qu'on s'en aille. »

Les autres acquiescèrent. Luciano venait de faire demi-tour pour rejoindre la rampe lorsque Ivy le saisit par le bras.

111

« Tu as entendu ? Je crois que nous ne sommes pas les seuls visiteurs, cette nuit. »

Luciano rejeta sa remarque avec un geste désinvolte.

« Ce ne sont que quelques pierres qui s'éboulent. Ça arrive tout le temps, ici.

– Nous ne sommes plus seuls, insista Ivy, la main posée sur la nuque du loup. Seymour a flairé une présence. »

Ils se cachèrent tous les trois derrière un bloc de pierre mais ils eurent beau observer alentour, ils ne détectèrent aucun mouvement ni cette aura de chaleur qui trahit l'homme.

« Venez ! murmura Luciano. Il y a un autre chemin pour sortir d'ici. » Il se mit en marche, courbé en deux. Mais pas aussi silencieusement qu'Alisa l'aurait souhaité. Contrairement à Ivy, dont l'oreille la plus fine n'aurait pu discerner les pas, Luciano faisait crisser le sol sous ses semelles et butait de temps en temps sur un caillou qui roulait jusqu'en bas des gradins. Même un humain, avec son ouïe médiocre, n'aurait eu aucun mal à suivre sa piste.

À leur grand soulagement, ils ne tardèrent pas à atteindre un escalier très endommagé qui les mena deux niveaux plus bas. Ils franchirent un arc en rampant puis dégringolèrent une butte de gravats qui débouchait sur des buissons de prunelles. Alisa dégagea sa manche prise dans les épines.

« Cachons-nous dans ce petit recoin, juste là, et nous verrons bien si nous avons de la compagnie. » Les autres la suivirent.

« Que dit Seymour ? » lui demanda Luciano à l'oreille. Ivy caressa la tête et la nuque du loup.

« Il n'est pas tranquille. Mais regardez, il flaire quelque chose dans l'autre direction. Est-ce qu'il y a aussi une sortie, par là ?

– Oui, mais ce n'est pas une issue que l'on puisse atteindre aussi vite. Il faut d'abord rejoindre par l'intérieur la partie opposée du bâtiment et puis traverser l'hypogée[1] que nous avons vu au début.» Il avait l'air perplexe.

«Peut-être que tu ne connais pas tous les passages?» suggéra Alisa. Luciano eut un geste de dénégation. «Ou alors nous avons affaire à plusieurs poursuivants et ils se sont séparés. Approchons-nous encore un peu.»

Ivy leva la tête et huma l'air.

«C'est un humain. J'en ai la certitude. Ne le sentez-vous pas?

– Une femme, précisa Luciano, non sans surprise. Seule, à cette heure de la nuit? Bizarre.» Ils avancèrent encore de quelques pas. Oui, là-bas, sous la prochaine arcade, une ombre. Ils percevaient la chaude aura d'un humain.

Au moment où Luciano faisait signe aux deux filles d'avancer, une pierre se mit à dévaler la rampe qu'ils avaient empruntée un peu plus tôt pour quitter le théâtre.

«Voilà quelqu'un! souffla Alisa. Cachez-vous!»

Une silhouette sombre enveloppée d'un long manteau surgit sous la voûte. Les trois vampires se plaquèrent au sol. Seymour émit un grondement menaçant.

Le clocher de l'église Santa Francesca Romana sonna trois coups qui allèrent se perdre sur la vaste place devant le Colisée. La femme ajusta son voile. Trois heures! Cela faisait déjà une heure de retard! Elle tendit l'oreille. Rien. Pas un pas, pas une voix. Seule une petite chouette poussa son hululement nocturne et un souffle d'air froid lui caressa la joue. Elle sursauta et se tapit encore un peu plus contre les blocs de pierre qui pendant près de deux mille ans avaient été assujettis en un mur solide mais saillaient à présent au-dessus de sa

---

1. Construction souterraine.

tête. Son long vêtement noir se fondait parmi les ombres de la nuit.

Pourquoi ne venait-il pas ? Lui était-il arrivé quelque chose ? Ou bien s'était-elle trompée de date ? Mais non, ils s'étaient bien donné rendez-vous ici la nuit de la Saint-Grégoire. Elle devait lui remettre le document qu'elle dissimulait sous sa cape. Et il lui donnerait un papier où seraient notés le lieu et la date de la prochaine rencontre.

Les pieds nus dans ses sandales, elle commençait à avoir vraiment froid et sautait d'un pied sur l'autre. Que devait-elle faire ? Continuer à attendre ? Rentrer et avouer qu'elle n'avait pas pu remplir sa mission ? Ce ne serait guère apprécié. Ah non, alors ! Son Éminence n'aimait pas que les choses aillent de travers. Il fallait que tout se passe selon sa volonté, sans anicroches ni hésitations. La femme réprima un soupir. Tergiverser plus longtemps ne l'avancerait à rien. Autant en finir tout de suite.

Soudain elle se figea. N'avait-elle pas entendu quelque chose ? Elle tendit l'oreille. Un rire, puis des murmures, et le grondement d'un animal. Elle secoua la tête, perplexe. Voilà qui était bizarre. Ce n'était pas celui qu'elle attendait. Il était temps de filer. Elle ramassa sa cape et sa robe monastique et se hâta de disparaître en se faufilant, tête baissée, parmi les broussailles et les arbustes.

Il n'avait pas été difficile de les pister à travers les couloirs de la Maison dorée. Quand Franz Leopold aperçut Ivy-Máire en tenue sombre et Alisa avec son pantalon et sa blouse élimés, il sut tout de suite qu'elles mijotaient quelque chose d'interdit et il entreprit de les suivre. Il avait bien repéré la porte secrète. Peut-être pouvait-on encore l'utiliser. Franz Leopold attendit un long moment derrière la porte fermée avant d'oser la pousser lentement. Elle s'ouvrit sans bruit. Le croissant de lune se cacha derrière les nuages. Tant mieux. La lumière des étoiles lui suffirait pour ne pas perdre leurs traces et ainsi il ne se ferait pas repérer, pour peu qu'il garde une distance suffisante. D'ailleurs n'appartenaient-ils pas tous à des clans inférieurs, dont les sens étaient bien moins développés que ceux des Dracas ? Mais le loup, lui, l'avait flairé, il en était sûr. La maudite bestiole n'arrêtait pas de tourner la tête dans sa direction et de scruter la nuit. Allons, ils n'étaient tout de même pas capables de dialoguer avec cet animal !

Franz Leopold suivit donc les trois autres vampires au Colisée puis dans les tunnels souterrains jusqu'à l'arène. Il se tenait assez loin d'eux si bien que leurs voix ne lui parvenaient que par intermittence. Il ne comprenait pas ce qu'ils disaient, mais à en juger par leur ton, ils avaient l'air de bien profiter de la balade. Il serra les poings de rage. Soudain il se sentit étrangement seul. L'image de ses deux cousines Marie Luise et Anna Christina se présenta à son esprit, mais il la repoussa aussitôt. Des filles capricieuses et lunatiques, une vraie plaie. Il aurait pu demander à Karl Philipp de l'accompagner, mais celui-ci voulait toujours commander. Et frayer avec un vampire d'un autre clan, ça non, pas question.

Le vent lui apportait la voix d'Ivy-Máire, et pendant un instant il se vit marchant à côté d'elle, la guidant à travers les ruines ; c'était *lui* qui lui montrait les merveilles d'une époque depuis longtemps révolue... Il en avait de la chance, ce gros Luciano. À Vienne, elle n'aurait même pas accordé un regard à ce minus.

D'ailleurs c'était sans importance. Qui était-elle, cette fille ? Une paysanne qui avait grandi au milieu des moutons. Aucun intérêt, et rien en tout cas qui soit digne de lui.

Quand les trois jeunes vampires émergèrent enfin à l'air libre, il attendit un long moment avant de se faufiler derrière eux. Son regard errait alentour, quand tout à coup il se figea.

Une faible aura rougeâtre derrière un buisson avait capté son attention. Les autres étaient-ils venus ici pour se jeter tous les trois ensemble sur un humain et boire son sang ? Ce serait une grave entorse aux sacro-saintes règles familiales ! Lorsqu'ils étaient en proie à l'ivresse du sang, les jeunes vampires ne possédaient pas encore le pouvoir de contrôler l'esprit de leurs victimes, ni celui de s'arrêter à temps, avant le dernier battement de cœur. C'est pour cette raison qu'on ne leur donnait que du sang animal à boire. Car une fois qu'on avait goûté au sang de l'homme, on ne pouvait plus résister, on succombait encore et encore à ce désir avide, en dépit des interdictions et des châtiments. Aussi les jeunes vampires devaient-ils attendre sagement le rituel qui les introduirait dans le monde des adultes et la fête où leur serait présentée leur première victime.

Franz Leopold avança encore de quelques pas pour mieux voir. Une pierre dévala la pente. Puis tout alla très vite.

L'ombre nimbée de son aura rougeâtre se détacha du mur et courut à travers la place. Le loup poussa un hurlement et s'élança, mais ce n'était pas après la fugitive qu'il en avait ! Franz Leopold dévala la pente de gravats.

Il n'alla pas très loin. Il entendit le tambourinement des pattes, puis sentit le souffle brûlant dans son dos.

Poursuite nocturne

Franz Leopold n'était pas le seul à avoir vu Alisa, Luciano et Ivy disparaître par la porte secrète. Malcolm attendit quelques instants, puis il se glissa dehors à son tour. Mais contrairement à Franz Leopold, son intention n'était pas de suivre les autres. Lui voulait jouir seul de la liberté et de la nuit, comme il avait depuis longtemps l'habitude de le faire à Londres. Les mains derrière le dos, il parcourait le champ de ruines d'un pas nonchalant, en direction du nord. Il humait à pleines narines les parfums de la nuit et contemplait le ciel étoilé. Ici, tout était silencieux et paisible comme à la campagne, mais juste au-delà de ce champ de ruines on devinait la pulsation de la grande ville, dont la vie nocturne ne cessait jamais tout à fait. Aujourd'hui, il préférait éviter les humains. Il était trop difficile de se tenir à distance, de résister à la tentation. Leur parfum était trop délectable. Malcolm soupira. Encore un an à attendre. Alors il deviendrait enfin un membre adulte de son clan et pourrait partir à la chasse avec les autres. Son désir était si grand qu'il imaginait déjà dans ses narines l'odeur d'une jeune fille. Suave, alléchante... De plus en plus forte et pénétrante. Mais ce n'était pas une illusion ! Il s'immobilisa. Là-bas, derrière les buissons, il perçut un mouvement. Un large manteau sombre, une tête couverte d'un capuchon. Malcolm s'approcha furtivement, sans un bruit, ignorant les mises en garde de sa raison. Il fallait qu'il voie ça de plus près !

Latona était furieuse. Une fois encore, son oncle avait refusé de l'emmener. Elle avait de nouveau arpenté la pièce de long en large un long moment, et puis elle n'y avait plus tenu. Elle avait jeté un manteau sur ses épaules et elle était sortie. Passé la colline du Capitole, elle s'était promenée dans les champs de ruines qui déployaient leur désolation sous le ciel étoilé. Ici, tout était désert, funèbre et un peu oppressant. Latona aimait ce frisson de la chose interdite. Tout en marchant, elle sortit le masque rouge de sa poche et le posa sur son visage. Que se passerait-il si elle était admise pour de vrai dans le cercle ? Serait-elle en danger ? Devrait-elle se retourner à chaque pas pour vérifier qu'un ennemi n'était pas à ses trousses ? Elle s'arrêta et regarda autour d'elle. N'y avait-il pas une ombre qui bougeait là-bas ? Une silhouette sombre qui se faufilait de buisson en buisson ? Ou n'étaient-ce que des branches que le vent de la nuit agitait ? L'excitation de son escapade nocturne se mua en crainte. Elle recula vers l'ombre d'un mur à moitié écroulé. Son cœur battait la chamade. Il fallait qu'elle vainque sa peur si elle voulait devenir l'assistante de son oncle ! Elle s'efforça de respirer plus lentement et se remit à marcher d'un pas ferme.

Malcolm s'approcha en silence. Mais oui, c'était un être humain, une jeune fille, qui se cachait sous ce manteau démodé. Et qu'avait-elle sur le visage ? Malcolm n'aurait pas cru que les Romains portaient des masques en dehors de la période du carnaval. Ou bien se rendait-elle à un bal masqué ? Il avança d'un pas. La jeune fille regardait autour d'elle d'un air circonspect. Il pouvait sentir sa peur. Non, elle portait un pantalon sous son manteau. Pas une robe de bal. C'était encore plus étrange. Qu'est-ce qu'une jeune humaine pouvait bien venir chercher ici, à cette heure de la nuit, seule, et dans cet accoutrement ? Il s'approcha encore. Juste par curiosité, se dit-il pour réfuter les mises en garde de sa conscience. Peut-être allait-il en apprendre davantage sur cette fille et sur son étrange sortie nocturne. Il percevait les battements accélérés de son cœur. L'odeur de son sang, qui circulait de plus en plus vite. Il n'était plus qu'à deux pas. Elle n'avait pas encore perçu sa présence, mais son corps réagissait déjà au danger. Le souffle court, elle fit demi-tour et se mit à courir, relevant son long manteau pour ne pas trébucher. Une branche sèche se prit dans ses cheveux. Paniquée, la jeune fille se dégagea et courut de plus belle. Sans doute ne remarqua-t-elle pas que le ruban s'était défait et que son masque était tombé. Elle courait, courait vers les lumières, vers la ville et la piazza Venezia où la vie recommençait.

Malcolm résista à la forte tentation de se lancer à la poursuite de sa proie et de l'intercepter. Au lieu de cela, il s'approcha des buissons et se pencha. Sa main sentit la douceur soyeuse du masque rouge. Il le porta à ses narines et huma les senteurs qui s'en dégageaient, parmi lesquelles il reconnut très nettement l'odeur de la jeune fille.

Franz Leopold courait si vite que ses pieds touchaient à peine le sol. Il entendait les halètements de son poursuivant. Le jeune vampire était rapide et agile, mais il n'était pas de taille à lutter contre cette bête. Il la sentit qui s'arrêtait, s'aplatissait au sol pour prendre son élan et bondir. Il essaya de faire un pas de côté pour l'éviter, mais le loup fut le plus prompt et lui plaqua ses quatre pattes sur le dos. Franz Leopold tomba de tout son long, le visage dans la poussière. Il avait le goût de la terre humide sur sa langue. Il aurait voulu se défendre et hurler, mais il ne bougeait plus d'un pouce car il ne sentait que trop bien les crocs sur sa nuque. Il entendit des pas qui s'approchaient.

119

« C'était une superbe attaque, s'écria Alisa.

– Oui, abattu comme un arbre, d'un seul bond ! » dit le Romain, triomphant. *Ça, tu me le paieras*, se jura Franz Leopold. Pour rien au monde il n'aurait demandé à Ivy-Máire de rappeler son loup.

« Bravo, Seymour, dit la voix mélodieuse. Pousse-toi un peu, à présent, que nous puissions voir qui est ta victime. » Le loup se contenta de gronder sans lâcher prise.

« En tout cas, ce n'est pas un humain, constata Luciano.

– Seymour ! » La sévérité qu'elle mit dans ce seul mot le surprit. Jamais il ne s'y serait attendu de sa part. Le loup desserra ses mâchoires. Une par une, il retira ses quatre pattes du dos de Franz Leopold. Une main lui saisit l'épaule. Le jeune vampire la repoussa et se retourna d'un coup.

« Ne me touche pas avec tes gros doigts ! » Il essaya de se donner un air désinvolte, ce qui avec ses joues barbouillées de terre et ses cheveux en bataille était assez difficile.

Alisa ouvrit de grands yeux.

« Il me semblait bien que je reconnaissais ce ruban et ces cheveux. Mais qu'est-ce que tu fais là ?

– Je pourrais te poser la même question, rétorqua froidement Franz Leopold. Vous aurais-je dérangés au milieu d'un repas interdit ? J'en suis désolé.

– Un repas ? À quoi penses-tu ? Tu ne t'imagines tout de même pas que nous allions boire le sang de cette femme ?

– Une femme ? Très intéressant. Et que venait-elle chercher ici ?

– C'est ce que nous aimerions bien savoir, nous aussi. »

Franz Leopold leva les sourcils.

« N'essayez pas de me donner le change avec vos ruses minables.

– Nous n'avons aucune idée de ce qu'elle faisait là, s'emporta Alisa. Mais peut-être l'aurions-nous découvert si tu n'étais pas venu mettre tes grands pieds dans le plat comme un gros balourd d'humain. »

Le coup porta. Comment osait-elle l'insulter de la sorte ? Ils se toisèrent d'un air rageur jusqu'à ce qu'Ivy intervienne :

« Je propose que nous mettions fin à cette querelle et que nous rentrions à la Maison dorée, dit-elle de sa voix calme. Nous avons tout simplement fait une petite balade, avec notre passionnant guide Luciano. » Le jeune Romain la regarda, radieux. « Et il n'est pas nécessaire de faire toutes ces cachotteries pour nous suivre. Si tu veux venir avec nous, tu n'as qu'à le dire. »

Franz Leopold ne parvint pas à soutenir son regard, ce qui le contraria énormément. Et il était encore plus furieux de constater qu'elle lisait dans ses pensées et dans son cœur mieux qu'il ne lisait en elle.

« Allez venez, rentrons », répéta Ivy. Seymour alla se placer à côté d'elle, mais sans quitter des yeux Franz Leopold. « Regardez, le ciel s'éclaircit. »

Pleins d'effroi, les autres tournèrent leurs regards vers l'est, où les étoiles pâlissaient déjà. À présent seulement, ils prenaient conscience de cette fatigue caractéristique qui précédait le lever du soleil. Ils se hâtèrent tout le long du chemin du retour et pénétrèrent sans être inquiétés dans la Maison dorée par la poterne. Arrivés devant la grande salle où il n'y avait pas âme qui vive, ils se séparèrent. Les garçons se dirigèrent vers la droite, où ils tombèrent sur Malcolm, qui s'était manifestement attardé, lui aussi. Alisa et Ivy entrèrent dans la première chambre à gauche. Si elles avaient espéré que leur absence soit passée inaperçue, eh bien c'était raté. Hindrik était assis sur le sarcophage fermé d'Alisa, et il la salua avec un regard critique.

« Qu'est-ce que tu me veux ? demanda-t-elle d'un ton provocant. Aurais-tu l'amabilité de te lever de là pour que je puisse me coucher ? »

Les coins de la bouche de Hindrik tremblaient un peu quand il obéit à son injonction.

« J'espère que votre balade était agréable, dit-il en les regardant l'une après l'autre.

– Oui, merci », répondit poliment Ivy avec une légère inclination de la tête.

Hindrik eut un petit rire.

« Ne prends pas cet air d'enterrement, Alisa. Je n'ai pas l'intention de vous faire un sermon. Je n'ai pas supposé un seul instant que vous alliez passer toute une année à rester bien sagement à l'intérieur de la Maison dorée ou à n'en sortir qu'accompagnées d'un professeur. J'espère seulement que tu as suffisamment de plomb dans la cervelle pour ne pas te mettre en danger. D'ailleurs j'ai l'impression que quelques-uns des serviteurs du comte ont pour consigne de patrouiller en permanence au milieu des ruines, et d'ouvrir l'œil. En tout cas, je ne saurais souffrir que tu te balades avec ces guenilles. Dame Elina ne l'admettrait pas non plus. Enlève ta blouse et ton pantalon et donne-les-moi.

– Jamais de la vie ! protesta Alisa avec passion. Tu crois que je vais me promener tout le temps dans cette robe affreusement inconfortable ? En plus elle est déchirée. »

Hindrik s'approcha de la caisse d'Alisa et en sortit la robe, qu'il brandit : elle avait visiblement été nettoyée et recousue.

« J'ai dégotté une charmante petite Romaine nommée Raphaela, qui est très habile à manier le fil et l'aiguille. » Alisa ouvrit la bouche mais il ne la laissa pas prononcer un mot. « Mais voici ce que j'ai trouvé pour toi. » Il saisit un paquet de tissu et le lui tendit.

Alisa le déroula, pour découvrir une chemise de soie blanche, une jaquette simple mais de bonne coupe avec de courtes basques et une longue culotte noire. Une cravate avec des ruchés, des bas de soie blancs et des souliers plats en cuir complétaient la garde-robe. Alisa regardait Hindrik, sans voix. Celui-ci sourit :

« Je pense que les jupes étroites sont en effet un peu malcommodes pour vos exercices – mais allons, cette fois il est grand temps que vous alliez vous coucher. »

Il poussa le couvercle du sarcophage d'Ivy, attendit qu'elle se soit allongée, et le referma. Seymour sauta sur la dalle et s'y coucha, le museau entre les pattes.

Alisa enfila à toute vitesse ses nouveaux vêtements.

« Merci », dit-elle en lui tendant ses vieilles nippes.

Hindrik ouvrit son sarcophage.

« De rien. Je n'avais rien contre tes habits, mais ceux-ci te vont beaucoup mieux. »

Elle s'admira, et lui adressa un grand sourire.

« N'est-ce pas ? Et il y aura encore des tas de situations, j'en suis sûre, où je serai bien aise de porter cette culotte infiniment plus pratique que toutes les robes.

– Je n'en doute pas, murmura le frère servant. Ah, au fait, à Rome aussi il y a des journaux. » Il sortit de la poche de son manteau la dernière édition de *L'Osservatore romano*. « Si tu t'appliques bien au cours d'italien, tu seras bientôt capable de les lire.

– Oh, c'est merveilleux. La lecture des journaux commençait à me manquer. » Elle déplia les pages et parcourut du regard les illustrations et les mots étrangers.

« Pas maintenant. Mets ça de côté pour plus tard. » Alisa soupira quand Hindrik referma sur elle le lourd couvercle de pierre.

« Je suis curieuse de savoir ce que la *signora* Enrica va nous montrer aujourd'hui », dit Alisa à Ivy, qui s'était assise à côté d'elle dans la grande salle au plafond doré. Luciano entra en bâillant, ses deux mains fourrageant dans sa chevelure noire hirsute, et il s'écroula sur le banc d'en face, à côté de Chiara.

« La *signora* Enrica ? Non, je ne crois pas qu'elle va nous faire cours ce soir. J'ai entendu dire qu'elle allait visiter quelques catacombes avec le professeur Ruguccio. »

Tammo, qui était l'autre voisin d'Alisa, tendit le cou.

« Les professeurs ne sont pas là ? Alors on n'a pas cours ! Fernand a dit qu'il allait me montrer un jeu qu'ils pratiquent tout le temps dans leurs labyrinthes souterrains à Paris. » Luciano secoua la tête.

« Fernand ? Je croyais que tu ne l'appréciais pas beaucoup », fit remarquer Alisa.

Tammo haussa les épaules.

« Bah, il est crasseux, il pue et il parle de façon un peu étrange, mais en fait il est correct. Il faut juste faire attention de ne pas l'énerver. Il frappe rudement fort. » Il se frotta furtivement le bras. « En tout cas je le préfère à toutes ces racailles de Dracas endimanchés, qui me regardent comme si j'étais une blatte. »

Alisa jeta un coup d'œil en direction de Franz Leopold, qui se tenait un peu à l'écart avec les autres membres de son clan.

« Oui, il y a du vrai. En même temps, c'est un régal pour les yeux, tant qu'il n'ouvre pas la bouche.

– Je n'ai jamais vu un plus joli garçon, renchérit Ivy, mais sans la ferveur avec laquelle Chiara parlait du jeune Viennois.

– C'est une chose qui m'échappe, dit Alisa. Comment un vampire peut-il avoir cette peau merveilleuse, un visage aussi racé, une stature majestueuse, et être radicalement antipathique ?

– Il ne l'est pas, objecta Ivy.

– Ah bon ? » Les deux Romains et les Vamalia de Hambourg échangèrent des regards perplexes. « Alors c'est que tu ne l'as pas entendu prononcer plus de trois mots ! » affirma Chiara.

Ivy baissa la tête, et la lueur des bougies caressa ses longs cheveux argentés.

« Si. Et je n'ai pas seulement entendu ce qu'il disait, j'ai aussi été à l'écoute de ses pensées et de son cœur.

– Et tu soutiens qu'il ne serait pas le monstre le plus vil qui hante cette maison ? s'emporta Chiara.

– Oui, je l'affirme.

– Possible, je crois que Karl Philipp est encore pire », approuva Luciano. Alisa ne l'écoutait pas. Elle regardait à nouveau Franz Leopold qui, à en juger par l'expression de son visage, venait de dire quelque méchanceté à Joanne. Elle aurait trop aimé savoir ce qui motivait l'affirmation d'Ivy, mais elle se doutait que la jeune Irlandaise – contrairement à Franz Leopold – ne trahirait pas les pensées que son talent particulier lui avait permis de capter.

La jeune et jolie impure qui était au service de Zita entra dans la salle, avec le nourrisson brailleur sur un bras. De l'autre main, elle tenait en équilibre instable un plateau chargé de gobelets et de deux cruches. L'enfant gigota. Les gobelets glissèrent en tintant. Luciano souriait béatement à Raphaela mais ne semblait pas prêt à se lever pour lui prêter main-forte. Alisa bondit et l'aida à poser le plateau sur la table, sans casse.

« Je te remercie. Ce n'est pas à toi de faire ça ! », dit Raphaela, un peu gênée. Elle avait vraiment un joli sourire.

« Mais c'était tout naturel. »

Alisa regagna sa place. Raphaela distribua les gobelets et se hâta vers la porte.

« Je crois qu'il faut que je nourrisse ce petit monstre, sinon il ne nous laissera pas en paix. » Du bout du doigt, elle retroussa avec délicatesse le nez du bébé. « Plus c'est petit, plus c'est goinfre, on dirait. » Elle sortit et les vagissements se perdirent au loin.

125

Ivy sirota le sang frais, ses canines pointues et blanches comme neige étincelant à la lumière de la lampe, tandis que Luciano avalait d'un trait le contenu de son gobelet, comme s'il n'avait rien eu à boire depuis des nuits.

« C'est un impur, cet enfant, n'est-ce pas ? demanda Alisa à Luciano.

– Oui, et Raphaela va l'avoir sur les bras pour l'éternité, maintenant. Il restera toujours bébé !

– La perspective est effrayante », murmura Alisa.

Luciano opina.

« Le comte, et aussi le vénérable Giuseppe, n'ont cessé de mettre Melita en garde, mais elle n'a rien voulu entendre et à présent nous devons nous coltiner ce fardeau hurleur qui ne deviendra jamais adulte. Melita a depuis longtemps perdu toute envie de s'en occuper. » Il y eut un silence gêné, que vint briser la voix de Tammo.

« Mais qui va nous faire cours, si les professeurs ne sont pas là ? » On sentait l'espoir dans sa voix.

« Je crains qu'il n'y en ait encore quelques-uns dans cette maison. Tu vas apprendre à les connaître, et de plus près que tu ne l'aurais voulu, gémit Luciano. Regarde là-derrière. C'est la *signorina* Letizia. Et à côté d'elle son frère Umberto. Ils sont pour ainsi dire les savants parmi les vénérables. Et s'ils font leur apparition ici ce soir, j'ai le pressentiment funeste que nous n'allons pas tarder à tomber entre leurs griffes. »

Alisa observa les deux vampires qui venaient d'entrer dans la grande salle au plafond doré et parcouraient du regard l'assemblée des élèves. On aurait dit des jumeaux : tous deux étaient petits, avec des cheveux blancs et fins très clairsemés, et ils étaient aussi desséchés que des momies. Leur peau parcheminée tendue sur les os de leur visage ne leur donnait pas une expression spécialement sympathique. Ils avaient des lèvres minces, à peine visibles.

Tammo, à côté d'elle, avala sa salive et se cramponna à son gobelet. Sa main tremblait.

« Tu ne crois pas que tu exagères ? » le taquina sa sœur, et elle se leva. Le cours allait commencer.

« Espérons-le », se contenta-t-il de grommeler, et il lui emboîta le pas.

« Tu trouves toujours que j'exagère ? »

Alisa déchiffrait le petit bout de papier qu'elle avait dans la main et que Tammo lui avait fait passer subrepticement une heure après le début du cours. Elle ne savait pas trop s'il y avait lieu d'en rire. Elle était pleine de curiosité, y compris pour l'histoire romaine, mais la manière dont les deux vénérables faisaient leur cours la laissait sans voix. Tandis que Letizia circulait entre les rangs, une badine à la main, son frère était assis face à la classe dans un fauteuil confortable, ses mains pareilles à des serres croisées sur ses jambes maigres, et débitait d'une voix de crécelle les noms et les dates des empereurs romains.

Comment pouvait-on mémoriser tout ça ? Au début, Alisa avait essayé de noter les points les plus importants. Presque cérémonieusement, elle avait ouvert son cartable neuf et disposé avec soin sur son bureau papier, encre, porte-plume et une de ses plumes d'acier, mais à présent elle se contentait de fixer les feuilles, devant elle, qui étaient couvertes de phrases non terminées, de dates et de noms dont elle n'était même pas sûre de les avoir orthographiés convenablement. Mais ne pas écrire était encore pire, car alors il n'y avait plus aucun moyen de faire diversion à la voix insupportable du professeur. C'était comme si à chaque mot il faisait crisser ses ongles crochus sur le grand tableau d'ardoise. Alisa frissonna.

« Qu'est-ce que tu fais ? » La badine s'abattit sur la table devant elle. Elle sursauta. Avant qu'elle ait eu le temps de faire disparaître le bout de papier, la main griffue le lui avait arraché.

« Qu'est-ce que cela signifie ? Vous osez vous plaindre des Nosferas et de leur Maison dorée ? Vous, les rejetons de familles insignifiantes ? » Deuxième coup de bâton sur le bureau. Alisa serra les lèvres crânement.

« Montre tes mains ! »

La badine se mit à valser. La *signora* frappait plus fort que son aspect de momie ne l'aurait laissé supposer. Alisa se mordit les lèvres pour ne pas crier, mais un gémissement lui échappa. Les autres élèves la fixaient avec des yeux ronds tandis que le second professeur poursuivait son exposé comme si de rien n'était. Tammo se leva lentement de son siège. Allait-il protester contre la correction qu'on infligeait à sa sœur ? Pour la première fois, Alisa se sentit fière de son petit frère, mais elle le dissuada en secouant discrètement la tête. À quoi bon s'exposer aussi aux coups ?

Elle concentra son attention sur les regards de ses condisciples. La plupart exprimaient la stupéfaction et même une haine qui n'était certes pas dirigée contre elle. Joanne et Fernand, eux, semblaient se désintéresser complètement de la scène. Peut-être était-elle tout à fait normale à leurs yeux. Quand Alisa songeait à la nature grossière des deux frère et sœur représentant le clan parisien, cela ne la surprenait guère. Anna Christina était la seule à sourire carrément de son malheur.

La brute cessa enfin de frapper et Alisa posa précautionneusement ses mains meurtries sur ses genoux.

« Pourquoi as-tu cessé d'écrire ? » glapit la *signora* Letizia.

Cette fois, ce fut Malcolm qui se leva.

« Pardonnez-nous, *professoressa* », intervint-il avec son intonation distinguée d'Anglais. Elle fit volte-face.

« Que dis-tu, jeune homme ? »

128

Lui aussi avait essayé en vain de prendre des notes mais avait dû renoncer au bout d'un moment. Elle se rua sur lui et fit siffler sa badine sur le pupitre.

«Énumère-moi les empereurs, hurla-t-elle. Qui fut le premier? Allez, ça doit sortir tout seul: Jules César, et puis Auguste, Tibère, Caligula, Claude jusqu'en 54, et ensuite?

– *Signora*, il est impossible de suivre votre exposé. Si vous pouviez, s'il vous plaît, parler un peu plus lentement et peut-être répéter les points les plus importants?»

Le bâton s'abattit une fois de plus sur le bureau.

«Néron, bien sûr. Néron, Vespasien, Titus, Domitien!» Elle se tourna soudain et pointa sa badine sur Luciano. «Et après?»

Le garçon se leva d'un bond. Ses mains aux ongles rongés nerveusement croisées sur sa poitrine, il bredouilla:

«Trajan, Hadrien, Antonin le Pieux, et puis... et puis...» Son regard cherchait de l'aide autour de lui et s'arrêta sur Chiara. «Marc Aurèle», ajouta-t-il d'une voix mourante et il se rassit lourdement sur sa chaise.

«Ce n'était pas si mal, mais tu as oublié Nerva, et Chiara va recevoir trois coups de bâton si je la reprends à souffler.» Luciano poussa un soupir de soulagement quand la *signora* se tourna vers Malcolm.

«Tu n'as pas à donner ton opinion sur notre enseignement. Contente-toi de répondre à nos questions, et si tu en es incapable tu tâteras de mon bâton. Enfoncez-vous bien dans le crâne qu'il est tout indiqué pour vous de vous tenir sur vos gardes. Montre tes mains.»

Malcolm hésita. En taille, la vénérable lui arrivait à peine au niveau de la poitrine.

«Tes mains!» répéta-t-elle avec un léger grondement.

Malcolm obéit. Et c'est sans un tressaillement ni une plainte qu'il reçut les coups. Plus forts encore que ceux infligés à

Alisa, dont les mains brûlantes et douloureuses ne pourraient pas tenir une plume avant longtemps.

N'avait-il donc pas mal? Il gardait une mine impassible, mais Alisa remarqua ses canines qui pointaient légèrement entre ses lèvres serrées et devina la colère qui montait en lui. Quand la *signora* le laissa enfin tranquille, il dit d'une voix calme :

«Après Marc Aurèle, il y eut Commode en 180, et Septime Sévère en 193.» Alisa admira son sang-froid et se réjouit de voir l'air ébahi de la *signora* Letizia.

«Bon, bon, tu peux t'asseoir. Venons-en à Constantin le Grand, qui se convertit au christianisme.»

«C'était la pire nuit de mon existence», gémit Tammo, quand les deux vénérables eurent enfin quitté la salle. Alisa tâtait d'un air sombre ses doigts endoloris.

«Tu as tout de même réussi à la passer sans prendre de coups.

– Oui, j'y ai échappé pour cette fois, mais ce n'est vraisemblablement pas notre dernière nuit en leur compagnie, tu ne crois pas?»

Le cœur gros, Alisa dut donner raison à son frère.

«Peut-être devrions-nous nous informer un peu par nous-mêmes sur l'histoire romaine?»

Tammo la considéra comme si elle avait tout à coup perdu l'esprit. Il tourna les talons et laissa sa sœur seule dans la cour. Alisa le regardait s'éloigner quand un rire étouffé la fit se retourner. C'était le vénérable Giuseppe, allongé sur un divan-lit doré, parmi des coussins de velours rouges. Il la regardait, et lui fit signe de s'approcher. Elle obéit, non sans hésitation.

«Je vous souhaite une bonne nuit, vénérable Giuseppe», dit-elle, et elle se demanda si c'était la formule convenable lorsqu'on s'adressait au ci-devant chef de clan. Ou bien était-il encore comte? En tout cas, il ne la reprit pas.

« *Signorina* Alisa, commença-t-il d'une voix croassante qui lui parut beaucoup plus faible que lorsqu'elle était arrivée à Rome, peu de jours auparavant. Nos deux savants vous ont-ils déjà donné leur premier cours ?

– Oui », répondit-elle en traînant un peu sur le mot, car elle ne savait pas quoi ajouter. Il n'était sans doute pas disposé à entendre des doléances et elle était incapable de dire du bien de ces bourreaux. Le vieux Giuseppe ricana dans sa barbe et se cala contre ses coussins.

« Ces monstres vous ont-ils copieusement rossés ? » Alisa hocha la tête. « Ils ont toujours aimé ça. Le comte pourrait vous en narrer de belles à ce propos. Quand mon cher petit-fils était encore enfant, il eut avec eux quelques accrochages qu'il sentit passer... Je me souviens que Letizia l'avait même mordu une fois à la gorge. » Alisa n'osa pas lui demander s'il se moquait d'elle. « Alors avec vous tous, tu imagines s'ils sont à leur affaire ! » Il poussa un gémissement, pressa sa main contre son ventre et son visage se tordit.

« Ça ne va pas ? Puis-je faire quelque chose pour vous ? » demanda Alisa. Il paraissait vraiment mal en point, comme s'il avait vieilli de plusieurs siècles en quelques nuits.

« Ça va passer, dit-il en éludant d'un geste de la main. C'est l'absinthe qui circule dans mon corps.

– L'absinthe ?

– Une boisson diabolique. La mort lente pour les hommes, à qui elle fait perdre la raison, et une saleté pour nous aussi quand nous buvons leur sang. Il y a déjà longtemps que je suis habitué à m'abreuver sur des promeneurs nocturnes dont le sang est lourd de vin. Autrefois, cela troublait mes sens. Les jeunes, eux, doivent faire attention et vérifier à qui ils s'attaquent ! Quand les humains ont forcé sur la bouteille, ça se sent de loin. Mais l'absinthe est démoniaque. Je connais les milieux où il faut se méfier, mais cette jeune fille, je n'avais

131

pas remarqué qu'elle était polluée à ce point, au bord du coma éthylique ! Ce fut une chance qu'un des gars de la famille d'Enrica m'ait trouvé et ramené ici. Et à présent me voilà depuis deux nuits sur ce lit de repos, incapable de rien faire et obligé de me laisser nourrir comme un bébé sans dents !

– Allez-vous récupérer vos forces ?

– Mais oui, mais oui. L'absinthe ne va pas me réduire définitivement à l'impuissance.

– Que la nuit soit avec vous, vénérable Giuseppe, et vous guide toujours vers du sang pur. » Alisa s'inclina et s'apprêta à se retirer, mais il la retint.

« Dis à la première ombre que tu trouves de m'envoyer Leandro. Je voudrais qu'il m'apporte un ouvrage de la bibliothèque. J'ai besoin de le consulter. »

Les yeux d'Alisa s'illuminèrent.

« Une bibliothèque ? Ici, à la Maison dorée ?

– Mais oui. Dans l'aile est, celle des vénérables, qui sont chargés de sa conservation et de son entretien.

– Et est-ce que tous ceux qui ont envie de lire y ont accès ? demanda-t-elle tout excitée.

– Qui aujourd'hui s'intéresse encore aux vieilles choses, aux traditions et à l'histoire, et aux grands poètes de mon époque ?

– Moi. Moi, je m'intéresse beaucoup aux humains et à leurs inventions et j'aimerais bien aussi en apprendre davantage sur l'histoire romaine. »

Le vieux Giuseppe sourit.

« Je vais en informer Leandro. Peut-être te montrera-t-il les lieux et te dira-t-il quels livres tu as le droit de lire – si tu arrives à le coincer à un moment où il est dans de bonnes dispositions !

– Je vous remercie ! Je vous le fais envoyer tout de suite », s'écria-t-elle, et elle se sauva.

Les catacombes

L'homme portait un vêtement rouge sang qui lui descendait jusqu'aux pieds. Une lourde croix d'or reposait sur sa poitrine. Il se laissa aller contre le dossier de son fauteuil, luxueux mais bigrement inconfortable, et croisa les doigts sur son maigre giron. Un énorme rubis étincela à la lueur des torches.

« J'aurais continué à attendre », affirmait la femme, et ses hochements de tête véhéments faisaient froufrouter son voile. « Mais sont arrivés ces trois personnages dont je ne savais vraiment pas ce qu'ils pouvaient bien venir chercher à pareille heure dans un endroit si reculé. Et puis ce chien géant qu'ils avaient avec eux, presque un loup ! Il m'aurait repérée. Je ne pouvais pas faire autrement, Votre Éminence, et puis il était déjà très en retard ! »

Le cardinal leva les mains pour interrompre ce flot de paroles.

« J'ai compris, sœur Nicola. Quand j'aurai besoin de votre aide, je vous le ferai savoir. À présent allez-vous-en ! »

Il attendit que le bruit de ses petits pas trottinants se fût estompé dans le lointain. Puis il jeta sur ses épaules une longue pèlerine noire et enfonça jusqu'au front son chapeau à large bord. Dehors, il arrêta un fiacre qui le conduisit à vive allure par-delà le pont puis le long du Tibre en direction du sud. Arrivé devant le petit temple rond d'Hercule, il fit signe au cocher d'arrêter, paya la course en menue monnaie et descendit du véhicule. Il fit le reste du trajet à pied. Devant lui, la cloche de Santa Maria in Cosmedin sonna. Il n'était pas encore trop tard. Il arriverait, selon son habitude, avant les autres.

Le cardinal dépassa l'église et progressa non sans mal sur la large ellipse qui avait été autrefois le Circus Maximus où, sous le règne d'innombrables empereurs romains, se déroulaient des courses de chars et des compétitions d'athlétisme. Aujourd'hui, le cirque n'était plus qu'une vaste cavité envahie d'herbes folles. Plus aucune trace des gradins, de la loge impériale ni des obélisques. Et pourtant, quelque chose subsistait du temps des grandes courses. Quelque chose de caché, depuis longtemps oublié, et qui faisait aux yeux du cardinal toute la valeur de cet endroit. Il tourna à gauche dans la ruelle entre le Circus et un bâtiment tout en longueur qui n'était plus habité depuis des lustres. Le toit s'était effondré et entre les murs qui s'effritaient poussaient des orties et des ronces. Du lierre grimpait le long des pierres et étirait ses tiges à travers les orbites vides des fenêtres. Le cardinal franchit l'arche de pierre où plus rien ne restait des battants de porte, pénétra dans une cour et se fraya un chemin jusqu'à l'escalier dissimulé qui menait dans les profondeurs du sous-sol. Il descendit les marches inégales jusqu'en bas. Un sourire féroce passa sur son visage maigre tandis qu'il songeait à la célèbre «Bouche de la vérité», sous le porche de l'église, à quelques pas de là, juste de l'autre côté de ce pâté de maisons. La légende racontait que lorsqu'on posait sa main dans la bouche de ce large visage en marbre, il vous la coupait avec les dents si vous étiez un menteur.

Peut-être est-ce là-haut que nous devrions plutôt tenir nos réunions, songea le cardinal, et chacun des membres du cercle devrait mettre sa main dans la Bocca della Verità avant de faire son rapport – tout le monde sauf lui-même, cela va sans dire. Après tout il était leur chef suprême et c'est à lui que ce cercle devait son existence. Il n'avait aucun compte à leur rendre, ni sur ses objectifs ni sur les moyens mis en œuvre pour y parvenir.

Le cardinal alluma une succession de lampes dans les antichambres. Quand il ôta sa pèlerine, un frisson lui parcourut le dos. Une fois de plus, il se demanda s'il fallait en chercher la cause dans la fraîcheur de ces espaces souterrains ou bien s'il ne subsistait pas autre chose que des pierres humides et des ombres dans ce lieu où s'était autrefois célébré le culte de Mithra. Ce très ancien culte venu d'Iran s'était répandu à travers tout l'Empire romain avant que le christianisme ne s'installe, et déjà à cette époque flottait ici un parfum de mystère et d'initiation. Les *mithraea* étaient toujours construits sous terre et, à son entrée dans le temple, chaque nouveau membre devait s'astreindre à un silence absolu. Aurait-on pu trouver lieu plus propice pour y réunir le Cercle des masques rouges ?

Des pas et des voix dans l'escalier. Les autres membres n'étaient plus très loin. Le cardinal s'empressa de sortir de sa poche un masque de la couleur de son vêtement afin de s'en couvrir le visage, de même qu'il dissimula sa croix d'or sous le tissu rouge. Dans la partie de l'ancien sanctuaire où se célébrait autrefois le culte, il s'assit au haut bout de la table, sur laquelle brillait une seule bougie, tandis que les autres pièces étaient à présent éclairées d'une lumière vive.

Quand les membres du cercle entrèrent, le cardinal saisit quelques bribes des propos qu'ils échangeaient :

« Le Saint-Père n'aura plus qu'à s'en retourner à son cher orphelinat Tata Giovanni, s'il est trop timoré pour ce grand projet.

– D'ailleurs il s'est dérobé dès le début au Risorgimento[1]. De

_____

1. En italien « renaissance ». Le terme désigne le réveil de la culture italienne et le mouvement politique qui aboutit à l'unité de l'Italie, dans la période située entre 1815 et 1870.

toute façon, je ne crois pas qu'il soit l'homme qu'il faut pour prendre la place du roi, dit un autre.

– Mais qu'est-ce qu'il vous faut ? gronda la voix rauque, reconnaissable entre toutes, du seul parmi eux qui n'ambitionnait aucune carrière ecclésiastique. Vous l'avez eue, votre unité italienne. Qu'il y ait à sa tête un roi ou un pape, quelle importance ? Papes ou rois, ils ne font que passer.

– Certes, n'empêche que notre vénéré Pius se maintient au pouvoir depuis un sacré bout de temps, intervint un autre à mi-voix. Quel pape avant lui a jamais régné si longtemps ? »

L'homme qui avait parlé précédemment ne se laissa pas détourner de son propos.

« Rois ou papes, ajouta-t-il, ce sont d'autres qui tirent les ficelles, ailleurs et en secret. Et puis nous ne sommes pas là pour faire de la politique, mais pour combattre les démons nocturnes. »

Tous prirent place. Le dernier des six hommes aux visages dissimulés arriva un peu en retard et se glissa en silence jusqu'à son siège. Le cardinal parcourut du regard les vastes pèlerines et les masques de velours rouge sur les têtes encapuchonnées. Tout à coup, il eut un mouvement de surprise et se pencha en avant sur sa chaise. Qu'était-ce donc ? Un homme qui ne portait pas le masque qu'il lui avait remis lorsqu'il avait prêté serment ? Juste une piètre copie faite de papier et de vulgaire tissu rouge. Celui qu'il fixait de la sorte rabattit encore un peu plus son capuchon sur son visage et baissa la tête, comme saisi de honte.

« Pardonnez-moi, Éminence, je n'ai pas réussi à le retrouver. J'ai dû l'égarer quelque part. Il réapparaîtra sûrement.

– Je l'espère pour toi ! Et que cela ne se reproduise jamais plus ! » gronda le cardinal. Puis il se leva et ouvrit la séance. Après les habituelles paroles d'introduction et le serment de rester fidèle au Cercle et de garder le secret sur leur affaire, il se rassit.

« Mes chers confrères, peut-être avez-vous déjà appris que le comte Barbo a été victime... eh bien disons d'un accident inexplicable et fatal. Il ne pourra plus intervenir auprès du roi contre les projets du Vatican ! » Murmures approbateurs. « Voici donc un problème résolu et je vous garantis que le ministre issu de la maison Colonna ne sera bientôt plus un souci pour nous.

– J'aimerais trop savoir qui sont ses *assassinos*, murmura l'homme à la voix métallique. Si mes suppositions sont exactes... » Le cardinal lui jeta un regard perçant. L'homme baissa la tête, si bien qu'il ne pouvait plus le regarder dans les yeux.

« Bien. Il s'est hélas produit un... petit désaccord, en conséquence de quoi nous ne sommes pas en mesure de poursuivre notre tâche dans l'immédiat. Je suis dans l'impossibilité de vous indiquer aujourd'hui le lieu et la date de notre prochaine opération en l'honneur de Dieu. » Il leva les mains pour faire taire les murmures croissants. « C'est juste un petit mouvement d'humeur, que je vais dissiper très vite. Je vous convoquerai par le moyen habituel dès qu'il y aura du nouveau. Quelqu'un a-t-il une information à communiquer ? » Son regard parcourut l'assistance.

« Il y a des projets concernant le Palatin, dit le troisième à gauche.

– Et alors ? Vous savez qu'il faut y faire obstacle ! »
L'homme masqué acquiesça.

« Oui. Je m'en charge. Plus personne ne parle du Colisée.

– Parfait. Eh bien, je lève la séance pour aujourd'hui. »
Les six membres du cercle se levèrent, s'inclinèrent devant le cardinal et sortirent. Le cardinal les suivit des yeux et écouta leurs voix décroître jusqu'à ce que le silence fût

retombé dans l'ancien sanctuaire. Dehors, le reflet des torches dansait sur les murs. Un courant d'air fit vaciller la flamme de la bougie.

Il y avait ici quelque chose de louche. Le cardinal ferma les yeux et repassa dans sa mémoire le déroulement de la réunion. Il voyait les six membres du cercle vêtus de leur robe et portant leur masque rouge, se remémora leurs paroles, leurs chuchotements.

Non, ce n'était pas cela qui le troublait. Ce n'était pas la réunion en elle-même. Les membres s'étaient levés un à un, ils avaient quitté la salle obscure et pénétré sous le porche largement éclairé, franchissant tour à tour le seuil, leur ombre glissant derrière eux... Le cardinal se figea. C'était ça. Le dernier frère qui s'était faufilé dehors n'avait pas d'ombre. Un vampire avait réussi à se mêler à eux sans se faire repérer !

Le cardinal ne fut pas surpris le lendemain quand on retira du Tibre le cadavre d'un homme nu avec une petite blessure au cou et, curieusement, vidé de son sang. Le cardinal connaissait même le nom de l'homme, mais il se garda bien de s'immiscer dans l'enquête de la *polizia*.

« Si nous avons de nouveau cours avec ces deux tortionnaires d'Umberto et Letizia, je me fais porter malade », annonça Tammo quelques semaines plus tard, un soir qu'ils se restauraient dans la salle au plafond doré en prévision du cours à venir. Zita et Raphaela, qui portait l'enfant attaché sur son dos, distribuaient en abondance aux jeunes vampires du bon sang frais tout chaud, mais Tammo semblait n'avoir pas trop d'appétit aujourd'hui.

« Et qu'est-ce que tu invoqueras comme prétexte ? Qu'un humain t'a refilé le rhume ? Ou, mieux encore, la peste ou le choléra ? demanda sa sœur.

– Ils ne me croiraient pas, tu penses ? répondit Tammo.

– Non, tu ne t'en sortiras pas comme ça.

– Je pourrais te briser les deux jambes », proposa Fernand, qui venait d'entrer. Il sortit son rat de son cartable et le posa sur la table avant de s'asseoir parmi les autres.

« Je ne sais pas si c'est une si bonne idée, dit Tammo, sceptique. Est-il vrai que nos os ne mettent pas plus de deux ou trois nuits à se ressouder ? Mais ça fait tout de même très mal, non ? »

Les autres échangèrent des regards et pouffèrent de rire.

« Plus que les coups de bâton, en tout cas ! Du moins j'imagine. Je n'en ai encore jamais fait l'expérience. » Au souvenir des coups qu'elle avait dû encaisser, Alisa frotta ses mains, qui étaient évidemment guéries depuis longtemps.

« Je n'opterais pas pour ce plan-là, lui conseilla Ivy. D'ailleurs j'ai cru entendre que nous allions faire une sortie aujourd'hui – avec la *signora* Enrica et le *signore* Ruguccio. »

Elle avait bien entendu. Outre les professeurs, Hindrik, Francesco, Leonarda et plusieurs autres frères servants étaient aussi de la partie. Les Dracas seraient naturellement escortés de leurs ombres, qui ne les lâchaient pas d'une semelle, prêts à recevoir leurs ordres à tout moment. Tout le monde se réunit dans la grande cour.

La *professoressa* Enrica prit la parole :

« Ces dernières semaines, sous ma conduite et celle du *professore* Ruguccio, vous avez exercé et consolidé vos forces. À présent, nous allons voir où vous en êtes. Nous ne tarderons pas à nous mettre en route pour visiter ensemble une des antiques catacombes chrétiennes. Vous pourrez en chemin jeter un coup d'œil au Colisée et à d'autres témoignages de ce que fut Rome à sa grande époque. »

Les élèves, surexcités, parlaient tous en même temps. Luciano fit un clin d'œil à Alisa. Hindrik se pencha vers eux :

139

« Ce sera particulièrement captivant pour vous, n'est-ce pas ? dit-il à voix basse. Voir le Colisée pour la première fois !

– Oh oui ! répondit Alisa d'un petit air innocent.

– Il est au courant ! chuchota Luciano avec effroi, quand Hindrik se fut éloigné.

– Il sait toujours tout, soupira Alisa. Ne me demande pas comment il fait. En tout cas, il est rare qu'il s'en mêle. »

La *professoressa* répartit les élèves en plusieurs groupes et désigna à chacun un vampire local comme guide. Les groupes devaient sortir les uns après les autres, à quelques minutes d'intervalle. Il aurait été trop dangereux de se déplacer tous ensemble alors que la nuit commençait juste. Les humains avaient certes tendance à ne pas vouloir voir ce qui les effrayait, mais même en s'autosuggestionnant, il leur serait difficile d'ignorer un pareil rassemblement.

Alisa, Ivy et Luciano franchirent le portail principal à la suite de leurs camarades. De l'extérieur, il était parfaitement dissimulé par d'épais buissons. Leur groupe était conduit par Hindrik et Raphaela, qui ne semblait pas fâchée de laisser le petit brailleur pour quelques heures dans la Maison dorée. D'ailleurs elle semblait se plaire en compagnie de Hindrik, plaisir manifestement réciproque. Tous deux marchaient côte à côte en bavardant. De temps à autre ils s'arrêtaient et Raphaela parlait du Colisée et du Circus Maximus, dont on pouvait encore deviner, sur leur droite, la longue piste réservée aux courses de chars. Ils dépassèrent les ruines des thermes de Caracalla et s'engagèrent sur l'antique via Appia. Jusqu'au mur d'enceinte leur chemin fut bordé de palais, cachés derrière des murs et de sombres alignements de cyprès.

Les vampires quittèrent la ville par la *porta* San Sebastiano qui n'était plus gardée depuis que Rome était devenue la capitale du royaume d'Italie. Quand ils eurent laissé derrière eux le mur d'Aurélien, censé interdire jadis l'accès de Rome aux

140

envahisseurs germains et protéger ainsi la ville des pillages, les maisons se firent de plus en plus rares. La via Appia filait à présent tout droit vers le sud.

Hindrik et Raphaela marchaient d'un bon pas, en silence. Le long de la route, on voyait des jardins et de temps à autre un palais. Aucun humain, si bon coureur à pied fût-il, n'aurait pu suivre leur rythme. Même Alisa sentait la fatigue la gagner et Luciano geignait de plus en plus fort. Les premiers mausolées apparurent sur le bord du chemin. Beaucoup étaient en ruine, mais çà et là une statue, une inscription ou un dôme témoignait encore de l'ancienne magnificence de cette ville des morts, que les souverains traversaient jadis lors de leur retour triomphal vers Rome, quand ils venaient d'assujettir une nouvelle province et rentraient au bercail avec leur butin composé de trésors dérobés et d'esclaves exotiques.

La lune était à peine un peu plus haut dans le ciel quand ils s'arrêtèrent dans un bosquet de cyprès. Un humain aurait certainement mis plusieurs heures à couvrir pareille distance. La *signora* Enrica les attendait déjà et les autres les eurent bientôt rejoints. Les jeunes vampires firent cercle autour des deux professeurs.

« Là-bas, de l'autre côté, se trouve l'une des entrées des catacombes de San Callisto, une des nombreuses sépultures labyrinthiques des premiers chrétiens de Rome. Elles s'étendent sur quatre niveaux et sur plusieurs kilomètres, et sont tout à fait adaptées à nos exercices. Nous allons commencer par descendre tous ensemble. Je vous expliquerai à quoi vous devez prendre garde. Et puis nous ferons un exercice d'orientation et de perception, pour lequel vous vous regrouperez par deux, à votre convenance. Mais d'abord, le *signore* Ruguccio va vous donner une amulette qui renforcera votre pouvoir de résistance au sacré. Sans elle, l'exercice se révélerait beaucoup trop douloureux pour vous, je le crains, et nous nous verrions

141

obligés, avant la fin de la nuit, de partir à la recherche de certains d'entre vous que l'on retrouverait gisant Dieu sait où au fond du labyrinthe, prostrés ou inconscients.

– Ça a l'air génial ! murmura Tammo avec une grimace.

– Tu trouves ? » Luciano n'avait pas l'air convaincu.

« Tu n'as pas de souci à te faire, toi, répondit son camarade plus jeune. Vous, les Nosferas, la nature vous a dotés dès le départ de pouvoirs beaucoup plus étendus que les nôtres.

– Pourtant je ne renoncerai pas à la protection de l'amulette, confia Luciano aux deux jeunes filles. Je suis déjà allé une fois dans des catacombes de ce genre et, croyez-moi, ce n'était pas une partie de plaisir ! »

Alisa et Ivy nouèrent autour de leur cou le ruban de cuir avec la pierre rouge et s'engagèrent à la suite des professeurs dans l'étroit escalier de pierre qui s'enfonçait dans les profondeurs de la terre. Ivy prit le rubis dans sa main. Il pesait plus lourd que sa taille ne l'aurait laissé supposer et elle eut l'impression qu'il palpitait dans sa paume. Il était étrangement chaud, comme si une sorte de vie se cachait derrière ses facettes joliment biseautées. Même dans cette obscurité profonde, la pierre émettait une lueur rouge qui dansait comme la flamme sous une bûche et se modifiait sans cesse.

Seymour se pressait si étroitement contre sa maîtresse qu'Ivy percevait la chaleur de son corps à travers le fin tissu de sa robe. Il avait le regard aux aguets.

Alisa posa sa main contre sa poitrine.

« Tu sens, toi aussi ? Ça ne fait pas vraiment mal, mais il y a comme un murmure, un chuchotement au fond de moi qui devient de plus en plus fort. »

Ivy acquiesça.

« Oui, j'ai l'impression que d'innombrables âmes protestent contre notre intrusion. Elles se cramponnent à notre esprit et tentent de nous égarer. »

Ils arrivèrent en bas de l'escalier et s'engagèrent ensemble dans le long couloir qui se perdait dans des ténèbres que même les yeux de vampires ne parvenaient pas à percer sur plus de quelques mètres.

«Cette partie a été aménagée vers la fin du II\ siècle. La communauté chrétienne s'était entre-temps accrue et il fallait bien enterrer tout ce monde, ce qui n'était pas sans poser problème. Les hommes n'avaient pas le droit d'enterrer leurs morts dans l'enceinte de la ville et il n'était pas question de les incinérer à cause de leur conception de la résurrection. Mais même ici, à l'extérieur, le prix des parcelles de terre dans les cimetières était trop élevé, si bien qu'ils imaginèrent de construire ces labyrinthes souterrains. L'idée n'était pas neuve, mais ici, où la pierre est solide, ils purent creuser ces galeries gigantesques sans craindre qu'elles ne s'écroulent sur leurs têtes. Le tuf est fait de cendres volcaniques solidifiées, il se laisse aisément travailler et en même temps il est très résistant.»

La *signora* poursuivit son chemin et obliqua vers la droite. Rien que des tombes et encore des tombes, serrées les unes contre les autres. Ivy posa la main sur la nuque de Seymour. C'était une sensation rassurante, même si les voix des morts devenaient plus distinctes à présent. Mais elles ne l'effrayaient pas. C'était plutôt une profonde tristesse qui se répandait en elle. Elle regarda Alisa qui marchait à côté d'elle. Elle aussi avait l'air malheureux et serrait les lèvres.

«Tu entends les voix? demanda Ivy.

– Des voix? Non, c'est un bourdonnement dans l'air et j'ai l'impression que je n'arrive plus à avoir des pensées claires. Je sens comme une douleur qui s'agglutine en moi, et puis qui se disperse de nouveau. Peut-être n'allons-nous pas nous amuser autant que nous l'espérions.» Luciano à côté d'elles hocha

143

la tête, mais les catacombes ne paraissaient pas avoir sur lui le même effet déprimant.

La *signora* Enrica tourna encore une fois à droite et conduisit les jeunes vampires jusqu'à une série de chambres plus vastes.

« Tandis que dans les premières années tous les morts étaient enterrés dans de simples niches, on vit se créer par la suite des mausolées somptueusement décorés et des cryptes voûtées destinées aux privilégiés. Ces chambres mortuaires que vous voyez ici s'appelaient des *cubicula*. Là-bas, de l'autre côté, sont inhumés neuf évêques romains. Avancez-vous à l'intérieur, autant que vous le pourrez, et prêtez attention à ce que vous ressentez en passant devant les plaques funéraires. On se retrouve ensuite à l'avant, dans la première chapelle du sacrement. »

Avec Seymour toujours serré contre elle, Ivy précédait Alisa. Un grand nombre des tombes qu'elles longeaient étaient vides, elles le percevaient très nettement, tandis que d'autres conservaient encore des ossements datant des premiers siècles de l'ère chrétienne. Ivy se serait attendue à ce que la sensation désagréable s'accroisse au voisinage des sépultures les plus imposantes, mais rien de tel ne se produisit. Et même en passant devant la plupart des niches murales contenant les restes des évêques, elle n'éprouva rien de spécial. C'est seulement au moment où elle atteignit l'extrémité de la chambre funéraire qu'une brûlure fulgurante lui traversa le corps. Elle se pencha pour lire l'inscription sur la plaque.

« C'est la tombe du martyr Sixtus, l'informa le professeur Ruguccio, qui marchait derrière elle. Surprenant, non ? » Alisa laissa échapper un gémissement et recula précipitamment de plusieurs pas.

« C'était manifestement un authentique saint homme, ce qu'on ne saurait affirmer de beaucoup d'autres à qui pourtant ce qualificatif fut appliqué. C'est la raison pour laquelle, tout au long de ces galeries, vous allez rencontrer de simples tombes creusées dans les murs, anonymes et sans décoration, mais dont l'aura, aujourd'hui encore, est plus puissante que celle des martyrs.»

Alisa tira Ivy par la manche.

«Viens, allons-nous-en.» Elles suivirent Luciano jusqu'à la chapelle ornée de fresques somptueuses. La *professoressa* Enrica commenta les images et les symboles et, une fois encore, les jeunes vampires durent s'exercer à rassembler et à activer leurs capacités de défense.

Ivy posa la main sur une petite lampe à huile. Elle sentit une résistance, mais pas de douleur. Puis elle approcha le bout de ses doigts d'une plaque de marbre portant une inscription. La douleur qui irradia dans tout son bras fut si immédiate qu'elle poussa un cri et recula en titubant. Seymour se mit à hurler et fit un bond en arrière.

Alisa tendit les bras pour retenir sa camarade.

«Tout va bien?»

Ivy regarda ses doigts, dont l'extrémité se teintait de noir.

«Oui, dit-elle, le souffle court. Je crois que ça va. Je ne m'y attendais vraiment pas! Du calme, Seymour, il ne m'est rien arrivé.

– Remarquable, n'est-ce pas? Qui se serait attendu à cela de la part de cette petite tablette de rien du tout?» La voix du professeur Ruguccio trahissait une certaine satisfaction. «C'est probablement l'œuvre d'une épouse aimante, qui a voulu protéger dans la mort son mari des méchants démons.»

La *signora* leur fit signe de rebrousser chemin et de remonter à la surface. Ivy sentit l'impatience de Seymour et son soulagement quand ils grimpèrent les dernières marches abruptes et retrouvèrent l'air limpide de la nuit. Elle leva la tête et regarda les étoiles qui scintillaient là-haut, entre les cimes effilées des cyprès. La jeune vampire respira à pleins poumons. Quelle merveilleuse odeur d'écorce, de résine, d'herbe humide de rosée... Aucune voix ici, elle n'entendait plus les chuchotements des âmes défuntes, ses adversaires, rien que le vent de la nuit et le menu bruissement des souris et autres petites bêtes. Un couinement plaintif perça le silence paisible. De longues secondes plus tard, le chat Ottavio apporta sa proie à son maître. Cette fois, c'était un jeune lapin.

« Eh bien, si Maurizio est prêt, lui aussi, nous pouvons à présent entamer la deuxième partie de notre exercice du jour. » La *signora* jeta à son neveu un regard dégoûté, mais il ne se laissa pas troubler pour autant. Il but le sang du lapin puis se débarrassa de la dépouille entre deux touffes d'herbes. « Maintenant, vous allez suivre une piste. Ce n'est pas très difficile quand elle est aussi fraîche, mais ne vous réjouissez tout de même pas trop vite. Les puissantes vibrations à l'intérieur des catacombes vont vous égarer et vous aurez de plus en plus de mal à vous concentrer. Tâchez de repérer à temps et d'éviter les objets dotés d'un grand pouvoir. Ils pompent vos forces. » Elle observa les élèves autour d'elle. Quelques-uns des jeunes vampires hochaient la tête, d'autres échangeaient des regards pas très rassurés. Seuls les Dracas affichaient leur arrogance coutumière, bien qu'Ivy ait très bien senti que dans les catacombes, ils n'en menaient pas large, eux non plus. « Nous allons partir de plusieurs entrées et vous emmener à des niveaux différents. Vous irez par deux. Votre tâche ne consiste pas seulement à suivre la piste qui vous est assignée, mais aussi à trouver et à désigner les trois objets qui représentent pour vous les plus grands dangers.

– Oh non, pitié! gémit Luciano. J'ai jamais été bon làdedans. Je perds chaque fois la piste au bout de deux minutes. J'aurais bien besoin du flair de Seymour, mais j'imagine qu'il va devoir rester ici, en haut. »

Ivy secoua la tête.

«Non, dit-elle avec un air de regret, vous n'arriverez jamais à obtenir qu'il s'éloigne de moi.»

Le regard de Luciano alla d'Alisa à Ivy, et un sourire malin éclaira son visage rond. Il se planta à côté de l'Irlandaise.

«Et si on se mettait ensemble? Seymour nous montrera le chemin et comme ça, nous pourrons nous concentrer sur les dangers et décrire un cercle le plus large possible pour les contourner. Qu'en penses-tu?» Il la fixait, radieux et plein d'espoir.

Ivy eut un doux sourire.

«Si tu en as envie et si les autres n'y voient pas d'objection.

– Qui pourrait y voir une objection?» Luciano fixa Alisa d'un air suppliant, puis jeta un regard noir à Franz Leopold. Alisa ouvrit la bouche, mais aucun mot ne sortit. Elle n'avait rien contre le fait que Luciano se joigne à Ivy, même si elle était un peu vexée de le voir préférer ostensiblement la compagnie de la jolie Irlandaise à la sienne. Avant qu'elle ait pu répondre, Francesco les rejoignit.

«Vous êtes prêts? Allez, viens Luciano, je vais jouer le rôle du renard, à vous de suivre ma trace. Nous allons partir d'une autre entrée. Voici le sablier. Quand le sable sera complètement écoulé, vous pourrez entamer la poursuite. La question est de savoir si vous serez capable de me rattraper!»

Il emmena Luciano et Ivy. Et avant qu'elle ait eu le temps de comprendre ce qui se passait, Alisa se retrouva seule avec Franz Leopold. Les deux vampires se toisèrent en silence. Alisa sentait la colère monter en elle. Elle l'aurait giflé, ce beau gosse.

«Eh bien soit, dit-elle avec une légèreté forcée. Je crois que pour notre santé à tous deux, le mieux serait que tu évites de donner tout de suite la solution de notre exercice et que tu renonces à dire tes méchancetés habituelles.

147

– Oui, tâchons d'en avoir terminé avant que tu ne succombes à ton penchant et ne causes encore de nouveaux dégâts.

– Moi? s'écria Alisa, furieuse. Je me défends quand on m'attaque, c'est tout. »

La *signora* interrompit leur dispute.

« Eh bien, vous êtes prêts? Alors venez avec moi, nous allons prendre l'escalier. »

Franz Leopold et Alisa échangèrent des regards furibonds mais ils obéirent. Arrivée au premier palier, la *professoressa* s'arrêta et donna un sablier à Alisa.

« Attendez qu'il soit vide et puis lancez-vous à ma recherche. Aiguisez bien tous vos sens et ne vous laissez pas détourner. Et méfiez-vous surtout de ces puissants objets, fabriqués par les hommes, dont la forme extérieure est celle d'objets banals tels que croix, anneaux ou tablettes portant des inscriptions, mais qui renferment une puissante magie. L'amulette elle-même ne saurait vous en protéger!» Elle salua les deux jeunes vampires et disparut dans les ténèbres.

« Le sablier ne s'est toujours pas vidé?

– Non, et ce n'est pas en posant trois fois la question que tu le feras aller plus vite!» Elle lui mit le petit récipient en verre sous le nez. Tous deux regardèrent le sable jaune qui s'écoulait bien trop lentement. Enfin, les derniers grains tombèrent à travers l'étroit goulot. «C'est parti!»

Le temps qu'Alisa range le sablier dans sa poche, Franz Leopold était déjà un étage plus bas.

« Ne lambine pas comme ça!» Alisa s'élança derrière lui. Heureusement qu'elle n'était plus obligée de porter des robes. Malgré les efforts qu'il faisait pour la semer, elle l'avait rejoint avant même qu'ils atteignent le troisième niveau.

« Attends, tu ne sais même pas quel couloir elle a pris. » Alisa fit un joli dérapage contrôlé pour s'arrêter à côté de lui.

Il était planté là, silencieux, humant l'air alternativement en direction des trois couloirs qui partaient du palier. Alisa passa devant lui et descendit encore quelques marches. « Non, dit-elle en secouant la tête, elle n'est pas allée plus bas. Tu sens quelque chose ? »

Il restait toujours immobile, les yeux fermés, le nez pointé en avant.

« Ne me dérange pas ! Ah ces bonnes femmes, incapables de tenir leur langue. »

Vexée, Alisa se détourna et mobilisa elle aussi ses sens pour tâcher de flairer la piste.

« Celui de gauche », dit-elle avec aplomb.

Franz Leopold ouvrit les yeux.

« Oui, je sais. J'attendais simplement que tu trouves par toi-même. Il faut que tu t'exerces, tu en as bien besoin. »

Alisa serra les poings mais réussit à se maîtriser.

« Bon, alors on continue. »

À l'embranchement suivant, chacun focalisa son attention sur un couloir.

« C'est par ici », s'écria Alisa, et Franz Leopold la suivit, en s'abstenant pour une fois de tout commentaire dévastateur. À la bifurcation d'après, ce fut lui qui repéra la trace le premier. Les deux jeunes vampires continuèrent d'un bon pas. Les murs, de part et d'autre, étaient creusés de niches tombales. On distinguait çà et là des sépultures richement décorées. Ils passèrent devant plusieurs entrées de chambres funéraires, mais sans y pénétrer. Certaines tombes irradiaient un pouvoir beaucoup plus grand que les autres, si bien qu'ils étaient obligés de ralentir et de mettre toutes leurs forces en œuvre pour les dépasser. Le front d'Alisa était couvert de sueur, ce qui ne lui était jamais arrivé. Elle serrait l'amulette entre ses doigts et se concentrait pour poser un pied devant l'autre. Malgré l'obscurité totale qui régnait dans ce souterrain, elle voyait que le visage de Franz Leopold était tendu et crispé. Lui aussi avait fort à faire pour lutter contre les sortilèges chrétiens.

« Par là ! » dit-il, le souffle court, en trébuchant à l'entrée d'un couloir. Il s'essuya le front et les tempes avec un mouchoir brodé. « Ici, ça ira mieux. »

Alisa acquiesça. Elle aussi percevait encore les chuchotements et les murmures qui avaient envahi sa tête et tout son corps depuis qu'ils étaient entrés dans les catacombes, mais elle avait besoin de moins d'énergie à présent pour les neutraliser.

« À droite ! Je crois qu'on devient vraiment bons ! » Elle sourit.

Franz Leopold la dépassa et à l'embranchement suivant il se courba pour s'engager dans un tunnel.

« C'est par là ! Oui, nous allons débusquer la *signora* ! » Il éclata de rire. C'était la première fois qu'elle l'entendait rire ainsi, un rire franc, sans méchanceté, sans arrière-pensées haineuses.

Tout à coup, Franz Leopold fut projeté en arrière et il saisit sa tête entre ses mains.

« Qu'est-ce que c'est ? » Alors qu'elle approchait, Alisa sentit elle aussi la puissante aura l'envelopper. Elle ne put retenir un gémissement. « Que se passe-t-il ?

– Je ne sais pas, mais sauvons-nous vite d'ici.

– Non, il faut d'abord savoir de quel objet émane cette force. Ça fait aussi partie de l'exercice. »

Franz Leopold gronda et montra les dents, mais il ne répliqua pas. Alisa pénétra, non sans mal, dans la chambre funéraire, où six niches avaient été aménagées à l'intérieur des murs peints. Les dalles de marbre qui recouvraient le sol étaient cassées en mille morceaux. De quelle source avait bien pu émaner cette énergie destructrice ?

« Je crois que ça vient de l'une des tombes sur la paroi du fond », dit Alisa d'une voix entrecoupée. Elle sentait dans sa nuque le souffle haletant de Franz Leopold qui la suivait de près. Elle fit un grand pas en avant et n'eut que le temps d'apercevoir un vase d'argile au fond de la tombe. Un craquement résonna comme un coup de tonnerre à travers la pièce.

«Recule!» hurla Franz Leopold, mais Alisa était comme paralysée. Le sol se mit à vaciller. Elle tendit les bras dans le vide. Un second craquement retentit et cette fois le sol se déroba sous ses pieds. Tout autour d'elle, une pluie de gravats dégringola avec elle dans l'abîme. Pendant quelques instants elle eut l'impression de flotter dans l'air, puis elle atterrit sur le sol de pierre. Le choc fut rude. Un humain s'y serait brisé les os. Alisa enroula ses bras autour de sa tête pour se protéger des quelques fragments de marbre et de roche qui tombaient encore. Puis le silence revint. Elle se rendit compte, comme à travers une espèce de brouillard, qu'elle se trouvait dans une pièce plus vaste au plafond voûté. Peut-être les hommes avaient-ils creusé le rocher sur une trop grande hauteur, si bien que la voûte s'était effondrée. Le brouhaha dans sa tête était de plus en plus fort. Les fresques et les niches des parois se mirent à bouger. Des mains glissantes l'agrippaient, la palpaient, lui écrasaient la poitrine. S'était-elle blessée gravement dans sa chute? Elle tourna la tête et leva les yeux vers le trou dans le plafond. Elle distingua vaguement le visage flou de Franz Leopold. Ses lèvres formaient des mots. Naturellement il ne pouvait pas s'empêcher de persifler, de se moquer de sa mésaventure. À quoi bon l'écouter? Si seulement la douleur avait été moins violente. Des serpents tournicotaient dans son corps, lacéraient sa chair, se repaissaient à l'intérieur de son crâne. En tout cas, c'était la sensation qu'elle avait. Alisa ferma les yeux. Elle perdit connaissance.

Une nuit dans le sarcophage

D'instinct, Franz Leopold fit en bond en arrière quand la dalle de marbre se brisa dans un puissant craquement. Il voulut crier un avertissement à Alisa, l'attraper par la manche, mais le tissu lui glissa entre les doigts. Il tomba à genoux et ne put qu'assister à sa chute, la voir disparaître dans l'abîme en même temps que les débris de marbre et de tuf. Quand le hurlement d'Alisa s'éteignit et que la poussière fut un peu retombée, il rampa sur le ventre jusqu'au trou, qui faisait plus de quatre pieds de large, et regarda au fond. Malgré l'aura oppressante que dégageait la tombe, il avait l'esprit assez clair pour se rendre compte qu'Alisa gisait au milieu d'un tas de décombres sur le sol d'une deuxième chambre mortuaire. Une sorte de chapelle.

Comment pouvait-on être aussi maladroite? Ce n'était bien qu'une Vamalia, pour sûr! Maintenant la chasse était terminée, le renard était passé à travers les mailles du filet. Ce serait un autre groupe qui recevrait la couronne du vainqueur. Un trophée qui lui était dû! À lui, Franz Leopold, de la lignée des Dracas!

Sa colère l'aida à se concentrer et à se cramponner au rebord du trou, alors que tout son corps lui enjoignait de fuir, de se dérober aux antiques pouvoirs de l'Église.

« Alisa ? » cria-t-il, penché vers les profondeurs. La jeune fille battit des cils. Elle ouvrit les yeux, mais il n'aurait su dire si elle le voyait vraiment. Était-elle gravement blessée ? Le trou ne lui paraissait pas si profond : six ou sept mètres, tout au plus.

« Alisa ! » Bon sang. Ses yeux se refermaient. C'est alors qu'il aperçut l'amulette de la jeune fille. Elle gisait non loin d'elle, au milieu des décombres. Franz Leopold frémit à la pensée de ce que devait ressentir un vampire dans un endroit pareil sans la protection de la pierre rouge. Il l'appela encore une fois.

« Il faut que tu aies l'amulette sur toi. Prends-la, elle est juste à côté de ta tête. Si tu étends le bras, tu peux l'attraper ! »

Elle ne réagit pas. Franz Leopold soupira. Si elle le voyait revenir seul, la *professoressa* ne l'entendrait sûrement pas de cette oreille. Sans plus tergiverser, Franz Leopold sauta dans le trou. Il atterrit plié en deux, et regarda tout autour de lui avant de se pencher au-dessus d'Alisa. Elle était évanouie. Il ramassa l'amulette et la lui posa sur la poitrine.

« Réveille-toi ! » Il la secoua sans ménagement. Elle battit des paupières mais ne reprit pas conscience. Franz Leopold poussa un juron. Il prit l'amulette et se la mit autour du cou, en plus de la sienne. Aussitôt il se sentit plus fort, les idées plus claires. Il se pencha et souleva la jeune fille dans ses bras. Bien qu'elle fût aussi grande que lui, il n'avait aucun mal à la porter. Mais quant à la faire passer à travers le trou du plafond pour la transporter dans la galerie, à l'étage au-dessus, ça, c'était une autre histoire. Sans son fardeau, il aurait sans doute réussi à grimper le long de la paroi, à prendre appui et à se hisser, mais avec elle, comment faire ? Il se retourna, explorant du regard la chambre mortuaire en quête d'une solution. Deux arceaux de pierre ouvraient sur deux galeries différentes. Laquelle fallait-il prendre ? Franz Leopold décida d'essayer celle qui allait à peu près dans la direction d'où ils étaient venus, un étage plus haut. Peut-être les ramènerait-elle à l'escalier qui leur avait permis d'accéder au labyrinthe. Il se hâta de quitter la chapelle et s'engagea dans la galerie. Le poids qu'il portait l'entravait à peine et à présent qu'il n'avait plus à se soucier de suivre la piste de la *signora*, il pouvait se concentrer sur le trajet. Il n'eut aucune difficulté à évaluer vers quel point cardinal il se dirigeait, mais il ne savait pas trop à quelle distance se trouvait la sortie. Il allait de galerie en galerie, butait parfois sur un cul-de-sac. Plus d'une fois, il dut rebrousser chemin. Alisa, dans ses bras, se mit à remuer et gémit.

« Tiens-toi tranquille », lui demanda-t-il, mais il n'était pas certain qu'elle soit capable de l'entendre. Il avait l'impression d'être en route depuis une éternité. S'il ne trouvait pas bientôt l'escalier, il allait avoir tout le temps de le repérer, bon sang ! Car dans ce cas, il leur faudrait rester dans ce souterrain jusqu'à ce que le soleil ait décrit dans le ciel sa courbe d'est en ouest ! Le chemin bifurquait à nouveau. Franz Leopold s'arrêta. Il cligna des yeux, perplexe. Il fallait qu'ils continuent vers l'ouest. Alors à droite, ou à gauche ? Il sentait les pensées se former laborieusement dans son cerveau. Où diable était l'ouest ? Il y avait beaucoup trop longtemps qu'il errait au milieu de tous ces ossements et ces images chrétiennes. Même avec ses deux amulettes, il sentait ses forces décroître. Il examina encore une fois le couloir de gauche, puis celui de droite. Il fallait qu'il se décide. Bon, alors à gauche.

Franz Leopold se remit en route cahin-caha. Deux fois encore, il dut choisir. Le chemin ne cessait de bifurquer. En souffrant mille morts, il passa devant deux chapelles funéraires ouvertes. « Je ne me laisserai pas avoir », marmonnait-il dans sa barbe tandis que ses pieds progressaient centimètre après centimètre devant l'entrée de la deuxième. Il n'allait tout de même pas s'écrouler au fond de ce souterrain et devenir la risée des autres quand les professeurs seraient obligés de venir le repêcher dans son trou et de le remonter à la surface, complètement exténué. Ah ça, non ! Pas lui, Franz Leopold, de la maison des Dracas.

Il tourna le coin. Quand il aperçut l'escalier, il faillit éclater en sanglots. Il resta un moment immobile, le regard fixe, puis il se mit à monter les marches, lentement. Au second palier, il reconnut en effet l'endroit où Alisa et lui, des heures plus tôt, avaient pénétré dans les catacombes. La fierté bouillonna en lui et ses épaules se redressèrent. Il avait gagné ! Quelques marches encore et ils seraient dehors. Les derniers mètres épuisèrent ce qui lui restait de forces. Franz Leopold fit glisser son fardeau dans l'herbe et respira l'air frais du matin. À chaque inspiration, ses idées devenaient plus claires.

Il regarda autour de lui. Personne n'était là pour les accueillir et pour le féliciter de son exploit. Contrarié, il plissa le front. À quelque distance, derrière une rangée de cyprès, il entendit des voix. Soudain un gémissement sonore troua la nuit qui déjà blêmissait. Le loup blanc d'Ivy accourait vers eux à travers les herbes. Puis il vit plusieurs silhouettes jaillir des buissons. Seymour les rejoignit le premier. Il se pencha sur Alisa et lui lécha le visage. Franz Leopold fit une grimace dégoûtée.

« Arrête ! Heureusement qu'elle est déjà inconsciente, sinon tu l'aurais fait tomber dans les pommes ! »

Mais Alisa commença à gémir et se retourna lourdement sur le côté. Le loup poussa une sorte d'aboiement et laissa la place aux nouveaux arrivants qui, remplis d'inquiétude, firent cercle autour d'Alisa et Franz Leopold. Il y avait là Ivy et Luciano, qui avaient refusé de retourner à la Maison dorée avec les autres, la *signora* Enrica et le *signore* Ruguccio, les deux frères servants Hindrik et Matthias, l'ombre de Franz Leopold, qui avaient tenu également à prendre part à la recherche des deux disparus. À présent Hindrik s'agenouillait pour examiner Alisa qui revenait à elle peu à peu.

«Que vous est-il arrivé? demanda le professeur à Franz Leopold.

– Et pourquoi portes-tu deux amulettes et Alisa aucune? voulut savoir Hindrik.

– Je n'admets pas ce ton de la part d'un impur», répliqua Franz Leopold et, les bras croisés sur la poitrine, il fit un pas en arrière. «C'est intolérable!

– Sa question est pourtant pertinente, intervint la *signora* Enrica. Dépêche-toi de nous raconter ce qui s'est passé. Et puis il faudra s'en aller d'ici.

– Alisa sera-t-elle capable de marcher? demanda Luciano.

– Je la porterai, dit Hindrik en la soulevant dans ses bras.

– Eh bien? J'écoute.» D'un ton sec, la *signora* réclamait au jeune vampire des explications. Alors Franz Leopold fit le rapport circonstancié de leur mésaventure.

«C'est seulement pour cette raison que j'ai pris son amulette, dit-il en guise de conclusion, bien qu'il ne comprît pas vraiment pourquoi il lui fallait se justifier.

– Une décision intelligente, le loua le professeur, et Hindrik aussi le remercia de s'être montré si avisé.

– À présent partons, les pressa la *signora* Enrica. Il faut se dépêcher!» Elle regarda le ciel d'un air soucieux. Hindrik avait déjà pris les devants.

«Souhaitez-vous aussi que je vous porte?» proposa Matthias à son maître. Ce n'aurait pas été un problème pour un vampire aussi costaud que lui, mais Franz Leopold refusa en secouant vigoureusement la tête, ce qui lui donna aussitôt le vertige.

«Non. Je suis tout à fait en mesure de rentrer à la Maison dorée sur mes propres jambes. Je n'ai plus besoin de ton aide à présent. C'est tout à l'heure, au fond du labyrinthe, que tu m'aurais vraiment été utile!»

Accablé par ce reproche, le grand vampire brun baissa la tête et suivit son maître en silence.

«Je te souhaite le bonsoir.» La dalle du sarcophage pivota en grinçant et Alisa cligna des yeux en apercevant au-dessus d'elle le visage souriant de Hindrik. «Comment te sens-tu?» Son appréhension était palpable.

Alisa porta la main à son front.

«Affreusement mal!»

Tammo venait de surgir à côté de Hindrik.

«Qu'est-ce que tu fabriques, sœurette? J'aurais bien participé à ta recherche, hier, mais ils nous ont renvoyés à la maison. Seuls Ivy et Luciano ont eu le droit d'y aller parce que Seymour refusait de nous suivre. De toute façon, même sans ton accident, tu aurais lamentablement perdu contre notre équipe. Nous avons été les meilleurs, et les seuls à attraper notre renard avant la sortie du labyrinthe – excepté Ivy et Luciano, évidemment, mais c'est uniquement à cause du flair de Seymour. Joanne est vraiment incroyable! Elle reniflait partout, comme un loup, et elle s'élançait dans les galeries comme si c'était la douzième fois qu'elle s'y baladait. Elle dit qu'à Paris ils ont été formés à ça dès leur plus jeune âge, sinon ils se seraient égarés dans l'immense labyrinthe qui s'étend sous la capitale.» Tammo rayonnait littéralement. «Pour moi c'était tout simple. Je n'avais qu'à lui emboîter le pas.»

Hindrik interrompit ce flot de paroles.

«Allez, vas-y maintenant, sinon tu vas être en retard au cours.»

Alisa voulut suivre Tammo, qui filait vers la porte, mais Hindrik l'en empêcha.

«Aujourd'hui, tu restes allongée. Recommandation du

comte Claudio en personne. Il ne veut pas qu'il arrive malheur à l'un d'entre vous alors que vous êtes sous sa protection.

– Il faut vraiment que j'aille au cours, répliqua Alisa. Je vais périr d'ennui. Tu pourrais au moins aller me chercher des livres à la bibliothèque. Tu ne vas quand même pas refermer le couvercle au-dessus de ma tête ?

– Non, si tu me promets que tu ne quittes pas ce sarcophage. Je vais voir ce que je peux faire. Et en attendant tu n'as qu'à t'amuser avec la toute dernière édition de *L'Osservatore romano*.

– Mais je ne connais que quelques mots d'italien !

– Eh bien c'est l'occasion d'apprendre ! » Il insista pour lui faire boire un gobelet de sang, puis la laissa seule. Ses compagnes de chambre, Ivy, Chiara et Joanne, avaient depuis longtemps rejoint la salle au plafond doré. Alisa feuilleta le journal quelques instants, s'arrêtant sur les images et les caricatures, mais sans parvenir à deviner de quoi les articles pouvaient bien traiter. La seule chose qu'elle reconnut, c'était un portrait du pape qui, en bon pasteur, souriait aimablement au lecteur. Elle jeta le journal par terre, sortit de son sarcophage et alla fouiller dans sa caisse de voyage. Elle passa en revue d'un air morose ses livres préférés. Elle les avait tant de fois lus et relus... Non, vraiment, il lui fallait du neuf. Peut-être pouvait-elle emprunter un des romans d'Ivy ? Elle hésita un moment. Ivy se formaliserait-elle si elle prenait un livre sans lui demander la permission ? Alisa s'approcha du sarcophage richement orné de l'Irlandaise. Sur un petit support de pierre étaient posés plusieurs livres reliés de toile ordinaire. Alisa s'accroupit et examina les titres : *Jane Eyre*, de Charlotte Brontë, *Orgueil et préjugés* et *Mansfield Park*, de Jane Austen, *Les Hauts de Hurlevent*, d'Emily Brontë.

Soudain, elle sentit qu'on l'observait. Elle se retourna et, ce faisant, heurta du coude la pile de livres qui s'écroula bruyamment.

Elle ne savait pas qui elle s'attendait à voir. Peut-être Hindrik, venu vérifier si elle était bien restée couchée. Mais c'était Malcolm, qui entrait dans la chambre d'un pas nonchalant. Il marqua une pause, puis s'approcha d'elle et l'aida à ramasser les livres.

« Des œuvres intéressantes », dit-il, tandis que son regard parcourait les dos des ouvrages. « William Blake, les sœurs Brontë, Charles Dickens, William Shakespeare, et puis – oh, Lord Byron ! Il serait heureux de voir ça. Ce sont tes livres ? »

Alisa secoua la tête.

« Non, ils appartiennent à Ivy. Peut-être faudrait-il que je lui demande avant d'en emprunter un. » Elle retourna à son propre sarcophage mais, au moment d'y entrer, hésita et se posta, les bras croisés, le dos appuyé contre la surface lisse.

« Ne devrais-tu pas plutôt être couchée ? demanda Malcolm en souriant.

– Ne devrais-tu pas plutôt être en cours ? » répliqua Alisa, du tac au tac.

Le vampire anglais haussa les épaules.

« Je me trouverai bien une excuse. »

Alisa soupira.

« Comment ai-je pu avoir une telle malchance ? Et maintenant il faut encore que je reste confinée ici toute la nuit ! » Le sentiment de contrariété était plus fort que le souvenir des tourments qu'elle avait endurés, aussi éluda-t-elle négligemment la question lorsque Malcolm lui demanda ce qu'elle avait ressenti quand elle avait perdu son amulette.

« Moi, je sentais la douleur malgré la protection de la pierre, dit-il. Mais ce qui était bien pire encore, c'étaient ces créatures nébuleuses qui essayaient de me brouiller l'esprit. J'aurais vraiment voulu m'enfuir ! »

Faire devant elle un pareil aveu ne semblait pas l'embarrasser du tout. Sans doute avait-il dépassé ce genre de puérilité.

159

C'était peut-être la raison pour laquelle Alisa se sentait un peu mal à l'aise en sa présence. Ils restèrent un moment silencieux. Le regard d'Alisa fut attiré par la poche de sa veste en tweed, qu'il portait sur des knickerbockers du même tissu. Quelque chose de rouge dépassait.

«Qu'est-ce que c'est?» demanda-t-elle, afin de rompre ce silence chargé de tension.

Malcolm parut hésiter un instant, puis il tira de sa poche un masque de velours rouge et le lui tendit.

«Qu'est-ce que c'est que ça? Je veux dire, à quoi ça te sert? demanda Alisa, perplexe, en tournant le masque entre ses doigts. Vous portez des accessoires de ce genre, à Londres?

– Pour aller à la chasse?» Malcolm eut un petit sourire ironique. «Le spectacle serait croquignolet! Non, bien sûr que non. Je l'ai... eh bien je l'ai trouvé ici.»

Alisa fourra son nez dans l'étoffe moelleuse.

«De l'autre côté, là-bas, dans l'aile est, n'est-ce pas?»

Malcolm la regarda, stupéfait.

«Non. Qu'est-ce qui te fait croire ça?

– Je distingue nettement ton odeur, ainsi que le doux parfum d'un humain. Et puis encore d'autres senteurs, plus anciennes, celles d'autres humains, et aussi des relents de vieillesse et de décomposition, comme dans l'aile est, si j'en crois mes souvenirs.»

Malcolm lui reprit le masque et le huma à son tour. Il prit son temps avant de répondre.

«Tu as un bon odorat et tu ne manques pas de perspicacité.»

Elle le fixa, pleine de curiosité.

«Je déduis de ta réaction que le masque ne vient pas de là-bas. Et sans doute même pas de la Maison dorée?»

Il hésita à nouveau.

«Femmes ou vampires, vous êtes toutes des petites

curieuses », dit-il en ricanant. Alisa était trop désireuse d'entendre sa réponse pour relever, aussi se contenta-t-elle de le fixer en silence, prête à boire ses paroles.

« Bon, ça va, je pense que je peux te le dire. » Et il lui raconta son escapade nocturne et l'étrange jeune fille qui avait perdu son masque.

« Comme c'est excitant ! s'écria Alisa, les yeux brillants. Et mystérieux, non ? À ton avis ? Ce n'est pas un comportement normal.

– En effet. » Malcolm hocha la tête. « Je n'arrête pas d'y repenser. J'aimerais trop savoir ce que signifiaient cette fille et ce déguisement. Je suis retourné deux fois sur les lieux mais naturellement elle n'a pas reparu. Je crois que nous ne saurons jamais.

– Hélas non. » Alisa soupira. « Nous ne pouvons que faire des suppositions. C'est peut-être la messagère secrète d'un grand seigneur ? Une adepte d'une religion interdite, menacée de persécution sanglante par le Vatican ? »

Malcolm éclata de rire.

« Tu as vraiment une imagination débordante. Non, elle appartient plutôt à une de ces sociétés secrètes qui doivent pulluler en Italie.

– Nous ne le saurons jamais », répéta Alisa.

Ils sourirent et se regardèrent. Les yeux bleu clair de la jeune fille noyés dans ceux, bleu foncé, du garçon. Alisa se cramponna au rebord de son sarcophage. Ses genoux prêts à se dérober sous elle signifiaient sans doute qu'elle était plus faible qu'elle ne le croyait. Ou bien était-ce le sourire de Malcolm ? Elle baissa vite les yeux.

Malcolm toussota et remit le masque dans sa poche.

« Bon, il vaut mieux que j'y aille, maintenant.

– Oui, dit Alisa, et moi je retourne m'allonger avant que

161

Hindrik me surprenne et me condamne à me morfondre ici toute une semaine. »

Arrivé à la porte, Malcolm se retourna.

« Si tu cherches des lectures encore plus palpitantes, demande à Vincent, l'impur qui nous accompagne. Il s'est embarqué avec trois cercueils remplis de bouquins ! Vincent est un collectionneur passionné et il ne se sépare jamais de ses plus belles pièces. Ne sois pas surprise : il est un peu excentrique quand il s'agit de livres – et il a entrepris de rassembler une collection complète de tous les écrits où il est question de vampires et autres créatures démoniaques ! Mais si, en attendant, tu veux commencer par les livres de ton amie, alors je te conseille *Les Hauts de Hurlevent*. Heathcliff est un personnage assez diabolique, il va te plaire. Il a presque un petit quelque chose du vampire. C'est peut-être pour cette raison que les dames et les messieurs de la société londonienne ne l'apprécient guère et préfèrent les livres de l'autre sœur Brontë, Charlotte. »

Après un dernier salut de la main, Malcolm s'en alla. Une fois seule, Alisa resta un moment tranquille, plongée dans ses pensées. Mais la curiosité fut la plus forte et elle alla chercher le livre d'Emily Brontë. Elle ne tarda pas à être tellement absorbée par l'histoire qu'elle ne leva les yeux que pour voir le museau blanc de Seymour pointer par-dessus le bord du sarcophage. Elle sursauta.

« Quel honneur ! dit-elle en lui flattant les oreilles quand elle eut surmonté sa peur. Je croyais que tu ne quittais jamais Ivy d'une semelle.

– Effectivement. Il courait juste quelques pas devant moi pour venir voir comment tu allais. »

Alisa se redressa.

« Il est donc si tard ? Je n'ai pas vu le temps passer.

– Nous faisons une petite pause pour reprendre des forces

162

avant la deuxième partie du cours. Qu'est-ce que tu lis de beau ? » Ivy se pencha pour apercevoir le titre.

Alisa réprima son premier mouvement, qui était de le lui cacher.

« *Les Hauts de Hurlevent*. Je l'ai pris dans ta pile. J'espère que tu ne vas pas être fâchée que je ne t'aie pas demandé la permission.

– Mais non. Je n'étais pas là et tu avais besoin de distraction. Ça te plaît ? »

À cet instant, Luciano entra en trombe. Il lui tendit un gobelet.

« Tiens, bois, du sang tout chaud. C'est la *signorina* Raphaela qui me l'a donné pour toi. Elle te salue et espère te voir demain.

– Et moi donc ! » répondit Alisa avec un grognement, en prenant le gobelet.

Il poursuivit sur sa lancée :

« Je suis vraiment désolé. Peut-être que tout cela ne serait pas arrivé si je n'avais pas fait cet échange idiot et si tu n'avais pas été obligée de faire équipe avec l'ignoble Franz Leopold. »

Alisa haussa les épaules.

« Qui peut le dire ? D'ailleurs il n'a pas été si ignoble que ça – du moins pas tout le temps.

– Et il l'a portée dans ses bras à travers les catacombes jusqu'à la sortie », renchérit Ivy.

Alisa hocha la tête. *Ce n'est pas toi, Luciano, qui aurais fait ça,* ajouta-t-elle *in petto*.

« N'empêche. » Luciano s'empara du journal. « Tu sais lire l'italien, maintenant ? demanda-t-il, admiratif.

– Non, malheureusement pas. Pourtant j'aimerais trop savoir ce qui se passe chez les humains, ici à Rome. C'est Hindrik qui me l'a apporté. Il estime sans doute que ça va aiguillonner mon envie d'apprendre, et il n'a pas tort.

– Si tu veux, je te lirai quelques articles », proposa Luciano,

163

grand seigneur. Mais en attendant, il pressa Ivy de retourner avec lui en cours. « Je ne veux pas être en retard. J'ai bien peur d'être à deux doigts de tâter du bâton... »

Ivy prit congé d'Alisa et le suivit. Alisa entendit son amie qui répondait :

« Je ne crois pas que tu aies à redouter d'être frappé. Le comte n'apprécie pas que les professeurs infligent des corrections aux membres de son clan. Ils vont continuer à s'en prendre exclusivement à nous ! »

Encore des visites

Franz Leopold s'ennuyait. Plusieurs fois il était allé traîner du côté de la chambre d'Alisa, mais il y avait toujours un autre jeune vampire assis près de son sarcophage. Et pas question pour lui de prendre son tour parmi la horde des visiteurs. Il trouvait ce cirque tout à fait ridicule : tenir ainsi sa cour comme une impératrice mourante qui reçoit ses admirateurs couchée ! Il passait pour la cinquième fois devant la porte de la chambre, assez contrarié, quand il tomba sur Karl Philipp, escorté de son ombre, Tibor.

Son cousin lui proposa de profiter de l'occasion, pendant que la sale môme était confinée dans son tombeau.

« Nous pourrions guetter Luciano et achever de lui infliger la correction qu'il mérite. »

Franz Leopold déclina l'offre et poursuivit son chemin. C'est alors qu'il aperçut Ivy, avec Seymour, qui tournait l'angle du couloir et disparaissait dans la direction où se trouvaient les chambres des impurs. Il s'apprêtait à lui emboîter le pas quand une voix frappa son oreille, une voix qu'il aurait reconnue entre mille. Se pouvait-il que ce soit elle ?

« Reste ici », ordonna-t-il à Matthias qui, en ombre fidèle qu'il était, le suivait comme toujours, marchant quelques pas en arrière, le visage inexpressif et les yeux baissés.

Franz Leopold traversa en hâte la salle presque déserte et s'engouffra dans le couloir, au bout duquel il eut juste le temps de voir disparaître une robe à paniers somptueusement ornée. Il n'y avait qu'une seule femme pour porter crinoline aussi volumineuse : la baronne Antonia ! Pourquoi était-elle déjà de retour à Rome ? Ou bien n'était-elle jamais repartie à Vienne ? Franz Leopold s'approcha, rempli de curiosité, jusqu'à ce qu'il puisse entendre ce qu'elle disait.

« Comte Claudio, je vous parle ! criait-elle d'une voix sifflante. Je veux savoir exactement ce qui s'est passé et pourquoi vous n'avez pas jugé nécessaire de nous informer.

– Vous savez très bien ce qui s'est passé, répondit le comte, refusant de rentrer dans son jeu.

– Oui, parce que mon frère se méfiait et qu'il m'a priée de rester dans les parages.

– De rester *subrepticement* dans les parages, corrigea le comte Claudio. Sinon, nous aurions bien entendu mis à votre disposition un logement convenable ! »

Elle ignora sa remarque.

« J'exige de savoir comment va Franz Leopold.

– Il se porte comme un charme, je vous l'ai dit ! s'écria le comte. Il ne lui est rien arrivé, à lui. C'est Alisa, du clan Vamalia, qui est passée à travers un toit et a fait une chute d'un étage dans les catacombes. Rien de dramatique. Elle s'est juste évanouie parce qu'elle avait perdu son amulette en tombant.

– La Vamalia ne m'intéresse pas, trancha la baronne. Ce qui me paraît beaucoup plus important, c'est que vous n'avez manifestement pas la situation en main. Je me suis renseignée. Le nombre de Nosferas qui ont disparu au cours des derniers mois est tout à fait effrayant. Et je ne veux pas seulement parler des vénérables qui ont décidé eux-mêmes de mettre fin à leurs jours. Vous voulez la liste ?

– Je la connais. »

Mais il en fallait plus pour arrêter la baronne.

« Deux vénérables, un impur et trois membres du clan ! Nos enfants pourraient être les prochaines victimes. Et vous ne faites rien pour empêcher ça !

– Bien sûr que si, chère baronne, mais je n'ai pas à m'entretenir là-dessus avec vous. Les jeunes vampires ne sont pas en danger. Ils ne quittent la Maison dorée que sous la surveillance de membres très expérimentés de notre famille et de frères servants. »

La baronne émit un sifflement de fureur.

« Peut-être n'avez-vous pas remarqué la défection de tel ou tel représentant des Nosferas ? Des bruits circulent, on parle de querelles, de résistance. Votre trône vacille ! Pour ma part, en tout cas, je sais ce que je dois notifier. Les enfants des Dracas ne resteront pas à Rome, c'est moi qui vous le dis. J'y veillerai. Ils sont la propriété de Vienne. »

Le comte Claudio allait-il se plier à ses exigences ? Retenant son souffle, Franz Leopold s'approcha encore un peu plus.

Il y eut un bruissement de jupons soyeux.

« Qui est là, dehors ? Sors de ta cachette ! » La voix était de plus en plus stridente.

Franz Leopold fit demi-tour et s'enfuit à toutes jambes le long du couloir. Danger ! La baronne était dans une de ses phases de fureur extrême, et il ne lui parut pas opportun de se montrer. Quitter la Maison dorée pour quelques heures serait peut-être même une excellente idée. Il se hâta jusqu'au portail caché et se glissa au-dehors.

« Je t'ai déjà dit que je n'avais pas besoin de toi pour le moment ! s'emporta-t-il, houspillant le pauvre Matthias qui se faufilait derrière lui. Retourne à l'intérieur, et ne t'avise pas de me suivre en douce !

– Mon devoir est d'être votre ombre. C'est dans ce but que

j'ai été mordu et que l'on m'a ôté la vie », dit Matthias d'une voix neutre. C'était un bien long discours pour cet impur qu'on savait peu loquace.

« Peut-être, mais je ne t'emmènerai quand même pas. En tant qu'ombre à mon service, tu dois m'obéir sans conditions. »

Le vampire haussa ses larges épaules.

« Si vous le dites. Mais comment puis-je vous protéger si vous enfreignez les règles et vous mettez en danger à l'extérieur ? S'il vous arrive quoi que ce soit, je le paierai de ma tête.

– Ce n'est pas mon problème », répliqua froidement Franz Leopold, et il s'éloigna. Il savait que Matthias ne s'opposerait pas de manière frontale à ses instructions. Et bien qu'il appréciât l'attitude stoïque de l'ancien cocher de fiacre viennois, il n'était pas mécontent d'avoir réussi à l'inquiéter.

La promenade nocturne du jeune vampire le mena au pied du Colisée. Il le contourna et considéra l'arc de triomphe, à l'autre bout. Entre le théâtre antique et l'arc se trouvaient les restes d'une grande fontaine ronde avec un édifice central en forme de cône. Cependant les pensées de Franz Leopold le ramenaient à la Maison dorée, à la baronne et au comte. Malgré sa vanité et sa passion inconsidérée pour la toilette et les frivolités, la comtesse était une vampire dangereuse qui savait ce qu'elle voulait et poursuivait impitoyablement ses objectifs. Même son frère, tout chef de clan qu'il était, avait parfois des difficultés à lui tenir la bride. La probabilité qu'elle l'emporte sur le comte Claudio était loin d'être nulle.

Franz Leopold s'étonna de ce qu'il découvrait dans son cœur. Il aurait dû se réjouir, et même triompher à la perspective de voir se terminer bientôt ce séjour à Rome tant détesté et de retourner dans sa chère Vienne. Et pourtant il se sentait plutôt déçu. S'était-il donc si vite habitué à ces ruines humides ? Curieux.

Un bref hurlement le tira de ses pensées. Il regarda tout autour de lui. Était-ce Seymour ? Possible. Peut-être se trouvait-il quelque part là-dehors avec Ivy. Le regard de Franz Leopold scruta la pente de la colline et les ruines du Palatin. Se promenait-elle toute seule avec son loup ? Chercher à en avoir le cœur net ne ferait de tort à personne. Il se lança à l'assaut de la colline, parmi les pierres et les broussailles. Il grimpa des escaliers couverts de mousse, franchit des arcades qui le menèrent en zigzags de terrasse en terrasse, toujours plus haut. Il atteignit bientôt un jardin qui semblait avoir été posé comme un tapis sur les ruines romaines. En bordure de ce jardin, l'Antiquité reprenait ses droits, exhibant à nouveau ses pans de murs en brique rouge, qui recouvraient tout le mont Palatin. Franz Leopold sautait avec agilité d'un muret à un autre, sans faire tomber la moindre miette de mortier.

Enfin il s'arrêta et se concentra pour essayer de flairer une piste. N'était-ce pas justement celle du loup ? Il suivit la légère exhalaison entre les saillies des murs qui se prolongeaient en formant une sorte de tunnel à angle droit. Quand il ressortit à l'air libre, à l'autre extrémité, il entendit un bruit sur sa droite. Il traversa en courant un champ de ruines et se retrouva au sommet d'un mur qui décrivait un long rectangle herbeux quelques mètres plus bas ; ce devait être un stade à l'origine.

Les rafales de vent qui balayaient tout le mont Palatin faisaient ployer les branches des vieux pins. La lune éclairait les ruines et dessinait, là, en face, les contours de ce qui avait dû être la loge d'où l'empereur romain assistait aux combats ; son éclat effleura une mèche de boucles argentées qui flottait dans le vent de la nuit... Franz Leopold se pencha pour mieux voir. C'était Ivy, là, en dessous de lui, sans aucun doute, même si elle venait de rabattre sur sa tête son capuchon sombre et se reculait à présent dans l'ombre du mur. Mais il y avait quelque chose d'autre. Il scruta une forme sombre qui faisait face à la jeune fille, oui, qui semblait s'incliner vers elle. Une forme immense. Un homme. Le loup restait invisible. Ivy était-elle en danger ? Ou bien son entorse aux règles ne s'était-elle pas bornée à sortir se promener hors de l'enceinte de la Maison dorée sans autorisation ? Quoi qu'il en soit, il fallait qu'il descende voir. Il regarda encore une fois l'homme et plissa les yeux. Sa silhouette n'était-elle pas entourée d'une aura ? Ce n'était qu'une légère vibration dans l'air. Il allait examiner ça de plus près !

Franz Leopold évalua la hauteur du mur. Il aurait pu sauter sans trop de dommages, mais certainement pas sans être vu. Il étudia les alentours et décida finalement de contourner le stade par la gauche. Il s'élança, plié en deux. La lune avait disparu derrière les nuages mais, malgré l'obscurité, il reconnut bientôt les vestiges de la loge impériale. Mais où étaient donc passés Ivy et le mystérieux étranger ? Le jeune vampire s'arrêta et, caché derrière le tronc épais du dernier pin, il aperçut Ivy qui sortait justement de l'abri d'une niche. Rejetant sa capuche, elle secoua sa chevelure argentée. Franz Leopold retint le gémissement qui lui montait tout à coup dans la gorge. Allons, elle n'avait pas l'air d'être en danger. La seule chose intéressante, c'était de savoir où était passé celui qui l'accompagnait. S'il demeurait invisible, était-ce parce que son corps sans vie gisait dans l'ombre de la niche ? Franz Leopold scruta la nuit. Si elle avait fait ça, alors il la tenait ! Aller se balader dans les ruines sans autorisation, c'était une chose, mais saigner un être humain avant la cérémonie d'initiation, voilà une infraction qui serait sévèrement punie – quand il la révélerait aux vénérables. Franz Leopold eut un sourire mauvais et se pressa tout contre le tronc du pin au moment où il vit Seymour surgir d'un buisson sur sa gauche et courir vers sa maîtresse. Ivy s'agenouilla et posa son front contre celui du loup. Puis elle se releva et fonça droit vers l'arbre derrière lequel se cachait Franz Leopold. Ce damné loup l'avait-il repéré ?

Le jeune vampire ne voulut pas s'infliger le ridicule d'être découvert dans sa cachette. Aussi préféra-t-il en sortir de lui-même, la tête haute et l'air conquérant.

« Ah ! Quelle charmante surprise, susurra-t-il avec un sourire faux. Vous ici ? Non, cela ne devrait pas m'étonner. La nuit est trop belle pour rester enfermé entre les murs où nous ont confinés nos geôliers – je veux dire, bien sûr, nos très estimés professeurs ! »

Il y avait tant de chaleur dans le sourire d'Ivy que c'en était presque désagréable.

« Je te souhaite une bonne nuit à toi aussi, Franz Leopold. Tu n'as sans doute pas eu trop de mal à suivre ma piste ? Dois-je en déduire qu'il faut que je me montre plus prudente à l'avenir ? »

Il fut tenté de démentir ses insinuations, mais laissa tomber.

« Je suis désolé de t'avoir dérangée. Telle n'était pas mon intention. Mais où est donc passé ton triste ami ? Il s'est volatilisé ? »

Un court instant, les yeux couleur turquoise parurent s'étrécir.

« De qui parles-tu ?

– Allez, raconte-moi donc. Je vous ai vus, de là-bas. Il était grand et fort ! » Franz Leopold pointa le nez en avant et huma l'air. « Ce n'est tout de même pas un homme ? Tu n'aurais pas profité de ce lieu désert pour lui voler son sang ? »

Elle éclata de rire et son amusement paraissait sincère. Et comme ni d'elle ni des ruines n'émanait le moindre effluve d'être humain, son hypothèse devait être fausse. Il s'agissait donc d'un vampire ! Mais alors pourquoi était-il enveloppé de cette étrange aura ?

« Viens, rentrons », proposa Ivy, et elle se mit en route. Après un dernier regard en direction des ruines, Franz Leopold lui emboîta le pas. Le loup poussa un petit grondement.

« Tu devrais me raconter ça tout de suite, car de toute façon, je finirai par découvrir ton secret.

– Pourquoi le devrais-je ? C'est une menace ? Il n'y a rien à découvrir. Tu t'es trompé, c'est tout. Il n'y avait personne d'autre que Seymour et moi. »

Franz Leopold se tut. Il essaya plutôt de se concentrer sur l'esprit de la jeune fille. Il commença par étendre prudemment la portée de ses propres pensées puis, à la vitesse de l'éclair, développa son énergie mentale – et sa surprise fut grande. En réalité il ne s'était pas attendu à un succès et pourtant, pendant quelques secondes, il pénétra à l'intérieur de la conscience d'Ivy, avant que la barrière ne se referme et qu'il ne se sente refoulé au-dehors, avec une sensation de piqûre douloureuse. Franz Leopold se frotta discrètement le front. Il aurait juré qu'elle avait menti, mais non, il venait de le découvrir : sa dernière phrase, « Il n'y avait personne d'autre que Seymour et moi », était conforme à la vérité.

« Laisse tomber. » Elle lui souriait de toutes ses dents. « Veux-tu faire encore une petite promenade dans les jardins Farnese ? Ils sont magnifiques. Le cardinal Alessandro Farnese les a fait aménager ici, parmi les ruines, au XVIe siècle. Une somptueuse villa en fait également partie. À l'époque de la Renaissance, c'était la mode : on aimait les fastes antiques.

– Épargne-moi tes conférences, veux-tu. As-tu été élevée au rang de professeur, à présent ? Tes discours sont à peu près aussi insupportables que ceux de la vieille tortionnaire, la *signora* Letizia. D'ailleurs, tes jardins, j'y suis déjà passé tout à l'heure.

– Très bien. Dans ce cas, rentrons directement. » Sa voix ne permettait pas de déterminer s'il l'avait vexée ou pas.

Le jeune Viennois trottinait, morose, derrière Ivy et

Seymour. Il n'arrivait pas à l'atteindre. Comment s'y prenait-elle? Une fois de plus, elle avait déjoué ses ruses. Avait-elle une telle maîtrise de ses pensées qu'elle fabriquait de la vérité à partir de mensonges? Ou bien lui avait-elle donné l'illusion qu'il était capable de pénétrer dans son esprit?

Soudain, Ivy s'arrêta et se retourna vers lui. Ils avaient déjà dépassé l'arc de triomphe et les vestiges de la fontaine.

«Si tu cherches une piste humaine encore fraîche, c'est là-bas qu'il faut que tu ailles.» Elle désignait une arcade du Colisée. «La nonne que tu as effarouchée l'autre nuit, quand tu nous suivais, est revenue ici! Et je parierais qu'il ne s'est pas écoulé plus de trois heures.

– Qu'est-ce que ça veut dire, "la nonne que j'ai effarouchée"? Et où veux-tu en venir quand tu me reproches de vous avoir suivis? J'ai le droit d'aller où je veux!

– Tant que les professeurs et le comte veulent bien fermer les yeux», précisa Ivy et elle soupira. «Ce n'était pas un reproche et je n'insinuais rien. Mettons-nous d'accord là-dessus: elle s'est enfuie d'ici la nuit où tu te baladais dans les environs.

– Oui, et alors?

– Tu ne trouves pas ça étrange? Ce n'est ni le lieu ni l'heure pour une religieuse solitaire. Qu'est-elle venue chercher par ici, et à plusieurs reprises?»

Ivy s'approcha de l'arcade et huma l'air. Franz Leopold se posta juste derrière elle.

«Je ne sens rien.

– Si, son odeur est encore présente. Très légère. Elle n'utilise aucun des savons parfumés ou des eaux de parfum qu'emploient les dames. C'est juste la senteur un peu âpre de son jeune corps.

– Tu l'as vue?

173

– Non, elle était déjà partie quand je suis passée par là. Tu ne me crois pas ? Seymour aussi l'a repérée !

– D'accord. Et il t'a dit "la petite nonne est revenue" ?

– Pas en ces termes, naturellement, le coupa Ivy, agacée. Mais je suis tout à fait en mesure de comprendre ce qu'il exprime. »

Franz Leopold la croyait, et il était assez fâché de ne pas réussir, lui, à entendre quelque chose de sensé dans les geignements et grognements du loup.

Ils étaient un peu chiffonnés, tous les deux, et firent le reste du trajet en silence. C'est avec une politesse exagérée, qui frisait l'insolence, que Franz Leopold tint la porte à sa compagne lorsqu'ils atteignirent l'entrée dérobée de la Maison dorée. Elle le remercia en desserrant à peine les lèvres et se hâta de disparaître, escortée comme toujours de Seymour.

Franz Leopold la regarda s'éloigner en soupirant. Un mouvement quasi imperceptible sur sa droite lui rappela qu'il n'était plus seul. Il serra les poings. Le jeune vampire n'eut pas besoin de se retourner pour savoir que Matthias l'avait attendu à cet endroit même.

« Je suis encore entier, comme tu vois », dit-il d'un ton rude et, sans gratifier son ombre du moindre regard, il regagna sa chambre.

Le soir suivant, Alisa était bien résolue à quitter son sarcophage et à retourner en classe.

« Je me sens bien, mentit-elle tandis que Hindrik l'examinait d'un œil critique. Qu'est-ce que tu me veux encore ?

– Portes-tu de nouveau le rubis que le comte vous a fait distribuer ? »

Elle fourragea sous sa chemise et exhiba la pierre biseautée au bout de son lien de cuir.

« Au début, j'ai pensé qu'il s'agissait juste d'un joli joujou pour nous donner du courage. Mais il y a quelque chose qui anime cette pierre. » Pensive, elle la fit glisser entre ses doigts. « À ton avis ? Est-ce le talisman qui leur permet de résister à n'importe quel objet sacré ? »

Hindrik se pencha et effleura la pierre.

« Non, ce n'est pas aussi simple. La pierre n'est qu'un moyen qui permet de rassembler ses propres forces et de les stocker jusqu'au moment où on en a besoin. Et peut-être aussi de profiter de l'énergie qui se diffuse librement dans la nature et d'en mobiliser une partie à ses propres fins. Mais pour cela, il faut naturellement beaucoup d'expérience et d'exercice ! Et ils en ont. Le voilà, leur secret. »

Alisa escalada le bord de son sarcophage.

« C'est pour cette raison que je dois retourner en classe à présent. Tu ne voudrais pas que je manque encore davantage de cours ? »

Hindrik sourit et lui tendit ses vêtements.

« Tu as gagné. Mais je ne serai pas loin et je garderai un œil sur toi.

– N'est-ce pas ce que tu fais toujours ?

– Certes, mais normalement j'essaie de me faire oublier. » Il attendit qu'Alisa se soit habillée et la conduisit dans la grande salle au plafond doré, où il insista pour qu'elle boive un gobelet supplémentaire de sang frais.

Alisa sentit un regard dans son dos et se retourna. Franz Leopold la lorgnait par-dessus le bord de sa timbale en étain. Son intention était justement d'aller le trouver. D'un bond elle le rejoignit.

« Merci ! »

Il leva les sourcils.

« Pardon ? Que me veux-tu ?

– Je veux te remercier de m'avoir ramenée des catacombes. »

Il inclina la tête d'un air princier.

175

« Certes, les remerciements sont de circonstance face à cet acte, disons, héroïque. Fort heureusement, la tâche fut pour moi légère, bien que tu ne le sois pas particulièrement... » Alisa sentit la moutarde lui monter au nez. Comment pouvait-il dire autant de méchancetés en quelques secondes ? Elle tâcha de garder son calme.

Imperturbable, Franz Leopold poursuivit :

« Oui, la plupart des gens qui me sous-estimaient sont obligés de reconnaître leur erreur. J'espère que tu n'oublieras pas de m'adresser aussi les excuses qui s'imposent !

– Comment ça ? rugit Alisa. Pourquoi devrais-je m'excuser ? Parce que le sol a cédé sous mes pieds ? Parce que je suis tombée au fond d'une crypte et que j'ai perdu connaissance ?

– Ta distraction m'a causé des désagréments, et tu m'as empêché de sortir vainqueur de ce concours. Car sans toi j'aurais naturellement réussi à débusquer mon renard. C'est donc par ta faute que j'ai dû m'avouer vaincu. Et voilà bien une chose que j'ai en horreur. » Les injures se bousculaient dans l'esprit d'Alisa au point qu'elle ne savait pas quel mot lui jeter en premier à la figure. Il la regarda en ricanant : « Tu connais de ces expressions ! Allez, on ne fera jamais de toi une dame. » Les poings serrés, elle trépignait de rage. Puis, brusquement, elle se détourna et fonça vers son pupitre en claquant des talons. Elle attrapa son sac posé sur le banc et quitta la salle sans un mot.

Cette nuit-là leur apporta une nouvelle enseignante, chargée de leur dispenser des cours d'italien.

« À quoi bon ? ronchonnait Tammo. Nous nous comprenons très bien en parlant l'ancienne langue des clans.

– C'est exact, mais bientôt vous n'aurez plus seulement affaire à vos semblables. Dès qu'on vous permettra d'aller tout seuls dans les rues de Rome vous mêler aux humains, ce sera

176

un grand avantage de comprendre leur langue et de pouvoir aussi la parler. »

Un murmure enfla parmi les élèves.

« Et quand aurons-nous le droit de quitter seuls la Maison dorée ? voulut savoir Karl Philipp.

– Oh, ce n'est pas moi qui décide, se défendit la *signora* Valeria. C'est l'affaire du comte Claudio. Moi, je dois seulement vous donner des cours. Maurizio, Chiara et Luciano, si vous ne voulez pas y assister, vous n'êtes pas obligés de rester. » Les trois jeunes Romains rangèrent leurs cartables d'un air ravi et quittèrent la salle de classe.

« C'est injuste », pesta Tammo, les bras croisés sur la poitrine.

Alisa adressa un clin d'œil à son frère.

« Tu verras, je crois que justice te sera rendue quand les cours auront lieu à Hambourg et que tous les autres sueront sang et eau à apprendre l'allemand tandis que nous, nous passerons nos nuits à nous balader dans le quartier du port. » À cette perspective, le visage de Tammo s'éclaira un peu et il s'abandonna avec résignation à son destin.

Au début, ce fut très facile. « L'homme – *il uomo*, la femme – *la donna*, l'enfant – *il bambino*. » Les jeunes vampires écrivaient docilement ce que le professeur disait. Les plumes crissaient sur le papier. Tammo posa un coude sur la table et appuya sa joue dans la paume de sa main. Il était un reproche vivant : l'image même de l'ennui mortel. De sa place, Alisa voyait même qu'il barbouillait consciencieusement les mots qu'il avait écrits. La *signora* Valeria s'arrêta devant le pupitre et considéra un moment son plus jeune élève. Alisa essayait de lire sur le visage de la *signora*. Allait-elle abattre sa foudre sur la tête de son petit frère ? Au moins n'avait-elle pas de badine dans la main.

« Ces mots te paraissent-ils à ce point inintéressants ? » demanda-t-elle gentiment. Tammo sursauta et cacha ses barbouillages sous une feuille blanche. « À présent nous allons rajouter quelques vocables supplémentaires qui devraient vous êtres utiles. Dès que vous aurez appris les bases, nous entreprendrons tous ensemble une sortie à travers certaines ruelles qui ne s'éveillent que la nuit et ont de ce fait beaucoup de distractions à offrir. Ma proposition ne concerne naturellement que les élèves qui auront bien travaillé et qui seront en mesure d'interpeller dans une langue correcte un promeneur nocturne. Les autres devront malheureusement rester ici. » À partir de cet instant, la *signora* put compter sur l'attention de tous ses élèves, y compris Tammo, qui se donna la peine de transcrire sur le papier des mots à peu près lisibles.

« Le parfum – *il profumo*, le sang – *il sangue*, la gorge – *la gola*, le goût – *il gusto*.

– Avec ça, il y a déjà de quoi faire, murmura Sören à Alisa avec un sourire entendu.

– J'aime aussi : *il consumo* – la délectation et *la èstasi* – l'extase, ajouta Malcolm, assis un rang devant, en jetant un coup d'œil à Anna Christina qui le fixait comme s'il était un objet de dégoût. Ou dans le cas qui nous occupe : *la capra* – la chèvre, *disgustoso e arrogante* – répugnant et arrogant. »

Les yeux d'Anna Christina étincelaient de colère. Rowena et Sören toussotèrent. La jeune Viennoise entrouvrit ses lèvres roses et déversa sur son voisin de banc un flot de phrases en italien. Malcolm en resta bouche bée.

« Elle a dit quoi ? »

La *signora* Valeria s'était approchée de lui et Alisa eut l'impression qu'elle se retenait pour ne pas éclater de rire.

« C'était bien – je veux dire du point de vue linguistique. Tu veux vraiment savoir ce qu'Anna Christina t'a dit ? »

Malcolm hésita.

« Oui.

– Voyons que je récapitule... Eh bien, si je laisse de côté les injures les plus grossières, cela signifiait à peu près que tu es idiot et détestable, que tu ressembles à un crapaud blafard, et qu'elle n'est pas étonnée que tu sois issu d'une famille d'arriérés, incultes et sans manières... »

Malcolm leva la main.

« Ça suffit. Je crois que je préfère ne pas entendre la suite. Et je me félicite qu'elle n'en sache pas davantage. » Il se leva à moitié de son siège, posa la main sur son cœur et esquissa une révérence.

« Très chère Anna Christina, ce sera un honneur pour moi de te convaincre du contraire quand nous serons à Londres. » La jeune Dracas le regarda, déconcertée. Elle se demandait probablement, comme Alisa, si ce n'était qu'une formule de politesse où s'il fallait y voir une menace cachée.

La *signora* interrompit leur échange en adressant à Anna Christina quelques phrases rapides en italien. La jeune fille lui répondit de même.

« Très bien. Tu peux t'en aller si tu veux. »

Un sourire supérieur se peignit sur son joli visage et elle rejeta en arrière ses longs cheveux bouclés.

« Apprenez sagement, les enfants », dit-elle et elle s'éclipsa dans un froufrou de jupons.

« Non, c'est pas possible », gémit Tammo.

On aurait dit qu'une tornade s'était déchaînée à l'intérieur de la chambre.

« Où est passé ce fichu masque ! » s'écria Carmelo, exaspéré. Il traversa la pièce en quelques enjambées, ouvrit les tiroirs de la commode et entreprit de les vider en répandant le contenu sur le tapis. Latona était blottie dans un fauteuil, les genoux ramassés contre la poitrine. Elle se serait faite encore plus petite si elle avait pu. Son oncle Carmelo était un homme impressionnant. Grand et puissamment bâti, avec une chevelure épaisse et noire qui commençait tout juste à grisonner aux tempes. Même si depuis quelques années son ventre débordait un peu par-dessus la ceinture de son pantalon, il paraissait encore athlétique avec ses bras musclés et ses mains comme des battoirs qui savaient manier l'épée.

« Il faut bien qu'il soit quelque part ! » s'écria-t-il en poursuivant ses recherches dans le meuble voisin. Latona rejeta lentement l'air qu'elle avait retenu beaucoup trop longtemps dans ses poumons, mais son soulagement fut de courte durée car la voix forte hurla son nom. Elle sursauta. « Tu ne l'as pas vu ? »

La jeune fille fixait obstinément ses genoux.

« Non, oncle Carmelo, qu'est-ce que j'aurais fait de ton masque ? » répondit-elle, en espérant qu'il n'avait pas remarqué comme sa voix tremblait.

« Qu'est-ce que tu en aurais fait, effectivement, répéta l'oncle, conciliant. N'empêche que tu pourrais m'aider à chercher, ajouta-t-il d'un ton impérieux.

– Tu l'as peut-être perdu quelque part dehors ? Il aura glissé de ta poche ?

– Dieu m'en préserve ! rugit Carmelo. Je préfère ne pas imaginer le savon que le cardinal va me passer. »

Latona regarda son oncle avec curiosité.

« C'est un vrai cardinal ? »

Carmelo hésita.

« Je ne sais pas. Jusqu'à présent je l'ai toujours vu avec un masque. En tout cas il porte la robe rouge des cardinaux.

– Et il ne veut pas admettre de femmes dans le Cercle. Ce qui incite à penser qu'il s'agit bien d'un homme d'Église, tu ne crois pas ?

– C'est moi qui t'ai raconté ça ? » s'étonna l'oncle. La jeune fille acquiesça.

« Oui, il ne tient pas les femmes en haute estime. Il dit que l'intelligence d'une femme souffre de l'influence trop grande de ses sentiments, qu'elle a peine à maîtriser. Elle est incapable de penser froidement, scientifiquement, et ses actions ne sont pas régies par la raison. »

Latona n'était pas d'accord et sa mimique le disait assez clairement. L'oncle lui tapota l'épaule, avec un sourire indulgent.

« S'il dit ça, c'est uniquement parce qu'il ne te connaît pas, toi qui es une petite futée. »

Latona ignora le ton protecteur et s'empressa de répliquer :

« Oui, et c'est pour cela que tu dois le persuader que ce serait une bonne chose pour le cercle s'il voulait bien m'accepter. Je peux lui être d'une grande utilité ! »

Carmelo éluda d'un geste.

« Oublie ces idées folles, mon enfant. » Son regard s'assombrit à nouveau quand il considéra le capharnaüm qui régnait dans la pièce. « Il faut que je m'en aille. Je serai sans doute absent toute la nuit, aussi ne m'attends pas. Fais un peu de rangement, s'il te plaît, et continue donc à chercher ce maudit masque ! » Il sortit son épée d'argent de sa cachette et boucla la ceinture autour de ses hanches.

Latona bondit de son siège.

« Nous avons une nouvelle mission ? Est-ce que je peux jouer l'appât ?

– Oui, j'ai une nouvelle mission, il s'agit d'un jeune homme, et non, tu ne joueras pas l'appât. Il y a pour cela des jeunes filles et des femmes dont le gagne-pain consiste à rendre des services douteux.

– Mais il m'est déjà arrivé d'être de la partie, objecta-t-elle avec une moue boudeuse, et je pourrais t'aider sans que tu aies à débourser de l'argent. »

Il prit une mine sévère.

« Eh bien, c'était une erreur, et je suis désolé que tu aies été

181

le témoin de toutes ces monstruosités. Cela ne se reproduira pas.

– Comment vas-tu procéder ? Selon la méthode traditionnelle ? L'épée et le pieu ? » demanda-t-elle avec un léger tremblement dans la voix. Il acquiesça. « Tu ne peux pas l'attirer dans la vieille citerne ?

– C'est beaucoup trop barbare, dit Carmelo d'une voix doucereuse. Quand la lumière du soleil les atteint, ils ne s'embrasent pas d'un coup. Il faut des heures pour qu'ils soient réduits en cendres. Un bon coup de pieu dans le cœur et une épée qui leur sépare la tête du corps, c'est une mesure de clémence en comparaison !

– Mais pourquoi est-ce que tu recommences sans arrêt ? demanda-t-elle doucement.

– Pourquoi ? » Carmelo rit. « Parce que les vampires sont des êtres méchants et maudits dont l'existence n'était pas prévue dans la Création divine.

– Allons donc, s'écria Latona avec humeur. Ne me raconte pas d'histoires. Cela t'est bien égal. Tu le fais uniquement pour l'argent que te donne ce cardinal ou je ne sais quoi.

– Pour l'argent, oui. Il paie une bonne somme pour chaque porteur de rubis que je lui livre. » Un sourire étrange éclaira le visage de Carmelo. « Et aussi pour ce chatouillement dans mon ventre chaque fois que je sors la nuit et que je guette ma prochaine victime. » Il se pencha pour déposer un baiser sur la joue de la jeune fille, et il sortit.

Latona attendit de ne plus entendre le son de ses pas dans l'escalier, puis elle décrocha son manteau et quitta la maison à son tour. Elle traversa la piazza Venezia et, dépassant le Capitole, se dirigea vers le champ de ruines. Même si la chance de retrouver le masque rouge était mince, elle devait au moins essayer !

Une mèche de cheveux couleur d'argent

Malcolm sortit de la Maison dorée sans se faire remarquer. Une fois de plus, ses pas le guidèrent sur le champ de ruines, tout droit vers un certain mur en partie écroulé – difficile de croire qu'il se retrouvait là par hasard. Ses pensées tournaient, comme trop souvent, autour de l'étrange jeune fille et du masque de velours rouge qu'il conservait à présent dans son sarcophage. Il s'assit sur un bloc de marbre, le dos appuyé contre une colonne tronquée, et regarda le ciel, traversé de nuages rapides qui cachaient par intermittence les étoiles et la demi-lune. Un passage d'une pièce de Shakespeare lui revint en mémoire et il récita les vers à voix basse.

Soudain il s'arrêta et dressa l'oreille. Des pas se rapprochaient. Ce n'était pas un marcheur nocturne qui se hâtait vers un but précis. Ce n'était pas non plus la déambulation titubante d'un ivrogne. Les pas étaient lents, circonspects, avec des arrêts fréquents. On entendait un bruissement de branches remuées. Malcolm aperçut la lueur d'une petite lampe. Alors le parfum de la jeune fille lui monta aux narines et il sut ce que cela signifiait. Elle était revenue chercher ce qu'elle avait perdu. Elle sentait diablement bon ! Le souffle de Malcolm s'accéléra. À présent, il la reconnaissait tandis qu'elle s'approchait lentement entre les buissons et les blocs de pierre. Elle scrutait les branches, puis le sol, puis le buisson suivant. La lampe éclairait son visage. Bien qu'elle soit aujourd'hui vêtue d'une robe avec, par-dessus, un simple manteau de dame, il n'y avait aucun doute. Elle n'était pas belle à proprement parler, au contraire des deux jeunes vampires viennoises, et pourtant elle dégageait quelque chose qui l'attirait terriblement, et ce n'était pas juste son sang chaud. C'était ce sérieux, cette détermination qui faisait partie de son être. Dans ses yeux étincelait quelque chose qu'on ne se serait pas attendu à trouver dans le regard d'une fille de son âge.

Elle serait passée à côté de lui sans le voir s'il ne l'avait pas interpellée. Fiévreusement, il rassembla les bribes d'italien qu'il avait apprises.

« *Buona sera, signorina, cerca qualcosa ?* »

Latona sursauta et pressa la paume de sa main contre son cœur battant. Alors seulement elle découvrit le jeune homme qui venait de l'aborder. Elle souleva un peu sa lanterne et considéra le visage harmonieux, les cheveux blonds et les vêtements de tweed, qui lui paraissaient si douloureusement familiers. Son accent lui avait donné un coup au cœur.

« *Yes, I'm looking for something I lost a few days ago* », répondit-elle dans un anglais irréprochable, bien qu'elle n'ait plus eu depuis des années l'occasion de dire à quiconque que c'était sa langue maternelle.

Le garçon lui sourit et ses yeux bleus brillèrent comme deux étoiles.

« Tu parles bien l'anglais. C'est une chance. Mon italien est déplorable. »

Latona hocha la tête et lui rendit son sourire. Comme il était pâle. Il ne devait pas être à Rome depuis longtemps.

« Je m'appelle Latona. Et toi ?

– Malcolm. » Il la salua et lui désigna le bloc de pierre à

côté de lui. «Assieds-toi. La nuit est magnifique, et c'est bien agréable de bavarder dans la langue du pays.»

Elle hésita. Il y avait quelque chose en lui qui lui faisait peur. Une partie de son esprit lui enjoignait de se sauver aussi vite que ses jambes le lui permettraient. Mais l'autre partie était fascinée par cet étranger charmant et poli. Il n'était pas du tout comme les autres garçons qu'elle connaissait. Ceux-là se moquaient des filles, leur tiraient leurs nattes et lançaient des cailloux sur les chats. Il était si sérieux et si mûr, et puis il la regardait avec une intensité qui faisait trembler ses genoux. Elle se laissa tomber sur la pierre.

«Qu'est-ce que tu fais ici? demanda-t-elle.

– Je profite de la nuit. De la lune et des étoiles, des parfums et des bruits qui ne prennent possession du monde que pendant ces heures nocturnes.» Elle ne savait pas à quoi elle s'était attendue, mais en tout cas pas à une réponse aussi poétique. Émerveillée, elle secoua la tête. «Qu'y a-t-il?

– Tu es si... différent. Différent de tous les garçons que j'ai rencontrés dans ma vie.»

Malcolm rit doucement. Un son merveilleux, qui fit battre plus fort le cœur de la jeune fille.

«Oui, c'est bien possible. Mais toi aussi, tu me parais différente des autres filles. Du moins je n'ai encore jamais entendu dire qu'il était habituel ici de se promener seule la nuit au milieu des ruines – et en habit d'homme par-dessus le marché, avec un masque rouge sur le visage.»

Latona était stupéfaite.

«Tu m'as vue cette nuit-là? Alors c'est toi qui m'as fait tellement peur?»

Malcolm baissa la tête.

«Ce n'était pas mon intention. Mais ne voudrais-tu pas satisfaire un tantinet ma curiosité? Quel grand secret la nuit dissimule-t-elle aux yeux de tes semblables?»

Latona hésita. Chaque seconde qu'elle passait près de lui accroissait la force d'attraction du jeune homme. C'était comme s'il était enveloppé d'une aura qui la grisait tel un vin lourd et lui donnait des ailes. Ses sens lui semblaient à la fois troublés et aiguisés. Ce garçon fascinant s'intéressait donc à elle et voulait connaître son histoire ! Ne serait-ce pas affreusement banal si elle lui disait maintenant qu'elle avait juste emprunté les vêtements de son oncle ? Elle l'imaginait déjà se détournant d'elle, déçu... Latona rabattit derrière son oreille une mèche de ses cheveux que le vent de la nuit avait dénoués et tenta de mettre un peu de mystère dans son sourire.

« Eh bien, en fait, je n'ai pas le droit d'en parler, dit-elle lentement.

– Je garderai le secret. » Il n'y avait aucune trace de moquerie dans sa voix.

« J'appartiens à une société secrète. Le Cercle des masques rouges. » Elle leva les yeux vers lui. Il hocha la tête, toujours aussi sérieux.

« J'en ai entendu parler. Et de quel genre de société s'agit-il ?

– Nous protégeons du mal les humains qui vivent à Rome. » Les sourcils du jeune homme s'étaient légèrement soulevés. Bien sûr, il ne la croyait pas.

« C'est la vérité ! Tandis que les hommes dorment, nous nous battons contre les puissances mauvaises. Nous risquons nos vies et nos âmes !

– Comment cela ? demanda-t-il, surpris. Quels sont ces démons contre lesquels vous partez en guerre ? »

Latona prit une profonde inspiration.

« Les vampires ! » lâcha-t-elle.

Malcolm se taisait. Il la regardait toujours fixement. Il paraissait même de plus en plus attentif.

186

«Les vampires, répéta-t-il à voix basse au bout d'un moment.

– Les vampires! confirma Latona, sur un ton un peu plus tranchant qu'elle n'aurait voulu. Tu n'y crois pas? Moi je te garantis qu'ils existent! Et mon oncle est un chasseur de vampires réputé, avec lequel je collabore depuis des années en tant qu'assistante.

– Je crois tout à fait aux vampires.» Il se pencha en avant et se rapprocha d'elle. Soudain elle se sentit glacée et la peur revint. Elle se leva comme un ressort avant qu'il ne l'ait touchée.

«Il faut que je m'en aille. Tu n'aurais pas par hasard trouvé mon masque rouge? Je l'ai perdu au moment où je me suis enfuie devant toi.» Elle était un peu honteuse de devoir l'avouer.

«Je sais. Je l'ai vu... et je l'ai ramassé.

– Dans ce cas tu l'as encore?» Le soulagement envahit Latona. Elle allait pouvoir rendre le masque à son tonton. «Donne-le-moi, s'il te plaît!

– Je ne l'ai pas sur moi.

– Ça ne fait rien, s'empressa-t-elle de dire. Je viens avec toi et tu me le rends, ou alors tu me dis où tu habites et je passerai le prendre dans l'après-midi.»

Malcolm secoua la tête.

«Ce n'est pas aussi simple. J'ai une autre idée. Tu reviens ici la nuit prochaine, à la même heure, et là, je te le rends.»

Latona recula d'un pas.

«Qu'est-ce que tu t'imagines? Je ne peux pas aller me promener toutes les nuits.

– Dans ce cas, viens dès que tu le pourras. Je te trouverai bien. Et réfléchis à ce que tu as envie de me donner en guise de récompense.

– Comment ça?» La voix, dans sa tête, qui la mettait en garde, se fit plus pressante.

Il se leva d'un bond. Il était face à elle, beaucoup trop près. Il leva la main et lui caressa doucement la joue. Latona ne savait pas si c'était du feu ou de la glace qui lui traversait le corps. Elle ne put rien faire d'autre que le regarder dans les yeux. Ce fut comme si le monde autour d'eux était englouti dans le brouillard : il n'y avait plus qu'elle et lui.

« Un baiser ? » proposa-t-elle, bien que ce ne fût pas du tout ce qu'elle avait eu l'intention de dire.

Malcolm sourit.

« Oui, c'est une bonne proposition. Je l'accepte. Ton masque contre un baiser. » Elle sentait sur sa peau ses doigts qui tremblaient tandis qu'ils descendaient lentement vers sa gorge. Alors il retira soudain sa main et fit deux pas en arrière. Il paraissait avoir du mal à contrôler son souffle, pourtant quand il prit congé d'elle, ce fut d'une voix tout à fait normale.

« Alors on se revoit bientôt, Latona. Je m'en réjouis et j'attends cette heure avec impatience. » Il fit une profonde révérence et disparut d'un coup, comme si le sol s'était ouvert et l'avait englouti. La jeune fille rentra chez elle, les jambes flageolantes et l'âme troublée.

Le soir suivant, quand les jeunes vampires arrivèrent en troupeau dans la salle de classe, le professeur Ruguccio les y attendait. Il portait comme toujours un costume de soirée coûteux et des souliers de cuir verni brillants qui crissaient à chaque pas. Il ramena en arrière ses courts cheveux gris et les salua d'une voix sonore.

« Soyez les bienvenus. Et inutile de vous asseoir, nous allons faire une petite sortie. »

Des chuchotements excités parcoururent l'auditoire. Après la nuit dans les catacombes, voilà encore un cours qui s'annonçait passionnant. Seuls Ireen et Raymond échangèrent des regards anxieux. La jeune Anglaise se serra contre Malcolm et

Raymond aurait bien fait pareil, semblait-il, mais il essaya au moins de plaquer sur son visage un masque impassible. Rowena, quant à elle, paraissait ailleurs ; perdue dans ses pensées, elle fredonnait à voix basse en caressant machinalement le matou de Maurizio.

« Où est-ce qu'on va aujourd'hui ? demanda Tammo d'une voix tonitruante.

– Dans une église ! L'église Santa Francesca Romana, non loin d'ici. Vous avez vos amulettes ? Vous en aurez besoin. »

Luciano palpa le cordon autour de son cou et vit qu'Alisa sortait elle aussi son amulette de son col, si bien que la pierre rouge scintilla dans la lumière des bougies.

« À présent, venez avec moi. » Ils suivirent le professeur. Quelques ombres étaient également de la promenade, comme il fallait s'y attendre, afin de garder un œil sur leurs protégés. Cependant les frères servants restaient entre eux et marchaient un peu en retrait.

Comme le trajet cette fois n'était pas long, le professeur Ruguccio ne prit pas la peine de diviser ses élèves en plusieurs groupes. Mais il leur imposa le silence tandis qu'ils descendaient la colline, longeaient le Colisée et s'approchaient de l'église par l'arrière. Ce qu'ils virent en premier, ce furent quelques colonnes blanches tronquées et la niche dans laquelle se trouvait autrefois une déesse romaine.

« La Maison dorée s'étendait jusqu'ici à l'époque de Néron, expliqua le professeur. L'empereur Hadrien a utilisé le vestibule[1] de Néron pour construire le temple. »

Sans laisser aux jeunes vampires le temps de regarder autour d'eux, il leur fit signe de continuer. À gauche, l'arc de

---

1. Dans les maisons romaines, le vestibule était une sorte de cour située entre la porte d'entrée et la voie publique ; on pouvait y recevoir des visiteurs sans les faire entrer dans la maison.

triomphe de Titus rayonnait à la lueur des étoiles. Derrière se dressait le mont Palatin avec son champ de ruines. De l'autre côté, on voyait se détacher l'église baroque Santa Francesca Romana et son clocher roman. Le professeur Ruguccio ouvrit une porte latérale et fit entrer ses élèves et leurs frères servants.

« Tenez-vous à distance de l'eau bénite et du tabernacle qui contient les hosties consacrées. »

Luciano reconnut la désagréable impression de tiraillement dans sa tête tandis que sa nausée augmentait de minute en minute. Il jeta un coup d'œil à Alisa et constata avec soulagement qu'elle aussi agrippait nerveusement son amulette. On devinait le même malaise chez tous les autres, à l'exception de Chiara et de Maurizio, et peut-être de Rowena. Tammo jetait des regards fébriles autour de lui. Raymond et Ireen se cramponnaient à Malcolm. Même les Dracas n'affichaient plus leur arrogance habituelle : leurs yeux trahissaient la panique.

Luciano se sentait alternativement brûlant et glacé. Son dos heurta l'arête d'une pierre. Quand il se retourna, il reconnut avec effroi le bénitier. Il se hâta de faire un pas de côté et se sentit tout de suite un peu mieux.

Quel minus il faisait ! Lui, un Nosferas, n'aurait-il pas dû marcher en tête de ses camarades, le sourire aux lèvres, et commenter pour eux les tableaux et les statues ? Au lieu de quoi il faisait demi-tour comme une poule mouillée et se serait bien cramponné aux basques d'un plus téméraire à l'instar des Anglais. Pitoyable ! Au fond, il avait toujours été comme ça. Même Chiara était plus courageuse que lui. Toute petite déjà, elle allait jouer chaque nuit dans les ruines avec Maurizio et leurs ombres, ou bien elle pénétrait exprès dans des églises pour s'inventer des épreuves et mesurer son courage. La plupart du temps, c'était pour provoquer Luciano, s'amuser à ses dépens, se délecter en le voyant se défiler ou bien ressortir à toutes jambes, gémissant de douleur.

Ses forces à lui étaient-elles moins développées que celles des autres Nosferas, ou bien manquait-il tout simplement de courage ? Il regarda Alisa et Ivy, un peu plus loin, qui faisaient de gros efforts pour tenir bon, alors que l'atmosphère ici était une vraie torture pour elles aussi.

« Une question, professeur, demanda Alisa, la gorge sèche. La *signora* Enrica nous a dit que ce sont les anciennes catacombes qui exercent l'effet le plus puissant. Pourtant j'ai l'impression que... oui, ce n'est pas plus facile ici. Comment ça se fait ?

– Il y a à cela différentes raisons. Cette église est très ancienne, elle aussi, et elle a connu des époques, et des hommes, d'une très grande ferveur religieuse. Leur aura imprègne encore cet édifice. Mais le problème vient surtout de votre manque d'habitude. Avec un peu d'exercice, vous résisterez mieux à ces forces-là qu'à celles des anciens martyrs. Vous mesurerez bientôt les progrès que vous avez faits. Nous les Nosferas avons eu au fil des générations le temps de laisser se développer l'accoutumance – qui atténue les effets – et de consolider nos propres forces. Au fur et à mesure que le zèle religieux des humains a diminué au cœur de l'Église catholique, leur pouvoir sur nous a diminué dans la même proportion. » Il s'approcha du bénitier et y plongea la main. « C'est froid, dirons-nous. Il n'y a plus rien de béni dans cette eau-là. »

Il retira la main et la secoua, projetant des gouttes alentour. Les vampires s'écartèrent, affolés. Seul Luciano resta où il était, les dents serrées. Il n'allait pas recommencer à se cacher et à esquiver la moindre douleur. Il montrerait aux autres ce que c'était qu'un Nosferas !

Les gouttes atterrirent sur les dalles à ses pieds. À l'exception d'une. Quand l'eau bénite toucha sa main, il y eut un chuintement et un dégagement de vapeur. Plusieurs vampires poussèrent des hurlements. Alisa lui attrapa la main et essuya la goutte avec sa manche. Luciano, hébété, fixait la tache rouge sur le dos de sa main.

« Merci, dit-il lentement.

– Ça te fait très mal ? » voulut savoir Ivy. Il la regarda dans les yeux, ses yeux turquoise si brillants, et secoua la tête.

« Non. » Et, curieusement, c'était vrai. La brûlure aurait dû être infernale. Il se tourna vers le professeur Ruguccio, qui hochait vigoureusement la tête.

« Très bien. Parfait. C'est une question de concentration. Vous devez rester attentifs et résolus pour affronter les pouvoirs de l'Église. Si la peur vous gouverne, vous avez perdu et n'avez plus qu'à prendre vos jambes à votre cou. »

Chiara rejoignit Luciano et donna un bon coup de coude dans le flanc de son cousin.

« Luciano le Héros, si c'est pas rigolo de voir ça ! Nos méthodes d'endurcissement ont porté leurs fruits, dirait-on. »

Le jeune vampire fit la grimace.

« On dirait, oui. Voilà ce que peut produire une toute petite colère. »

Chiara le regarda d'un air pensif.

« Oui. La colère est une arme puissante. Ça vaut le coup de s'entraîner. »

Le professeur constitua des groupes, qui devraient visiter l'église chacun de leur côté et se confronter à nouveau aux objets. Luciano fit spontanément équipe avec Alisa et Ivy. À sa grande surprise, Franz Leopold s'était joint à eux. Il restait très silencieux et se tenait un peu en retrait. Ils essayèrent de toucher diverses sculptures, des bas-reliefs, des tableaux dont l'aura, constatèrent-ils, exerçait sur eux des effets différents. Le crucifix irradiait si puissamment que Maurizio ne put s'approcher à moins d'un mètre, et encore, même lui ne tint pas très longtemps. Le professeur Ruguccio, en revanche, fut capable de saisir l'objet sans gêne visible.

«Et il ne porte même pas d'amulette, murmura Alisa à Luciano.

– Oui. Les plus puissants du clan s'en passent. Ils réussissent à puiser dans l'environnement de quoi accroître leur force, la conserver et la concentrer le moment venu pour assurer leur défense.»

Alisa referma la main sur sa pierre rouge.

«Je crois que je préfère garder ce gentil caillou encore un moment.» Elle gémit en essayant pour la troisième fois de toucher une statuette de pierre d'apparence très ordinaire, et fit un bond en arrière. «Elle me brûlerait la paume», assura-t-elle en laissant la place à Ivy. La fine main de la jeune Irlandaise trembla, elle aussi. Elle ferma les yeux, plissa le front et, à pas minuscules, s'approcha jusqu'à ce que sa paume effleure la pierre. On entendit un crépitement. Des étincelles jaillirent à la surface, mais Ivy ne bougea pas.

«Bien! C'est vraiment très bien», dit le professeur, admiratif, qui circulait d'un groupe à l'autre. «Maintenant à toi, Luciano.

– Oui, montre un peu ce que tu sais faire!» susurra Franz Leopold.

Qu'il ne faille pas s'attendre à un succès, voilà qui était clair pour Luciano. Mais ce fut précisément ce qui l'aiguillonna. Ainsi que le regard des deux jeunes filles dans son dos! Allons, il n'était plus un bébé. Il avait grandi, et donc acquis de la force et du courage. Il sentit ses genoux trembler. Bon, disons de la force, sinon du courage!

«Tu vas y arriver.» Sa tête bruissait mais il avait reconnu la voix d'Ivy. Luciano redressa le menton. Très bien. Et tant pis si sa main entière était brûlée. Plus jamais il ne se retrouverait dans le rôle du froussard. Des scènes déplaisantes de son enfance se bousculaient dans son esprit. Il les repoussa et concentra ses pensées sur la statuette en pierre et sur sa propre défense. Soudain il sentit sous sa main la surface rugueuse. Elle était froide. Aucune douleur ne surgit dans son corps. Nul feu ne le consuma. Radieux, il se retourna, mais le professeur était déjà parti, il s'occupait maintenant de Raymond, qui se tortillait par terre en geignant. Tammo non plus n'avait pas l'air à la noce, il s'était fourré dans la bouche deux doigts tout noirs. Mais le hochement de tête appréciateur d'Alisa et le sourire d'Ivy avaient plus de prix pour Luciano que les louanges du professeur.

« C'est à toi », dit-il à Franz Leopold, qui n'en menait pas large, malgré les efforts qu'il faisait pour sauver la face. Une veine tressautait sur sa tempe et il n'arrivait pas à tenir ses doigts immobiles. Luciano buvait du petit-lait.

« Un peu nerveux, peut-être ? Il y a de quoi. Ça peut tourner vraiment mal si on ne s'y prend pas comme il faut ! »

Franz Leopold ne releva pas. La main serrée sur son amulette, il étendit l'autre bras loin devant lui. Pourtant, il dut rester à trois bons pas de distance. Furieux, il souffla bruyamment et grinça des dents, mais rien n'y fit.

« Venez, prenons l'autre statuette, là-bas, proposa Luciano.

– Mais c'est une Vierge ! articula Franz Leopold.

– Et alors ? » ricana Luciano, qui jouait les fiers mais en vérité ne brillait guère.

Et, à la surprise générale, il s'avéra que la statuette n'avait quasiment pas d'aura. Ils se tournèrent vers deux calices d'argent. Franz Leopold battit des paupières et introduisit deux doigts sous son col pour le desserrer un peu. Luciano jubilait.

Jusqu'au moment où Franz Leopold l'attrapa par la chemise.

« Arrête de faire le malin. J'ai lu en toi et j'ai vu ta trouille

194

puérile quand nous étions sur le parvis et même tout à l'heure, devant la statuette. »

Franz Leopold jeta un bref coup d'œil à Ivy.

« Voudrais-tu, par hasard, que je parle des idées absurdes que tu t'es mises en tête à propos d'une fille, une Irlandaise – jolie, il faut l'avouer – qui se trouve ici en ce moment ?

– Garde tes sales pensées pour toi ! » s'écria Luciano hors de lui.

Alisa, Ivy, et même Seymour ne perdaient pas un mot de cette altercation. Luciano poussa un grognement menaçant, mais le vampire viennois répondit par un rire goguenard.

« Ce sont *tes* sales pensées, pas les miennes. »

Luciano sentait la chaleur monter dans son corps, par vagues. Un voile rouge tomba devant ses yeux. Il allait attraper ce salopard et lui déchirer la gorge en lambeaux, lui enfoncer ses ongles dans le cou et couvrir de griffures sa gueule de bellâtre.

Une main se posa sur son épaule. Fraîche et apaisante. Il vit les doigts fins et blancs avec leurs ongles bien nets.

« Inutile de continuer, Franz Leopold. Je connais les pensées de Luciano et je ne les trouve pas sales. »

Cette fois, c'était pire que tout ce que Franz Leopold aurait pu dire. Jusque-là, Luciano aurait toujours pu s'en tirer en prétendant que ces affirmations étaient le pur produit d'une imagination malfaisante. À présent, son seul désir était que le sol de pierre de cette église l'engloutisse à jamais.

« Ah bon. Ainsi, ton admirateur secret trouve grâce à tes yeux. Dans ce cas, tu seras sûrement d'accord pour lui accorder une marque de ta bienveillance. »

Avant que personne ait eu le temps de comprendre où il voulait en venir, Franz Leopold avait sorti de sa poche un petit couteau et coupé une mèche des cheveux d'Ivy. Les cheveux argentés s'enroulèrent en boucle dans sa main. Il s'inclina vers Luciano :

«Tiens, railla-t-il, voici le présent de ton adorée. Garde-le précieusement et porte-le pour toujours contre ton cœur.»

Luciano regardait fixement la mèche couleur d'argent, si abasourdi qu'il ne remarqua pas tout de suite le changement d'expression d'Ivy. Jusqu'à présent, il ne l'avait jamais vue autrement que calme et amicale, les traits détendus, les yeux brillants, un joli sourire aux lèvres. Mais à cet instant on lisait la panique dans son regard. Sa bouche se tordit en un cri muet. Elle plaqua ses deux mains contre son visage. Seymour grogna et voulut happer le bras de Franz Leopold qui se hâta de lâcher la boucle dans la paume de Luciano. Lui aussi, comme Alisa, regardait Ivy d'un air désemparé. Personne ne s'était attendu à une telle réaction.

«Mais que t'arrive-t-il, Ivy? Calme-toi. Il voulait juste te taquiner. Ça repousse.» Alisa voulut poser le bras sur son épaule, mais Ivy se débattait tant et plus. Elle secouait la tête si fort que sa chevelure fouettait l'air.

«Non! criait-elle. Oh non!

– Il t'a fait mal? Ivy, dis-moi. Qu'est-ce qui se passe?»

Mais elle ne répondit pas. Elle se détourna et s'élança, traversa toute la nef. Seymour poussa la porte avec son museau en glapissant. Elle s'ouvrit. Ivy et le loup disparurent dans la nuit. Les trois autres avaient assisté à la scène, bouche bée. Quelle mouche l'avait donc piquée?

Le professeur qui, du chœur de l'église, se hâtait de les rejoindre en faisant crisser ses souliers vernis, se posait la même question. Les regards curieux des autres élèves étaient tous braqués sur eux.

«Que s'est-il passé ici?» Ruguccio les scrutait de son œil noir, la tête inclinée, ce qui accentuait encore son double menton.

«Nous ne savons pas très bien non plus, dit Luciano sans se mouiller, tout en cachant la mèche de cheveux dans la poche de son pantalon.

– Elle a perdu les pédales, ajouta Alisa.

– Je vais la chercher», proposa Mervyn.

Le professeur secoua la tête.

«Non, vous restez tous ici et vous terminez l'exercice.» Mais il envoya tout de même les deux ombres, Francesco et Hindrik, sur les traces de la jeune fille. Avec pour mission de s'assurer qu'elle regagnait saine et sauve la Maison dorée. On verrait les autres questions plus tard.

Le *signore* Ruguccio ordonna aux élèves de le suivre et fit taire les chuchotements et commentaires sur le comportement inexplicable d'Ivy.

«Venez tous ici. Je voudrais vous montrer quelque chose. Regardez bien ce carreau, sur le dallage, là-bas. Vous voyez ces creux? Ce sont les empreintes laissées par les genoux de Pierre et de Paul. La légende raconte que Simon le Magicien avait tenté de prouver sa supériorité aux deux apôtres en s'élevant dans les airs. Pierre et Paul s'étaient alors agenouillés sur cette dalle et avaient prié Dieu de leur envoyer un signe. Ce qu'Il avait fait, en précipitant Simon du haut du ciel – voilà les amusantes histoires de saints que les humains se racontent.» Quelques élèves rirent, d'autres considéraient d'un œil sceptique cette dalle qui paraissait si inoffensive. «Bon, je voudrais à présent qu'un volontaire s'approche, vienne regarder de plus près cet objet sacré... et nous dise de quelle puissance est la force qui en émane.» Les élèves se prirent d'un intérêt soudain pour la contemplation de la nef, son plafond voûté, son sol dallé, tout plutôt que de regarder dans la direction du professeur.

«Je m'en charge, dit finalement Maurizio. Personne ne peut affronter cette calamité.»

Mais Ruguccio rejeta sa proposition d'un geste.

« Merci, mais je préférerais quelqu'un qui ne soit pas venu jouer ici des milliers de fois dans les années passées. » Luciano se détendit d'un coup. Dans ce cas, ça ne pouvait pas être lui non plus. Maurizio haussa les épaules et parut presque un peu déçu.

Les yeux noirs du *signore* Ruguccio parcoururent l'auditoire.

« Et si Rowena venait faire une tentative ? »

Malcolm vint se placer à côté d'elle, comme s'il voulait protéger cette toute jeune fille. Luciano entendait la petite fredonner tout bas.

« Rowena ?

– Oui, quoi ? Qu'y a-t-il ? » Elle pointa son petit nez couvert de taches de rousseur. « Que j'examine les empreintes de genoux ? Mais très volontiers, professeur. »

Et elle se dirigea d'un pas léger vers la dalle, tout en continuant à chantonner à mi-voix. Les autres retenaient leur souffle. Quelque chose allait se produire. Elle allait devoir ralentir, hésiter, son visage se tordrait de douleur. Mais ils ne constatèrent rien de ce genre. Rowena atteignit la dalle, s'y agenouilla, et sa main caressa les creux. Elle leva vers le professeur un regard interrogateur.

« Et maintenant, *signore* ?

– Dis-moi.

– Rien. Je ne sens rien du tout. Juste la surface irrégulière d'une vieille dalle.

– Et tu en déduis... ? »

Rowena se leva et secoua sa jupe de tweed.

« Qu'il ne s'agissait pas des apôtres... ou alors ces hommes n'étaient pas des saints ! » Elle souffla d'un air méprisant et retourna à côté de Malcolm qui semblait soulagé.

« Il s'agissait bien de saints, d'autres reliques en font état, ainsi que des tableaux, des statues, mais Rowena a raison sur le premier point : les apôtres ne se sont jamais agenouillés sur cette dalle. Ces empreintes ne sont pas les leurs !»

Là-dessus, le professeur estima que la leçon était terminée pour cette nuit mais décida d'accompagner encore ses élèves à travers le sinistre champ de ruines du Forum Romanum. La zone qui avait été autrefois le cœur de la Rome politique n'était plus qu'un terrain vague semé de mauvaises herbes d'où saillaient des tronçons de colonnes épars et des statues rongées par le temps. Même le grand arc de triomphe de Titus était couvert de végétation. Pendant la journée, des vaches et des chèvres venaient y paître, que l'on rassemblait la nuit dans de petits enclos. Les bêtes se blottirent peureusement les unes contre les autres quand les vampires passèrent en silence le long des clôtures. Le professeur leur montra les vestiges des voûtes de la basilique de Maxence, qui devait être à l'époque un édifice impressionnant.

«J'ai de nouveau faim, soupira Maurizio qui était tombé en arrêt devant un petit abri avec quelques chèvres.

– Non ! Viens donc !» chuchota Luciano en entraînant son cousin, bien qu'en son for intérieur il lui donnât raison. Lui non plus n'aurait pas craché sur une bonne petite pinte de sang de chèvre chaud. Les Nosferas étaient plus portés sur les plaisirs de la table que les autres, songea-t-il en réprimant un soupir. Il suffisait hélas de les regarder pour s'en convaincre.

Quelque chose qui ressemblait à de l'envie monta en lui tandis qu'il considérait les corps sveltes qui marchaient devant lui et dont les mouvements étaient si gracieux. Jamais il ne deviendrait comme eux. La tristesse l'envahit. Jamais il n'avait eu de pensées ou de sentiments de ce genre... jusqu'au jour où les autres étaient arrivés ici. Voilà que maintenant il voulait lui aussi être beau, élégant et... désirable ? Il sentit le regard sur son visage. Trop tard !

«Dis-moi, gros lard, tu n'es tout de même pas sérieux ?»

Franz Leopold avait son sourire des mauvais jours. «Tu ne crois quand même pas qu'une telle créature de rêve gaspillerait pour toi une seule de ses pensées? Peut-être aurait-elle tout au plus l'usage d'une ombre supplémentaire pour porter son sac? Mais tu serais prêt à te contenter du rôle d'impur, on dirait, si cela te permettait de rester près d'elle!

– Il est possible qu'elle ne fasse pas grand cas de moi, répliqua Luciano d'une voix sifflante. Mais toi, en tout cas, elle te trouve répugnant, malgré ta jolie figure, et elle n'éprouvera jamais rien d'autre pour toi que du mépris!»

Franz Leopold souleva légèrement ses sourcils bien dessinés.

«En es-tu si sûr? Ce n'est pas ce que j'ai lu dans ses pensées.»

Pendant tout le trajet du retour, Luciano se sentit vide et misérable, et la soif de sang qui le taraudait n'en était pas la seule raison. Il avait même complètement oublié d'avoir faim. Ses doigts rencontrèrent la mèche de cheveux au fond de sa poche, et son cœur devint plus lourd encore.

Ils étaient à peine rentrés à la Maison dorée qu'Alisa courut jusqu'à sa chambre. Son soulagement fut immense quand elle découvrit Ivy assise sur le bord de son sarcophage, avec Seymour à ses pieds.

«Je suis heureuse qu'il ne te soit rien arrivé», dit-elle en s'installant à côté de la jolie vampire irlandaise. Ivy cacha son visage dans ses mains. Ses cheveux d'argent lui tombaient devant la figure. On distinguait nettement la mèche plus courte qui ne descendait que jusqu'à son menton. «Oh, Ivy, dis-moi, qu'est-ce qui t'a bouleversée à ce point? Je ne comprends pas. Franz Leopold est juste un petit affreux. Et Luciano se remettra de l'affront. Oublie donc toute cette histoire.»

Ivy reposa lentement ses mains sur ses genoux. Il y avait

tant de désespoir dans ses yeux qu'Alisa en fut effrayée. Elle mit la main sur l'épaule de son amie.

« Tes cheveux sont toujours aussi magnifiques et ta mèche va repousser !

– Ça, je n'en doute pas ! » articula Ivy d'un ton amer. Seymour bondit en poussant des jappements sauvages. Les poils sur sa nuque et son dos se hérissèrent et il retroussa les babines, dévoilant ses canines étincelantes. Ivy se leva, posa sa paume entre les deux oreilles du loup et lui dit quelques phrases en gaélique. « Oui, tu as raison, ajouta-t-elle à l'intention d'Alisa. Oublions tout cela. »

Quand Alisa se retourna vers elle, Ivy avait retrouvé son expression habituelle. Gaie, détendue, comme si rien au monde ne pouvait la perturber. Alisa écarquilla les yeux, se demandant si ses sens l'avaient trompée. Comment son amie avait-elle pu changer à ce point d'une seconde à l'autre ?

« Allez, viens. Est-ce que tu as encore un livre passionnant à me prêter ? J'ai déjà terminé *Le Tour du monde en quatre-vingts jours*, et j'ai très envie d'en lire davantage. C'était merveilleux ! » Alisa n'en revenait pas.

« Quoi, tu as déjà fini ? Mais nous n'avons quasiment pas eu de temps libre ! Tu dois lire à la vitesse de l'éclair. »

Ivy fit un signe de dénégation.

« Oh non, simplement je n'arrivais pas à dormir. » Seymour hurla.

« C'est une blague ! » Alisa éclata de rire. « Tu ne vas tout de même pas me dire que tu ne tombes pas comme les autres dans un sommeil de plomb au lever du soleil pour ne te réveiller que le soir venu !

– Me voilà percée à jour, dit Ivy d'un ton léger. J'ai bouquiné en cachette pendant le cours.

– Toi ? Non ! Je ne me serais pas attendue à ça de ta part. »

Alisa leva l'index, feignant l'indignation. «Tu as de la chance que Franz Leopold ne t'ait pas trahie.

– Bah, il n'est pas si méchant qu'il en a l'air.»

Alisa regarda son amie, sceptique.

«Tu en es sûre?

– Oui, simplement il ne le sait pas.»

Le vénérable Giuseppe

Le soir suivant, quand ils entrèrent dans la salle de classe, les jeunes vampires eurent la surprise d'y découvrir le vénérable Giuseppe, allongé sur un lit de repos devant le pupitre. Il leva sa main osseuse et leur fit signe de s'asseoir à leurs places. Tout valait mieux naturellement que des heures passées avec Letizia et Umberto, le frère et la sœur qu'ils ne désignaient plus entre eux que comme «les tortionnaires». Mais Alisa était tout de même un peu déçue à l'idée que leur entraînement à la défense n'allait probablement pas se poursuivre aujourd'hui.

Le vieux vampire s'éclaircit la voix.

«Je voudrais parler avec vous de politique. Et quand je dis politique – pas seulement celle des humains.» Il ricana dans sa barbe. «Ah, quel étonnement je lis sur vos visages... Vous vous demandez en quoi cela peut bien vous concerner, vous qui êtes assis devant moi, pas vrai? Eh bien, plus que vous ne croyez. Un bon politicien commence par étudier avec soin ses adversaires, pour bien évaluer ses chances et les risques courus. Quel est notre plus grand adversaire, à votre avis?» Le vénérable parcourut du regard l'assistance. Plusieurs élèves haussèrent les épaules.

« Eh bien, Fernand ? Qu'en penses-tu ? » demanda-t-il à l'armoire à glace qu'était le jeune vampire de Paris.

Fernand prit tout son temps, papouillant à n'en plus finir le ventre de son rat, avant de répondre.

« Les hommes », dit-il enfin. Rires parmi ses condisciples.

« Peux-tu nous expliquer ça plus précisément ? insista le vénérable.

– C'est évident. Nous sommes les chasseurs et ils sont nos proies. Ça ne leur plaît pas, bien sûr, alors ils deviennent nos ennemis. Il y a des chasseurs de vampires parmi eux, qui passent à l'offensive, nous pourchassent et veulent nous anéantir. » C'était un discours incroyablement long pour Fernand, alors il se tut, épuisé.

Giuseppe se tourna vers la jolie Dracas à côté de lui.

« Marie Luise, en admettant que Fernand ait raison, les hommes ne présentent pas tous le même danger pour nous ? Qui est notre pire ennemi ?

– Les chasseurs de vampires, Fernand l'a déjà dit.

– Hm, d'autres points de vue ?

– Le pape ! intervint Chiara. C'est lui qui dit à ses cardinaux et à ses évêques qu'il faut nous poursuivre et nous détruire.

– Si tant est qu'il ait entendu parler de nous et croie en notre existence, corrigea Malcolm.

– Évidemment qu'il y croit ! L'Église nous a toujours combattus », s'écria Mervyn.

Malcolm hocha la tête.

« En effet, mais tout le monde ne croit pas qu'on existe. Ils veulent tout expliquer avec leurs nouvelles sciences. » Il fit une moue dépitée. « Si je ne me trompe, Darwin ne nous a pas mentionnés dans sa théorie sur l'origine des espèces.

– Pas plus que la Bible ne nous compte au nombre des créatures de Dieu – ou de Lucifer ! rétorqua Mervyn. Et pourtant, en Irlande, chacun sait qu'on existe. »

Le vénérable leva son bras décharné, à la peau tendue comme du parchemin.

« Ah que de flamme dans ce débat ! Voilà qui me plaît. Pourtant il y a un groupe que vous avez omis de signaler. » Il fit une pause, puis ajouta : « Les vampires ! » Le mot tonna dans la salle dont les murs renvoyèrent l'écho. Les jeunes membres des six clans se taisaient, déconcertés. Certains échangeaient des regards interrogateurs. « Mais oui. Réfléchissez. Pourquoi êtes-vous ici ? Y auriez-vous seulement songé il y a quelques mois ? Que pensiez-vous des autres familles ? Quelles sont les histoires, les rumeurs qu'on véhicule chez vous à propos des autres clans ? Ne dit-on pas qu'ils sont vindicatifs et méchants ? Qu'ils méritent d'être exterminés ?

– À juste titre », murmura Franz Leopold entre ses dents. Alisa, tout près de lui, l'avait entendu, mais le vénérable également.

« À juste titre ? Ma foi, peut-être. Je connais l'orgueilleuse famille des Dracas et, au cours de ma longue vie, il m'est arrivé plus d'une fois de me retrouver engagé dans un affrontement mortel avec un clan étranger. Moi aussi, j'ai donc été un ennemi des vampires, car j'ai contribué de mes propres mains à l'extermination de notre espèce ! Et vous, pareillement, quand au lieu de vous entraider et de mettre vos forces en commun, vous préférez la méfiance, la lutte et la persécution. Pour l'instant vous ne dépassez sans doute pas le stade des railleries et des coups de bâton, mais dans quelques années ? Partirez-vous en campagne, le glaive à la main, pour arracher le cœur d'un autre et lui trancher la tête ? » Les élèves le regardaient, sidérés. Quelques-uns semblaient sous le choc. « Celui qui œuvre contre le chef de sa propre famille et contre la communauté des clans, celui-là est notre plus grand ennemi, à nous les vampires ! »

Il fit une pause et se laissa aller à la renverse sur son lit de repos. Ses joues s'étaient creusées. Il ferma les yeux. Sa harangue l'avait épuisé. Les jeunes vampires commencèrent à échanger des murmures, d'abord timides, puis les voix enflèrent de plus en plus, jusqu'à ce que le vieillard soudain se redresse et les toise d'un œil acéré.

«Vous allez me faire, par écrit, un exposé sur l'histoire de la chasse au vampire. Vous serez étonnés de voir toute la matière que l'on peut rassembler sur ce thème. Et surpris aussi de constater combien souvent, au fil des siècles, nous avons nous-mêmes travaillé à la ruine de notre race, jouant ainsi le jeu des humains. À présent, allez-vous-en. Je vous donne quartier libre pour le restant de la nuit.» Il se leva péniblement et quitta la salle d'un pas traînant.

«Que va-t-on bien pouvoir écrire?» gémit Luciano en fixant sa feuille blanche. Ils étaient assis tous les trois, avec quelques autres, dans la grande salle. Malcolm entra avec une pile de livres sous le bras et chercha une place libre.

«Tu étais à la bibliothèque? demanda Alisa. J'ai entendu dire qu'elle était bien pourvue.» Malcolm secoua la tête.

Luciano leva le nez de sa feuille.

«Leandro ne laisse entrer personne dans la bibliothèque. Le comte Claudio se pointerait en personne et le menacerait de lui arracher un par un ses cheveux dont il prend si grand soin.

– Comment ça? Mais le vénérable Giuseppe a dit que j'avais le droit d'y aller!» s'écria Alisa. La déception la submergea. Elle s'était fait une telle joie à l'idée de pouvoir explorer tranquillement le vieux fonds, en espérant que tous les ouvrages n'étaient pas en italien ou en latin! Ces dernières semaines, elle avait essayé plusieurs fois de dénicher le bibliothécaire, mais en vain. Luciano acheva de la décourager.

«Ce qu'il dit et rien... Son esprit s'égare de plus en plus. Ce n'est pas un hasard s'il a dû céder la direction de la famille à son petit-fils Claudio, il y a une bonne douzaine d'années. Et à l'époque, ça ne s'est pas passé tout à fait en douceur, je te le garantis. Un certain nombre de partisans de l'un et de l'autre ont disparu et on ne les a jamais revus.

– Pourtant j'avais l'impression qu'il soutenait le comte Claudio, remarqua Alisa, surprise.

– Depuis un certain temps, oui, reconnut Luciano. À partir du moment où il a accepté l'idée de faire partie des vénérables, c'est allé très vite. Maintenant il est le plus ardent soutien de son petit-fils et il serait sans doute prêt à le défendre l'épée à la main – lui et ses décisions.

– Quel tableau!» commenta Alisa, s'imaginant le vieux et maigre Giuseppe en armure sur son destrier. Un bien triste Don Quichotte...

Elle loucha vers un des titres que Malcolm avait posés sur la table devant lui.

«D'où viennent-ils, alors, ces livres, si ce n'est pas de la bibliothèque?

– Ils appartiennent à Vincent. J'ai dû lui jurer sur ma tête de les manipuler avec le plus grand soin et de ne pas m'en dessaisir. Mais vous pouvez y jeter un coup d'œil en même temps que moi, si ça vous aide, proposa-t-il généreusement.

– Ah oui, je me souviens, tu nous as dit que l'impur qui vous accompagne collectionnait les histoires de vampires et autre littérature d'épouvante.» Alisa s'approcha.

«Il en a apporté trois cercueils pleins!» Malcolm tourna quelques pages puis se mit à écrire.

«J'aimerais trop les voir un jour, chuchota Alisa. Ivy, tu crois qu'il nous les montrerait?»

Ivy passa ses doigts à travers ses somptueuses boucles d'argent.

«Je n'ai aucun doute là-dessus. Il se laissera convaincre.»
Alisa sourit.

«Bien, dans ce cas, partons à sa recherche.»

Elles se rendirent d'abord dans les chambres à coucher, puis là où logeaient les frères servants, mais elles n'y trouvèrent que les fameux cercueils avec leur précieux contenu.

« L'envie me démange de regarder ce qu'il y a là-dedans, dit Alisa en promenant ses mains sur la surface de bois poli.

– Je pense que ça ne le mettrait pas dans les meilleures dispositions, objecta Ivy.

– Je le pense aussi. Mais où peut-il bien être ?

– Seymour va nous le dénicher en moins de deux !

– Génial ! Quelle merveille, ce loup ! » Alisa rayonnait. Elle tendit à Ivy un bout de papier et son porte-plume avec la belle plume neuve en acier.

« Cela dépend des fois », murmura Ivy en notant quelques mots. Elle plia le papier et le tendit à Seymour. Il grogna et happa le papier si vivement qu'il faillit mordre les doigts de sa maîtresse. Puis il détala.

« Qu'est-ce qu'il lui prend ? demanda Alisa, interloquée. On dirait qu'il est de mauvais poil, aujourd'hui.

– C'est un mâle, bougonna Ivy. Est-ce que cela n'explique pas ses humeurs ?

– Ah oui, je n'avais jamais considéré la chose sous cet angle », fit Alisa avec un petit rire entendu.

Elles n'eurent pas à attendre longtemps le retour de Seymour. Il paraissait encore plus grognon, autant qu'Alisa puisse en juger.

Peu après, Vincent faisait irruption dans la chambre. Il avait des cheveux d'un blond roux et un physique encore enfantin.

« Qu'est-ce que vous faites avec mes livres ? s'écria-t-il d'une voix claire.

– Rien ! dit Alisa, désignant les cercueils fermés. Nous n'y avons pas touché ! On nous a raconté que tu avais rassemblé une collection exceptionnelle d'ouvrages sur les vampires et autres créatures de la nuit, alors nous voulions te demander si tu nous laisserais jeter un coup d'œil sur tes trésors. Nous en prendrons le plus grand soin.

– Vous êtes-vous lavé les mains ? »

Alisa trouva qu'il poussait le bouchon un peu loin, mais Ivy réprima un sourire en tendant ses paumes immaculées.

« Mais bien sûr ! Nous ne voulons surtout pas salir tes livres. »

Vincent approuva d'un air satisfait et se saisit du premier cercueil. Un spectacle étonnant. Ses deux bras menus parvenaient à peine à en faire le tour mais le poids ne semblait pas un problème et il eut tôt fait de poser le cercueil au sol. Les deux filles n'avaient même pas eu le temps de lui proposer leur aide. D'un geste solennel, il souleva le couvercle.

« Vous trouverez ici tout ce que le cœur peut désirer. Depuis Robert Southey et Samuel T. Coleridge jusqu'au célèbre poème de Goethe "La Fiancée de Corinthe". Mais aussi William Blake, Edgar Allan Poe, les sœurs Brontë et Shelley, et notre très cher Lord Byron. Il m'a même dédicacé son livre ! »

Alisa et Ivy se penchèrent sur la malle aux trésors, prenant en main tour à tour tel ou tel volume.

« Est-ce que tu me donnerais la permission de lire *Le Moine*, de Matthew Gregory Lewis ? » demanda Alisa. Vincent hésita un instant avant d'accepter.

« À condition que tu me promettes d'être extrêmement soigneuse.

– Mais naturellement !

– Dans ce cas, je pourrais également te recommander *Frankenstein*, de Mary Shelley, et *Melmoth l'homme errant*, de Charles Robert Maturin.

– Je te remercie, mais *Frankenstein*, je l'ai aussi », répondit Alisa, non sans fierté. Vincent lui tendit les deux autres livres, qu'elle prit avec force remerciements.

« Tu as également quelques auteurs français, remarqua Ivy. Charles Nodier, Prosper Mérimée et le comte de Lautréamont.

Je lis le français aussi bien que l'anglais. Avec l'allemand, j'ai un peu plus de mal. C'est plutôt pour toi, Alisa», dit-elle en désignant une pile d'œuvres de E.T.A. Hoffmann et Heinrich Heine.

Luciano entra en traînant les pieds.

«Vous êtes encore en train de vous occuper de ces bouquins!

– Mais oui, tu parles d'une mine!» Ivy regardait Vincent d'un air radieux. Il paraissait à peine plus âgé que Tammo mais elles savaient par Malcolm qu'il avait au moins quatre cents ans. À présent, Vincent avait l'air un peu malheureux tandis qu'elles fouillaient parmi les richesses de son deuxième cercueil.

«Oh, regarde, qu'est-ce que c'est que ça? s'écria Alisa en brandissant une fine brochure intitulée *Varney le vampire ou le festin de sang*. Il doit bien y en avoir une centaine!»

Vincent lui prit le cahier des mains comme s'il s'agissait d'un joyau exceptionnellement précieux.

«Il y en a plus de cent! Celui-ci est daté de 1847. J'ai la série complète. C'était une parution hebdomadaire. *Varney* propose au lecteur son lot de frissons, de poursuites palpitantes, et l'assouvissement de ses appétits de chair – en imagination, du moins. Chaque semaine, toute la vérité sur nous, les vampires, pour la modique somme d'un *groschen* – comme on dit chez vous. Une sacrée bonne affaire!»

C'était un peu bizarre. La claire voix d'enfant et le visage angélique s'accordaient mal avec ce langage emphatique et désuet.

«Et à part ça, vous avez trouvé quelque chose d'utile pour notre exposé?» voulut savoir Luciano que les romans, manifestement, n'intéressaient guère.

«Un exposé? demanda Vincent avec curiosité. Et sur quoi?

– Sur les vampires qui s'en prennent aux vampires, répondit Luciano en faisant une grimace.

– Pour cela, je vous conseille d'aller à la bibliothèque. Vous y trouverez des pièces intéressantes. Qui remontent aux origines ! De certaines, je dirais volontiers qu'elles sont ma propriété. Si vous avez encore des questions, je reste naturellement à votre disposition – moi et mon vaste savoir ! » Il s'inclina poliment, mais referma néanmoins ses cercueils d'un geste implacable.

« Tu es déjà allé dans la bibliothèque, ici, à la Maison dorée ? demanda Luciano incrédule.

– Bien sûr !

– Alors on va y entrer nous aussi », dit Luciano, et il s'éloigna d'un pas énergique, suivi d'Alisa et Ivy.

« Il n'a pas demandé à Vincent si c'est avec l'accord du bibliothécaire ou à son insu qu'il est allé fouiller là-bas », remarqua Ivy.

Alisa ne répondit pas. Elle regardait autour d'elle, de tous ses yeux. Jamais encore ils n'étaient venus dans cette partie de la Maison dorée. Les pièces situées à l'est et au nord de la salle octogonale où se tenaient les fêtes et les réceptions étaient le domaine des vénérables. Au passage, ils glissèrent un coup d'œil par quelques portes entrebâillées et aperçurent des visages qu'ils n'avaient encore jamais rencontrés. La plupart des vieux vampires étaient assis en petits groupes et bavardaient entre eux. D'autres étaient seuls, le regard triste et perdu dans le vide. C'est à l'extrémité de cette aile de bâtiment, là où s'ouvrait une deuxième cour presque complètement ensevelie sous les ruines, que le comte avait fait installer la bibliothèque. Aujourd'hui la porte était ouverte et ils entrevirent quelqu'un à l'intérieur. Ils se dirigèrent vers le vampire assis derrière un secrétaire aux lignes élancées. Peut-être était-ce ce meuble élégant qui le faisait paraître aussi grand, toujours est-il que c'était une force de la nature, cet homme, avec sa poitrine large, ses bras et ses jambes musculeux et sa nuque de taureau. Ses cheveux encore noirs brillaient à la lueur d'une petite lampe à huile fixée au mur. Un gardien vraiment peu ordinaire pour des vieux bouquins !

Quand il les vit, le bibliothécaire se leva et vint à leur rencontre.

«Que venez-vous chercher ici?» demanda-t-il sans hostilité particulière.

Alisa déversa sur lui un flot de paroles, disant toute sa passion pour les livres, et mentionna pour finir l'exposé qui exigeait qu'ils se documentent.

«D'ailleurs, conclut-elle, le vénérable Giuseppe m'avait promis depuis des semaines qu'il vous prierait de me montrer les ouvrages qui sont ici.

– Eh bien il a oublié», dit Leandro d'un ton sans réplique. Et avant qu'Alisa ait eu le temps de renouveler son assaut, ils entendirent des voix qui approchaient. Des voix exaspérées !

«Je ne veux plus vous écouter. J'ai trop longtemps prêté l'oreille à ces sottises.

– Ne t'avise pas de me parler sur ce ton ! Je ne le souffrirai pas davantage. Tu es une vraie tête de mule et tu essaies de monter les autres contre moi. Je sais que tu as parlé avec certains. La décision est tombée et elle vaut pour nous tous, alors reste à la place qui est la tienne et cesse de semer la pagaille dans la Maison dorée. Je te préviens, je peux devenir très désagréable si on me pousse à bout !»

Les deux interlocuteurs débouchèrent du couloir et, voyant les deux jeunes vampires avec le bibliothécaire, s'arrêtèrent net. Le comte Claudio tenta sans grand succès d'esquisser un sourire.

«Que venez-vous chercher ici à pareille heure? Ne devriez-vous pas être en cours?» Son front se plissa et, malgré son corps rondouillard et son large vêtement pourpre voltigeant autour de lui, il paraissait presque menaçant tout à coup.

Alisa évoqua pour la deuxième fois leur alibi – le fameux exposé – et, ce faisant, elle examinait le vampire qui avait suscité la colère du comte. Il était encore jeune et respirait la folle assurance de ceux qui sont convaincus que leur heure est venue. Il avait le visage encore un peu juvénile mais son épaisse chevelure noire et son corps bien bâti lui donnaient une séduction virile incontestable. Alisa croisa son regard. Il la fixa d'un air sombre.

« Vous vouliez entrer à la bibliothèque, hum, cela ne pose aucun problème en principe. Leandro peut vous la faire visiter – s'il en a le temps et si tout est en ordre. » Il posa sur le bibliothécaire un regard interrogateur.

Celui-ci acquiesça à contrecœur.

« D'accord, mais pas maintenant. J'ai encore certaines choses à... » Il fit une pause et ajouta, reprenant les mots du comte : « ... mettre en ordre. »

Le comte Claudio avait manifestement retrouvé son aplomb, car il hocha la tête et leur adressa cette fois un franc sourire.

« Leandro va aller vous chercher quelques livres qui pourront vous être utiles. » Alisa était un peu déçue. Elle avait espéré qu'on lui accorderait le droit de fouiller elle-même dans les rayonnages.

« Je peux m'en aller, maintenant, mon cher comte ? » demanda le jeune vampire avec une telle insolence dans la voix qu'Alisa n'aurait pas été surprise que le comte le rabroue. Les mains du chef de clan tremblèrent, mais il garda son calme.

L'autre désigna son costume de soirée.

« Il ne vous aura sans doute pas échappé que j'ai encore quelques projets pour ce soir.

– Oui, tu peux t'en aller, dit le comte d'un ton réticent.

Mais que cela te serve de leçon!» Le jeune vampire aux cheveux noirs se détourna avec un geste de mépris et s'éloigna d'un pas rapide.

«Vous ne devriez pas tolérer cela, grogna le bibliothécaire.

– Je sais, mais il n'est pas facile de tenir la bride haute à ces jeunes révolutionnaires. Ils ont trop souvent observé chez les humains la facilité avec laquelle on peut renverser un souverain.

– On n'en viendra pas à une telle extrémité! dit Leandro d'un ton âpre.

– Espérons-le.»

Le comte parut s'apercevoir tout à coup que les élèves étaient toujours plantés là, avec leur loup.

«Qu'est-ce que vous attendez? Ah oui, c'est vrai, vos livres. Leandro!»

Le bibliothécaire disparut derrière un rayonnage et revint bientôt avec cinq ouvrages qu'il déposa dans les bras d'Alisa.

«Bon, à présent sauvez-vous», dit le comte en les poussant vers la porte.

Latona sautillait d'un pied sur l'autre. Elle tripotait nerveusement le tissu de sa toilette – une robe du soir à tournure en taffetas de soie chatoyant avec une traîne plissée et une double garniture de dentelle. Le décolleté était si profond qu'on voyait la naissance de ses seins. Elle respirait en prenant de toutes petites bouffées d'air. Peut-être n'aurait-elle pas dû lacer son corset si serré ce soir. Pourvu qu'elle n'aille pas tomber dans les pommes au moment décisif! Elle n'arrivait toujours pas à y croire. Ainsi, il avait accepté de l'emmener! Il est vrai qu'elle lui avait extorqué la promesse après deux bouteilles de vin rouge bien corsé, mais qu'importe. Chose promise, chose due. Elle voyait à sa mine qu'il regrettait déjà sa légèreté.

«Oncle Carmelo, où es-tu passé? On va être en retard.

214

– Ne sois donc pas si impatiente, ma chérie. Onze heures viennent juste de sonner. Aucun homme du monde ne sort aussi tôt !

– Mais lui, c'est un vampire.

– Qui veut être considéré comme un homme du monde. Fais-moi confiance, nous y serons en temps voulu. »

Il avait belle allure en frac. La longue cape dissimulait l'épée dont il tenait le fourreau dans la main gauche. Il posa le haut-de-forme sur sa tête et offrit son bras à Latona.

« Tu as le flacon ?

– Mais bien sûr ! Je n'ai pas l'intention de me laisser sucer le sang ! »

Il lui tapota la main.

« À la bonne heure ! Nous ne pouvons pas prendre de risques. J'aurai encore besoin de toi quelque temps.

– Pour quoi faire ? Pour chasser les vampires ? » murmura-t-elle trop bas pour qu'il l'entende.

Carmelo arrêta un fiacre. Il aurait volontiers fait un petit bout de chemin à pied dans la nuit, histoire de se préparer à ce qu'il allait devoir faire, mais par égard pour Latona et sa tenue vestimentaire malcommode, il renonça. Il fallait espérer que le narcotique serait assez puissant. Il ne l'avait encore jamais utilisé de cette façon. Cette dose aurait été mortelle pour un homme. Mais serait-elle suffisante pour un vampire ? Il n'en était pas absolument sûr. Jusqu'à présent, il ne connaissait l'effet de cette drogue que lorsque le vampire l'absorbait mêlée au sang de sa victime. Il fallait absolument que le vampire soit paralysé ou du moins hors d'état de réagir pendant quelques instants, c'était une question de survie. En combat loyal, un homme n'avait aucune chance contre ces puissances de la nuit. Les vampires étaient trop forts et trop rapides.

Au cours de ses expériences antérieures, il avait joué chaque fois avec la vie de « volontaires », qui avaient d'abord dû se laisser mordre. Il n'était pas difficile, bien sûr, de convaincre une fille des rues d'accéder à une demande un peu inhabituelle, mais depuis la dernière fois, où il était intervenu trop tard, des scrupules lui étaient venus. Il n'avait plus qu'à espérer que sa nouvelle idée n'allait pas mettre en danger la vie de Latona. Il l'aimait bien, sa nièce. Elle avait cessé depuis longtemps d'être pour lui un fardeau, une gosse perturbée qu'il avait dû faire venir chez lui d'Angleterre après la mort de son frère et de sa belle-sœur.

Dans le fiacre qui progressait à grand bruit sur le pavé inégal, Latona le prit par le bras.

« Tu es bien silencieux, oncle Carmelo ? À quoi songes-tu ? »

Il tenta d'afficher un sourire cynique :

« À la bourse remplie d'argent que nous tiendrons dans nos mains d'ici à quelques heures ! À quoi veux-tu que je pense ? »

Le cimetière des étrangers

«Où est passé Francesco? Je ne l'ai pas vu de la journée», demanda Alisa quelques soirs plus tard, alors qu'ils se trouvaient rassemblés comme d'habitude dans la grande salle au plafond doré.

Luciano soupira.

«Je l'ai autorisé à aller avec les autres au Teatro Argentina. Je dois pouvoir survivre quelques heures sans mon ombre.

– Dans ce cas, pourquoi soupires-tu ainsi? Et qu'est-ce qu'on y joue, dans ce théâtre?

– Je n'en ai aucune idée. Peu m'importe la pièce – et à Francesco aussi, c'est sûr. L'important, c'est la foule humaine qui se réunit là. Ce sera un gala enivrant – et pas seulement pour les humains! Des dames en tenue légère, parfumées, des corps d'hommes en sueur. Comme ils doivent sentir bon! Je l'imagine qui repère sa victime puis l'entraîne dans un coin sombre pour lui enfoncer ses canines dans le cou. Du sang humain! Voilà qui doit être délicieux, d'après ce que disent les autres. J'aimerais trop savoir quel goût ça a.»
Luciano se pourlécha les babines.

«J'avais parfaitement compris depuis le début que tu n'avais encore jamais goûté de sang humain», dit Franz Leopold, sur ce ton condescendant, si insupportable qu'Alisa serrait chaque fois les poings malgré elle.

« Il ne l'a jamais fait, non, pas plus que nous tous ici présents, répondit-elle sèchement à la place de Luciano. Car c'est interdit, et à juste titre !

– Parle pour toi, et peut-être aussi pour ce gros lard de Luciano, mais pas pour moi, répliqua Franz Leopold. C'est un délice ! Croyez-moi sur parole. Vous ne pourrez plus jamais avaler ce sang d'animal puant quand vous aurez eu ce goût-là une seule fois sur la langue, et que vous aurez senti les veines palpiter sous vos lèvres ! » Il regarda au fond de son gobelet d'un œil torve, puis le vida d'un trait. « Qu'est-ce qu'on ne ferait pas pour ne pas mourir de faim ! »

Tammo se pencha en avant, les yeux brillants.

« Tu l'as fait ? C'est dingue. Vite, raconte-nous ! Comment c'était ? Comment as-tu piégé ta proie ? C'était un homme ou une femme ? »

Franz Leopold éluda d'un geste.

« Ce n'est ni l'endroit ni l'heure pour parler de ce genre de chose. » Il fit signe d'approcher à Zita et Raphaela, qui revenaient justement avec deux cruches pleines.

« Alors plus tard, quand nous serons entre nous dans une des chambres à coucher, là tu pourras nous raconter, dit Tammo qui ne voulait pas en démordre.

– Il n'y a rien à raconter, coupa Alisa. Tu ne vois pas qu'il fait l'intéressant ? Il joue les fanfarons mais je lui accorde assez d'intelligence pour comprendre le sens de cette interdiction. Nous ne sommes pas encore assez forts pour prendre le contrôle des êtres humains et brouiller leur mémoire quand nous buvons leur sang. Oui, ce doit être succulent, c'est justement pour ça que nous n'avons le droit d'y goûter qu'à partir du moment où nous sommes aussi capables de résister au besoin pressant d'en boire et d'en boire encore. Car si nous sommes privés de ce sang, le manque nous entraîne vers la folie – ou du moins à commettre des actes irréfléchis. »

Franz Leopold la regardait. Quelque chose qui ressemblait à de la tristesse brilla un instant dans ses yeux marron. Alisa fut interloquée. Non, elle avait dû se tromper. À côté de son éternelle arrogance, il n'y avait pas de place pour de tels sentiments.

« Madame notre institutrice a parlé, railla-t-il. Excusez-moi, j'ai mal au cœur. Il me faut un peu d'air frais ! » Sur ces mots, il sortit en se pavanant. Tammo le suivit des yeux, tout déçu.

« Eh bien, pour l'amour de Tammo, espérons que Franz Leopold gardera son histoire pour lui, dit doucement Ivy tandis qu'elle quittait la salle au plafond doré en compagnie d'Alisa.

– Ses mensonges, tu veux dire », grogna Alisa.

Ivy secoua la tête.

« Non, je dis bien "son histoire". »

Alisa s'arrêta net.

« Tu crois à ses vantardises ?

– Je connais la vérité et je sais qu'il a parfois dû payer très cher sa légèreté. Dont les conséquences se sont révélées beaucoup plus douloureuses qu'il aurait imaginé. »

Alisa siffla entre ses dents.

« Par tous les démons, c'est incroyable. » Ses yeux bleu clair étaient braqués sur Ivy. « Raconte-moi comment il a pu en arriver là.

– Tu as beau être dévorée de curiosité, tu n'apprendras rien par ma bouche, répondit Ivy en souriant. Interroge-le, si tu veux savoir.

– Jamais de la vie ! Je ne ferai pas ce plaisir à ce prétentieux ! »

Ce soir-là, les cours débutèrent comme d'habitude dans la salle de classe, mais vers minuit le professeur Ruguccio annonça qu'ils allaient se déplacer et poursuivre à l'extérieur. La *signora* Enrica les accompagnerait ainsi que les frères servants Pietro, Matthias et Hindrik, qui leur serviraient de guides. À leur grande surprise, le bibliothécaire Leandro se joignit à eux. Il avait l'intention de recopier certaines inscriptions des plaques funéraires.

Ils passèrent devant le Circus Maximus puis longèrent une rue dans laquelle à cette heure roulaient encore quelques calèches. Mais personne apparemment ne remarqua les petits groupes de créatures fantomatiques. Ils n'avaient pas encore atteint l'extrémité du mur latéral du Cirque lorsque Alisa s'immobilisa tout à coup et se pencha pour ramasser quelque chose. Luciano fit demi-tour.

«Qu'est-ce que c'est?»

Elle lui tendit sans un mot un petit morceau d'étoffe. Du velours épais, d'un rouge profond. Luciano haussa les épaules.

«Et alors? Un petit bout de velours. Sans doute un vêtement qui s'est déchiré. Ça sent quoi?»

Alisa mit le tissu contre son nez.

«Je reconnais l'odeur de cette nonne que nous avons vue près du Colisée!

– Quoi?» Luciano la regarda d'un air incrédule et lui prit l'étoffe des mains. «Je ne sais pas. Il y a trop de parfums qui se superposent. Et quand bien même ce serait elle. Jette-moi donc ça.»

Sur ce, il rejoignit ses camarades. Alisa huma une nouvelle fois le morceau de tissu et le mit dans sa poche. Peut-être qu'elle se faisait des idées, en tout cas une chose était sûre: elle avait déjà eu ce tissu entre les mains.

Après une petite place, le flot des voyageurs nocturnes se raréfia et, bientôt, les vampires furent seuls à arpenter encore les rues. Arrivés à la piazza San Paolo, que limitait en sa partie sud le mur d'enceinte de la ville, ils se rassemblèrent à nouveau. San Paolo elle-même se trouvait *fuori mura*, c'est-à-dire hors les murs, à l'extérieur ; mais pas la chapelle funéraire de saint Paul, qu'avait fait construire l'empereur Constantin, et qui était le but de leur sortie. Le professeur accompagna sa petite troupe jusqu'à un monument de pierre, au-delà du portail.

« C'est quoi ? » demanda Ivy en désignant l'ouvrage fait de pierres blanches rectangulaires qui était encastré dans le mur d'enceinte. « Une pyramide ? À Rome ? »

Alisa examinait l'édifice.

« Peut-être que Cléopâtre est venue rendre visite à César ici, à Rome, et qu'elle lui a apporté en cadeau une petite pyramide.

– Pas exactement, dit Luciano en riant. Mais quant à l'époque, c'est presque ça. Elle a été édifiée quelques années avant la naissance du Christ par un tribun du peuple qui avait manifestement l'intention de se faire enterrer à la manière des Égyptiens.

– Il en sait des choses, notre gros lard, susurra Franz Leopold.

– Oui, tu ne trouves pas ça plaisant ? répondit Ivy de sa voix douce. Il est pourtant beaucoup plus agréable d'écouter Luciano raconter des histoires du passé plutôt que d'entendre tes railleries et tes insultes gratuites. Qu'est-ce qui se passera quand on sera chez vous, à Vienne ? Je suis déjà navrée à l'idée que tu ne voudras même pas nous faire partager vos histoires. »

Franz Leopold essaya de concocter une riposte, mais il renonça et rejoignit les membres de son clan, qui se tenaient comme d'habitude légèrement à l'écart. Les Londoniens préféraient eux aussi rester entre eux et Joanne et Fernand

221

paraissaient tolérer tout juste la présence de Tammo. Ce n'était pas demain la veille que la méfiance et les préjugés entre les familles disparaîtraient.

Alisa observa Malcolm à la dérobée. Sa figure avait déjà les contours anguleux d'un visage de jeune homme et son allure ne pouvait être qualifiée que d'aristocratique. Même s'il ne possédait pas la beauté ténébreuse qui caractérisait Franz Leopold et les membres de son clan et qui faisait battre le cœur de chacune, il n'était pas mal du tout dans son genre. Il y avait décidément parmi les jeunes vampires certains candidats auxquels Alisa n'aurait pas manifesté d'hostilité s'ils avaient souhaité œuvrer à une meilleure compréhension entre les clans...

Elle sentit sur elle le regard de Franz Leopold et détourna prestement la tête. Il y en avait aussi quelques-uns qu'elle aurait accepté avec joie de ne plus jamais revoir !

L'air de rien, elle se rapprocha de Malcolm. Il lui sourit gentiment quand il la vit.

« Dis-moi, tu as toujours ce masque rouge que tu m'as montré ? »

Malcolm hésita une seconde.

« Euh, oui, mais pas ici. Pourquoi ? »

Alisa lui montra son bout de tissu.

« Il me semble que c'est le même velours.

– Hum, si tu le dis.

– Je voudrais le comparer avec le masque, dit Alisa en levant le menton d'un air un rien provocateur.

– Pourquoi ? Pour la simple raison que quelqu'un a peut-être déchiré son vêtement fait du même tissu ?

– Non, pas pour ça... » Alisa pataugeait un peu. « Tu vas sans doute rire, mais je n'arrête pas de penser à ton masque depuis que tu me l'as montré. Il ne me semble pas que ce soit un de ces déguisements utilisés pour les bals masqués. » *Mais quel*

222

rapport entre une nonne et du velours rouge ? ajouta-t-elle *in petto*. Elle haussa les épaules, découragée. « Enfin, c'est juste une impression que j'ai.

– Société secrète, conspiration, etc., dit Malcolm.

– Tu te moques de moi, soupira-t-elle.

– Non, je me demande juste ce que je dois croire ou pas. »

Le professeur Ruguccio les conduisit à un mur attenant au mur d'enceinte mais qui était beaucoup plus bas. Il s'arrêta devant une porte grillagée, mettant ainsi un terme à leur conversation.

« Derrière ce mur se trouve le "cimetière non catholique des étrangers". De nombreux voyageurs morts à Rome y sont enterrés, par exemple le fils du grand écrivain allemand Goethe ou encore les poètes anglais Keats et Shelley. Nous allons regarder leurs tombes. » Il leur fit emprunter un chemin tiré au cordeau et bordé de vieux cyprès, qui grimpait parmi des pierres tombales et des monuments d'époques très variées.

« Shelley ? demanda Ivy. Ce Shelley dont la femme Mary a écrit *Frankenstein ou le Prométhée moderne* ? Je l'ai lu et ce livre m'a beaucoup impressionnée.

– Oui, c'est bien lui. Il est mort jeune. Noyé au cours d'une promenade en voilier. Du moins, c'est ce qu'on raconte. »

Soudain le professeur s'immobilisa. D'un coup, on n'entendit plus sa voix tonnante ni le crissement de ses chaussures.

« Enrica, il y a des visiteurs, murmura-t-il à la vampire. Voudriez-vous s'il vous plaît aller voir de quoi il retourne ? » La vampire, qui était carrément maigre pour une Nosferas, acquiesça si vite que son toupet gris en fut quelque peu ébranlé, puis elle s'éloigna discrètement.

« Restez bien cachés derrière les buissons et les monuments funéraires », leur enjoignit le professeur. Alisa se baissa derrière une imposante croix de pierre et, toujours à couvert, se

223

faufila jusqu'à la dalle suivante, couronnée d'un ange aux bras écartés.

« Où veux-tu aller ? » chuchota Ivy qui la suivait de près. Alisa sursauta. Non seulement son amie se déplaçait sans faire le moindre bruit, mais elle était même capable de rendre son aura invisible.

« Je suis juste curieuse », répondit Alisa dans un souffle tout en continuant sa progression. Entendant des voix, elle se tapit derrière un large bloc de granit. Lorsqu'elle se redressa et jeta un coup d'œil entre le bord de la pierre et un buisson de laurier, elle découvrit un homme. L'inconnu était assis en tailleur sur une pierre plate devant une tombe, une lampe à huile posée à côté de lui. Il y avait quelque chose sur ses genoux vers quoi il se penchait très souvent. Que faisait-il donc ? Alisa interrogea Ivy du regard.

La jeune Irlandaise plissa les yeux.

« Il est en train d'écrire. »

Alisa hocha la tête : à présent elle distinguait la plume dans sa main. L'homme paraissait encore très jeune, ses cheveux ondulaient sur sa nuque, il était en tenue de soirée.

« Oscar ? Où êtes-vous ? J'en ai assez de traîner la nuit dans ce cimetière. Que faites-vous, au nom du ciel ? »

Trois autres silhouettes descendaient le chemin et s'arrêtèrent près de l'homme qui écrivait. Celle du milieu était une femme élégamment vêtue, flanquée de deux hommes qu'elle tenait par le bras. Celui qui se trouvait à sa gauche se pencha pour déchiffrer l'inscription sur la tombe.

« Shelley ? Ne serait-ce pas le *grand* Shelley ? Celui qui écrivait ces histoires à vous donner la chair de poule et qui était marié avec Mary Wollstonecraft ? » Il tendit ses deux mains comme des serres vers le cou de la dame. « Prenez garde, Florence, je suis le monstre de Frankenstein et je suis venu vous arracher le cœur ! »

La femme recula en piaillant.

« Mr Henry Irving ! Vous êtes certes un comédien de talent, mais vous avez des manières épouvantables. Qu'est-ce qui vous prend de me faire peur avec ces horreurs ?

– Elles appartiennent à la littérature universelle, madame !

– Et si vous cessiez un peu de brailler et de me déconcentrer de la sorte, peut-être que verrait le jour sur cette pierre une nouvelle œuvre propre à enrichir cette littérature universelle, grommela le jeune homme à la plume.

– Naturellement ! s'écria le comédien d'un ton théâtral. Notre jeune Oscar Wilde deviendra un jour un célèbre poète ; quant à mon ami et agent ici présent, Bram Stoker, brillant journaliste et époux de fraîche date de notre ravissante Florence, il deviendra lui aussi un remarquable homme de lettres. Mais donnons à présent la parole à notre ami Oscar. Nous voulons entendre ce qu'il a couché sur le papier dans cet endroit lugubre.

– Eh bien soit, dit le jeune homme avec un rien d'affectation. Juste quelques vers. Puis nous rentrons en ville. Je connais une petite auberge qui propose de merveilleuses spécialités et un vin encore meilleur ! »

Henry Irving et Florence accueillirent la proposition avec enthousiasme. Oscar Wilde s'éclaircit la gorge et commença :

> *Là où s'embrasent les calices des coquelicots,*
> *Dans la chambre tranquille de cette pyramide,*
> *Un sphinx antique se tapit dans la pénombre,*
> *Noir gardien de ce lieu de plaisir des morts*[1].

---

1. Oscar Wilde, « La Tombe de Shelley », *Poèmes*, trad. Bernard Delvaille, « La Pléiade », Gallimard, 1996, p. 10.

«Magnifique, mon ami, magnifique!» s'exclama le comédien en tapant avec son doigt sur l'épaule du jeune homme, bien que celui-ci n'eût manifestement pas terminé sa lecture. «Mais quittons maintenant le pays des morts. J'aspire à prendre un copieux repas. Quelle idée de venir se promener la nuit dans un cimetière!

– Moi, je trouve ça fascinant.» L'homme qui s'appelait Bram Stoker avait les yeux brillants tandis que son regard flottait au-dessus des pierres tombales cachées parmi les vieux arbres et les buissons.

«J'ai lu beaucoup de choses sur le phénomène de la mort, ou plutôt de la non-mort, et j'ai même parlé avec des gens qui affirment avoir rencontré un de ces morts vivants qui vous sucent le sang et l'âme. Ce sont des créatures de la nuit, rapides et silencieuses comme des ombres, bien qu'elles soient justement dépourvues d'ombre. Ils sont les chasseurs et nous sommes leurs proies sans défense. Tenez, regardez autour de vous; derrière chacune de ces pierres pourrait se cacher un vampire que sa soif de sang aura fait sortir de sa tombe...»

Florence poussa un cri aigu et se cramponna au bras de son époux.

«Bram, je t'en prie, ne parle pas de la sorte! Tu me fais peur. Crois-tu que ces créatures existent vraiment?

– Mais bien sûr!» Son mari hocha vigoureusement la tête. «Le bruit court que Lord Byron lui-même, le vieux compagnon de Shelley, continue à déambuler parmi nous sous la forme d'un suceur de sang.

– À moins que tout cela ne soit que le produit de l'imagination débordante d'un poète. À présent allons-nous-en», intervint le comédien, cherchant pour la troisième fois à entraîner ses amis hors de ce lieu sinistre.

«En tout cas, je vais poursuivre mes recherches plus avant,

et puis j'écrirai un livre sur les vampires!» annonça Bram Stoker[1].

Oscar Wilde rangea ses plumes et son papier et, saisissant le bras libre de Florence:

«Vois-tu, ma chère, tu aurais mieux fait de me choisir, plutôt qu'un homme qui fricote avec les vampires.» Le vent porta ses paroles jusqu'aux oreilles des deux observatrices tapies dans l'ombre, puis les humains disparurent et le silence retomba sur le cimetière désolé, sous un ciel nocturne constellé d'étoiles.

Ivy poussa Alisa du coude.

«Viens, faisons demi-tour avant que quelqu'un ne remarque notre absence.» Alisa acquiesça et les deux jeunes filles rejoignirent leurs camarades, toujours cachés derrière les buissons et qui s'ennuyaient ferme.

À leur grande surprise, les professeurs les dispensèrent de tout autre exercice cette nuit-là et les autorisèrent à s'égailler en petits groupes dans le cimetière pour y goûter les effluves de la corruption et de la mort.

«Vous avez travaillé dur ces dernières semaines et appris beaucoup de choses, dit le professeur. Alors sauvez-vous! Qu'est-ce que vous attendez?»

Alisa, Ivy et Luciano partirent ensemble. Franz Leopold se joignit de nouveau à eux. Ils se baladaient tranquillement parmi les tombes quand tout à coup une série de bruits les arrêta net.

La première chose qu'ils entendirent, ce fut un léger crissement, comme celui des roues d'une carriole, puis ils perçurent des voix et des rires contenus. Les gonds rouillés du portail grillagé, à côté de l'église, grincèrent lorsque les deux battants s'ouvrirent. Les vampires coururent se mettre à

---

1. Il sera effectivement l'inventeur du personnage de Dracula. Voir la note en fin de volume.

couvert. Peu après, ils virent apparaître quatre hommes avec une charrette à bras – deux qui la tiraient, deux qui poussaient derrière.

«Quel drôle d'endroit, décidément, chuchota Alisa. Est-ce que c'est animé comme ça toutes les nuits? Qu'est-ce que ces types-là peuvent bien venir faire ici à cette heure?

– Quelque chose d'interdit, j'imagine, qu'ils n'osent pas faire à la lumière du jour», avança Ivy. La charrette vint s'arrêter à quelques pas de leur cachette.

«Ça doit se trouver quelque part par là. Je suis venu repérer la tombe pendant la journée, dit un homme qui paraissait grand et fort.

– Je ne vois rien, déclara un deuxième. Si nous allumions une lanterne?

– Non! s'exclamèrent les autres en chœur. Tu veux donner des sueurs froides au fossoyeur? Nous ne pouvons pas prendre le risque de nous faire prendre encore fois, sinon ils vont nous exclure de l'université!

– Mon père m'écorcherait vivant si je perdais ma bourse, dit le dernier de la bande.

– Vraiment? Pour ça, il faudrait qu'il ait quelques connaissances en anatomie», dit celui qui était à côté de lui. Les autres pouffèrent de rire.

«C'est justement le cas», répondit l'autre d'une voix sombre.

Ils devaient avoir dans les vingt ans. Des étudiants, semblait-il, à en juger par leurs propos et par leurs vêtements. Ils n'étaient manifestement pas venus dans l'intention d'enterrer un corps en secret car la charrette était vide, à l'exception de quelques vieilles couvertures. Que voulaient-ils donc?

«C'est ici!» cria l'un des jeunes gens. Il était allé un peu plus loin et à présent il faisait signe à ses amis de le rejoindre avec la charrette. Il était grand et maigre, l'allure dégingandée, comme le sont beaucoup de jeunes mâles, chez les humains.

«De quand date le corps?» Les autres sortirent deux pelles enfouies sous les couvertures et se dirigèrent vers la tombe fraîche que leur désignait leur camarade.

«Deux jours! Pas une heure de plus. Un voyageur anglais qui est mort de quelque fièvre. J'étais à l'hôpital avec le professeur quand il leur a donné l'ordre de l'enterrer en vitesse.

«Alors, vite, au travail, pour que nous ayons quelque chose à mettre sous notre scalpel avant que la nuit ne s'achève.» On sentait dans sa voix un entrain un peu forcé. Deux garçons s'emparèrent des pelles et se mirent à creuser la terre meuble, jusqu'à ce que le métal heurte une paroi de bois.

«Tu parles d'un boulot de chien! pesta l'un d'eux en tendant la pelle au suivant. Mario, tu pourrais peut-être participer. Sinon, tu ne seras pas associé à la suite non plus!

– Moi, je veux le cœur et les poumons! s'écria un petit râblé qui n'avait encore rien dit.

– Moi, j'ai droit au crâne. Après tout, c'est moi qui vous ai parlé de ce cadavre!»

Les jeunes vampires se regardaient, perplexes.

«Qu'est-ce qu'ils veulent faire? demanda Ivy.

– Voler un cadavre et le couper en morceaux, dit Franz Leopold avec un haussement d'épaules. Peut-être que c'est une pratique courante ici, dans cette sainte ville de Rome.

– Absolument pas! riposta Luciano.

– Peut-être un culte satanique? Il existe des coutumes étranges. Certains se livrent à des sacrifices humains. Peut-être que ça compte aussi, quand on offre en sacrifice des morceaux d'un homme déjà mort?»

Alisa eut un petit rire silencieux.

«Non, je ne crois pas que cela ait un rapport quelconque avec des messes noires ou autres. C'est plutôt le contraire! À mon avis, ce sont des étudiants en médecine.

229

– Et alors ? demandèrent les autres qui ne voyaient pas où elle voulait en venir.

– Ce vol de cadavre leur sert pour leurs études ! L'Église catholique interdit les dissections – c'est-à-dire d'ouvrir des cadavres pour faire des recherches sur la structure et le fonctionnement du corps humain. Ce n'est permis que sur des animaux. Mais comme déjà Léonard de Vinci avait constaté que la structure d'un corps de cochon ou de chien est complètement différente de celle d'un homme, on procède à des dissections secrètes. Vinci lui-même a sûrement découpé des cadavres pour les étudier. »

Les yeux de Franz Leopold étincelèrent.

« Voilà qui n'est pas une mauvaise idée du tout, même si elle émane des hommes.

– Quelle idée ?

– Découper des corps et les étudier. Ça me paraît tout à fait intéressant.

– Tu veux dire que ça nous fournirait à nous aussi des connaissances... commença Ivy.

– Qui nous rendraient de grands services pour la chasse ? Oui, c'est ce que je pense.

– C'est de la folie ! protesta Alisa. Vous voulez arracher à ces étudiants le cadavre qu'ils ont eu tant de mal à déterrer ?

– Une idée tout à fait amusante, non ? » dit Franz Leopold. Ils tournèrent les yeux vers les jeunes gens qui entre-temps avaient fini de dégager la terre et s'évertuaient à desceller le couvercle du banal cercueil de bois. « Non, en fait je crains que cela ne déclenche un trop grand vacarme. Si nous nous cherchions plutôt un corps rien que pour nous ? Il y a plusieurs tombes fraîches dans ce cimetière. »

Un craquement déchira le silence de la nuit : les voleurs, s'aidant de leurs deux pelles, avaient enfin réussi à soulever le couvercle. Le gros garçon poussa un cri de dégoût et pressa son mouchoir contre sa bouche et son nez.

« À l'odeur, on ne dirait pas qu'il est frais. Je crois que je vais me sentir mal.

– Ressaisis-toi, dit sèchement le grand maigre. Aide plutôt à l'emballer et à le charger dans la charrette.

– Dis-toi que c'est au nom de la science », ajouta son copain et il lui envoya une bourrade dans les côtes en ricanant.

Le gros fit un peu la tête mais il obtempéra et, à eux quatre, ils réussirent à hisser le corps sur la charrette. Ensuite ils entreprirent de remettre la terre dans la tombe.

Le vent porta l'odeur du mort jusqu'aux narines des jeunes vampires. Une odeur pas aussi désagréable que la réaction de l'homme aurait pu le faire croire, songea Alisa. Un peu douceâtre, et qui évoquait la vie qui passe, décline et se transforme... Il y avait longtemps qu'un sang comestible ne circulait plus dans ces veines et pourtant ce parfum lui causait une sorte de fourmillement dans tout le corps. Ses sens étaient brusquement en éveil, ses muscles bandés, prêts à bondir sur la proie. Ses narines frémirent, ses yeux s'étrécirent pour pouvoir mieux cibler l'assaut. Les doigts d'Alisa agrippèrent une corniche de pierre. Elle jeta un bref coup d'œil aux autres. Chez eux aussi, la fièvre de la chasse s'était réveillée.

« Quatre, ils ne sont que quatre, murmura Franz Leopold. Ce n'est rien du tout. Je pourrais m'approcher d'eux, juste assez pour les regarder dans les yeux et pénétrer dans leurs pensées. Cela ferait bientôt cinq objets d'étude pour le cours. Le professeur Ruguccio serait content. » Une braise rouge luisait au fond de ses yeux sombres.

Alisa et Ivy échangèrent un regard soucieux. Cherchait-il seulement à leur faire peur ou bien avait-il vraiment l'intention de réaliser ce projet dément ?

« Veillez à ce que la tombe retrouve exactement l'aspect

qu'elle avait tout à l'heure ! disait l'étudiant dégingandé. Il ne faut éveiller aucun soupçon. Vous vous imaginez ce qui se passerait s'ils allaient vérifier et trouvaient le cercueil vide ?

– Bah, ils croiraient avoir eu affaire à un mort récalcitrant. Ou, mieux encore, à un vampire qui est sorti de sa tombe et qui se balade maintenant dans le coin, prêt à boire notre sang à tous.

– Très drôle ! dit froidement son copain. Qui ira croire un truc pareil ?

– Beaucoup de gens croient aux vampires. Surtout maintenant, après cette série de décès inexpliqués. Des morts vidés de leur sang et présentant des traces de morsures. Comment expliques-tu ça ? Il ne peut s'agir que de vampires. » Le gros garçon ricana.

« Mais oui, bien sûr, le peuple préférera s'en tenir à ses histoires de revenants. Mais le fossoyeur, lui, c'est nous qu'il aura en ligne de mire, crois-moi. Aussi faudra-t-il veiller à ce que ne ressurgisse plus la moindre parcelle de notre Anglais. » Il disposa soigneusement la couverture sur le mort et empoigna les brancards. « Allez, on file, aidez-moi ! »

Les yeux de Franz Leopold se plissèrent.

« Regardez, nous devons leur ôter du crâne ces idées fausses. Ils ont l'air de considérer comme une plaisanterie l'hypothèse qu'ils pourraient rencontrer un vampire dans ce cimetière. Convainquons-les du contraire ! »

Trois paires de mains l'arrêtèrent dans son élan.

« Es-tu devenu fou ? Tu ne parles pas sérieusement ! » s'indigna Alisa. Il eut beau se défendre, ils ne le lâchèrent pas tant que les étudiants et leur charrette avec son funèbre fardeau n'eurent pas franchi le portail. Alors seulement, ils desserrèrent leur étreinte. Franz Leopold les fusilla du regard et réajusta son habit.

«Quels poltrons vous êtes!» Il se détourna et s'éloigna, tête haute. Les autres le suivirent en opinant d'un air navré.

Franz Leopold alla tout droit raconter au professeur Ruguccio l'idée qu'il avait eue d'utiliser des cadavres humains comme objets d'étude. Le professeur le regarda, plutôt ahuri, puis un large sourire s'épanouit sur son visage.

«Belle trouvaille, Franz Leopold, je dois le reconnaître! Mettons-nous donc tout de suite en quête de quelques tombes fraîchement creusées. Trois corps suffiront. Les frères servants se chargeront de les déterrer et de les transporter à la Maison dorée.» Sur ces mots, il se hâta d'aller trouver la *signora* Enrica pour lui faire part de cette idée de génie.

Franz Leopold se tourna vers ses camarades.

«Vous ne vous y attendiez pas, à celle-là... dit-il avec un petit sourire condescendant.

– Ça non, je ne m'y attendais vraiment pas!» reconnut Alisa.

Luciano fit la grimace.

«Il me coûte de dire ça, mais grâce à Franz Leopold, nous aurons la nuit prochaine quelques heures de cours très intéressantes. J'ai hâte d'y être!»

Franz Leopold se plaqua la main sur la poitrine et s'inclina.

«Je rends grâce pour ces paroles flatteuses auxquelles cette bouche romaine ne m'a guère habitué et je me réjouis que vous fassiez si grand cas de mon initiative.»

Le ton était moqueur mais Alisa eut le sentiment qu'il était plus sincère qu'il n'aurait été prêt à l'avouer.

Une leçon d'anatomie

Au Vatican, le Saint-Père était assis dans la verdure luxuriante de son jardin, une rose rouge tardive entre les mains. Perdu dans ses pensées, il promenait le bout de ses doigts sur l'extrémité des pétales. Il entendit parfaitement les pas dans l'herbe et les toussotements – il avait encore l'ouïe étonnamment fine au bout de trente-deux ans de pontificat –, mais il préféra ignorer l'importun aussi longtemps que possible.

Presque trente-deux ans, songea-t-il. Aucun pape avant lui n'avait eu la chance de rester en fonction aussi longtemps. Pourquoi le Seigneur l'avait-Il choisi, lui justement, pour siéger tout ce temps sur le trône suprême de la chrétienté ? Quelle mission allait-Il encore lui confier, qu'attendait-Il de lui ?

Depuis qu'il avait pris le nom de Pie IX, il n'avait pas ménagé sa peine. Car la tâche n'avait pas été facile. Il avait proclamé le dogme de l'Immaculée Conception de la Vierge Marie et, plus important encore, celui de l'infaillibilité pontificale. C'était aussi, en quelque sorte, une manière de protester : lui qui aurait dû être l'homme le plus puissant de la chrétienté, on le maintenait prisonnier au Vatican – ou, plus exactement, dans la minuscule parcelle que le roi d'Italie et son ineffable Parlement avaient eu l'immense bonté de lui laisser quand ils

234

avaient décidé de lui arracher par les armes son État, que Dieu lui-même lui avait donné. Mais il n'était pas aussi impuissant qu'ils le croyaient tous. Certes, il ne pouvait pas reprendre le contrôle de son État par une franche bataille. Ses quelques gardes suisses et leurs armes hors d'âge n'y suffiraient pas, et l'offre de soutien des Français se limitait au droit d'asile sur leur territoire. Non, il fallait qu'il emprunte d'autres voies. Sa parole avait encore du poids auprès des gens simples, son appel au boycott des élections, avec la menace de punitions infligées par l'Église en cas de désobéissance, en avait apporté la preuve. À l'époque, ces immondes nationalistes l'avaient certes contraint à fuir et à chercher asile au royaume des Deux-Siciles, mais il avait fait en sorte que très peu de monde se rende aux urnes pour élire une assemblée nationale, du coup dépourvue de légitimité. Pie IX réprima un soupir. La république n'avait duré qu'un court laps de temps en 1849, et il n'avait pas tardé à regagner le Vatican. Mais la situation était-elle meilleure aujourd'hui?

Peut-être aurait-il dû faire preuve de plus de courage et d'audace à l'époque où Vincenzo Gioberti lui avait fait part de son rêve téméraire d'unifier toute l'Italie sous l'autorité d'un pape romain. S'il ne s'était pas montré aussi timoré, peut-être Victor-Emmanuel n'occuperait-il pas aujourd'hui le trône royal à Rome. Peut-être aurait-on vu naître une Italie unifiée, soumise à Dieu et placée sous la protection du Saint-Père. Que pourrait-on imaginer ici, sur terre, qui soit plus proche du Paradis?

À présent, l'Histoire s'apprêtait-elle à lui accorder une seconde chance – le Seigneur lui accorderait-Il une seconde chance?

Les toussotements dans son dos se firent plus insistants et le pape comprit qu'il ne pourrait pas les ignorer plus long-temps.

«Venez, avancez-vous. Qu'y a-t-il?»

Le camerlingue, secrétaire et suppléant du pape au cas où il viendrait à décéder, ainsi qu'un caporal de la garde suisse, obéirent à son invitation, s'approchèrent et saluèrent, comme le voulaient leurs fonctions.

«À présent, dites-moi ce que vous avez sur le cœur, enjoignit Pie IX à son secrétaire, en réprimant un léger sourire.

– Le cardinal Angelo souhaite vous parler, Saint-Père, dit le camerlingue sur ce ton obséquieux que le pape haïssait au point qu'il avait bien des fois imploré dans ses prières le pardon de Dieu pour son attitude de rejet à l'égard de son secrétaire.

– Eh bien ne le faites pas attendre plus longtemps. Je vais le recevoir ici.» Ce cardinal, il ne l'aimait pas tellement non plus. Mais au moins ce n'était pas un homme qui suscitait un dédain apitoyé. Au contraire. C'était une forte personnalité, de laquelle émanait quelque chose de secret, d'inquiétant. Un carnassier dont il fallait se méfier et qu'il valait mieux ne pas lâcher des yeux.

«Saint-Père.» Le cardinal s'inclina et baisa l'anneau sur la main tendue. Le soleil déjà bas sur l'horizon rendait sa robe luisante comme du sang frais.

«Asseyez-vous, cher cardinal. Que désirez-vous?» Pie IX dut faire un effort pour garder ses mains immobiles dans son giron.

«Tout d'abord, comment allez-vous, Saint-Père? Dites-moi, comment vous sentez-vous aujourd'hui?»

Pie IX réfléchit un instant.

«Bien, à merveille, même. Étonnamment bien si je songe à mon grand âge.

– Oui, quatre-vingt-cinq ans, c'est un âge superbe, assura le cardinal avec un inexplicable sourire satisfait. Je suis venu vous dire que l'on a retiré du Tibre le corps sans vie du vénéré comte Bernardo. Encore un homme de confiance de l'ancien ministre président Cavour et un partisan du roi qui ne sera plus en mesure de vous nuire.

– Vous parlez comme si je faisais assassiner de sang-froid tous mes opposants les uns après les autres », protesta le pape, indigné.

Le cardinal baissa la tête.

« Mais non, une idée pareille ne me viendrait même pas à l'esprit, Saint-Père. Le cadavre est venu s'échouer sur le rivage, blême et vidé de son sang, et comme les autres il ne présentait aucune blessure significative. »

On dirait un chat qui se lèche les babines devant un pot de crème, songea le pape, mais il préféra ne pas demander plus précisément ce que le cardinal savait des meurtres politiques qui se multipliaient dans le cercle des proches du roi et des membres influents du Parlement. Il avait trop peur de la réponse.

« Je ne peux tout de même pas regretter de voir se réduire le nombre de nos... je veux dire de vos opposants. Nous sommes près du but ! » s'écria le cardinal. L'enthousiasme faisait briller ses yeux. « Nous allons enfin connaître cela : une Italie unifiée sous l'autorité de la Sainte Église catholique. Sous votre autorité, Saint-Père !

– Peut-être, dit le pape, après une légère hésitation. Si tant est que je demeure sur terre jusque-là. »

Le cardinal changea de sujet.

« Je vous ai fait faire une chaîne de rubis et je vous ai prié de la porter. »

Pie IX dégagea la parure cachée sous son vêtement blanc.

« Il ne serait pas convenable de l'exhiber.

– Certes, bien sûr, vous avez raison », se hâta de dire le cardinal.

Il tira de sa poche un mouchoir blanc qu'il déplia.

«Voyez, je vous ai apporté une autre de ces pierres magnifiques afin que nous l'ajoutions à l'ensemble.»

Il tendit la main et le pape y déposa la parure. Le cardinal y ajusta le pendentif et la lui rendit. Pie IX la garda un instant dans sa main. Quels étranges sentiments s'éveillaient en lui. Il considéra ces pierres parfaitement taillées qui brillaient d'un éclat tel qu'on les aurait crues vivantes. Une force émanait de ces rubis, il avait l'impression qu'il ne pourrait jamais se lasser de les toucher. Et pourtant, une voix en lui lui criait de jeter bien vite et le plus loin possible ce mirage du diable.

«Vous aviez à m'informer d'autre chose? demanda-t-il avec froideur.

– Non, Saint-Père. Je sollicite l'autorisation de me retirer.»

Pie IX hocha la tête et fit signe au garde suisse qui se tenait toujours à portée de regard pour prendre ses ordres.

«Prenez grand soin de votre santé, dit le cardinal.

– Elle est entre les mains de Dieu.»

Le cardinal effleura à nouveau des lèvres la bague du Saint-Père.

«Naturellement, Notre Seigneur est le seul maître de votre santé, néanmoins je vous prie de porter toujours sur vous cette chaîne.»

Tandis qu'il s'éloignait, Pie IX le suivait des yeux, songeur, en caressant les pierres rouges sur ses genoux.

«Allez ouste, hors du lit!» brailla Alisa tandis que, tout en marchant, elle remontait son pantalon, nouait sa chemise et enfilait la veste assortie. Une fois encore, elle se sentit débordante de reconnaissance envers Hindrik, qui l'avait libérée de ses robes étroites et de ses tournures. «Viens, habille-toi, Aujourd'hui nous allons disséquer des cadavres humains», s'écria-t-elle avec entrain en poussant de toutes ses forces sur le couvercle du sarcophage d'Ivy, qui s'ouvrit.

238

Ivy s'assit.

« Je t'ai entendue. J'arrive, même si je ne partage pas ton enthousiasme.

– Les connaissances médicales, voilà qui me fascine. Ce que les hommes ont découvert dans les siècles passés, c'est tout simplement incroyable ! Car ils ne sont pas comme nous. Les corps humains sont fragiles et sujets à toutes sortes de maladies. Et en comparaison des nôtres, leurs capacités d'autoguérison sont lamentables ! Ils ont tellement d'occasions de mourir prématurément.

– Une belle petite morsure de vampire, par exemple, proposa Joanne avec son gentil sourire édenté.

– Oui, entre autres, reconnut Alisa, mais je pensais plutôt au choléra et à la peste, à la rage et à la phtisie, ou encore aux accidents de toutes sortes qui provoquent des fractures des os et des blessures qui ensuite s'infectent et conduisent à la mort.

– Quel sujet de conversation réjouissant, juste avant le repas, railla Chiara, dont Leonarda était en train de lacer le corset, ce qui mettait encore plus en valeur sa silhouette voluptueuse.

– Mais *c'est* réjouissant ! Je veux dire, ils ont appris à mettre des attelles pour soigner les fractures, à recoudre les plaies et... » Soudain elle s'arrêta. Quelque chose d'argenté brillait à côté de l'oreiller d'Ivy. Alisa se pencha par-dessus le bord du sarcophage et en ressortit une mèche de cheveux bouclés. Elle la tint entre ses doigts, perplexe, tout en regardant son amie qui était justement en train d'enfiler sa tunique éclatante. Elle portait ses cheveux dénoués, comme d'habitude. Alisa vit très distinctement la mèche plus courte, celle que Franz Leopold avait coupée dans l'église.

Elle brandit ce qu'elle tenait à la main.

« Il n'a tout de même pas osé recommencer ?

– Quoi?» Ivy leva les yeux et vit la boucle dans la main d'Alisa. «Où as-tu trouvé ça?

– Dans ton sarcophage. Franz Leopold t'a-t-il coupé une nouvelle mèche? Pourquoi n'as-tu rien dit?»

Ivy fondit sur elle et lui prit la mèche des mains.

«Non, il n'a rien fait. Inutile de mettre sur pied une expédition pour me venger!»

Seymour glapit et fit mine de happer la veste d'Alisa.

«Hé, qu'est-ce qui te prend?» Elle se sentit un peu vexée. Jusque-là, elle avait cru que le loup l'acceptait, oui, et même plus, elle pensait que son attachement pour ce noble animal était payé de retour.

Ivy enfouit la mèche dans sa bourse et empoigna la fourrure sur la nuque de Seymour.

«Ce n'est rien du tout! Il est juste un peu irritable en ce moment.» Le loup grogna. «Tu peux tranquillement le caresser. Il t'aime bien.

– Sûr?» Alisa posa une main timide sur la nuque du loup, qui poussa un bref gémissement. Elle leva les yeux vers Ivy. «Mais alors d'où te vient cette mèche? As-tu demandé à Luciano de te la rendre ou bien te l'a-t-il donnée de lui-même?»

Ivy eut un sourire un peu faux.

«Tu as certains points communs avec Seymour, je dois l'avouer. Quand tu t'es emparée de quelque chose, tu n'es pas prête à le lâcher, quoi qu'il puisse t'en coûter. Oui, pour ce qui est de l'obstination, vous faites la paire, tous les deux.»

Alisa fixa les yeux jaunes du loup.

«Je ne sais pas si je dois prendre ça comme un compliment.»

Ivy passa son bras sous le sien et l'entraîna hors de la chambre à coucher.

«Allez viens. J'ai faim. Je ne voudrais pas me lancer dans

cette dissection de cadavres dans l'état où je suis. Je risquerais de faire une sottise et de satisfaire ma fringale sur nos objets d'étude. » Alisa eut un sourire un peu forcé.

« Et maintenant, parle-moi de ces incroyables découvertes médicales des humains », proposa Ivy, tandis que les deux jeunes vampires parcouraient les couloirs chichement éclairés qui menaient à la grande salle au plafond doré.

Les yeux d'Alisa s'illuminèrent.

« As-tu déjà entendu parler de Louis Pasteur, de Robert Koch et d'Ignác Semmelweis ? » demanda-t-elle avec ferveur.

Ivy secoua la tête et invita sa compagne à poursuivre. Le temps qu'elles atteignent la grande salle, Alisa lui avait expliqué que c'étaient des petits organismes vivants qui causaient les maladies des hommes et faisaient aussi que la nourriture se gâte. Le Français Pasteur avait démontré qu'une forte chaleur perturbait l'alimentation de ces animalcules.

« Et le docteur Semmelweis a découvert qu'une simple lessive ou de l'eau de Javel suffit déjà à empêcher la transmission des miasmes d'un malade ou d'un mort à un corps sain. Il a imposé des mesures d'hygiène au personnel médical s'occupant des accouchements, avec pour résultat qu'aujourd'hui le nombre de femmes mourant en couches de la redoutée fièvre puerpérale a beaucoup diminué. » Les joues d'Alisa étaient écarlates. Elles pénétrèrent dans la salle où elles furent accueillies par un brouhaha de voix et un délicieux parfum de sang chaud.

Luciano fut le premier à les voir et il leur fit signe.

« Oh, je vois qu'Alisa est à nouveau dans une de ses phases redoutables où il faut qu'elle fasse partager à tout le monde le fascinant savoir de l'humanité », dit-il avec un clin d'œil à Ivy assorti d'une mine tragique. « Je compatis. Viens, assieds-toi vite à côté de moi et reprends des forces, tu en as certainement besoin. Raphaela ! Nous avons ici un cas d'urgence ! »

241

La jeune et jolie vampire tourna la tête vers eux et se hâta de rejoindre leur table. L'enfant sur son dos pleurnicha.

«Où ça, un cas d'urgence? Qui est sur le point de tomber en poussière faute de sang?»

Ivy éclata de rire tandis qu'Alisa adressait au jeune Romain un regard mortifié. Son amie la prit par le bras et la fit asseoir sur le banc.

«Raphaela, Luciano exagère terriblement encore une fois, mais tu peux tout de même nous servir deux gobelets, et remplis-les à ras bord, s'il te plaît. Que nous trinquions à notre chance, nous les vampires, d'être si extraordinairement robustes face aux méchants animalcules!»

Alisa hésita un instant, mais le rire d'Ivy était irrésistible et contagieux.

Les jeunes vampires s'étaient déjà demandé quel professeur allait bien pouvoir se charger de la leçon d'anatomie. Et pourtant ils furent surpris de voir le bibliothécaire Leandro entrer dans la salle de classe et les inviter à le suivre.

«Il n'a vraiment rien d'un rat de bibliothèque, constata une fois encore Alisa.

— N'est-ce pas? On dirait un guerrier, prêt à se battre pour défendre les livres confiés à sa garde», renchérit Ivy.

Leandro les conduisit dans une petite pièce nue à l'exception de trois tables en bois ordinaires. Sur ces tables gisaient les trois morts qu'on était allé tirer de leurs cercueils la nuit précédente. Quelqu'un les avait déshabillés. Deux lampes à huile fixées aux murs dans des supports métalliques éclairaient les corps blêmes.

«Je n'avais encore jamais vu des êtres humains morts d'aussi près», constata Alisa, un peu désarçonnée. De la pointe des doigts, elle caressa un bras froid.

C'étaient deux hommes et une femme. Tandis que la

femme et l'homme exposé à l'extrême gauche avaient été arrachés à la fleur de l'âge à une vie qui de toute façon était vouée à la brièveté, celui du milieu en revanche était mort beaucoup plus vieux. Soixante ou soixante-dix ans. Les humains vieillissaient très rapidement une fois qu'ils avaient atteint le plein épanouissement de leurs forces, et leur corps se dégradait à vue d'œil. La croissance d'un vampire était certes tout aussi rapide, mais ensuite tout se ralentissait. Le milieu de sa vie, la période où il était en pleine force, durait deux à trois fois plus longtemps que chez un homme, et le grand âge ne connaissait pas de limites. S'ils n'en perdaient pas la volonté, les vénérables pouvaient continuer à exister éternellement.

Alisa concentra de nouveau son attention sur les corps blancs. Pas facile de dire comment ces trois-là avaient trouvé la mort. Seul le corps du jeune homme présentait des blessures visibles qui lui avaient peut-être coûté la vie. Les corps humains étaient vraiment trop fragiles ! Les fractures mettaient des semaines, voire des mois à guérir et si elles n'étaient pas convenablement soignées, les os se ressoudaient de travers et les membres ne fonctionnaient plus comme il fallait. Une simple égratignure pouvait s'infecter, se mettre à suppurer et empoisonner le corps tout entier, au point que l'homme en mourait.

« À ton avis ? demanda Ivy.

– Un accident ou une chute. Peut-être a-t-il perdu trop de sang. La plaie qui est là, sur le flanc, me paraît très profonde. » Sur les deux autres corps, ils pouvaient juste émettre des hypothèses.

« La femme est morte en couches », dit Luciano et il baissa les yeux, gêné.

Les deux filles le regardèrent, surprises.

« Qu'est-ce qui te permet de dire ça ?

243

– Pietro l'a dit. L'enfant était avec elle dans le cercueil, mais ils l'ont laissé là-bas. »

Alisa posa sa main sur la main de la femme, aussi blanche que la sienne. Un étrange sentiment l'envahissait. Quelle chose étrange, qu'elles fussent si nombreuses à perdre la vie au moment précis où elles cherchaient justement à assurer la survie de leur espèce. Les femmes étaient si vulnérables et si fragiles.

Quand elle exprima sa pensée à voix haute, Ivy hocha la tête.

« Oui, en Irlande, c'est pareil. Toutes les jeunes femmes se baladent avec un gros ventre, année après année, et elles enterrent la plupart de leurs enfants, qui n'ont passé que quelques instants, quelques jours ou quelques mois sur terre. On voit ces mères se faner peu à peu, jusqu'à la gros-sesse de trop, où la force leur manque et où on les met en terre avec leur nouveau-né. Nos familles souffrent de n'avoir plus d'enfants, mais quand il en naît un, il est fort et promis à une très longue existence. Je me demande parfois si les hommes ne sont pas eux aussi voués à l'extinction.

– Non, dit Alisa, je ne crois pas. Ils vont se multiplier de plus en plus si leurs connaissances médicales continuent à progresser aussi vite. Peut-être même leurs découvertes leur permettront-elles un jour de vaincre la mort et de subsister éternellement, comme nous.

– Par tous les démons, la voilà revenue à son thème favori, gémit Luciano en levant les yeux au ciel.

– Silence ! » rugit le bibliothécaire. Les murmures cessèrent aussitôt dans la salle. Il s'était noué un tablier autour de la taille et tenait dans la main une lame très affilée comme celles qu'utilisent les chirurgiens pour opérer.

« Approchez-vous. Je commence par cet homme et je vous montre où sont situées les veines importantes. Il y en a qui véhiculent un sang délectable et d'autres, un sang fade. Vous les distinguerez à la couleur et à la pression qui ne sont pas identiques dans les deux cas. Le sang frais coule plus fort et il est d'un beau rouge clair. Vous pouvez aussi le reconnaître à son odeur, naturellement. Il picote légèrement les narines et il est plus doux. Mais attention ! Si la morsure est trop violente, l'être humain risque de se vider de son sang, même si nous nous en tenons à la consigne de ne prélever que la quantité qui permet à la proie de se rétablir en peu de temps. »

Le bibliothécaire entreprit de dégager le trajet des vaisseaux sanguins dont il venait de parler. Ses mains épaisses maniaient le scalpel avec une précision et une habileté surprenantes. Ensuite, il pratiqua dans le corps une incision en Y et leur montra les organes vitaux, ceux où une blessure pouvait causer la mort de l'être humain.

« Regardez bien, et faites très attention, les avertit Leandro. Quand j'en aurai fini, ce sera à vous d'essayer. »

Tammo sautait d'un pied sur l'autre, il n'arrivait pas à tenir en place.

« N'est-ce pas incroyable ? murmura-t-il à sa sœur. Je me sens un de ces appétits, je me demande comment j'arrive à me retenir. Pour un peu, je me mettrais à quatre pattes et je hurlerais à la lune comme Seymour. Je rêve de filer dehors, de me lancer à la chasse et de déchirer une proie à belles dents. »

Alisa comprenait très bien ce qu'il voulait dire. Elle-même était en proie à un trouble du même genre, avec la sensation confuse qu'elle allait exhiber ses canines d'un instant à l'autre. L'odeur des morts qui flottait dans la pièce, de plus en plus forte, lui brouillait la cervelle. Les autres aussi étaient dans un état de tension fébrile. Des dents pointues étincelaient dans la lumière des lampes. Même Seymour allait et venait dans la pièce en poussant des petits gémissements. Seul le bibliothécaire gardait tout son calme. Peut-être avait-il appris à contrôler et à réprimer la délicieuse torture de la faim. Alisa dut se faire violence pour effectuer l'exercice qui lui fut assigné. Les images et les désirs qui se formaient dans son esprit étaient excitants et effrayants à la fois. Elle était presque soulagée de savoir que pendant quelques années encore, les adultes des clans prendraient bien garde qu'aucun de leurs rejetons ne se lance dans la chasse à l'homme.

Très tôt le matin, avant même que le ciel ne pâlisse, à une heure où la plupart des jeunes vampires étaient vautrés mollement dans les fauteuils de la grande salle, les trois amis se glissèrent dehors pour une petite promenade parmi les ruines.

« C'était formidable ! s'écria Alisa, emballée. J'ai appris tant de choses nouvelles sur les humains. On retient beaucoup mieux quand on est soi-même devant un corps, le scalpel à la main, que quand on étudie dans un livre.

– Écoutez-moi ça, railla Luciano. Et c'est notre fana des bouquins qui parle ! Tu ne vas tout de même pas renoncer à la lecture ?

– Quelle sottise ! s'indigna Alisa. Bien sûr que non. L'un n'exclut pas l'autre. Les exercices pratiques et le maniement du scalpel viennent compléter les connaissances. Je comprends tout à fait les étudiants qui se livrent à des dissections clandestines bien que ce soit interdit par l'Église.

– Ce que j'ai appris, moi, c'est que la présence des cadavres me rend la faim encore plus insupportable, gémit Luciano avec une mimique pathétique.

– Taisez-vous, dit brusquement Ivy, avec une sécheresse qui ne lui ressemblait pas.

– Comment ça ? Nous... protesta Luciano.

– Silence ! » répéta Ivy d'un ton impératif. Ils dressèrent l'oreille mais n'entendirent rien d'autre que le doux murmure du vent.

«Qu'y a-t-il? murmura Alisa qui était venue tout près d'Ivy. Tu as entendu quelque chose?» Elle remarqua à cet instant que Seymour avait le poil hérissé et se blottissait lui aussi contre sa maîtresse.

«Non, je n'entends rien et je ne sens rien non plus. C'est plutôt une intuition.» Ivy haussa les épaules, désemparée.

Alisa ferma les yeux et essaya d'appréhender avec son esprit l'espace environnant. Il y avait là différentes traces, à peine perceptibles, laissées par des vampires et par des hommes, et qui toutes lui paraissaient familières. Celles des hommes ne dataient pas uniquement de cette nuit. Rien d'inhabituel. Rien qui fût susceptible de troubler à ce point Ivy et Seymour. Et pourtant si, il y avait autre chose, comme une force dont elle ignorait tout et que son esprit était incapable de cerner. Quel était l'être qui laissait dans son sillage des ondes de ce genre? La sensation était de plus en plus nette.

«Ce n'est pas un homme, souffla-t-elle. C'est quoi? Un vampire?

– Si c'en est un, je ne le connais pas. Je ne distingue aucune des odeurs de nos clans», murmura Luciano. Son corps tremblait comme celui d'un homme qui a froid.

Le regard d'Alisa allait de Luciano à Ivy.

«Moi non plus, dit-elle. Mais de quelle créature peut-il bien s'agir si elle n'appartient à aucun des six clans?

– C'est précisément la question qui me tourmente. J'ai déjà perçu cette aura à deux reprises, la première fois alors que j'étais seule dehors avec Seymour et que je suis tombée sur Franz Leopold, et une seconde fois alors que nous nous promenions tous ensemble. Je ne lui ai pas accordé sur le moment beaucoup d'importance. Elle n'était pas non plus aussi nette que maintenant. Venez, retournons à la Maison dorée. Seymour est très agité, ce n'est vraiment pas bon signe.»

Alisa aurait bien poursuivi en peu plus avant les investigations sur cet être mystérieux mais elle n'osa même pas faire une tentative pour convaincre les autres. Ivy avait l'air étrangement intimidée tandis qu'elle se laissait guider par Seymour sur le chemin qui montait la colline. Alisa n'avait jamais vu l'Irlandaise dans cet état et c'est ce qui la troublait plus que tout le reste.

Plus tard, alors qu'elles s'apprêtaient à regagner leurs sarcophages, Alisa ramena encore une fois la conversation sur cette force inconnue, mais se heurta à une fin de non-recevoir inhabituelle de la part d'Ivy. Un peu mortifiée, elle finit par se taire.

« Laisse-moi une journée pour me reposer et réfléchir à tout ça, déclara Ivy au bout d'un moment.

– Le jour, on ne peut pas réfléchir, objecta Alisa. On ne peut même pas rêver tant que le soleil n'a pas disparu sous l'horizon. »

Ivy ne la contredit pas. Elle ordonna à Seymour de sauter dans le sarcophage. Elle voulait manifestement le savoir tout près d'elle ce matin-là, tandis que son corps s'enfonçait dans ce sommeil de glace qui ressemblait à la mort.

La bibliothèque de la Maison dorée

Enfin, l'oncle Carmelo prononça les mots qu'elle attendait avec tant de fièvre : « À présent je sors et ne rentrerai sans doute qu'aux petites heures du jour. Ne m'attends pas, mon enfant. » Il lui dit au revoir et l'embrassa sur les deux joues. Latona leva les yeux vers lui en essayant de ne montrer ni son soulagement ni sa joyeuse impatience. Elle eut bien du mal à rester tranquillement assise devant son métier à broder, jusqu'à ce que l'oncle ait quitté la maison. Dès qu'il eut refermé la porte, elle bondit, jeta son ouvrage sur la table et souleva le couvercle de son coffre à vêtements. Qu'allait-elle mettre ? – comme si cela avait de l'importance. Elle voulait juste récupérer le masque. Il faudrait donc qu'elle tienne sa promesse et accorde un baiser au jeune étranger de Londres. Son estomac se livrait à d'étranges contorsions.

Un baiser ! Et alors ? Qu'est-ce que c'était qu'un baiser ? Pourtant, ni ses genoux flageolants ni son ventre en proie au roulis ne semblaient prêts à se laisser duper.

Latona changea trois fois de tenue avant de quitter la maison vêtue d'une robe jaune toute simple mais neuve, et d'une cape d'été bien trop légère pour la nuit. Elle dut se retenir pour ne pas courir. Il n'y serait probablement pas. Pourquoi irait-il l'attendre toutes les nuits sur le champ de ruines ? D'ailleurs il était bien trop tôt. Il avait dit « à la même heure ». Latona traversa la piazza Venezia et mit le cap sur les ruines romaines. Plus elle approchait du bloc de pierre sur lequel elle s'était assise avec lui, plus son cœur battait fort. Elle avait l'impression que l'air n'arrivait plus jusqu'à ses poumons. Mais la sensation ne ressemblait pas à de la peur.

« Pourtant, ça devrait, se dit-elle à voix basse. On est au milieu de la nuit, et puis tu ne le connais même pas. Et pas âme qui vive à l'horizon !

– Voilà qui m'apparaît plutôt comme un avantage », répondit une voix.

Le cœur de Latona s'arrêta net, puis se remit en marche par à-coups. Malcolm marchait dans sa direction, pourtant on n'entendait pas le moindre bruissement ou craquement. Il s'assit à nouveau sur le bloc de marbre et lui fit signe d'approcher. Qu'elle le voulût ou non, elle ne pouvait faire autre chose que d'obtempérer. Timidement, elle s'assit juste au bord de la pierre. Toutes les nuits, le bleu de ses yeux l'avait poursuivie dans son sommeil, et pourtant voilà qu'elle n'arrivait plus à détacher son regard de ses propres mains, posées sur ses genoux.

« Tu m'as apporté le masque ?

– Bien sûr. C'était ce dont nous étions convenus. » Sa voix était douce.

« Alors donne-le-moi, s'il te plaît. » Elle n'osait toujours pas croiser son regard.

« Tout de suite ? Tu es donc si pressée ? Et si nous commencions par bavarder un peu ?

– De quoi veux-tu parler ? » Peu à peu, son regard craintif remonta le long des vêtements, de facture si typiquement britannique, jusqu'aux yeux bleus qui de nouveau la tinrent en leur pouvoir.

«Peut-être pourrais-tu m'en dire un peu plus sur ta dangereuse mission de chasseuse de vampires ?»

Elle haussa les épaules, embarrassée.

«Hélas non, tout cela est strictement confidentiel.»

Les coins de la bouche de Malcolm frémirent, mais sa voix demeura inchangée lorsqu'il répondit :

«Je comprends, et pourtant je suis terriblement curieux. C'est très excitant, les vampires !

– Ça oui, approuva Latona. J'ai beaucoup réfléchi à leur sujet. Ce sont des créatures mauvaises, dont Dieu n'avait pas prévu la présence sur cette terre, et pourtant ils m'inspirent bien souvent une sorte de... pitié.» Elle eut un petit rire mal assuré. Malcolm, de surprise, avait haussé les sourcils.

«Cela t'étonne, n'est-ce pas ? poursuivit-elle. Mais ils paraissent si humains parfois, on dirait qu'ils éprouvent des sentiments, les mêmes que nous. La peur, la nostalgie. Et puis ce regard, à la fin...» Elle avait de nouveau les yeux braqués sur ses propres mains.

Malcolm s'éclaircit la voix.

«Combien en as-tu déjà vu et combien de fois as-tu participé à leur, hum, anéantissement ?

– Pas tant que ça. L'oncle ne m'emmène pas toujours avec lui. Mais parlons d'autre chose. Tu ne veux pas me le donner, ce masque ?»

Malcolm le sortit de sa poche et le lui tendit. Latona s'empressa de le saisir et de le faire disparaître sous sa cape. Puis elle se leva.

«Merci, tu ne sais pas à quel point il était important pour moi et pour mon oncle de le récupérer.»

Il ne la questionna pas davantage et se leva lui aussi avant de prononcer les trois mots qu'elle avait attendus avec tant de fièvre et d'appréhension.

«Et mon baiser ?

« – Je tiens toujours parole », répondit dignement Latona en levant un peu le visage vers lui. Pourtant son corps se raidit quand il l'entoura de ses bras. Son souffle était froid et il avait une odeur douceâtre, qu'elle préférait ne pas identifier. Puis elle sentit ses lèvres. Comme elles étaient froides. Elles restèrent un instant posées sur les siennes, figées. Voilà, c'était fait. Elle avait tenu sa promesse, maintenant elle allait partir. Mais non, elle était incapable de bouger, pourtant il ne la tenait pas si serrée. Il entrouvrit les lèvres et elles se mirent à remuer légèrement. Quelque chose de dur et de pointu apparut contre sa lèvre inférieure.

Latona ne songeait plus à rentrer à la maison. Elle était incapable de penser. Son corps et son esprit avaient totalement échappé à son contrôle. Pourtant ce n'était qu'un baiser ! Et pas son premier. Une fois, un garçon l'avait contrainte à l'embrasser, et à deux autres occasions, c'était elle qui l'avait voulu et provoqué. Une sensation excitante, un léger picotement, comme la première gorgée de champagne interdit, mais ce qui était en train de se passer était tout à fait différent. Ce garçon lui faisait perdre la tête ! Latona le regarda dans les yeux et prit peur : c'étaient les yeux d'une bête féroce. Il se détacha d'elle, fit un pas en arrière et croisa les mains dans son dos.

« Je te remercie », dit-il d'une voix caressante et son regard aussi était à nouveau plein de douceur.

La lueur trouble de la nuit a dû m'induire en erreur, songea Latona.

« Merci à toi », répondit-elle. Malgré elle, elle leva ses deux mains vers les joues du jeune homme. Elle voulait l'attirer à elle et connaître encore une fois cette sensation incroyable. « Malcolm », dit-elle dans un souffle. Sa voix était voilée.

C'est alors que la lune surgit toute entière de derrière les nuages, projetant son ombre contre le marbre blanc. Une seule ombre. Celle de Latona. La main de la jeune fille s'immobilisa d'un coup sur la joue froide, tandis que son esprit commençait tout juste à comprendre. Une ombre unique. Celle d'une jeune fille. Non, ce n'était pas possible ! Son regard glissa sur le visage blanc et pur, en quête d'une autre explication, jusqu'à ce qu'elle remarque les deux petites pointes qu'on devinait entre ses lèvres.

« Tu es un vampire ? réussit-elle à articuler.

– Je n'ai jamais prétendu le contraire, dit-il presque gaiement.

– Un vampire ! » Cette fois c'était franchement la panique. D'un seul coup, elle retrouva sa liberté de mouvement. Elle recula de quelques pas sans le lâcher des yeux, mais il ne fit pas mine de la suivre. Alors Latona fit demi-tour et se sauva à toutes jambes. Jamais de sa vie elle n'avait couru aussi vite.

Sur le chemin du retour, Malcolm avait largement matière à réfléchir. Pas seulement sur ce baiser et l'ivresse du désir qui s'était éveillé en lui. Si, la première fois, il avait tenu les propos de Latona sur les chasseurs de vampires pour de pures vantardises, force lui était à présent de constater, non sans contrariété, qu'elle savait parfaitement de quoi elle parlait et que cela n'avait plus rien à voir avec l'imagination débordante d'une jeune fille. Que devait-il faire à présent ? Aller trouver le comte et lui raconter son histoire ? Malcolm eut un rire mauvais. Il pouvait préparer ses abattis ! Mais comment parler de la jeune fille et des chasseurs de vampires sans mentionner leur rencontre ? Il examinait la question sous tous les angles. Le temps de réintégrer son sarcophage, il avait fini par se convaincre que le comte n'avait certainement pas besoin de ses services. Le clan était sans doute au courant depuis longtemps de l'activité de cette jeune fille et la surveillait afin de la mettre hors d'état de nuire si nécessaire.

Mais si ce n'était pas le cas ? Malcolm essaya de réprimer son malaise. Même s'il parlait au comte, que pourrait-il bien lui dire ? Il ne savait même pas où cette fille habitait, qui étaient les autres chasseurs et ce qu'ils manigançaient.

Oui, lui susurrait une voix intérieure qu'il ne voulait pas entendre. *Tes informations lamentables ne serviraient à rien parce que tu as laissé passer comme un imbécile l'occasion d'interroger cette fille. Et tout ça pour le baiser d'une humaine !*

La nuit suivante, Alisa et Ivy retournèrent à la bibliothèque. Puisque Leandro s'était montré presque abordable pendant la leçon d'anatomie, elles étaient décidées à faire une nouvelle tentative pour obtenir l'autorisation de farfouiller elles-mêmes parmi les rangées de livres. Dès la fin du cours, elles s'éclipsèrent.

« Il faut absolument que j'en apprenne plus en matière d'anatomie et puis de toute façon, je ne suis pas encore satisfaite de mon exposé sur la chasse aux vampires », dit Alisa.

Ivy sourit.

« Quand bien même tu aurais exploré de fond en comble toute la bibliothèque et écrit toi-même une thèse sur le sujet, tu continuerais à penser que tu aurais pu en faire davantage.

– Je suis vraiment pénible à ce point ? »

Ivy secoua vivement la tête, faisant virevolter ses boucles argentées.

« Pas pénible. Avide de t'instruire, sérieuse et exigeante. Trois belles qualités.

– Qui agacent tout le monde, soupira Alisa.

– Seulement ceux qui n'ont pas d'autre objectif dans la vie que la satisfaction de leurs appétits. Tu ne devrais pas te laisser impressionner par ça. »

Alisa s'arrêta.

« Mais même Luciano se moque de moi !

– Peut-être pour ne pas montrer à quel point il t'admire ?

– C'est toi qu'il admire, dit Alisa avec conviction.

– Oh non. Il s'est un peu entiché de la splendeur exceptionnelle de ma chevelure, mais c'est à ton esprit que va son admiration ! »

Alisa poussa un nouveau soupir.

« Qu'y a-t-il ? voulut savoir Ivy. Tu n'es tout de même pas comme ces jeunes créatures dont la coquetterie ne vise qu'à attirer l'attention des hommes sur leur enveloppe extérieure si périssable ?

– Mais non, assura Alisa avec toute la dignité possible. J'espère bien ne pas être affectée de la superficialité des humains.

– Je doute que ce soit une exclusivité humaine », murmura Ivy en désignant d'un geste l'extrémité du couloir, où les deux Viennoises affublées de leurs robes à paniers ornées de nœuds et de ruchés avançaient dans leur direction dans un grand froufrou de jupons.

« Faites place, s'il vous plaît ! » lança Anna Christina d'un ton impérieux tandis qu'elle croisait les deux amies, le menton levé, en les bousculant presque. À peine les deux pimbêches avaient-elles tourné le coin qu'elles les entendirent apostropher vertement quelqu'un qui avait eu l'outrecuidance de se mettre en travers de leur chemin. Peu après surgit Luciano, le souffle court. On aurait dit qu'il venait de défendre chèrement sa vie.

« Ah, vous voilà, dit-il d'une voix entrecoupée. Je vous ai cherchées partout. Où allez-vous comme ça ?

– À la bibliothèque », s'empressa de répondre Alisa. Luciano parut déçu mais demanda à les accompagner. Tous trois se remirent en route, traversèrent la cour et empruntèrent le couloir qui les amena à la grande salle octogonale. Là, ils entendirent des voix venant de l'autre bout de la pièce. Ils s'arrêtèrent net et, pleins de curiosité, glissèrent un coup d'œil derrière une des colonnes qui faisaient le tour de la salle.

«Claudio, c'est à vous de trouver le responsable et de le châtier comme il convient, exigeait l'un des vénérables qu'Alisa ne connaissait que de vue. C'est tout de même votre neveu qui a disparu! Si vous n'êtes pas de taille à éclaircir l'affaire, je vais devoir m'en charger. Il faut que ça cesse! Et puis ce n'est pas le premier.» Il leva sa canne au pommeau ouvragé et en pressa la pointe contre la poitrine du comte. Celui-ci repoussa la canne d'un puissant moulinet du bras.

– Je m'en occupe, et je ne ménage pas non plus ma peine pour tenter d'élucider ces fâcheux meurtres commis contre des hommes de haut rang, vous pouvez me faire confiance, vénérable Marcello.

– Ce sont des mots, rien que des mots!» Le vieillard abattit son maigre poing sur la table. «De nouveau, un cadavre étrangement vidé de son sang et qui ne présente que d'insignifiantes blessures au cou! Et naturellement, c'est un homme important qui appartient au palais royal!»

Un autre vénérable intervint, encore plus petit et plus décharné que le premier. Sa voix évoquait le son du parchemin qu'on déchire.

«Le codex a été rédigé à l'intention de tous, à l'époque où le comte Giuseppe était le chef du clan, et tous l'ont respecté pendant des siècles. En unissant nos forces, nous avons renforcé l'aura qui entoure la Maison dorée et la défend contre les hommes, et ainsi nous avons créé un lieu qui nous offre à tous une protection durable. Le comte Giuseppe nous a menés d'une main de fer et c'était une bonne chose. Il savait tenir la bride aux écervelés et aux capricieux et leur transmettre à temps un enseignement qu'ils ne se permettaient pas d'oublier. Sous sa houlette, on ne voyait pas se produire d'incidents de ce genre!

– Ce fut une erreur de vous jurer fidélité, renchérit le vénérable Marcello. Votre neveu avait raison ! Nous aurions dû nous douter à l'époque que vous étiez trop paresseux et trop mou, et peut-être aussi trop bête pour entretenir l'héritage du comte Giuseppe. »

Le vieux chef de clan, allongé sur son divan et qui jusque-là s'était tu, se redressa sur son séant.

« À présent, cela suffit. Je vous ai dirigés et vous avez eu confiance dans mes décisions. Et ce fut justement ma décision que de transmettre les rênes à mon petit-fils Claudio. Je vous concède que les choses ne vont pas tout à fait comme elles devraient, mais il ne nous arrivera rien ! Claudio est à la hauteur de la situation et il saura protéger et consolider notre famille. Et maintenant fichez-lui la paix et cessez vos criailleries ! Retournez dans vos chambres ou bien commandez-vous une chaise à porteurs et allez vous promener en ville ! »

Nos trois espions échangèrent des regards gênés et se retirèrent avant d'être découverts. Mieux valait choisir un autre itinéraire pour rejoindre la bibliothèque.

« Je ne comprends pas trop ce que ça signifie, dit Alisa au bout d'un moment. Il leur est donc interdit à eux aussi de tuer des humains ?

– Ainsi que le vénérable l'a dit, c'est spécifié par un codex auquel nous devons obéir. Tous en ont fait le serment. Et chez vous, c'est permis ? » demanda Luciano.

Alisa réfléchit.

« Il n'y a pas de loi qui l'interdise, ni de châtiment prévu. Dame Elina et son entourage ont constaté à un certain moment que les commissaires de police enquêtaient aussi sur les décès suspects survenus parmi les gens ordinaires et en recherchaient les auteurs avec de plus en plus d'opiniâtreté. Il devenait trop dangereux pour nous de tuer nos proies en abandonnant leurs cadavres. Aussi les Vamalia ont-ils appris à ne prélever qu'une petite quantité de sang, afin que les hommes se rétablissent rapidement, et de telle façon qu'ils ne gardent aucun souvenir d'avoir été attaqués. Il n'a pas été nécessaire de faire une loi parce qu'il aurait été déraisonnable de toute façon d'attirer sur nous l'attention de la police.

– Tous les Vamalia sont-ils donc sérieux à ce point ? s'exclama Luciano. N'y en a-t-il jamais un qui se laisse emporter par sa faim et rue dans les brancards ? Je ne peux pas le croire ! Enfin si, quand je te regarde, peut-être. En tout cas, chez nous, la passion existe, les envies irrésistibles, et c'est pour ça qu'il faut qu'il y ait des interdictions et des châtiments, pour rappeler à tous ce qui est bon pour le clan.

– Oui, mais autant que j'aie pu comprendre, le comte s'est un peu laissé déborder », ajouta prudemment Ivy.

Luciano haussa les épaules.

« Il ne peut pas être partout à la fois, dit-il pour l'excuser. Ils sont nombreux à sortir tout seuls dans Rome et personne ne saurait dire ce qu'ils fabriquent toute la nuit. Moi, je pense qu'il va régler le problème. Il est notre chef et nous pouvons lui faire confiance. »

Apparemment, le sujet pour lui était clos. Alisa, en revanche, aurait eu encore bien des questions à poser. Y compris sur le neveu qui avait disparu. S'agissait-il du jeune rebelle aux cheveux noirs dont elle avait surpris la dispute avec le comte Claudio ici, dans ces couloirs ? Dans ce cas, on pouvait comprendre que le comte réagisse si fraîchement.

Comme ils atteignaient la bibliothèque et que Luciano avait déjà ouvert la porte, leur faisant signe de passer les premières, elle remit ses cogitations à plus tard et salua Leandro. Quelque chose qui ressemblait à un sourire éclaira fugacement le visage du colosse et il fit signe aux trois jeunes vampires d'entrer.

«Que désirez-vous? S'agit-il encore de ce fameux exposé? J'ai peine à le croire!»

Ce n'était pas une fin de non-recevoir, mais il n'avait pas l'air enchanté non plus. Enfin, c'était peut-être simplement sa façon d'être. L'important, c'était qu'il les laisse fouiller à leur guise! Ivy s'avança au côté d'Alisa en souriant de toutes ses dents.

«Il y a en effet certains aspects du problème que nous aimerions encore traiter dans notre devoir, et puis nous nous intéressons aussi à... d'autres ouvrages, dit-elle en avalant un peu la fin de sa phrase.

– D'autres ouvrages?» Le bibliothécaire les aiderait-il à trouver les livres en question ou bien n'y avait-il pas une certaine méfiance dans sa voix?

«Est-ce que vous avez des traités de médecine? demanda Alisa. Votre exposé sur la structure et le fonctionnement du corps humain était passionnant et nous souhaiterions approfondir un peu nos connaissances.»

Le bibliothécaire fronça les sourcils. Peut-être avait-il des doutes sur l'authenticité de leur soif d'apprendre. Néanmoins il acquiesça.

«Venez avec moi. Les livres de médecine et d'anatomie sont là-bas. Sur le deuxième rayonnage se trouvent des traités sur les poisons et les contrepoisons, sur les herbes et leurs vertus médicinales. Ceux tout en haut sont en grec, et à partir de la reliure en cuir rouge, ce sont des écrits rédigés en latin dans divers monastères au Moyen Âge. De l'autre côté, là-bas, ce sont les travaux universitaires les plus récents. Quelques-uns sont en allemand.

– Merci, ne vous donnez pas la peine de nous en expliquer davantage, à présent nous allons nous débrouiller tout seuls!» dit Alisa, rayonnante. *Pourvu qu'il s'en aille enfin!*

Ils entendirent la porte de la bibliothèque s'ouvrir, puis se refermer.

259

«Hello, Leandro, où es-tu? Je te rapporte les livres que tu m'avais donnés», s'écria une voix cristalline. C'était Vincent. Quel heureux hasard! Leandro se détourna et disparut parmi les rayonnages. Peu après ils l'entendirent qui conversait, de sa voix profonde, avec le petit vampire enfantin venu de Londres.

Alisa se concentra sur les livres autour d'elle. Que de trésors sur ces étagères! Elle aurait pu passer des années ici sans s'ennuyer une seconde. Luciano, lui, en eut vite assez. Il reposa les volumes qu'il avait vaguement feuilletés et se mit à errer dans les rangées comme une âme en peine. À bonne distance du rayon médecine, il tomba sur Ivy qui, en l'entendant approcher, remit en hâte un livre en place et tourna vers lui des yeux pleins d'effroi.

Luciano leva la main dans un geste apaisant.

«Ce n'est que moi. Que cherches-tu donc? demanda-t-il en glissant un regard curieux par-dessus son épaule.

– Rien qui se trouve ici, en tout cas.» La déception perçait dans sa voix. «Il n'y a donc aucun livre sur l'histoire de la famille autrefois? Sur les premières guerres et même les temps plus anciens?

– Mais si, bien sûr. Je me souviens que Francesco m'en a montré un une fois. Ils étaient tous par là-bas.» Luciano conduisit Ivy à travers les allées jusqu'à une armoire à demi cachée derrière les colonnes. Elle était vide.

«Hum, pourtant je suis sûr que c'est ici. Il y a déjà un bon moment, Francesco avait emprunté ce livre, et c'est tout à fait par hasard que je l'ai accompagné la fois où il l'a rapporté, mais je suis à peu près sûr de moi.» Il considéra l'armoire vide d'un air pensif. «Ou alors je me trompe, peut-être s'agissait-il d'une autre armoire. Tout se ressemble, ici. Quelqu'un ne serait tout de même pas venu emprunter tout le contenu de l'armoire d'un seul coup?»

Ivy secoua la tête.

« Sûrement pas, mais peut-être que Leandro les a rangés ailleurs.

– Oui, c'est possible, concéda Luciano à contrecœur. Encore que je ne vois pas pourquoi il aurait fait ça.

– Eh bien il ne me reste plus qu'à aller lui poser la question, conclut Ivy avec un soupir – et elle tourna les talons.

– Ben oui, si c'est tellement important pour toi. »

Ivy alla donc trouver Leandro, toujours en grande conversation avec le petit Vincent.

« Oui ? Que veux-tu ? »

Elle exposa sa demande, mais elle avait à peine fini de parler que Leandro secouait vivement la tête en signe de dénégation.

« Luciano se trompe, dit-il avec véhémence. Il n'est pas exactement ce qu'on appelle un rat de bibliothèque. » Il éclata d'un rire sonore. « Le fait est que nous n'avons aucun livre de cette sorte ici à la bibliothèque. » Et il se retourna ostensiblement vers le petit vampire londonien, qui le regardait avec des yeux ronds.

Quand nos trois amis eurent quitté la bibliothèque pour regagner leurs sarcophages, Alisa en revint à la conversation qu'ils avaient surprise entre le comte et le vénérable.

« Est-ce que vous avez l'impression que le comte fait vraiment ce qu'il faut pour lutter contre tous ces "accidents" ? Depuis que nous sommes ici, de nombreux membres du clan ont disparu et il s'avère qu'ils n'ont pas mis volontairement fin à leurs jours. Et puis tous ces humains, morts dans des conditions mystérieuses ?

– Peut-être n'avons-nous pas tous les éléments pour nous faire une opinion ? suggéra Ivy. Chaque fois que quelqu'un a manqué à l'appel, le comte a toujours envoyé plusieurs frères servants à sa recherche, même si, je vous l'accorde, ça n'a rien donné. »

Alisa fit une moue sceptique. Luciano lui jeta un regard noir.

« Ne me comprends pas de travers, Luciano, je n'ai rien contre votre chef de clan et je ne veux rien lui imputer non plus, mais peut-être qu'il ne se donne pas assez de mal. Il est beaucoup plus commode de se faire trimballer en chaise à porteurs chaque soir au théâtre ou ailleurs et de s'abandonner à son plaisir plutôt que de passer ses troupes au peigne fin pour identifier le mouton noir qui ne se plie pas au règlement. »

Luciano prit une longue inspiration et elle s'attendait à ce qu'il explose et prenne la défense du chef de sa famille, mais non.

« Je n'ai pas d'explication non plus, se contenta-t-il de dire, mais je vais poser la question à Francesco. À la Maison dorée, il n'y a pas grand-chose qui lui échappe. »

Comme ils atteignaient la salle octogonale, tous trois se turent en découvrant le vénérable Giuseppe allongé sur son lit de repos, un livre à la main. Ils s'approchèrent et le saluèrent poliment. Le vieillard leva le nez de son livre et leur sourit.

« Ah, c'est vous. Quelle belle nuit pour se balader à travers la ville – si je ne me sentais pas aussi épuisé. Peut-être est-ce simplement l'ennui. » Il leva haut son livre. « Même les livres, je les ai tous lus je ne sais combien de fois. »

Alisa inclina la tête pour déchiffrer le titre.

« *Del Primato Morale e Civile Degli Italiani* de Vincenzo Gioberti. Ça a l'air passionnant. »

Le vénérable eut un rire grinçant.

« Passionnant ? Un ouvrage sur la supériorité morale et politique des Italiens ? Tu as encore quelques progrès à faire dans l'art du mensonge, mon enfant ! Non, ce n'est que le verbiage pompeux d'un prêtre catholique, pourtant l'idée ne manque pas d'intérêt. La thèse de Gioberti, c'est que l'Italie a joué un rôle exceptionnel dans l'histoire de l'humanité parce qu'elle était le siège de la papauté. Ce serait la main protectrice et la puissance de l'Église qui auraient permis le développement florissant de la ville souveraine. Et le moment serait à nouveau venu pour le pape de prendre le pouvoir. D'assumer le rôle d'un chef non seulement spirituel et moral, mais aussi politique. »

Alisa fronça le front.

« Vous y croyez ? Que le pape pourrait renverser le roi et prendre sa place ? »

Le vénérable haussa les épaules.

« Le livre date des années quarante. À cette époque-là en tout cas, Pie IX n'a pas saisi l'occasion de rassembler tout le monde sous sa bannière et de chasser les Autrichiens, ce que réclamaient pourtant avec force les États de l'Italie du Nord. »

Alisa et Ivy écoutaient de toutes leurs oreilles, mais Luciano, lui, bâillait à s'en décrocher la mâchoire.

« Ah, je vois que la politique des hommes vous ennuie. D'ailleurs la nuit touche à sa fin. Je crois qu'il est l'heure à présent que vous regagniez vos cercueils. »

Autant dire qu'ils étaient congédiés. Alisa jeta à Luciano un regard plein d'animosité mais il ne parut pas s'en apercevoir. Il semblait trop heureux d'échapper à l'exposé du vieillard.

Les trois amis prirent congé et regagnèrent leurs chambres, où les frères servants les attendaient déjà pour les aider à se déshabiller et à s'installer dans leurs sarcophages. Chiara était déjà couchée tandis que Leonarda brossait sa robe. Ivy et Alisa se souhaitèrent une paisible journée de repos et grimpèrent dans leurs lits. Hindrik entra, inspecta la pièce du regard et mit en place les lourds couvercles de pierre, d'abord au-dessus d'Ivy, puis d'Alisa.

Les ténèbres familières les enveloppèrent. Quand les derniers cercueils furent clos, le silence s'abattit sur la Maison dorée. Avant qu'Alisa ne s'endorme, une pensée flotta quelques instants dans son esprit.

Et si le comte n'avait pas besoin de rechercher le mouton noir parce qu'il ne le connaissait que trop bien ?...

Il jeta la vaste et longue pèlerine sur ses épaules et mit le masque rouge dans sa poche. Par chance, Latona avait fini par le retrouver. Comment ce masque avait-il atterri sous le matelas de son propre lit ? Carmelo essaya un instant de se remémorer la dernière fois où il s'était soûlé au point de ne garder aucun souvenir de ce qu'il avait fait. Mais la rencontre imminente s'imposa de nouveau à son esprit. Le cardinal les avait convoqués et les membres du Cercle obéissaient à ses injonctions !

Carmelo secoua la tête. Ah, ces Italiens ! Ils avaient toujours eu un faible pour les sociétés secrètes et les mascarades. Ils aimaient les signes mystérieux par lesquels on signalait son appartenance à une alliance lorsqu'on se croisait par hasard dans une ruelle ou une auberge. Il y avait les contacts discrets de la main, les regards, les combinaisons de pas et naturellement toutes sortes de mots de passe. Ainsi dans le Cercle des masques rouges. Carmelo tâta le velours moelleux dans sa poche. Bien qu'il se plût à rire de cette étrange alliance et raillât en présence de Latona ces hommes qui se sentaient tellement importants sous leur déguisement, un frisson glacé lui parcourait l'échine quand il pensait au cardinal. C'était un homme dangereux, qui savait ce qu'il voulait et ne reculait devant rien pour parvenir à ses fins. Qui n'hésitait pas à marcher sur des cadavres. Des cadavres d'humains et d'autres créatures qui, si l'on en croyait l'Église, n'étaient pas censées exister !

De vastes projets

Un vent froid balayait la place Saint-Pierre et contournait en hurlant le palais du pape. C'en était fini pour lui des heures tranquilles passées dans son jardin. Pie IX était assis à son bureau, mais il n'arrivait pas à se concentrer sur les lettres de ses émissaires étalées devant lui. Il avait renvoyé ses collaborateurs pour rester seul quelques minutes. Oui, la solitude lui manquait. C'était le prix à payer quand on était le père de tous les catholiques. À l'époque où il était évêque, et à plus forte raison simple curé, il ne portait pas encore le monde entier sur ses épaules. Comme tout cela était loin ! Pie IX ferma les yeux. Il se sentait tellement las.

Je me fais vieux. Beaucoup trop vieux ! Ses doigts étreignirent les pierres rouges sous son vêtement. Comme il haïssait cette parure ! Il sentait bien ce qu'il fallait faire : l'arracher de sa poitrine et la jeter contre le mur. Ou bien la piétiner et l'écraser comme un serpent répugnant.

Un sourire torve releva un coin de sa bouche. *Oui, je deviens vieux et bizarre.* Comment pouvait-on haïr un bijou ? Non, ce sentiment s'appliquait bien davantage à celui qui le lui avait donné et le pressait constamment de ne pas s'en séparer.

Un petit coup frappé à la porte le fit sursauter. Ce ne serait tout de même pas de nouveau le cardinal Angelo ? Une vague

265

de répulsion le submergea. Voilà qui n'était pas digne d'un pape et pourtant, il ne pouvait pas s'en empêcher. La solution serait peut-être d'affecter le cardinal en Amazonie ou en Alaska ? Il songea à son propre voyage au Chili, bien des années auparavant. Quelle torture ! Une véritable épreuve envoyée par Dieu. Pie IX réprima un soupir. Si seulement les choses étaient aussi faciles de nos jours. Autrefois, les grands papes de la Renaissance n'avaient pas peur de bannir leurs adversaires ou de régler le problème avec quelques gouttes de poison. Il se hâta de faire le signe de la croix. Non, surtout ne pas cultiver ce genre de pensée. D'ailleurs, pouvait-on qualifier le cardinal d'adversaire ? Ne voulait-il pas lui donner ce que chaque pape avait toujours convoité dans ses rêves : le gouvernement d'une Italie unifiée ? Une Italie devenue État de Dieu !

« Saint-Père ? Puis-je me permettre de vous déranger ? » C'était la voix de son camerlingue. Que pouvait-il faire d'autre que de lui dire d'entrer ? Il vit apparaître la couronne de cheveux gris, puis le vêtement sombre et sans ornements. L'homme joignit les mains et s'inclina.

« Le *signore* Giovanni Batista de Rossi est arrivé et souhaite vous parler. »

Pie IX sentit son visage s'illuminer.

« Parfait ! Mais oui, faites entrer immédiatement le *signore*. Je suis impatient d'entendre ses projets ! »

Le camerlingue lui jeta un regard un peu aigre mais s'abstint de tout commentaire et se hâta d'introduire l'hôte du pape. Ce dernier s'avança à la rencontre de l'archéologue.

« Ah, mon cher *signore* de Rossi. Je me réjouis de vous voir de retour au pays. Vous avez tant fait pour Rome et pour la chrétienté toute entière. Asseyez-vous. Voulez-vous boire un verre de vin avec moi ? »

Le *signore* de Rossi remercia le pape et s'assit sur le bord du fauteuil inconfortable qui datait de l'époque du Roi-Soleil

en France et dont la dorure commençait à s'écailler doucement.

Le pape leva son verre.

« À vos grandes découvertes ! Les catacombes San Callisto
avec les cryptes du pape et le *cubiculum* de Sévère ! Ah je m'en
souviens comme si c'était hier, et l'émotion me submerge à
nouveau quand je me rappelle comment vous m'avez fait
entrer dans le passé des premiers chrétiens. Quels nouveaux
projets sont les vôtres ? Allez-vous continuer à fouiller la via
Appia avec votre collègue le *signore* Canina ? »

De Rossi secoua la tête.

« Non, autre chose me trotte dans la tête. » Il prit un air mystérieux. « C'est une idée qui m'est venue il y a des années, du
temps où nous travaillions sur la première partie du Colisée. »

Pie IX sentit soudain comme un picotement. Les fouilles du
Colisée s'étaient accompagnées à l'époque d'étranges accidents. Non seulement des échafaudages avaient été sciés pendant la nuit et du matériel détruit, mais plusieurs ouvriers
avaient perdu la vie. Non pas à cause de chutes mortelles ou
parce qu'ils se seraient retrouvés ensevelis sous les ruines
— incidents qui arrivaient souvent lors des fouilles. Non, on
découvrait tout simplement les cadavres le matin sur le chan-
tier. Étrangement tordus et vidés de leur sang. On avait parlé
de revenants et de vampires et la populace menaçait de se
soulever. Le cardinal avait fait arrêter les fouilles et interdit de
pénétrer plus avant dans les secrets de la Rome antique, non
seulement au Colisée, mais sur le mont Palatin et dans le
Forum Romanum au pied de la colline du Capitole. Le calme
était revenu.

« Et à quoi songez-vous, cette fois ? » demanda le pape penché
vers son interlocuteur et pressant ses mains l'une contre
l'autre, tant il était curieux.

Au lieu de répondre, Giovanni Batista de Rossi ouvrit son porte-documents et tendit au pape quelques dessins.

«Ces motifs vous sont-ils familiers, Saint-Père?»

Pie IX hocha la tête.

«Mais oui, il y a même des peintures de ce genre dans mon palais et au château Saint-Ange.

– Oui, renchérit l'archéologue, elles ont été très en vogue à une époque. On les appelait *grottesco*, des grotesques, d'après l'endroit où l'on avait découvert les premiers spécimens : dans des grottes et des salles souterraines. Les artistes descendaient avec une corde par un trou creusé dans le plafond et se retrouvaient dans un monde merveilleux qui les stupéfiait. Pinturicchio en faisait partie, le Pérugin et Filippo Lippi, et même le très honoré Raphaël, pour nommer quelques peintres de la Renaissance qui ont abondamment utilisé ces motifs. Et puis ce lieu est à nouveau tombé dans l'oubli.

– Quel lieu?» demanda le pape.

L'archéologue prit son temps.

«C'est la Maison dorée de Néron, *Domus Aurea* !»

Le pape faillit s'étrangler.

«C'est impossible ! réussit-il à articuler quand il eut repris son souffle. Chacun sait que les successeurs de Néron ont fait disparaître toutes ses traces et détruit son palais !

– Non, pas complètement ! L'empereur Trajan a fait construire ses thermes au-dessus de l'aile est. C'est par là, tout autour de la colline, qu'il faut chercher. Qu'en pensez-vous, Saint-Père?» Son enthousiasme semblait sans limites, pourtant Pie IX hésitait.

«Pourquoi voulez-vous ramener dans nos mémoires le souvenir de Néron, justement? Il a infligé des supplices atroces à un nombre considérable de chrétiens.

– C'est exact, dut reconnaître l'archéologue. Mais repenser

à Néron, c'est aussi rappeler à notre souvenir ces innombrables martyrs.

– Voilà une pieuse pensée.» Pie IX repoussa l'image menaçante du cardinal et s'abandonna à la joie anticipée des découvertes inestimables qui s'annonçaient. Ses joues commencèrent à rosir. «Je vais voir ce que je peux sortir de ma caisse et mettre à votre disposition... Non, ne me remerciez pas. Ce ne sera pas une grosse somme. Le pape est prisonnier dans son propre palais, vous savez. Mais je vais envoyer un bon diplomate auprès du roi et de son Parlement afin de soutenir votre cause. La ville leur appartient, désormais. À vous la tâche de ramener à la lumière du jour la grande histoire de Rome!»

Ivy était sortie, accompagnée de Seymour, et Luciano, comme Tammo et Joanne, s'était vu infliger une heure de colle par le duo des tortionnaires. Alisa profita de l'occasion et, n'ayant pas trouvé Malcolm dans la salle de séjour, elle se rendit dans le dortoir des garçons. La porte était entrouverte. Alisa toussota ostensiblement, attendit un moment et poussa la porte. La pièce contenait cinq sarcophages ouverts, mais aucun des vampires qui dormaient dans cette pièce n'était là. Les deux tombeaux contre le mur de gauche, Alisa le savait, étaient ceux de son frère Tammo et de Sören ; juste à côté, il y avait Mervyn. À droite, Raymond et Malcolm le Londonien. Elle considéra un moment le spectacle qui s'offrait à elle. Tandis que Mervyn s'intéressait manifestement à toutes sortes de bestioles rampantes et grouillantes – ainsi que le prouvait la quantité de bocaux fermés placés près de sa couche –, la couverture bien pliée de Raymond et ses oreillers consciencieusement tapotés témoignaient d'un goût de l'ordre auquel elle ne se serait pas attendue de sa part. Elle s'approcha avec curiosité du sarcophage de Malcolm. Aucune trace du masque, ce qui n'avait rien d'étonnant. Elle ne pensait pas non plus qu'il l'aurait laissé bien en vue. Elle tendit la main, mais interrompit son geste. Devait-elle fouiller en cachette, ou bien lui poser la question ?

Un léger bruit la fit sursauter. Elle recula vers le mur au moment où Malcolm entrait dans le dortoir. Il leva un sourcil étonné.

« On dirait que tu t'es perdue », dit-il assez fraîchement.

Alisa secoua la tête.

« Non, je te cherchais. Je voulais te prier de me montrer encore une fois le masque. »

Malcolm fronça le front. Alisa continua à le regarder bien en face.

« Pourquoi tu veux le voir ? C'est si important ?

– Important, non. Disons que ça m'intéresse. » Elle leva la main, comme pour s'excuser. « Appelons ça de la curiosité féminine. »

Il sourit et Alisa vit avec soulagement les traits de son visage se détendre.

« Il est très difficile de lutter contre sa curiosité, dit-il d'un ton moqueur. Hélas je ne peux rien pour toi. Je n'ai plus le masque.

– Quoi ? Comment ça ? Tu l'as jeté ? »

À sa grande surprise, il évita son regard et paraissait même assez mal à l'aise. « Non, pas exactement.

– Mais quoi alors ? » Alisa ne lâchait pas le morceau.

« Je l'ai rendu. »

Alisa resta un moment sans voix.

« À qui donc ? À la fille qui l'avait perdu ? » Et comme Malcolm acquiesçait : « Mais quand ? Et pourquoi ?

– Parce qu'elle me l'a demandé. »

Alisa posa une fesse sur le rebord du sarcophage de Malcolm.

270

« Je crois que j'aimerais bien entendre cette histoire depuis le début !

– Je n'en doute pas, dit Malcolm avec un petit sourire de biais, mais je ne sais pas si je dois en parler. Cela pourrait m'attirer des ennuis.

– Pourquoi ? Tu t'imagines que j'irais raconter ça partout ? » Elle était vexée. « Tu ne peux tout de même pas me juger aussi mal ! Je te jure que je tiendrai ma langue ! »

Malcolm soupira et s'assit à côté d'elle.

« Tu ne vas peut-être pas tarder à regretter ton serment inconsidéré. » Il s'éclaircit la voix et sembla réfléchir à la meilleure entrée en matière. Alisa avait du mal à ne pas le presser, mais elle se tut et attendit qu'il se mette à parler. « J'ai revu la fille quand elle est revenue pour chercher le masque égaré. Mettons que c'est le hasard. Et là, eh bien je l'ai abordée. » De nouveau, il hésita.

« Et alors ? Tu lui as demandé à quoi rimait ce masque ?

– Oui. » Ce n'était plus son intonation habituelle.

« Et... ?

– Elle a déclaré appartenir à une sorte de société secrète – qui a pour but de pourchasser les vampires ! »

Alisa resta un instant bouche bée.

« Et tu l'as crue ? Ça ne peut pas être vrai ! La fille a voulu faire son intéressante, non ? »

Malcolm haussa les épaules.

« C'est ce que j'ai cru d'abord, mais ensuite... » Il ne termina pas sa phrase. Tous deux restèrent silencieux quelques secondes, puis il poursuivit : « Ensuite elle a dit des choses... comme si elle avait déjà eu affaire à nos semblables et savait très bien de quoi elle parlait. Et à présent je ne sais plus du tout ce que je dois en penser. »

Alisa se leva d'un bond.

«Même si le risque qu'elle ait dit la vérité est minime, il faut que nous mettions le comte au courant!

– Ah oui? Et tu as réfléchi à ce qu'il va me faire s'il apprend que je suis sorti seul et que j'ai rencontré une jeune fille? Peu importe que je l'aie mordue ou pas.

– Tu l'as fait?

– Mais non, s'écria-t-il, agacé.

– Au pire, il te renverra chez toi, à Londres, dit Alisa.

– Oui, et je ne veux ni ne peux prendre ce risque.

– Alors tu comptes garder cette information pour toi?» Alisa était indignée.

Malcolm eut un geste d'apaisement.

«Nous ne savons même pas s'il s'agit véritablement d'une information. D'ailleurs le comte a ses gens à lui et n'en est certainement pas réduit à collecter ce que j'ai pu découvrir par hasard.»

Alisa n'était pas convaincue.

«Je n'en suis pas si sûre. Moi, à ta place, je le lui dirais.»

Malcolm secoua la tête.

«Tu vois, je t'avais bien dit que tu regretterais vite ton serment. Mais un serment est un serment.

– Oui, un serment est un serment.» Alisa soupira. «J'espère juste que ta décision est la bonne.

– Moi aussi.»

L'année tirait à sa fin. Les humains se préparaient à célébrer la naissance du Christ en décorant places et églises. La Domus Aurea restait heureusement à l'abri de ce genre de pratique. Aussi le comte se présenta-t-il un soir dans la salle au plafond doré pour y faire une annonce qui arracha aux jeunes vampires un gémissement unanime. Il se tenait debout dans sa robe de velours vert émeraude, ses deux mains aux longs ongles crochus rassemblées sur son ventre, regardant alentour avec un sourire satisfait.

«Voilà qui aurait dû me mettre la puce à l'oreille, déclarerait Tammo par la suite. Ça ne pouvait rien signifier de bon!»

Un sifflement retentit et les chuchotements dans la salle s'éteignirent peu à peu. C'est seulement quand le silence fut complet et qu'il eut capté l'attention générale que le comte commença à parler.

«Il y a maintenant quatre mois que vous êtes à la Maison dorée et nous devons constater, vos professeurs et moi, que vous avez fait des progrès non négligeables. Oui, vos professeurs sont contents de vous – du moins la plupart d'entre eux ont tenu des propos fort élogieux.»

Luciano et Alisa échangèrent un regard entendu.

«Nous nous sommes donc concertés, vos professeurs et moi, et sommes arrivés à la conclusion que vous êtes en mesure de présenter vos nouveaux talents dans un cadre approprié. Nous avons recouru à cette invention moderne des humains qui s'appelle le télégraphe et envoyé un message aux chefs de vos familles.»

Alisa entendit Anna Christina murmurer à son cousin:

«Peut-être que cette histoire de fous est enfin terminée et que nous allons pouvoir rentrer à la maison plus tôt qu'on ne l'espérait?»

Franz Leopold haussa les épaules.

«Ça m'étonnerait. Ne te réjouis pas trop vite.»

Le comte haussa légèrement la voix.

«Nous les avons invités à nous rendre visite à la Maison dorée de façon à être présents quand vous passerez votre premier grand examen.» Il souriait toujours.

«Un examen?» Le cri du cœur de Sören rompit le silence qui avait accueilli les paroles du comte.

«Je ne crois pas que nos seigneurs de Paris viendront,

273

déclara bravement Joanne. Comment un message télégraphique pourrait-il leur parvenir au fond de leurs labyrinthes sous la ville ? » Les petits Viennois eurent un gémissement discret. Seuls Ivy et les Londoniens ne semblaient pas effrayés par cette annonce.

Le comte Claudio réduisit à néant les espoirs des Pyras.

« Tous ont accepté, et ils seront là dans les prochains jours. L'épreuve aura lieu samedi. Vous avez encore cinq nuits pour vous y préparer. »

Luciano se jeta à l'eau :

« À quoi va ressembler le déroulement de l'épreuve ? demanda-t-il. On va certainement exiger de nous la démonstration pratique de nos capacités de résistance au pouvoir de l'Église et de ses objets sacrés ? Et puis ce sera tout ? » Il regardait le comte d'un air suppliant mais celui-ci secoua la tête.

« Ce sera certes une partie essentielle de l'examen, mais je souhaite que vos professeurs évaluent tout ce qu'ils vous ont appris. Vous devrez aussi, devant la commission composée des chefs de clan, montrer l'étendue de vos connaissances en langue italienne, en latin, et puis en histoire romaine ancienne et contemporaine. »

L'effroi général monta d'un cran, si c'était possible. Tammo cacha son visage dans ses mains, Joanne poussa un cri plaintif et Karl Philipp poussa un juron que tout le monde entendit. Alisa et Luciano échangèrent eux aussi un regard anxieux. Les langues encore, ça ne leur faisait pas trop peur, mais l'histoire romaine ?

Ivy se leva, son cartable sous le bras.

« Eh bien, dans les jours qui viennent, après les cours, nous allons relire ensemble les notes que nous avons prises et réviser tout ça.

– Relire mes notes ? En histoire romaine ? Et tu crois que mes griffonnages sans queue ni tête vont me servir à quelque chose ? » Luciano avait des sanglots dans la voix. Il regarda Alisa.

« Mes notes vont sûrement nous aider un peu. Ensemble nous arriverons certainement à compléter ce qui manque. À la bibliothèque...

– La bibliothèque, la bibliothèque ! » la coupa Luciano en singeant son intonation. Découragé, il leva les bras au ciel. « On dirait que pour toi c'est la solution à tous les problèmes ! Naturellement qu'il y a là-bas des livres sur l'histoire de la Rome antique, mais tu sembles avoir oublié que nous avons tout juste cinq nuits devant nous. Et je n'ai pas entendu le comte dire que d'ici là, les cours étaient supprimés. C'est sans espoir. » Ivy le prit par le bras et l'entraîna vers la salle de classe.

Peu après, ils étaient tous assis face à la *professoressa* Enrica qui les toisait comme d'habitude d'un air sévère.

« Commençons. Je vous conseille d'être attentifs et de vous concentrer. C'est l'occasion de vous exercer une dernière fois avant l'examen. Je vais me montrer très exigeante avec vous quand nous serons devant la commission d'examen. Vous allez être confrontés à vos limites, et la moindre seconde d'inattention de votre part, ce sera l'échec garanti ! » Elle était plantée devant eux, raide comme un piquet, avec son petit chignon sévère, sa robe montante et son col blanc, et personne ne mettait ses paroles en doute !

Ils vinrent tous ! Peu à peu on vit arriver les hôtes de Vienne et de Londres, de Paris et de Hambourg. Enfin, le matin même de l'examen, accosta le bateau qui amenait à Rome les derniers invités, Donnchadh, le chef du clan des Lycana, et sa ravissante jeune ombre Catriona. Le comte Claudio, d'une humeur charmante, les salua les uns après les autres et se donna toutes les peines du monde pour aplanir les différends qui menaçaient à chaque instant de se rallumer entre les familles.

Le soir de l'examen, les frères servants des Nosferas transportèrent de longues tables dans la grande salle octogonale somptueusement décorée et disposèrent les chaises de façon à respecter une certaine distance entre les familles. On désigna aux Dracas les places qui se trouvaient les plus éloignées de celles des Pyras. Tandis que dans la grande salle les préparatifs battaient leur plein, les jeunes vampires prenaient leur repas du soir. La *signorina* Raphaela et la *signorina* Zita déployaient des trésors d'ingéniosité pour détendre l'atmosphère et remonter le moral des plus abattus, mais tous leurs efforts demeuraient vains. Ni le rire et les câlins de Raphaela, ni le réconfort maternel ou les conseils de Zita n'y faisaient. Un silence inhabituel régnait sur le réfectoire. Certains avaient devant eux sur la table des feuilles couvertes d'une écriture serrée, d'autres tripotaient nerveusement le rubis suspendu à leur cou. Quand le comte entra, en compagnie des professeurs Enrica et Ruguccio, les élèves tendirent le cou, pleins d'appréhension.

« Eh bien nous y sommes ! annonça-t-il avec une mine réjouie, comme s'il s'apprêtait à leur distribuer des cadeaux. L'examen peut commencer. Nous avons réfléchi à différents exercices, mais les chefs des autres familles peuvent également vous poser des questions ou vous demander d'effectuer des exercices pratiques. Selon le problème qui vous sera posé, vous tenterez de le résoudre seul ou à deux. »

« J'espère que je ne vais pas me retrouver en binôme avec un Dracas, ou encore pis, un Pyras, murmura Luciano.

– Franz Leopold n'est pas si mauvais, objecta Ivy. Il s'est bien préparé, même s'il a toujours cherché à faire croire qu'il se fichait complètement de l'épreuve qui approchait.

– Décidément, rien ne t'échappe ! remarqua Alisa malgré elle.

– Pas grand-chose, effectivement », reconnut Ivy.

La voix du comte Claudio vint interrompre leur échange.

« Ivy-Máire ! »

Elle leva vers lui un regard interrogateur. Tous les autres observaient à présent la jeune vampire irlandaise.

« Oui, comte Claudio ?

– Suis-moi. C'est toi qui commences. »

Elle se leva sans une hésitation, lissa sa longue robe chatoyante et quitta la salle, Seymour sur ses talons.

« Je ne sais pas si je dois l'envier ou la plaindre, dit Luciano. En tout cas, elle en aura bientôt fini. J'ai vraiment hâte de l'entendre. Elle va pouvoir nous donner quelques indications sur ce qu'il faut faire si on ne veut pas contrarier les examinateurs.

– Donner la bonne réponse ? » proposa Alisa.

Luciano serra les poings et poussa un grognement menaçant.

« Il y a des fois où je t'étranglerais ! Fais attention à ce que tu dis. Ce n'est pas vraiment le moment de me pousser à bout.

– Oh oh, je vois que les esprits s'échauffent ! » C'était Franz Leopold, qui s'approchait d'un pas nonchalant, avec son petit sourire supérieur. « Tu as certes toutes les raisons d'être nerveux, mais de là à menacer de tes poings cette pauvre Alisa à cause de sa remarque – qui est exacte même si elle n'est pas particulièrement spirituelle... Tu t'apprêtes à passer une nuit bien sombre, je le crains.

– Que viens-tu faire ici ? demanda Alisa d'un ton sec.

– Tu as peut-être besoin de ma protection ? suggéra Franz Leopold. Bien que je te croie tout à fait capable de venir seule à bout de ce gros plein de soupe, si la peur lui fait perdre les pédales.

– Fiche le camp!» s'écria Alisa en se détournant ostensiblement de lui. Avec un haussement d'épaules, Franz Leopold alla rejoindre ses cousins. Pendant un moment, le silence régna dans la salle.

Luciano jouait avec son gobelet vide.

«Où est-elle donc passée? L'examen ne peut pas durer à ce point. J'espère que nous aurons le temps de l'interroger en détail.»

Ses espoirs furent déçus. Ivy ne revint pas dans la salle au plafond doré. Peut-être avait-elle reçu l'instruction de rester à l'écart des autres, justement pour éviter qu'elle leur parle, et il était bien dans sa nature droite et franche de ne pas enfreindre les ordres. On appela bientôt Chiara et Fernand, puis ce fut le tour de Raymond, et ensuite de Sören et Ireen.

«J'espère que j'aurai un bon partenaire, répétait sans arrêt Luciano. Si je dois y aller avec Franz Leopold, je me rebiffe!» annonça-t-il, mais Alisa savait bien que ce n'étaient que des mots. Enfin Luciano fut appelé. Seul. Avec un dernier regard désespéré en direction d'Alisa, il suivit la *signora* Enrica vers la salle d'examen.

Examen intermédiaire

Luciano pénétra dans la salle qui avait été décorée comme pour une fête. Parmi les statues antiques et les guirlandes vertes, il découvrit aussi quelques objets ramassés probablement dans les églises du voisinage. Bien que la tentation fût grande d'aller se cacher derrière une statue, il se redressa de toute sa taille et marcha droit vers la commission. Sa profonde révérence fut d'une élégance parfaite et il ne se prit même pas les pieds dans la longue pèlerine qu'il avait choisie pour l'occasion afin de se donner une allure plus adulte. Il fallait espérer que l'immense vêtement ne le gênerait pas pour effectuer les exercices pratiques. Le comte se leva, le présenta à ses hôtes et le salua au nom de son clan et des autres familles.

Qu'est-ce qu'il attend pour commencer, mes nerfs vont me lâcher, je le sens !

« Commençons par l'histoire ancienne. Quelles sont les dates du règne de l'empereur Auguste et comment se nomment ses quatre successeurs ? »

Dans la prestigieuse salle octogonale, le silence était absolu. Luciano restait muet. Sa tête était un vaste espace obscur et vide. La réponse lui serait certainement venue s'il n'avait pas eu le regard braqué sur la *professoressa* Letizia, qui faisait craquer ses doigts et claquer son fouet contre sa botte avec un sifflement funeste.

Umberto rajouta son grain de sel :

«Quand régna Servius Tullius ? Que sais-tu de Domitien ? À quelle date Constantin a-t-il quitté Rome ?»

Les questions crépitaient autour de lui mais Luciano demeurait coi. Les professeurs se taisaient, laissant la dernière question flotter dans l'air lourd.

«Luciano ? Peux-tu répondre ? demanda le comte Claudio alors que le silence se prolongeait et que les autres examinateurs secouaient déjà la tête.

– Comment ? Quoi ? Pardonnez-moi, comte.» Luciano redressa le buste comme s'il venait juste de se réveiller d'une sorte de transe.

«Alors dis-nous au moins qui a régné à Rome entre 54 et 68 après Jésus-Christ, demanda le comte d'un ton presque suppliant.

– Néron, répondit Luciano dans un souffle.

– Quoi ? Je n'entends rien du tout, tonna le professeur Umberto. Tu fais honte à notre maison toute entière, espèce de cancre !

– À présent ça suffit ! intervint la *signora* Enrica. Dans sa petite robe bleue à col blanc, elle paraissait plus imposante à cet instant que Ruguccio l'armoire à glace. Elle s'avança au milieu de la salle :

«Luciano, je te prie de bien vouloir répéter ce que tu viens de dire. Et regarde-moi !»

Luciano obtempéra et fixa ses yeux bruns. Selon l'ombre que projetaient sur eux ses longs cils, ils avaient un éclat doré ou redevenaient presque noirs. Luciano s'éclaircit la voix et énonça distinctement :

«De 54 à 68 après Jésus-Christ, Néron régna sur Rome.

– Bien, dit la *signora*. As-tu aussi des réponses aux questions que t'ont posées les professeurs Umberto et Letizia ? »

Luciano fit signe que non. Mais soudain il entendit dans sa tête la voix d'Alisa, récitant comme une litanie toute une série de noms. Il la voyait même, assise sur son coussin, les jambes repliées sous elle, le gros livre relié en cuir de la bibliothèque ouvert sur son giron. Le pâle faisceau de la lampe dessinait des ombres dansantes sur les traits purs de son visage et, dans un geste machinal, elle remettait régulièrement derrière son oreille la mèche blonde qui lui tombait devant les yeux.

« L'empereur Auguste régna de 27 avant Jésus-Christ à 14 après Jésus-Christ, dit Luciano à haute et intelligible voix. Ses successeurs furent Tibère, Caligula, Claude et Néron. Servius Tullius régna de 579 à 535 avant Jésus-Christ. C'était l'époque de la République. »

Il ne s'arrêtait plus. Les noms et les dates sortaient de sa bouche à jet continu. Quand il se tut enfin, le silence retomba sur la salle, mais cette fois il sentit autour de lui l'approbation de l'assistance. Les chefs de clan étrangers hochaient la tête avec bienveillance et le comte était visiblement radieux. Même le visage de la *signora* Enrica exprimait la satisfaction.

« Très bien, Luciano. » Elle se tourna vers les autres membres de la commission. « Maintenant que cette première étape est franchie, venons-en aux choses vraiment importantes que nos élèves ont apprises ou expérimentées ici pendant ces quelques mois. »

Sur un signe du comte Claudio, un de ses fidèles, un vampire à la stature de lutteur, apporta deux coffres qu'il déposa par terre devant Luciano. La *signora* attendit que l'auxiliaire se fût éloigné avant de dire à Luciano ce qu'on attendait de lui.

« Dans ces coffres se trouvent deux objets dotés de pouvoirs sacrés. Je voudrais d'abord que tu nous dises – avant même de les ouvrir – lequel est le plus puissant. Ensuite, observe les objets et dis-nous de quelle époque ils datent. Puis tu les prendras et les apporteras à nos illustres examinateurs.» Elle eut un sourire de loup qui découvrit ses dents pointues. «Compris?»

Luciano acquiesça et la *signora* s'éloigna de plusieurs pas. Le jeune vampire résista à la tentation de serrer son rubis dans sa main. Il fallait qu'il se concentre et rassemble ses forces. Il s'avança vers le premier coffre et étendit ses mains au-dessus. Il resta un moment immobile dans cette position, ses paumes en suspens à quelques centimètres du couvercle. L'aura qu'il perçut était assez faible. Soit l'objet n'était pas très ancien, soit il avait été confectionné par quelqu'un qui n'était pas animé d'une authentique foi chrétienne. Rassuré, Luciano se tourna vers le second coffre, mais il n'avait pas fait trois pas dans sa direction que son soulagement et son assurance s'envolèrent d'un coup. La puissance magique qui s'en dégageait était paralysante! Ça s'annonçait drôlement difficile. Si tant est qu'il y arrive sans tomber dans les pommes. Il se força à s'approcher et à étendre les mains. Elles tremblaient violemment, mais il compta jusqu'à dix avant de reculer, le souffle court. Il expliqua à voix haute ce qu'il avait ressenti, et ce qu'il en concluait.

La *signora* Enrica approuva de la tête.

«Bien. Maintenant, ouvre les coffres.»

Luciano hésita. Il souleva le premier couvercle et découvrit un petit tableau qui représentait probablement un saint, en tout cas sa tête était entourée d'un disque réalisé à la feuille d'or. Luciano sortit la toile du coffre et, la tenant à deux mains, passa devant les tables des examinateurs. Ce faisant, il exposa sa conviction que ce tableau n'était pas très ancien et qu'il était l'œuvre d'un peintre de peu de foi.

«C'est exact, confirma la *signora*. Il sort d'un atelier qui produit des ex-voto, des tableaux et autres objets pour des marchands qui les vendent comme porte-bonheur à des voyageurs au Vatican et dans la ville de Rome. Je présume qu'il a été peint dans les années quarante ou cinquante. »

Elle se tut et regarda Luciano, l'invitant à continuer. Il ne lui restait plus qu'à s'approcher du second coffre, ce qu'il fit. Mais comment allait-il réussir à en sortir un objet qui, déjà à cette distance, lui causait une telle souffrance ? Une fois encore, il essaya de se concentrer. Il ne fallait pas qu'il pense à l'examen ni aux vampires étrangers qui se trouvaient dans la salle. Il avait besoin de toute son énergie pour faire face à cette chose si puissante. Il ferma les yeux et se mit à fredonner doucement, jusqu'à ce que son esprit se soit complètement détourné du contenu du coffre. L'objet était petit et informe, plutôt incolore. De quoi pouvait-il s'agir ? Luciano s'approcha à tâtons, comme tiré par des fils invisibles. Sa tête se remplit d'un bruissement qui devint un bourdonnement. Il sentit son corps vibrer. Et la douleur survint. Elle lui coupa le souffle mais il avança néanmoins le bras et saisit la poignée. D'un geste, il souleva le couvercle. Un vent brûlant lui rabattit les cheveux en arrière. Les hôtes étrangers poussèrent un cri d'effroi et plusieurs membres du clan Nosferas eurent un mouvement de recul. Seule la *professoressa* Enrica s'approcha comme si elle voulait le protéger – ou l'empêcher de prendre ses jambes à son cou, ce qu'il était fort tenté de faire. Mais au lieu de cela, il fit un pas en avant et empoigna le petit objet. Sa peau se mit à fumer tandis qu'il le soulevait pour l'exposer à la vue de tous. Un os ! Un petit os de rien du tout !

« Il est authentique, dit-il d'une voix haletante en se dirigeant d'un pas incertain vers le jury. C'est l'os d'un martyr de l'Antiquité ! »

Ils furent plusieurs à se lever d'un bond. Quelques examinateurs poussèrent un cri, les seigneurs de Paris, bousculant leurs chaises, se réfugièrent contre le mur. Dame Elina, la

Hambourgeoise, gémit en se pressant la poitrine avec les poings. Quand Luciano s'avança d'un pas de plomb vers les deux Viennois, le baron Maximilian piailla tandis que sa sœur perdait connaissance et s'effondrait sous la table sans un mot comme une poupée de son.

«Bravo, commenta la *professoressa* Enrica. Tu peux reposer l'os dans le coffre. Ton examen est terminé. Tu l'as réussi.»

La nuit avançait. Il était près de minuit et la salle était déjà à moitié vide quand on appela Franz Leopold. Il se leva, aussi calme et décontracté que possible. Passer une épreuve devant le gros comte dans son espèce de robe bariolée ridicule et devant ses professeurs, il n'y avait pas de quoi s'affoler! De toute façon, le baron Maximilian et la baronne Antonia faisaient partie des examinateurs.

Son nom avait résonné dans la salle et il rejoignait déjà la *signora* Enrica quand celle-ci cria un deuxième nom :

«Alisa de Vamalia!»

Franz Leopold jeta un rapide coup d'œil à la jeune vampire. Au moment où elle se levait, il lut la contrariété dans ses yeux. Elle se dirigea vers la *signora* avec une mine impassible, mais il détecta dans ses pensées un mélange de colère, de déception, et aussi d'irrésolution. Franz Leopold aurait certes préféré passer l'examen tout seul, lui aussi, mais les choses auraient pu tourner beaucoup plus mal.

Ils marchaient côte à côte, regardant droit devant eux. Même quand ils passèrent devant les tables des examinateurs, dans la grande salle, ils n'échangèrent pas un regard. Le vieux Giuseppe commença par des questions sur l'histoire romaine contemporaine, sur Mazzini, Garibaldi, et l'unification du pays en un royaume d'Italie. Ils se débrouillèrent très bien. Tandis que le vénérable poursuivait avec d'autres questions, les pensées de Franz Leopold se mirent à dériver. Tout cela le laissait froid. Que lui importaient les petits conflits politiques des hommes ? Les frontières ne cessaient de bouger, tantôt il y avait un roi, tantôt une république. Et alors ? L'important, c'était que les humains soient là, à vivre et faire la fête, et à donner sans rechigner leur bon sang chaud !

Les examinateurs laissèrent faire Giuseppe un moment, puis le comte Claudio interrompit le questionnaire historique et fit venir au centre de la pièce le professeur Ruguccio pour qu'il énonce les exercices pratiques.

« Nous allons maintenant descendre avec vous sous le Colisée, commença le professeur. J'y ai caché cette nuit un coffret qui, de l'extérieur, ressemble à celui-ci. Suivez ma trace et retrouvez ce coffret. Ne l'ouvrez pas. Apportez-le ici et montrez-nous ce qu'il contient. J'accompagnerai pour ma part au Colisée quelques membres choisis de la commission afin qu'ils puissent observer votre quête. Vous pouvez y aller. »

Franz Leopold se dirigeait déjà vers la sortie, mais Alisa ne bougeait pas ; elle continuait à étudier le coffret sous toutes les coutures.

« Viens donc ! Tu crois que ce machin vide va te révéler quelque chose ?

– Je veux seulement me le mettre bien en mémoire, peut-être qu'il y a plusieurs coffrets cachés là-bas. Qui sait ce que nos examinateurs nous ont préparé ! »

Franz Leopold fit une moue sceptique et ajouta plus bas :

« Allons-y et dépêchons-nous d'en finir avec cette farce ! » Il la sentit qui se faisait violence : elle faillit riposter mais ravala sa réplique et lui emboîta le pas. Ils franchirent le portail et s'éloignèrent dans la nuit. Le trajet leur était familier et ils avaient déjà pratiquement atteint l'aile nord de l'amphithéâtre quand les examinateurs quittèrent la Maison dorée.

« D'ici à ce qu'ils arrivent en bas, nous aurons depuis longtemps trouvé le coffret », dit Franz Leopold avec assurance, mais ils n'avaient pas encore repéré la trace du professeur Ruguccio qu'ils furent arrêtés dans leur élan. Le bibliothécaire leur barrait la route.

« Vous ne pourrez entrer qu'une fois que le comité aura pris place », dit Leandro de sa voix profonde, sur son ton placide et sans réplique. Déstabilisés, les deux jeunes vampires trépignaient sur place en attendant que les examinateurs descendent la colline. Franz Leopold ne fut pas surpris de voir le baron et la baronne et aussi la haute silhouette de dame Elina, la Hambourgeoise. Ils étaient naturellement curieux de voir comment leurs héritiers allaient s'en sortir. Les membres des autres clans avaient préféré le confort de leurs fauteuils moelleux. Outre le comte et le professeur Ruguccio, le vénérable Giuseppe et la *signora* Enrica étaient eux aussi de la partie. Le petit comité disparut à l'intérieur du Colisée. Leandro s'effaça et consentit enfin à laisser passer les deux élèves. Ils s'éloignèrent un peu de son odeur afin de pouvoir flairer la piste du professeur.

« Il est là-dedans ! » décréta Franz Leopold, après qu'ils eurent fait une fois le tour des arcades.

Alisa acquiesça.

« Oui, je dirais la même chose. Mais as-tu perçu l'autre aura ?

– Il était seul.

– Certes. Et pourtant il y a autre chose, quelque chose d'étrange que je n'arrive pas à identifier.

– Tu vas rester là encore longtemps à bayer aux corneilles ? Libre à toi. Moi, je vais chercher le coffret ! »

Cette fille manifestait aujourd'hui une maîtrise de soi presque digne d'admiration ! Elle serra les lèvres et le suivit dans le couloir qui, après quelques marches à descendre et un certain nombre de bifurcations, les amena dans le vaste espace qui s'étendait sous les arènes. Alisa observait un silence de plomb, mais ses pensées continuaient à tourner autour de l'odeur bizarre qu'elle avait cru sentir. Franz Leopold concentrait son attention sur la piste à suivre, mais il ne pouvait nier qu'elle avait raison. Il y avait bien quelque chose. Ce n'était pas un vampire, et pas non plus un humain. Peut-être que cela émanait du coffret ? Mais il se garda bien d'exprimer sa supposition. Au lieu de cela, il pénétra à nouveau dans les pensées d'Alisa. Elles étaient étonnamment claires et structurées pour un membre du clan des Vamalia, et de sexe féminin, qui plus est !

« Arrête ! » Elle s'immobilisa brusquement et le fusilla du regard. « Sors de mes pensées ! Si tu veux savoir quelque chose, pose-moi une question au lieu de t'introduire subrepticement dans mon esprit !

– Oh, je t'en prie ! » Franz Leopold haussa les épaules. « De toute façon il n'y a rien d'intéressant à y lire. »

Il perçut la colère qui montait en elle, mais elle réussit à lui fermer l'accès à sa conscience et à le rejeter au-dehors. Furieuse, elle se remit en marche sans l'attendre, en claquant les talons. Franz Leopold la regarda partir et se résolut tout de même à la suivre. S'il ratait son examen à cause d'une prise de bec ridicule avec une Vamalia, le baron Maximilian ne serait sûrement pas très content. Il rattrapa Alisa à la première bifurcation. Elle était là qui tendait le nez, une fois à droite, une fois à gauche, puis de nouveau à droite. Évidemment ! Dès qu'elle se retrouvait seule, elle s'apprêtait à faire fausse route !

« Me voilà ! dit-il d'un ton protecteur. La piste est tellement nette qu'on ne peut vraiment pas la rater !

– Ça non ! rétorqua Alisa. Elle va même dans les deux directions, Monsieur Je-sais-tout ! Alors, qu'est-ce que tu proposes, maintenant ? »

Il ne fallut pas longtemps à Franz Leopold pour constater qu'une fois de plus elle avait raison. Il évalua deux fois chacune des traces et dit :

« Celle à droite est plus puissante. »

Alisa hocha la tête.

« D'accord. Alors prenons à gauche.

– Quoi ? Tu veux suivre la trace la plus faible ? C'est ça, la logique bien connue des femmes ?

– Oui, exactement, mais je peux essayer de donner une explication que même un Dracas soit capable de comprendre. »

Cette fois, c'en était trop. Ses yeux jetaient des éclairs et elle l'aurait volontiers étranglé. Franz Leopold sourit. C'était plus fort que lui, il ne pouvait pas s'empêcher de l'asticoter jusqu'à la faire sortir de ses gonds.

« Je suis tout ouïe ! » dit-il goguenard.

Elle prit deux ou trois inspirations profondes, le temps de retrouver son calme, puis elle dit, d'une voix un peu oppressée tout de même :

« Comment peut-on expliquer la double trace ? Il est entré par l'un des chemins, et au retour il est sorti par l'autre. La trace de l'aller est un peu plus ancienne et donc un peu plus faible. »

Ce n'était pas idiot, Franz Leopold dut bien l'admettre et il le lui dit.

« D'un autre côté, la trace du retour conduit aussi au but, objecta-t-il.

– Oui, mais le professeur ne nous a-t-il pas demandé de suivre le même chemin que lui ? Si nous faisons l'inverse, ce sera peut-être considéré comme une faute. »

Franz Leopold haussa les épaules.

« Les raisonnements des professeurs sont probablement encore plus bizarres que le cerveau féminin ! Mais bon, prenons à gauche. »

Ils passèrent devant plusieurs salles, puis le chemin tourna pour aboutir au fond d'un puits dans lequel devait se trouver autrefois un des palans qui servaient à déplacer les gigantesques décors lors des jeux. Alisa s'avança dans le puits et considéra les parois abruptes. Elle en explora la surface lisse avec la paume de ses mains.

« On n'arrivera pas à grimper, dit-elle avec un soupir.

– Et pourquoi devrions-nous grimper ?

– Parce que le coffret est là-haut, dans la paroi. Je sens à nouveau cette vibration. »

Il faillit lui assener quelque remarque dédaigneuse, mais non, il sentait bel et bien la même chose. Le coffret devait se trouver quelque part là-haut, caché dans une niche.

« Si le professeur y est arrivé, on doit en être capables nous aussi », affirma-t-il en essayant d'introduire le bout de ses doigts à la jointure de deux pierres. L'espace était si étroit qu'il n'y avait même pas la place d'un ongle. Il renouvela l'expérience à un autre endroit, mais sans réussir à s'élever d'un seul pas au-dessus du sol. Alisa de son côté longeait la paroi très lentement pour évaluer la position exacte du coffret. Lorsqu'elle eut fait deux fois le tour du puits, elle s'arrêta.

« Ce doit être juste au-dessus de moi. Tu vois quelque chose ? »

Franz Leopold interrompit ses piètres tentatives d'escalade et alla se placer en face d'elle, dos à la paroi opposée. Il leva la tête et scruta le mur.

« Oui, je crois, le coffret est là-haut. On dirait une pierre parmi les autres mais la couleur est un peu différente. »

Alisa vint se placer à côté de lui.

« Oui, tu as raison. » Ils se turent. Tous les deux pensaient la même chose : *C'est bigrement haut !*

« Monte sur mes épaules, proposa Franz Leopold.

– Je ne pense pas que ça suffira.

– Si tu n'essaies pas, ça ne risque pas de marcher. »

Il mit un genou à terre, Alisa grimpa sur l'autre puis posa les pieds sur ses épaules. Il lui saisit les chevilles et se releva.

« Alors ?

« – Non. Il manque encore presque un mètre. On n'y arrivera jamais de cette façon. Laisse-moi descendre. Peut-être qu'on peut dénicher quelque part une corde et essayer de passer par le sommet du puits.

– Mais ce ne serait pas suivre la trace du professeur, rappela Franz Leopold.

– Et alors? Ce sera toujours mieux que de rentrer bredouilles.

– Il doit bien y avoir un moyen d'effectuer l'exercice comme on nous a demandé de le faire, insista Franz Leopold. J'espère pour nous deux que tu as le sens de l'équilibre.

– Pourquoi? Que proposes-tu?

– Arrête de gigoter comme ça. Monte sur mes paumes de mains.»

Elle obéit et il referma les doigts sur ses pieds. Tout doucement, il se releva. Les jambes tendues, le ventre contracté, elle fit des mouvements de balancier avec ses bras pour garder une position bien verticale tandis qu'il la soulevait. Ce fut plus facile qu'il ne l'aurait cru. Déjà il était debout, les bras tendus, contre le mur.

«Alors?»

Il sentit Alisa se cambrer. Elle se mit sur la pointe des pieds.

«J'arrive à le toucher du bout des doigts. Encore quelques centimètres!

– Comment veux-tu que je fasse?» Il ne lui restait plus qu'à se mettre lui aussi sur la pointe des pieds. Alisa poussa un cri de victoire et son soulagement se communiqua immédiatement à Franz Leopold.

Il reposa les pieds à plat et descendit les bras jusqu'à avoir les poignets à la hauteur de ses épaules. Alisa se laissa glisser au sol en souplesse.

«Le voilà!» Elle avait le coffret dans les mains.

«Montre voir. Qu'y a-t-il à l'intérieur?»

Elle mit aussitôt le coffret hors de sa portée.

« Non, rapportons-le d'abord avant de l'ouvrir.

– Pourquoi ?

– Parce que c'est la consigne. Et puis j'ai un mauvais pressentiment. »

Franz Leopold prit cet air dédaigneux dont il avait le secret, mais il ne fit aucune objection. Il comprenait ce qu'elle voulait dire. Il effleura le couvercle avec son ongle et un frisson lui parcourut le corps. L'aura qui émanait de ce coffret n'était pas d'une puissance exceptionnelle et pourtant...

Ils se hâtèrent de rejoindre le petit comité d'examinateurs qui les attendait à la sortie. Dame Elina accueillit Alisa avec un hochement de tête approbateur et les Dracas avaient l'air satisfaits, eux aussi. Ensemble ils regagnèrent la salle octogonale de la Maison dorée. Quand les raclements de chaises eurent cessé, tous les visages se tournèrent avec curiosité vers les deux jeunes vampires, qui déposèrent le coffret devant eux sur la table.

« Que croyez-vous qu'il contient ? Quelle sorte d'objet ? » demanda le professeur Ruguccio. Franz Leopold percevait nettement dans sa voix une tension sans rapport avec la faible aura que dégageait le coffret. Il chercha à entrer en contact avec l'esprit d'Alisa.

Arrête, je t'ai déjà dit de ne pas faire ça ! Va-t'en !!

Alisa, écoute-moi. Ouvre-moi ton esprit ! Il se faisait si pressant qu'elle cessa de résister mais la méfiance demeura.

Bon soit. Que veux-tu ?

Je crois savoir, je sais, ce qui cloche avec ce coffret. Tu l'as senti, toi aussi. L'objet qui se trouve à l'intérieur est très, très puissant. La nervosité de notre professeur suffirait à m'en convaincre : regarde, il reste tout près de nous pour pouvoir intervenir à tout instant.

Et pourquoi ne percevons-nous pas plus distinctement cette aura ? Mais au moment même où Alisa posait silencieusement cette

291

question, la réponse se forma dans leurs têtes. Quelque chose devait être caché dans le couvercle et dans les parois du coffret, une sorte de blindage qui protégeait l'aura. Enfin, pas tout à fait. Quand les deux forces entraient en contact, une légère perturbation se produisait. C'était cela qu'ils avaient senti à côté de la trace du vampire.

Je présume que nous allons nous brûler les doigts si nous ouvrons le coffret sans précaution, dit en pensée Franz Leopold. Et peut-être pas seulement les doigts! Je ne crois vraiment pas que j'ai envie de faire ça!

Alors qu'est-ce que tu proposes à la place? De leur dire tout simplement ce que nous ressentons?

Oh non! Ils tiennent à leur spectacle! Écoute, j'ai une idée.

Alisa prêta une oreille attentive puis hocha la tête. Ses lèvres réprimèrent un sourire.

«Eh bien? De quoi s'agit-il? insista le professeur.

– L'aura est faible et cherche à nous duper en nous faisant croire que nous avons affaire à un objet inoffensif.»

Le professeur Ruguccio ouvrit la bouche pour poser la question suivante. C'est alors qu'Alisa et Franz Leopold se placèrent côte à côte, si près que leurs bras se touchaient. Ensemble ils saisirent le coffret et le tournèrent de telle façon que le couvercle s'ouvrirait face aux examinateurs. Le professeur se contentait de les regarder sans comprendre.

«On y va!» s'écria Franz Leopold et, d'un même élan, ils soulevèrent le couvercle. Un éclair traversa la salle. Les jurés poussèrent un cri. Quelques-uns se jetèrent au sol. La *signora* Enrica se précipita en même temps que le professeur Ruguccio pour intervenir, mais déjà Alisa et Franz Leopold avaient refermé le couvercle. Ils reculèrent d'un pas et échangèrent un clin d'œil. La protection des murs et du sol les avait empêchés de se brûler ne serait-ce que le bout des doigts.

«Ainsi que vous l'avez tous constaté, l'objet est trop puissant pour qu'on le sorte du coffret», déclara Franz Leopold d'un ton neutre en regardant tour à tour les chefs de clan qui se remettaient doucement de leurs émotions.

«C'était parfait, les félicita le professeur Ruguccio en prenant sous son bras le dangereux coffret. Je n'ai pas d'autre question. Je m'en vais remettre ce trésor en sûreté.»

Les deux jeunes vampires le regardèrent s'éloigner.

«Je me demande ce qui serait advenu de nous si nous avions ouvert le coffret sans précaution, murmura Alisa.

– J'imagine que nous aurions raté l'examen, dit Franz Leopold. Raté celui-ci et plus jamais passé aucun autre!

– Laisse-moi au moins croire que le professeur serait intervenu à temps! répondit Alisa en riant.

– Je ne veux pas t'enlever tes illusions, si tu y tiens. En tout cas, cet examen était moins nul que ce à quoi je m'attendais.» Et sur ces mots, il quitta la salle.

Le comte paradait au milieu des chefs de clan et de leurs escortes avec un sourire jovial.

«Bon, maintenant que tous les élèves ont montré quel bénéfice ils ont su tirer de ces quelques mois et les pouvoirs qu'ils ont acquis, je voudrais terminer la nuit par une petite collation dont vous me direz des nouvelles. Mes gens ont tout préparé dans la cour principale. Suivez-moi, installez-vous confortablement sur les sofas et régalez-vous! Vous verrez que les Nosferas savent se faire plaisir. Je vous promets que vous ne serez pas près d'oublier ce que vous allez vivre!»

Les visiteurs échangèrent des regards perplexes. Que voulait dire le comte?

«Il a dû faire venir quelques comédiens et comédiennes, supposa le seigneur Lucien.

« – J'espère que non, répliqua dame Elina d'un ton pincé. Ce serait d'un vulgaire ! »

Le seigneur Thibaut haussa les épaules.

« Mais assez distrayant en général, et du point de vue du goût, c'est ce qu'on fait de mieux ! J'imagine que nos Autrichiens s'y connaissent en orgies, eux aussi.

– Nous ne pratiquons que des fêtes élégantes, des bals et des spectacles de cour, seigneur Thibaut, répliqua la baronne avec affectation. Certainement pas ces orgies sauvages qui sont votre ordinaire dans vos labyrinthes parisiens !

– Comment pourriez-vous savoir ce qui se passe chez nous ? Néanmoins nous vous invitons bien volontiers à venir participer à une de nos fêtes !

– Merci bien, ce que m'en dit mon imagination me suffit amplement, en l'occurrence ! » Elle ouvrit son éventail et l'agita devant son visage comme si les seigneurs puaient et qu'elle avait besoin d'un peu d'air frais pour chasser ces relents nauséabonds. Les deux Pyras lui décochèrent des regards mauvais avant d'aller s'asseoir le plus loin possible de la baronne et de son frère.

Quand tout le monde eut pris place, le comte Claudio s'avança au centre de la pièce. Il avait enfilé un manteau de velours brodé de signes cabalistiques dorés qui le faisaient ressembler à un empereur de la Rome antique. Néron, peut-être, dans la maison duquel se donnait justement cette fête... Il leva les mains dans un geste théâtral et fit entrer les serviteurs. Ceux-ci n'étaient accompagnés d'aucun danseur ni comédien. Non, ils apportaient seulement des plateaux lourdement chargés qu'ils répartirent sur les tables basses. Sur les plateaux, il y avait des bouteilles fermées par des bouchons. La plupart étaient opaques et poussiéreuses. Avec parfois même des restes de toiles d'araignées.

« Qu'est-ce qu'il nous prépare ? » demanda dame Elina perplexe en se tournant vers Lord Milton, mais le chef de clan londonien paraissait aussi déconcerté qu'elle.

Le comte Claudio considéra ses hôtes.

« Comme vous le savez tous, le sang n'est pas seulement du sang. Il nous nourrit et nous donne notre force, mais ce peut être bien davantage. Le sang des bêtes nous maintient en vie, mais le sang des hommes est pour nos sens une source de délices toujours renouvelés. Chaque humain présente une odeur et un goût différents. » Il fit une pause et vit tous les visages tournés vers lui, en attente de la suite. « Les hommes connaissent un plaisir comparable. C'est le vin ! Les avez-vous déjà observés en train de siroter un vin de qualité ou une coupe de champagne ? Nous n'avons pas ce privilège mais il se trouve qu'un de nos frères servants, qui fut il y a plus d'un siècle le sommelier de trois papes, nous a soufflé l'idée de mélanger au sang quelques gouttes d'un vin fin ou de champagne. Nous avons tenté l'expérience et le résultat est enthousiasmant ! Le goût du sang en sort renforcé, plus riche et capiteux ! Non, ne prenez pas cet air sceptique ! Dégustez et laissez-vous convaincre par la joie de votre palais ! » Il fit un signe aux serviteurs, qui entreprirent de remplir et de distribuer les premières coupes.

« Nous commençons avec un champagne année 1862 de la maison Nicolas Ruinart, mêlé au sang de deux danseuses du corps de ballet de l'Opéra. »

Le comte attendit que chacun ait une coupe à la main pour lever la sienne.

« À présent, trinquons à nos enfants. Puissent-ils conduire nos familles vers une nouvelle grandeur ! »

Les invités trempèrent une lèvre prudente dans leur boisson. Mais un sourire ne tarda pas à se dessiner sur plus d'un visage. Les deux seigneurs clappèrent de la langue et la baronne

Antonia elle-même vida sa coupe d'un trait et en réclama une deuxième.

Le comte Claudio jubilait.

«Ah, je vois que dès le premier verre, j'ai déjà convaincu la plupart d'entre vous. Nous allons donc pouvoir continuer avec un bordeaux, un château-latour, un des quatre crus du haut Médoc, mêlé au sang de jeunes et vigoureux gardes suisses.» Il jeta un coup d'œil en direction de dame Elina qui paraissait encore un peu sceptique.

«C'est surprenant, dit-elle, mais je crains que l'on ne garde pas les idées très claires après une telle dégustation.

– C'est exact, confirma le comte, mais c'est précisément le but recherché lors de ces dégustations, très chère madame! Venons-en à présent à un vin exquis du grand-duché de Bourgogne, avant de nous tourner vers ceux que nous propose désormais le royaume uni d'Italie, non sans un petit détour par la Savoie...»

Une soirée à l'opéra

Le cardinal les avait convoqués, et à présent ils descendaient l'un après l'autre les marches menant au lieu de réunion secret, enveloppés comme d'habitude dans leurs vastes pèlerines et le visage caché derrière leur masque rouge. Le cardinal était masqué lui aussi et il avait jeté sur un bloc de pierre le long manteau noir qui dissimulait jusque-là sa robe pourpre. Il observait en silence les hommes qui entraient, s'inclinaient, puis prenaient place. La dernière chaise restait vide. Le vampire n'avait pas l'intention de participer à cette réunion, semblait-il. Le regard du cardinal fit rapidement le tour des silhouettes emmitouflées. Ou plutôt de leurs ombres. Parfait, derrière chaque pèlerine et chaque masque, il y avait bien un homme. Il se détendit un peu. Et, après s'être éclairci la voix :

« Commençons, dit-il. J'ai de bonnes nouvelles. Nous nous sommes encore rapprochés de notre but. Le pape continue à jouir d'une excellente santé et va servir nos plans. Quant à Victor-Emmanuel II et à son parlement, eh bien... disons que les rangs s'éclaircissent. Après la mort de Ratazzi, Depretis vient de faire savoir qu'il souhaitait se retirer pour raisons de santé ! »

Quelqu'un prit la parole.

« Le comte Robilant ne va pas bien non plus. Il souffre

297

d'anémie et se voit si affaibli qu'il a dû confier pour quelques semaines à un remplaçant son poste de ministre des Affaires étrangères, le temps que les médecins le retapent à coups de transfusions sanguines.»

Le cardinal approuva d'un hochement de tête.

«Très bien. Au suivant.

– On dit dans les cercles bien informés que le comte Balbo veut rentrer chez lui. Le roi est tout sauf ravi de perdre son conseiller. Le comte prétend qu'il serait temps pour lui de se consacrer entièrement à la gestion de ses terres. Mais j'ai entendu de la bouche d'un serviteur qu'il aurait déclaré en sa présence que le climat de Rome lui paraissait trop insalubre.

– Excellent!» Le cardinal se frottait les mains. «Au suivant!»

Le tour de table se poursuivit. Quelqu'un mentionna des émeutes à Rome, parce que le peuple en avait assez de ces morts mystérieuses et réclamait un exorcisme! Les *commissari* de la *polizia* déclaraient forfait. Qui d'autre que l'Église pouvait à présent intervenir et chasser le Diable?

Ces nouvelles mettaient le cardinal dans le même état d'euphorie que s'il s'était enivré de vin lourd. La situation progressait. Les membres importants du gouvernement disparaissaient, tombaient malades ou quittaient Rome de leur plein gré. Il fallait poursuivre encore quelque temps le travail de sape. Et puis, le jour où le roi mourrait, le peuple serait mûr pour saluer avec joie en la personne du pape son unique maître et sauveur. Alors une armée se mettrait en marche qui extirperait à jamais du sol italien toute forme d'impiété!

Le cardinal s'apprêtait à clore la séance lorsqu'une main se leva.

«Pardonnez-moi, Éminence, pourrais-je poser encore une question?

– Je vous en prie.

298

– Ne considérez-vous pas comme... dangereux, disons, de laisser procéder aux fouilles prévues sur le mont Oppius?»

Il n'était certes pas très malin d'avouer qu'il n'avait pas la moindre idée de ce que l'homme masqué entendait par là, pourtant le cardinal était tellement pris de court qu'il se contenta de le fixer d'un air ahuri.

«Soyez plus clair! dit-il d'un ton sec.

– L'archéologue de Rossi est de retour. Il s'est présenté devant le pape, et Pie IX a dépêché son camerlingue auprès du roi. Le roi aussi bien que le parlement ont manifesté leur intérêt et promis leur soutien.

– Et quel est le but de ces fouilles, cette fois? demanda le cardinal en essayant de prendre un ton de profond ennui.

– Ils recherchent la Domus Aurea, le palais doré de Néron.»

Ce fut comme si le sol se dérobait sous les pieds du cardinal Angelo.

«Cela ne doit pas vous inquiéter, dit-il d'une voix éraillée. Je vais faire en sorte qu'aucunes fouilles, ni celles-ci ni d'autres, ne soient entreprises dans le secteur.» Il attrapa son manteau qu'il jeta sur ses épaules. «Notre réunion est à présent terminée! Que Dieu soit avec nous et protège notre sainte mission.» Les autres marmonnèrent en réponse une formule du même genre, tandis que le cardinal se ruait le premier dans l'escalier. Dès le matin il irait voir le pape pour lui faire comprendre qu'à l'avenir il ferait mieux de discuter d'abord de ce genre de projet avec son cardinal!

«Pas de cours aujourd'hui, annonça le comte Claudio le soir qui suivit l'examen. Avant que nos invités ne s'en aillent, nous allons nous rendre tous ensemble à l'opéra. C'est un grand événement social, auquel assistent beaucoup d'humains. Vous risquez d'être troublés, peut-être même angoissés, ou alors votre imagination va se déchaîner. Afin que la tentation ne soit pas trop forte, vous ne devez être seul à aucun moment. Allez-y à deux ou à trois et profitez de la soirée. De toute façon, je vous attribuerai à chacun une de nos ombres, qui aura pour tâche de vous tenir à l'œil. À présent retournez dans vos chambres, qu'on vous habille un peu pour l'occasion.» Son regard s'attarda avec une nuance de désapprobation sur Alisa, comme d'habitude en pantalon, chemise et veste. Et pourtant, même dans cette tenue, elle était infiniment plus pimpante que Joanne ou son cousin Fernand, encore plus crasseux qu'elle.

«Pas de chats, et pas de rats non plus!» ajouta encore le comte avant de s'en aller. Les visages de Fernand et Maurizio s'allongèrent.

Raphaela, quant à elle, fredonnait en ramassant les gobelets vides. Elle était radieuse.

«Tu viens avec nous?» demanda Alisa.

La jeune servante acquiesça.

«Le vénérable Marcello a souhaité que je l'accompagne, d'abord à l'opéra, et ensuite dans un établissement où nous ne pourrions pas encore vous emmener. Le comte n'y voit pas d'objection. Il y a une éternité que je n'ai pas mis le nez dehors!

– Marcello?» Alisa se souvenait vaguement d'un vénérable qui ne cessait de pester et de vociférer contre le comte.

Raphaela fit la grimace.

«Oui, il y a certes des partenaires plus plaisants pour une nuit à Rome, mais je ne vais pas me plaindre. Je m'entends à peu près avec lui, et puis j'adore l'opéra!» Elle se hâta de poser les derniers gobelets sur son plateau pour aller se changer, car aujourd'hui, même les impurs étaient autorisés à troquer leurs uniformes gris contre une tenue de soirée – moins somptueuse évidemment que celles des vampires de pur lignage.

Hormis les Dracas, qui avaient toujours l'air sur point de partir au bal, tous les élèves durent aller se changer. Le comte fit également porter aux deux jeunes Autrichiennes de nouveaux vêtements, à la mode locale, non pas de volumineuses jupes à crinoline, mais des robes avec une tournure et une traîne à porter retroussée. Celle d'Alisa était d'un bleu lapis-lazuli s'accordant merveilleusement à ses yeux qui du coup paraissaient plus sombres. Deux jeunes servantes l'aidèrent à boucler sa chevelure blonde à reflets roux avec un fer à friser et à la relever en un chignon retenu par des peignes et des épingles incrustés de diverses pierres précieuses. Ivy portait une robe turquoise. Elle dissimula tant bien que mal ses cheveux argentés sous un petit bonnet orné de plumes d'autruche qui lui donnait un air déluré. Quant à Chiara, elle était tout simplement sublime dans sa robe rouge sang à dentelles noires ! La plupart des jeunes vampires se pavanaient, la tête haute, et ne cherchaient pas le moins du monde à cacher leur excitation. Joanne semblait être la seule que sa métamorphose ne mettait pas en joie. Elle regardait sa robe, qui était pourtant plus sobre que celles des autres, et se sentait visiblement mal à l'aise.

Dans la cour, elles retrouvèrent les garçons et les hôtes du comte. Ils avaient tous fière allure. Le comte tranchait comme d'habitude sur la foule par une cacophonie de couleurs qui obligea Alisa à fermer les yeux une seconde. Un gilet à fleurs porté sur un étroit pantalon jaune assorti à une veste imprimée de motifs d'un vert végétal, c'était vraiment trop !

On fit avancer des chaises à porteurs et plusieurs calèches vinrent chercher les invités au pied de la colline pour les emmener au Teatro dell'Opera. Pendant longtemps, il n'y avait pas eu d'opéra à Rome, mais la nouvelle capitale du royaume venait enfin de s'en faire bâtir un. Il était loin d'égaler en splendeur la Scala de Milan ou le théâtre de La Fenice à Venise, mais il remplirait tout de même son office. Oui, son architecture sobre et froide était même un choix délibéré pour mieux souligner que s'ouvrait un nouvel âge, celui du progrès.

« Et qu'est-ce qu'on joue, ce soir ? demanda Alisa, tandis qu'elle montait derrière Ivy dans une chaise à porteurs.

– *Le Barbier de Séville*, de Gioacchino Rossini, s'empressa de répondre Luciano. Lors de la première, ici à Rome, ça n'a pas été un grand succès, mais depuis les Romains y ont pris goût. Exactement comme ce fut le cas pour *Guillaume Tell*, le dernier opéra que Rossini a écrit avant sa mort. »

Ivy était inhabituellement silencieuse et paraissait déprimée. Elle jouait machinalement avec son bracelet, un simple anneau fait de ce marbre vert que l'on trouvait sous les marais du Connemara, ainsi qu'elle l'avait un jour expliqué à Alisa. « Il me relie à mon pays natal », avait-elle dit, d'une voix lointaine. C'était certainement à l'Irlande qu'elle pensait – et à Seymour.

Le comte Claudio lui avait interdit de l'emmener avec elle. D'où, sans doute, sa mélancolie. Jamais elle n'avait été séparée de lui, avait-elle objecté avec véhémence, mais le comte était resté inflexible et avait fait enfermer le loup dans une cave. À présent, toute joie semblait avoir déserté la jeune vampire, mais Alisa ne doutait pas que la magie de la nuit qui s'annonçait la ferait changer d'humeur.

La place de l'Opéra était illuminée. De partout affluaient des humains élégamment vêtus. Alisa observait les tenues luxueuses, les chapeaux, les bijoux, les éventails, et regrettait le confort de ses pantalons. Luciano s'inclina et offrit galamment le bras aux deux filles. Sous le regard vigilant des ombres, les trois jeunes vampires montèrent les marches et entrèrent dans le grand hall.

« C'est merveilleux, non ? » Chiara se précipita vers eux, tenant à deux mains la traîne de sa robe de dentelle. « J'adore !

Tous ces humains, et cette odeur partout, ça vous donne le vertige.

– Le vertige, oui », renchérit Ivy avec un sourire un peu contraint. Les innombrables lampes à gaz répandaient une clarté éblouissante et malgré la température hivernale au-dehors, il régnait à l'intérieur une chaleur étouffante. « Ça fait trop d'humains pour moi, j'ai l'impression qu'il vaudrait mieux que je me sauve. »

Luciano serra le bras des filles un peu plus fort.

« Tu vas t'habituer. Je trouve ça excitant et angoissant à la fois. Je sens mes crocs qui pointent et j'ose à peine ouvrir la bouche. J'ai toujours l'impression que les humains vont subitement s'arrêter, se tourner vers moi et me reluquer. »

Alisa eut un petit rire nerveux.

« S'ils voulaient reluquer tous les vampires présents ici ce soir, ils n'auraient plus guère d'attention à consacrer à chacun d'entre nous. »

Luciano rit avec elle.

« Ils sont bien assez nombreux », murmura Ivy.

« Voyons donc où sont nos places. Nous sommes là-bas, sur la gauche, dans une loge que nous partageons avec Chiara, Tammo et Malcolm. En attendant que ça commence, je peux encore vous parler un peu de Rossini et de la pièce, si ça vous intéresse.

– Volontiers. » Et c'est ainsi que, tout en les guidant adroitement vers leur loge à travers la foule, Luciano leur raconta la vie et la mort de Rossini.

« Le grand Giuseppe Verdi l'estimait beaucoup, c'est pourquoi, après la mort de Rossini, il invita les douze compositeurs italiens les plus importants du moment à écrire une messe des morts en son honneur. Elle devait être présentée pour la première fois au public lors du premier anniversaire de sa mort, mais, pour des raisons qu'on ignore, cette *Messa per Rossini* n'a jamais été jouée jusqu'à présent. »

Alisa jeta à Luciano un regard étonné.

« Tu en sais, des choses. J'ignorais que tu te passionnais ainsi pour la musique. »

Luciano se détourna légèrement.

« J'ai toujours trouvé l'opéra fascinant et j'ai assisté à quelques représentations avec le vénérable Giuseppe, mais en principe je n'en parle pas. Je crois que ce n'est pas le genre de passion qui suscite l'admiration parmi les vampires. »

Alisa haussa les épaules.

« Et alors ? Tu crois peut-être que dans ma famille quelqu'un comprend mon goût immodéré pour les inventions des hommes et les nouvelles que publient leurs journaux ? Mais je m'en fiche complètement. Moi je périrais d'ennui si je devais passer mes nuits comme eux, dans l'oisiveté totale !

– Tu as bien raison », dit Luciano. Il fouilla dans sa poche et en sortit des jumelles de théâtre qu'il tendit à Alisa.

Elle les prit et le remercia.

« Je crois que ma vue est assez bonne pour pouvoir suivre ce qui se déroule sur la scène sans avoir besoin de jumelles.

– Ce n'est pas la question, lui expliqua Luciano. Le but est d'observer les chanteurs et de pouvoir ensuite commenter leur jeu pendant l'entracte. Il faut qu'on puisse distinguer qui aujourd'hui joue le rôle d'Almaviva, de Rosine, qui fait le docteur Bartolo et naturellement qui est Figaro.

– J'ignorais que c'était si compliqué, une soirée à l'opéra », dit Alisa en feignant l'accablement, mais avec un clin d'œil à Luciano. Elle leva ses jumelles vers la coupole ornée de peintures qui surplombait la salle. C'était peut-être la seule chose véritablement admirable dans ce nouvel opéra. Enfin les lumières s'éteignirent et les conversations cessèrent peu à peu au parterre et dans les loges. Le rideau de scène étincelait dans la lumière des lampes à gaz. Bientôt soulevé par des cordes invisibles, il disparut dans les cintres, révélant la scène et son décor.

Latona reposa ses jumelles.

« Mon oncle, là-bas en face, dans la loge, il y a des vampires ! » Elle tendit ses jumelles à Carmelo, qui scruta un long moment les rangées de spectateurs.

« Oui, tu as raison, ma chérie, et pas seulement dans cette loge. Tu as vu ces personnages étranges, là-bas, en face ? Je n'arrive pas à y croire... »

Latona caressa sa longue robe d'un jaune tendre avec des petits nœuds couleur de rouille avant de reprendre les jumelles des mains de son oncle. C'était comme si elle voulait gagner du temps. Pourquoi ? Les battements de son cœur s'accéléraient, pourtant elle essaya de ne pas s'avouer à elle-même que ce qu'elle cherchait à repérer dans la foule, c'était le regard de ces yeux bleus, c'était ce visage blême dont les lèvres l'avaient embrassée. C'est seulement une fois rentrée à la maison, ce soir-là, alors qu'elle examinait soigneusement son cou devant la glace, que la question s'était imposée à elle : pourquoi l'avait-il embrassée, et pas mordue ? Les vampires se nourrissaient du sang de leurs victimes. C'étaient des créatures mauvaises, sans égards ni pitié – sentiments qui étaient l'apanage des hommes. À moins que... ? L'oncle Carmelo ne lui avait-il pas tout dit ? Ou bien ignorait-il lui-même certaines choses ? La voix de Carmelo lui parvint, comme de très loin.

« Un pareil rassemblement dans ce lieu est très inhabituel. Je ne vois pas d'explication, du moins pas d'explication rassurante », précisa-t-il à voix basse. Latona ne répondit pas. Elle scrutait la salle avec ses jumelles.

Et soudain elle le vit. Son cœur fit un tel bond qu'elle en eut le souffle coupé. Il était assis, très droit, derrière la balustrade, en compagnie de trois autres vampires très semblables à lui mais qui devaient avoir quelques années de moins. Il avait troqué sa veste grossière contre un élégant frac. Elle devinait d'autres présences à l'arrière-plan, mais qui ne l'intéressaient pas. Elle n'avait d'yeux que pour Malcolm et tâchait de contrôler à peu près sa respiration.

Malcolm détourna brusquement le regard du spectacle – c'était pourtant la première scène cruciale du *Barbier* – et le braqua tout droit sur sa loge. Latona recula vivement et s'appuya au dossier de sa chaise. Les jumelles lui échappèrent des mains et tombèrent sur ses genoux. Il l'avait repérée ! Oui, il la regardait droit dans les yeux. Même dans la pénombre, même à cette distance, elle avait l'impression de distinguer le bleu profond de son regard.

Carmelo se pencha vers elle et dégagea les jumelles d'un embrouillamini de rubans et de ruchés.

« Eh bien, ma chérie ? Que donne ton petit recensement ? demanda-t-il d'une voix légèrement moqueuse.

– Comment ? » Elle dut se faire violence pour tourner la tête vers son oncle.

« Combien de vampires as-tu dénombrés ? Le chiffre semble t'avoir effrayée. Tu es devenue toute pâle. » Il tapota ses doigts qui étaient aussi glacés que les mains, les joues et les lèvres de Malcolm.

« J'en ai froid dans le dos.

– Oui, ils sont sacrément nombreux. »

Latona s'enjoignit de ne plus penser aux yeux bleus et se força à sourire.

« Tu jures, mon oncle ? Espérons que tu le mentionneras quand tu iras te confesser !

– Bien sûr ! Je ne voudrais pas charger ma pauvre âme d'un péché supplémentaire. » Il parlait toujours sur un ton léger mais Latona sentait bien que lui aussi était tendu. « Peut-être se sont-ils rassemblés à Rome pour lancer ensemble une offensive contre les hommes.

– Tu crois vraiment ? » Elle avait la voix qui tremblait. « Ils ne paraissent pas très agressifs. Tu trouves qu'ils ont l'air dangereux ? »

Carmelo secoua la tête.

« Non, mais le fait est qu'ils le sont. C'est pourquoi je continuerai à me rendre à cette mascarade pour apporter mon aide au cardinal, même s'il m'apparaît en ce moment comme le plus dangereux de tous les prédateurs.

– Si tu penses que c'est ce qu'il faut faire, oncle Carmelo... », réussit à articuler Latona en s'étranglant presque, et de nouveau son regard se tourna vers la loge où Malcolm était assis, complètement absorbé à présent, semblait-il, par ce qui se passait sur la scène.

Carmelo serra le bras de sa nièce.

« Je voudrais que tu ne bouges pas d'ici pendant l'entracte. Et quand nous partirons, reste bien à côté de moi. Il serait trop risqué d'entreprendre quoi que ce soit d'autre. »

Elle acquiesça, soulagée, et en même temps triste et déçue.

Pendant l'entracte, le public envahit le foyer et le grand escalier. On servit le champagne accompagné de petits fours exquis sur des assiettes de porcelaine fine – du moins aux spectateurs des loges les plus chères. Les gens ordinaires restèrent entre eux, au rez-de-chaussée.

Anna Christina se tenait en haut de l'escalier et regardait autour d'elle ; elle avait l'air de s'ennuyer ferme.

« C'est lamentablement provincial, ici. Ce marbre gris et blanc, si froid et banal. » Marie Luise renchérit comme d'habitude, même si elle ne savait probablement pas trop ce que sa cousine plus âgée entendait par là.

« Vienne, c'est tout de même d'une autre classe. Je me

demande pourquoi nous devons nous infliger ce spectacle de faubourg.

– Je ne peux tout simplement pas supporter ces voix, grommela Karl Philipp. Pourquoi les femmes se croient-elles obligées de piailler avec ces voix suraiguës ?

– C'est ce qu'on appelle une soprano, mon très cher cousin, dit Franz Leopold agacé. Et elle est excellente. »

Il posa, sans avoir bu, la coupe de champagne qu'un valet humain lui avait donnée et descendit l'escalier à toute allure. Il était hors de lui. Et mieux valait se sentir furieux que désemparé, car même s'il tentait de se cacher la vérité, il savait très bien que les rassemblements d'êtres humains le mettaient fort mal à l'aise. C'était comme un léger vertige qui s'accentuait d'une fois sur l'autre. Il n'en était certes pas à son premier événement mondain, et au début ses impressions avaient été tout à fait différentes. Plutôt une sorte d'excitation, de picotement délicieux qui vous mettait le sang en ébullition. Une sensation de plaisir anticipé, de plus en plus vive chaque fois, jusqu'au moment où – oui, on en venait à enfreindre les règles auxquelles les jeunes vampires sont censés obéir.

Nerveux et agité, Franz Leopold parcourait les couloirs. Des visages flous flottaient devant ses yeux, les conversations n'étaient qu'un brouhaha indistinct. Des robes se détachaient par moments comme des taches de couleur qui aussitôt pâlissaient et se fondaient dans la masse. Toutes, sauf une. Franz Leopold prit soudain conscience qu'il suivait depuis un long moment une certaine robe rose avec une jeune fille blonde dedans. Elle se frayait un chemin vers une porte dont l'accès était réservé aux femmes qui voulaient se refaire une beauté où visiter ce petit endroit dont seuls les humains avaient l'usage. La porte se referma doucement derrière elle. Franz Leopold resta planté là quelques instants. La troisième sonnerie avait déjà retenti. Le spectacle allait reprendre. Il fallait qu'il retourne dans sa loge. La porte se rouvrit, livrant passage à trois jeunes dames. La jeune fille en rose n'en faisait pas partie. Franz Leopold s'inclina et les laissa passer. Elles s'éloignèrent en gloussant. À présent, elle était seule à l'intérieur. Il le savait, même s'il aurait été incapable de dire pourquoi.

Les autres allaient se rendre compte de son absence et se mettre à sa recherche, et s'ils le trouvaient là, il en serait contrarié. Extrêmement contrarié ! Franz Leopold se lécha les lèvres. Il tourna la poignée de la porte et pénétra dans la pièce éclairée par la lumière des chandelles. La jeune fille était assise dans un fauteuil devant le miroir, un poudrier à la main. Ses yeux étaient cernés de rouge. Avait-elle pleuré ? Quand elle entendit la porte, elle se retourna et regarda Franz Leopold.

« Excusez-moi, *signore*, mais cet endroit est réservé aux dames. Vous n'avez pas vu l'écriteau sur la porte ? »

Franz Leopold s'inclina très bas.

« Mais si, *signorina*, je l'ai parfaitement vu. »

« Il n'est pas revenu, dit Ivy, soucieuse.

– Quoi ? Qui donc ? demanda Luciano qui, la troisième sonnerie ayant retenti, ramenait les deux jeunes filles à leur loge.

– Franz Leopold. Je l'ai vu tout à l'heure descendre les escaliers.

– Ce n'est pas notre problème, dit Luciano en remettant leurs sièges bien dans l'axe. C'est à Matthias de veiller à ce qu'il ne fasse pas de bêtises. »

Ivy se tut mais elle ne cessait de se pencher en avant pour mieux voir l'intérieur de la loge que les jeunes Dracas partageaient avec leurs accompagnateurs. Les lumières s'éteignirent et le rideau se leva à nouveau. Bien que les chanteurs soient déjà en scène, Ivy ne quittait pas des yeux la loge des Dracas.

« Il a des ennuis. Je vois Matthias debout, là au fond, et il a l'air inquiet, lui aussi.

– Où vas-tu ? » Alisa voulut la retenir par le bras, mais son amie s'était déjà éclipsée. On entendit des *chut !* venus des loges voisines. Indécise, Alisa se rassit tandis que la porte se refermait sans bruit. « Faut-il qu'on la suive ? » demanda-t-elle à Luciano.

Il secoua la tête.

« Non, je crois que ça ne ferait qu'ajouter à la pagaille. Nous ne pouvons qu'attendre et espérer qu'Ivy ne se mettra pas en danger. »

Ivy descendit quatre à quatre l'escalier désert. Elle croisa quelques retardataires, rien que des humains. Où était passé Franz Leopold ? S'il avait fait une sottise, elle concernait un être humain. Un humain isolé. Probablement une femme ! Et où avait-on le plus de chance à cette heure de tomber sur une femme isolée ? Ivy ramassa ses jupes et se mit à courir dans les couloirs. D'un coup sec, elle ouvrit la porte où figurait l'inscription *signora* en lettres tarabiscotées.

Son regard croisa celui du jeune vampire dont les deux bras entouraient la taille d'une jeune fille en robe rose, qui s'abandonnait en toute quiétude contre sa poitrine. Par la force de sa pensée, il avait magistralement investi sa proie. Quand il aperçut Ivy, son regard exprima à la fois la colère et le désarroi.

« Maintenant, lâche-la, dit Ivy sans élever la voix, et elle desserra les mains qui étreignaient le taffetas rose.

– Je n'ai rien fait ! Va-t'en ! Cela ne te regarde pas. »

Un rapide regard sur le cou intact de la jeune fille rassura Ivy.

« Oui, tout va bien. Rien d'irréparable. Et pour que les choses

310

n'aillent pas plus loin, tu vas me suivre à présent, car c'est toi qui n'as rien à faire ici. »

Elle lui tenait les mains avec une force dont il ne l'aurait pas crue capable et elle l'entraîna vers la sortie. Il tenta de se défendre, mais la suivit.

« Cela ne te regarde pas », répéta-t-il.

Ivy ébaucha un sourire.

« Comment puis-je souffrir qu'un homme visite un lieu réservé aux dames sans l'avertir de son erreur et réparer sa faute ? »

Franz Leopold la regarda médusé, puis éclata de rire.

« Tu es une étrange fille, Ivy-Máire !

– Je le prends comme un compliment. » Elle l'entraîna vers le couloir. Avant de refermer la porte, elle jeta un dernier coup d'œil en direction de la jeune fille, qui s'était écroulée sur le fauteuil devant le miroir. Elle ne se souviendrait de rien.

« Et maintenant retournons dans nos loges avant que quelqu'un ne remarque notre absence. » Elle ne lui avait pas lâché la main. Ils n'allèrent pas plus loin que le bout du couloir. Au pied des escaliers, ils tombèrent sur Matthias.

« Qu'est-ce que cela signifie ? » demanda-t-il d'un ton sévère.

Ivy s'apprêtait à s'expliquer mais Franz Leopold la devança. Il semblait avoir retrouvé sa présence d'esprit et son arrogance.

« Si j'ai rendez-vous avec une femme, je ne vois pas en quoi cela te concerne, dit-il en toisant Matthias. Nous avions pour consigne d'être toujours par deux, et nous n'avons pas enfreint la règle, que je sache ? »

Matthias faillit s'étrangler.

« Une Lycana ? articula-t-il.

– Je pense qu'il est temps de raccompagner Ivy à sa loge. La représentation vient juste de reprendre », dit Franz Leopold

311

avec froideur, puis, s'étant incliné devant Ivy, il lui proposa son bras. Ivy y passa le sien et, de l'autre main, ramassa sa longue robe. En silence, ils montèrent les marches et regagnèrent la loge.

« Merci », murmura Franz Leopold avant de se détourner et de s'éloigner escorté de son ombre.

La provocation

Sans s'être annoncé ni même avoir frappé, le cardinal fit irruption dans les appartements pontificaux. Les deux gardes suisses postés à l'entrée l'apostrophèrent vivement mais n'osèrent pas l'arrêter.

Pie IX était épuisé. Il avait passé la journée à recevoir des groupes de pèlerins et à prêter l'oreille à leurs misères, et aussi à leur enthousiasme, ce qu'il faisait de bonne grâce, mais à présent il était las et aspirait au repos. Et la dernière chose dont il avait envie, à cette heure, c'était bien de recevoir le cardinal et de s'entretenir avec lui. Oui, sa seule vue était une torture. Pourtant il s'extirpa de son fauteuil préféré et se rendit à la porte pour assurer aux gardes suisses que tout était en ordre. Il se força même à esquisser un sourire apaisant, bien qu'en réalité rien ne fût en ordre. Il lui suffit de voir la mine du cardinal pour le vérifier. Quelque chose avait suscité sa fureur, qu'il ne chercherait même pas à cacher. Le cardinal Angelo attendait seulement que le pape ait refermé la porte afin qu'il n'y ait pas de témoin involontaire de la nouvelle que le Saint-Père devait entendre séance tenante. Et qui n'aurait rien d'agréable.

Pendant un court instant, Pie IX envisagea de planter là le cardinal. Mais il n'était plus le petit Giovanni Maria Mastai

Ferretti, qui pouvait fuir les difficultés en allant se cacher dans le jardin. Il était le chef suprême de la chrétienté et il devait maintenant écouter ce que son cardinal avait à dire. Pie IX adressa encore un signe de la tête au garde et ferma prudemment la porte.

« Eh bien, qu'est-ce qui me vaut cette visite inopinée ?

– Asseyez-vous, Saint-Père », dit le cardinal d'une voix rude.

Oh là, que c'était pénible ! Quand Pie IX regagna son siège, ce fut avec une conscience de son grand âge qu'il n'avait plus éprouvée depuis longtemps. Non, peut-être valait-il mieux s'installer à son bureau. La chaise inconfortable l'obligerait au moins à se tenir droit et ne le ferait pas paraître aussi petit et humble que les moelleux coussins de son fauteuil. Le pape croisa les mains sur la table.

« Eh bien ? Est-il arrivé quelque chose ? » demanda-t-il aussi aimablement qu'il put.

Le cardinal refusa la chaise que Sa Sainteté lui proposait et se mit au contraire à marcher de long en large devant le bureau, les mains croisées dans le dos.

« En effet, il est arrivé quelque chose, parce que vous ne vous en êtes pas tenu à mes instructions ! Ou bien n'est-ce pas ainsi qu'il faut interpréter le soutien que vous venez d'accorder à de Rossi pour son extravagant projet de fouilles ? Et par-dessus le marché, vous l'avez envoyé trouver le roi et le gouvernement pour qu'ils lui donnent de l'argent et des hommes ! »

Pie IX sentit la colère monter en lui. Il croyait être depuis longtemps au-dessus de ce genre de sentiment, mais à cet instant, c'était bien tout ce qu'il éprouvait.

« *Instructions* ? Vos instructions, dites-vous ? Je n'ai pas connaissance que le Saint-Père doive obéir aux instructions de son cardinal ! »

Le cardinal Angelo comprit aussitôt que sa fureur l'avait

mené trop loin. Il se força à prendre place sur la chaise qui lui avait été désignée.

« Pardonnez-moi, Votre Sainteté, dans mon exaltation j'ai utilisé des mots qui dépassaient ma pensée. Naturellement, vous prenez vos décisions seul. Ma tâche consiste seulement à vous donner de bons conseils et à espérer que vous en reconnaîtrez la pertinence. »

Pas mal dit, songea Pie IX. Ce personnage en robe rouge était un séducteur, par la parole et par le geste.

« Et auquel de vos conseils bien intentionnés ai-je omis d'obéir ? » demanda le pape sur un ton un peu plus caustique qu'il n'aurait voulu. « Qu'est-ce qui cloche dans le projet de Rossi ? »

Il s'attendait à ce que le cardinal invoque la réputation fâcheuse de Néron, sa prodigalité et surtout sa cruauté, qui avait coûté la vie à tant de chrétiens. Il tenait déjà ses contre-arguments et sa réponse toute prête. Mais à sa grande surprise, le cardinal s'engagea sur une autre voie :

« Avez-vous oublié ce que les fouilles du Colisée ont provoqué ? Elles ont réveillé des ombres impies, des démons de l'enfer qui ont précipité tant de bons chrétiens vers leur perte. Voulez-vous prendre à nouveau un tel risque, simplement pour exhumer quelques vieux murs ?

– Cardinal, répondit le pape stupéfait, je n'aurais jamais cru que vous ajoutiez foi à ces superstitions populaires. »

S'appuyant des deux mains sur le plateau de la table, le cardinal se pencha vers lui au point que Pie IX dut reculer.

« Le peuple est beaucoup plus sage que nous le pensons généralement. Il y a une force impie dans ces ruines, qu'il serait peu avisé d'exciter.

– S'il y a vraiment là-bas quelque chose qui s'apparente à des démons de l'enfer, notre devoir en tant que représentants de l'Église catholique est de nous porter au-devant d'eux et de les combattre ! »

Le cardinal reprit sa déambulation à travers la pièce.

« Oui, c'est vrai, mais pas maintenant. Il est trop tôt. Croyez-moi ! Le moment n'est pas venu. » Il s'arrêta et posa sur le pape un regard pénétrant. « Faites-moi confiance ! Rappelez de Rossi avant qu'il ne lui arrive, à lui ou à ses hommes, un accident terrible dont vous ne voudriez pas devoir répondre devant Notre Seigneur. »

Pie IX se demanda quelques instants s'il ne devait pas, pour une fois, tenir tête au cardinal et s'opposer à ses exigences. Mais après tout, était-il tellement important de fouiller dès maintenant le palais de Néron ? La vision évoquée naguère par le cardinal n'avait rien perdu de son pouvoir de séduction. Une Italie unie sous la houlette de notre Sainte Mère l'Église... Le vieux palais d'un empereur romain valait-il que l'on mît cette belle perspective en péril ?

Le pape se força à sourire.

« Très bien, si tel est votre avis, nous fouillerons la Domus Aurea plus tard. »

Le corps de l'homme vêtu de rouge sembla se détendre d'un coup. Il s'inclina devant son chef spirituel.

« Vous avez pris comme toujours une sage décision, Saint-Père. Je vous demande à présent la permission de me retirer. »

« Ai-je pris une quelconque décision ? murmura le pape une fois que le cardinal eut quitté la pièce. Ou bien ne me suis-je pas plié à sa volonté, comme d'habitude ? »

« Regardez ! » Les sourcils froncés, Ivy désignait Zita qui portait aujourd'hui le nourrisson attaché sur son dos. « Où est Raphaela ? » demanda-t-elle à la servante rondelette qui pour la première fois ne rayonnait pas de cette bonté maternelle avec laquelle elle accueillait toujours les jeunes vampires.

«Pas là», répondit-elle sobrement. Elle n'était manifestement pas disposée à en dire davantage sur ce sujet et continua à distribuer les gobelets de sang chaud avec une mine renfrognée.

«Il y a de l'orage dans l'air, déclara Luciano.

– Pourvu qu'il ne lui soit rien arrivé», dit Ivy, inquiète.

Alisa secoua la tête.

«Je ne peux pas me l'imaginer. Je l'ai vue à l'opéra et ensuite elle a accompagné le vénérable Marcello quelque part ailleurs. Peut-être n'a-t-elle pas encore récupéré après toutes ces réjouissances, ajouta-t-elle avec un petit air entendu.

– Espérons-le», dit Ivy.

Lorsque, après le cours, les jeunes vampires revinrent dans le hall, ils allaient à nouveau s'enquérir de Raphaela quand les bribes d'une conversation happées au passage les détournèrent de la servante et de son absence ce soir-là.

«C'est un fait irréfutable : les Dracas sont supérieurs aux autres familles», disait Franz Leopold avant de se replonger dans sa lecture. Son ton indolent indiquait qu'il ne s'agissait même pas d'une provocation ; il croyait vraiment ce qu'il disait. Alisa sentit à nouveau la moutarde lui monter au nez. Ivy sembla s'en apercevoir car elle posa sa petite main étroite et froide sur la sienne, dans un geste d'apaisement. Son regard chercha Luciano qui, repoussant sur le côté plume et cahier, fixait le vampire viennois en plissant les yeux. Franz Leopold leva très lentement la tête et ferma son livre. La lueur qui brillait dans son regard fit qu'Alisa et Ivy retinrent en même temps leur souffle.

«Je déduis du torrent de cris d'animaux et de la bordée d'injures haineuses qui habitent ton esprit que tu n'es pas en mesure de suivre le cours de mes réflexions.»

Luciano tremblait de colère et la formulation pompeuse de Franz Leopold n'était pas de nature à le calmer. Il fit un pas en avant, ses mains s'ouvrirent et se refermèrent convulsivement.

«La prétention t'a aveuglé, oui, tu es devenu aveugle. Chacune de nos nuits de cours nous a fait voir à tous que vous les Dracas êtes tout juste capables de parler et de vous pavaner. Je n'ai pas le souvenir qu'un seul d'entre vous ait réussi à toucher une croix ou de l'eau bénite, ou à résister aux brûlures. Même Fernand et Joanne s'en sont mieux sortis que vous.»

Franz Leopold écarta la remarque d'un geste indolent.

«Qui parle de cette école minable qui ne sert à rien! Le baron a cédé dans un moment de sentimentalité à cette histoire d'école parce qu'il a eu pitié de vous. Si bien que nous devons supporter pour un temps votre décadence moyenâgeuse − ainsi que la sottise et la grossièreté des autres ici présents. Mais je me demande s'il vaut vraiment la peine de vous sauver, vous et vos clans. Les Vamalia qui frétillent de la queue comme des chiens, béats d'admiration devant les inventions des hommes, et qui, me suis-je laissé dire, gîtent dans la vase puante du port de Hambourg. Les Lycana qui sur leur île dorment encore probablement avec les loups. Quant aux Pyras, je ne gaspillerai pas ma salive à en parler. Il suffit de regarder la tignasse emmêlée de Joanne, qu'elle n'a pas dû laver depuis des mois, ou Fernand qui n'a rien d'autre en tête que la prochaine rixe, car il lui en faut manifestement une chaque nuit. Pardonne-moi, je ne me bats ni avec les rats ni avec les chiens errants galeux − ni avec toi, par conséquent. Ah, et puis aussi nos hôtes, tapis dans ces cachots humides qui leur conviennent parfaitement si j'en juge par ce bouffeur de rats qu'est Maurizio. Par tous les démons! Les seuls, à part nous, qui ont peut-être encore une raison d'exister, ce sont les Vyrad. Je ne veux pas remettre en doute les décisions du baron, mais je ne sais pas s'il se rend bien compte de la médiocrité des spécimens dont il aide ici à la conservation!»

318

Alisa était certaine que Luciano allait se ruer sur lui et lui lacérer les vêtements et le corps avec ce qu'il lui restait de griffes. Et sa conviction était partagée. Matthias, l'ombre de Franz Leopold, bandait déjà tous ses muscles, prêt à voler au secours de son maître. De son côté, Francesco s'était placé derrière Luciano et jetait au frère servant adverse un regard d'avertissement.

Mais, à la surprise d'Alisa, Luciano s'avança vers Franz Leopold avec un grand sourire.

« Vous êtes passés maîtres dans l'art de l'injure, vous les Dracas, nous ne le savons que trop. Et si vous nous apportiez pour une fois la preuve que vous êtes bons à autre chose ? Jusqu'à présent, je n'ai jamais vu le moindre acte suivre tes grands discours. Si vous ne voulez pas faire vos preuves dans le cadre des cours, très bien, ça m'est égal. Je t'entends toujours prétendre que vous pourriez être les premiers si vous jugiez que ça en vaut la peine.

– Venons-en au fait ! Tes propos grossiers m'écorchent les oreilles. » Alisa sentit que le Viennois était plus désarçonné qu'il voulait le paraître.

« Je mets ta famille en demeure de prouver sa supériorité !

– Tu me défies ? Toi ? » Franz Leopold éclata de rire et toisa le Romain rondouillard avec un air de pitié ostentatoire. « Réfléchis avant qu'il ne soit trop tard. Je vais te réduire en bouillie.

– Mon intention n'est pas de me battre avec toi, dit Luciano, imitant assez bien le ton glacial des Dracas. Ce serait trop simple. D'ailleurs tu as aussi offensé les familles d'Ivy et d'Alisa. Non, vous allez simplement tenter de prouver cette supériorité dont vous parlez tant mais qui n'existe que dans votre imagination. »

Alisa échangea un coup d'œil avec Ivy. Qu'est-ce que Luciano avait donc en tête ? Ça s'annonçait risqué... Mais il semblait avoir éveillé la curiosité de Franz Leopold.

319

« Et en quoi consistera l'affrontement ?

– On fait ça demain, après le départ des derniers hôtes, à la fin des cours, à trois heures. Le premier arrivé a gagné et prouvé la supériorité de son clan. Trois contre trois. Tu as le droit d'emmener avec toi deux de tes valeureux parents pour te soutenir. Notre objectif : un ange. L'ange qui se trouve à la cime du château Saint-Ange.

– La résidence du pape », souffla Alisa, pétrifiée. Ivy se leva et rejoignit Luciano qui tendait déjà la main à Franz Leopold pour sceller leur pari. Le visage de la jeune fille était comme toujours indéchiffrable.

« Luciano, je ne crois pas avoir à venger l'honneur de ma famille. » L'effroi se peignit sur les traits de Luciano, aussi Ivy se hâta-t-elle de poursuivre. « Cependant je ne me déroberai pas si tu es décidé à maintenir ce... – elle hésita un instant – ... pari. Mais je ne pourrai pas demander à Seymour de rester ici. Il n'obéirait pas à mon ordre.

– Tu ne peux pas l'enfermer pour éviter qu'il nous suive ? » la supplia Luciano.

Ivy secoua vigoureusement la tête.

« Non, je ne peux pas. Désolée. »

Franz Leopold eut un grand geste magnanime.

« Ne vous inquiétez pas pour le loup. Nous acceptons le défi et vous accordons cette faveur : votre animal domestique peut vous accompagner. Demain matin, quand trois heures sonneront au clocher de Santa Francesca Romana, l'épreuve commencera.

– Qui emmèneras-tu avec toi ? voulut savoir Ivy.

– Karl Philipp, naturellement. » Son cousin plus âgé vint se placer à son côté en acquiesçant d'un signe de tête. « Et puis, euh... Anna Christina ? »

Sa cousine, arrachée à ses pensées, sursauta.

« Quoi ? Que dois-je faire ?

« – Nous accompagner au château Saint-Ange, lui répondit Franz Leopold comme s'il s'agissait simplement de visiter une autre aile de la Maison dorée. Il en va de l'honneur de notre famille.

– Je m'en fiche pas mal ! s'écria-t-elle en brossant soigneusement sa splendide chevelure. Tu ne crois tout de même pas que je vais salir ma robe et prendre le risque de déchirer des dentelles toutes neuves pour une lubie aussi absurde ? »

Luciano se détourna.

« Débrouillez-vous entre vous. Peu m'importe qui tu emmènes. Le pari commence à trois heures pile. » Il prit Ivy et Alisa par le coude et les entraîna hors de la pièce, Seymour sur leurs talons. La queue du loup qui battait l'air nerveusement et ses oreilles pointées trahissaient son inquiétude. Il semblait avoir compris qu'un grand moment s'annonçait. Et cela ne lui disait rien qui vaille !

« Il faut qu'elle vienne ! » décréta Karl Philipp. Il fusilla sa cousine du regard.

« Je ne suis absolument pas obligée ! » répliqua-t-elle, penchée au-dessus de l'éventail en peau de cygne sur lequel elle était en train de peindre des lys noirs.

« Ah bon ? L'honneur de la famille ne t'importe pas plus que ça ? Tu ne crois pas que nous devons relever le défi ? »

Elle haussa les épaules.

« L'aigle doit-il prouver au rat qu'il lui est supérieur ? Tu n'aurais jamais dû accepter ce pari. Mais si votre orgueil masculin l'exige, allez-y à deux. Vous viendrez à bout de cette racaille et de son loup.

– Certes, mais la règle est d'être à trois contre trois. Il faut s'y tenir. »

Malcolm, qui passait par là, intervint.

« Je te donne raison. Quand il s'agit d'une question

d'honneur, les deux parties doivent respecter les consignes. Tu n'as pas offensé notre famille. Si tu as besoin d'un troisième, je peux me proposer. Ce qui ne signifie pas que je cautionne tes affirmations. Même si je suis tout à fait d'accord avec toi pour dire qu'il y a des clans meilleurs que d'autres, je ne compterais pas le vôtre parmi ceux auxquels revient un rôle de dirigeant.

– Alors pourquoi nous offres-tu ton soutien? voulut savoir Franz Leopold.

– Oh, juste pour que l'épreuve se déroule dans les règles. Trois contre trois, a-t-on dit. Je serai donc le joueur remplaçant, qui observera l'affrontement avec intérêt, mais sans passion.

– Dans ce cas, merci bien, nous n'avons pas besoin de toi, répliqua Franz Leopold. Notre famille vaincra les autres sans aide extérieure!»

Karl Philipp hocha la tête. Il attrapa sa cousine par le bras, si brutalement que son éventail tomba par terre.

«Toi, tu nous accompagnes. Arrête un peu tes bêtises, tu reprendras ça plus tard. Demain tu viens avec nous, qu'on prouve à ces vermisseaux à quel point ils nous sont inférieurs.»

Les canines d'Anna Christina pointèrent quelques secondes, d'une blancheur étincelante contre sa lèvre inférieure.

«Lâche-moi!

– Il faut que tu viennes.» Cette fois, c'était Franz Leopold qui la pressait. «Et puis il faut que tu ailles te changer. Avec cette robe monstrueuse, tu serais pour nous un handicap.

– D'accord, mais maintenant laissez-moi tranquille!» Elle les fusilla de son regard de pimbêche, se pencha pour ramasser son éventail et s'éclipsa.

Karl Philipp entraîna son cousin dans un petit cagibi où il dégotta trois gourdins cachés derrière un vieux sarcophage.

Avec un sourire mauvais, il tapota l'extrémité polie de l'un d'eux sur la paume de sa main.

« Je savais que le jour viendrait où ces charmants accessoires nous rendraient de fiers services. Tiens, prends-en un. On va leur tendre une embuscade et les envoyer pour un temps au pays des rêves ! Je me réjouis déjà à l'idée de cogner un bon coup sur le crâne de notre gros plein de soupe. Quant à Alisa, une petite correction ne fera pas de mal à cette Madame Je-sais-tout ! » Il fit virevolter le bâton dans les airs. « Et ensuite, ce sera le tour de Boucles d'argent !

– Si nous touchons à Ivy, Seymour nous sautera à la gorge », fit remarquer Franz Leopold.

Karl Philipp haussa les épaules.

« Tu as peur d'un loup ?

– Je n'ai peur de rien, mais songe que sa maîtresse et lui viennent d'Irlande et qu'il n'a certainement rien à voir avec les animaux ordinaires qui hantent nos forêts aux alentours de Vienne. Il ne faudrait pas commettre l'erreur de le sous-estimer.

– Dans ce cas, on commence par lui. Je me charge de la bestiole, toi tu règles son compte à Luciano et Anna Christina s'occupe d'Alisa. Dès que j'ai mis le loup hors d'état de nuire, je m'attaque à Ivy. Ils vont faire un bon petit somme ! Et quand ils se réveilleront avec le crâne comme un tambour, nous serons depuis longtemps au château Saint-Ange. »

Franz Leopold soupesa le gourdin dans sa main, puis le reposa derrière le sarcophage.

« Ça ne me va pas.

– Comment ça ? Tu n'oses pas ?

– Ce n'est pas du tout la question. Je ne trouve pas que ce soit une bonne idée. »

Karl Philipp le fixa d'un air perplexe.

« Et pourquoi donc ? C'est la solution la plus facile et la plus

323

sûre. Ils n'emmèneront aucun de leurs impurs car ce serait contraire aux règles fixées.

– Oui. Mais tendre une embuscade à l'adversaire et l'abattre d'un coup de bâton, c'est contraire aux règles aussi. »

Karl Philipp eut un petit sourire finaud.

« Ah oui ? L'un de vous deux l'a spécifié ? »

Franz Leopold secoua la tête.

« Non, mais c'est évident. »

Karl Philipp n'était toujours pas prêt à rendre les armes.

« Si on ne le fait pas, on leur laisse les atouts en main. C'est eux qui vont se mettre en embuscade à l'endroit le plus propice et nous éliminer. »

Franz Leopold réfléchit un instant.

« Non, dit-il enfin. Ils ne le feront pas.

– Et pourquoi donc ? voulut savoir son cousin. Comment peux-tu en être aussi certain ?

– Ils pensent différemment. Il y a chez eux un sens de l'honneur, une sorte de code moral auquel on se tient si on ne veut pas perdre la face. »

Karl Philipp ouvrit des yeux ronds. Franz Leopold perçut sa surprise, mais aussi la vague de dégoût qui le submergeait.

« Je crois que je vais vomir. N'est-ce pas de l'admiration que je viens de lire dans tes pensées ?

– Absurde ! fulmina Franz Leopold. Pose donc ce bâton et viens. Nous allons faire aux yeux de tous la démonstration de notre supériorité, afin qu'ils nous témoignent le respect qui nous est dû, et pour cela nous devons gagner le pari sans tricher. » Tandis qu'il s'éloignait d'un pas martial, il sentait bien que son cousin se demandait s'il n'était pas tombé sur la tête.

« Gagner sans tricher, marmonna Karl Philipp. Comme si c'était important. Nous devons être les plus forts et les plus rapides et emporter le morceau. Ainsi notre famille dominera les autres. La question des moyens à employer pour y parvenir est tout à fait secondaire ! »

Le lendemain soir, après les cours, Anna Christina se rendit tout de suite dans sa chambre, puis elle rejoignit ses deux cousins. Elle portait à présent une étroite culotte noire, des bottes et une chemise noire avec des ruchés au col et aux manches. Mais elle avait la même expression absente que la veille.

Franz Leopold la regarda des pieds à la tête et lui sourit.

« Voilà qui est mieux ! Allons-y, on va leur montrer ce que les Dracas ont dans le ventre.

– Oui, dit Anna Christina en faisant la grimace. Et on commence par cette niaise d'Ivy la bêcheuse, avec son loup teigneux ! »

Franz Leopold faillit riposter, mais il ravala sa réponse à temps. Au lieu de quoi il adressa un regard furieux à Karl Philipp, qui avait apporté les gourdins et en tendait justement un à sa cousine. Franz Leopold se détourna et se hâta de gagner la porte dérobée. En silence, ils se dirigèrent vers le Colisée. Ils l'avaient déjà en grande partie contourné et devant eux s'ouvrait le chemin qui, passant sous l'arc de triomphe, conduisait au Forum, quand Franz Leopold prit conscience du parfum enivrant qui lui montait aux narines. Il s'arrêta si brusquement qu'Anna Christina, derrière lui, le heurta. Elle allait protester mais il lui plaqua sa main sur la bouche.

« Tais-toi ! lui murmura-t-il à l'oreille. Tu ne sens pas ? »

Elle repoussa son bras et pointa le nez en avant.

« Un humain, souffla-t-elle.

– Oui, une femme », constata Franz Leopold.

Karl Philipp l'avait repérée, lui aussi. Ses dents étincelèrent à la lueur des étoiles.

« Elle est tout près », murmura-t-il d'une voix rauque. Son

excitation croissante l'enveloppait comme un nuage. «Approchons-nous!»

Il n'attendit pas l'assentiment des deux autres. Souple et léger comme une ombre, il se faufila entre les ruines. Ses compagnons n'avaient plus qu'à le suivre. À présent, Franz Leopold sentait lui aussi son sang qui bouillait. Et il reconnaissait le parfum suave avec une légère note herbeuse plus acide. La nonne! Ivy avait raison. Elle revenait sans arrêt au même endroit du Colisée. La dernière fois, était-ce également aux environs de trois heures? Franz Leopold ne savait plus. Mais ce qu'il savait, c'est qu'il ne s'agissait pas d'un comportement normal de la part d'une jeune humaine! Et à plus forte raison d'une religieuse, car c'en était une, selon Ivy.

Karl Philipp s'arrêta à quelque distance de la femme. Elle n'avait naturellement pas perçu le danger. Les humains étaient étrangement bornés – et plutôt écervelés, apparemment! Franz Leopold ferma un instant les paupières et se concentra sur l'odeur. Oui, pas de doute. C'était la même femme. Un miracle qu'aucun des habitants de la Domus Aurea ne l'ait encore attaquée. Mais peut-être les Nosferas préféraient-ils éviter de saigner des humains aussi près de leur domicile. En tout cas, c'était une explication.

«Elle est pour moi, souffla Karl Philipp en se léchant déjà les babines.

– Non! répliqua Franz Leopold. Il faut qu'on y aille. Le temps passe. La cloche ne va pas tarder à sonner.

– Qu'est-ce que j'en ai à faire de ce pari à la gomme? Voilà une femme, et elle est toute seule!»

Cette fois, Anna Christina aussi paraissait furieuse. Elle le retint par la manche de sa veste:

«Pari ou pas, tu sais très bien que cela nous est interdit, et pour de bonnes raisons. C'est dangereux!»

326

Karl Philipp la toisa d'un air glacial. Elle avait deux ans de plus que lui, mais faisait une demi-tête de moins en taille.

« Je suis capable de déterminer tout seul où j'en suis. Si tu ne l'as pas encore fait, ça te regarde, mais moi, je vais m'accorder ce qui me revient. Tu n'entends pas son cœur qui bat ? Tu ne sens pas sa chaleur ? Le sang qui pulse dans ses veines ? J'ai dans les gencives un fourmillement qui m'anéantit presque. Je ne peux pas, je ne veux pas résister plus longtemps à cet appel ! » Anna Christina, en transe, hochait la tête. Ses canines pointaient sur ses lèvres maquillées.

Franz Leopold déglutit à grand-peine. Il avait la bouche sèche. C'était lui qui éprouvait le plus violemment ce désir de sang humain, parce qu'il avait déjà succombé à la tentation – et aperçu ce gouffre de folie qui s'ouvrait au-delà du bref moment d'ivresse, quand on était encore un vampire jeune et faible. Il avait compris trop tard que les membres plus âgés du clan avaient établi ce règlement non pas pour brimer les jeunes vampires, mais pour les protéger. Il n'allait pas laisser ces deux-là répéter son erreur !

Franz Leopold les saisit par le bras.

« Venez, leur dit-il d'une voix pressante. La jouissance ne pèse pas lourd face aux préjudices que cela nous causerait ! Laissez cette nonne tranquille et suivez-moi. »

Anna Christina hésita. Elle était très réceptive à sa voix hypnotique, mais Karl Philipp, lui, se dégagea. Il était déjà en proie à un délire qui le rendait imperméable à toute suggestion. Avant que Franz Leopold ait eu le temps de s'interposer, il était auprès de la nonne et la saluait dans un italien hésitant. Les deux autres échangèrent des regards consternés. Que pouvaient-ils faire ? Ils l'entendaient qui parlait avec cette voix de gorge aux inflexions roucoulantes, capable de tuer dans l'œuf toute frayeur chez la victime. C'était tellement simple ! Et si par hasard celle-ci survivait, elle n'aurait plus le

327

lendemain matin le moindre souvenir de son agresseur. Franz Leopold se pencha pour mieux voir. Karl Philipp n'avait manifestement pas l'intention de s'attarder en longs discours. Il inclina la tête de la femme en arrière, écarta son voile et arracha son col blanc pour dégager la veine palpitante de son cou.

Anna Christina saisit la main de Franz Leopold.

« Il faut l'arrêter !

– Oui, il va nous précipiter avec lui dans le malheur !

– Voilà quelqu'un ! Tu ne sens pas ? C'est un vénérable du clan des Nosferas ! »

On pouvait se fier aux sens aiguisés d'Anna Christina. D'ailleurs Franz Leopold avait à présent lui aussi dans les narines l'odeur rance du grand âge, mêlée à des relents douceâtres de décomposition. Aïe, si Karl Philipp se faisait surprendre dans cette situation, ça risquait de lui coûter cher.

« Aide-moi ! » ordonna-t-il à la jeune vampire à côté de lui. Il se rua, la tête la première, et en trois bonds rejoignit Karl Philipp qu'il attrapa par le cou avant que les canines n'aient eu le temps de s'enfoncer dans la peau blanche de la jeune nonne. Avec l'aide d'Anna Christina, il réussit à arracher son cousin à sa proie. Karl Philipp feulait et crachait. Ses ongles pointus griffaient les visages de ses deux compagnons, y laissant des traces sanglantes, mais ils réussirent néanmoins à le traîner jusqu'aux ruines de la fontaine couverte avant que le vieux vampire ne surgisse et, faisant virevolter sa canne au pommeau d'ivoire, se précipite droit sur la nonne qui, un peu tourneboulée, était en train de réajuster son voile.

« Je vous maudis », pesta Karl Philipp. Mais il avait assez recouvré ses esprits pour parler à voix basse et ne plus chercher à leur échapper. « Maintenant c'est le vieux qui aura le sang frais.

– On dirait presque qu'il savait d'avance qui il allait rencontrer ici », remarqua Anna Christina. Ils avaient tous les trois les yeux fixés sur le vénérable qui s'inclinait à présent devant la religieuse et lui offrait son bras. Elle le prit et se laissa conduire à travers les arcades et les ruines.

« Étrange. Très étrange », murmura Franz Leopold.

C'est à cet instant précis que trois heures sonnèrent au clocher de Santa Francesca Romana.

La traversée du Cloaca Maxima

Il n'était pas si facile de s'éclipser en douce de la Maison dorée ! Par chance, le vigilant Hindrik ne se trouvait pas dans la grande salle au moment où le défi avait été lancé, mais Alisa ne doutait pas qu'il serait très vite au courant. Les témoins n'étaient que trop nombreux, qui n'avaient désormais rien de mieux à faire que de parier sur le succès de l'une ou l'autre équipe. Ce qui avait déjà donné lieu aux premiers pugilats. Nul ne s'étonnait d'y voir impliqués Fernand et Joanne. La jeune Pyras tenait dans une main sa dent cassée et, de l'autre, essuyait avec un mouchoir le sang qui coulait sur sa joue écorchée, tandis qu'Alisa, Ivy et Luciano quittaient la salle pour gagner discrètement la petite porte dérobée qui leur était maintenant familière. Trois heures allaient bientôt sonner au clocher. Aucune trace de leurs adversaires.

« Soyons prudents, murmura Luciano. Je parie qu'ils sont postés quelque part, aux aguets, et qu'ils ont déjà trouvé le moyen de nous mettre hors jeu.

– Non, répondit fermement Ivy, ils ne feraient pas une chose pareille. C'est contraire aux règles. »

Luciano pouffa.

« Et tu crois que ça les dérange ? Tu es bien naïve ! »

Alisa, qui se taisait, lui donnait néanmoins raison. Il fallait

330

s'attendre à tout de la part de ces Dracas ! Karl Philipp était cruel et Franz Leopold ne valait guère mieux !

Mais Ivy restait convaincue du contraire.

« Non, je ne crois pas. De toute façon, Seymour les repérerait de loin et nous avertirait à temps.

– Ça me rassure », murmura Alisa en caressant le loup blanc entre les oreilles. Mais, contrairement à son habitude, il repoussa sa main.

« Qu'est-ce qui se passe ? » Tous trois regardaient avec inquiétude le loup qui avait fait deux pas rapides en avant et s'était figé, en arrêt, une patte avant levée.

« Il a flairé quelque chose, dit tout bas Ivy.

– Ça oui », confirma Luciano. Ils ne remarquaient rien d'anormal mais ce que Seymour venait de repérer constituait un danger pour eux, aucun des trois n'en doutait.

« Changeons d'itinéraire, ne passons pas devant le Colisée comme d'habitude », proposa Alisa. Les autres acquiescèrent. Ils progressaient, tapis derrière les buissons et les blocs de pierre, lorsque Ivy tout à coup s'immobilisa et se retourna.

« Regardez ! », dit-elle, le doigt pointé vers le Colisée. Seymour était venu se placer à côté d'elle et gémissait doucement. « C'est encore cette nonne ! Que revient-elle faire ici ? »

Les autres lorgnaient à travers le feuillage.

« Et qui est celui qui lui prend le bras ? demanda Alisa. Un vampire, sans aucun doute. Un membre de ta famille, Luciano. Tu le reconnais ? À voir comme il se déplace, je dirais que c'est un vénérable. »

Luciano approuva.

« Oui, c'est sûr, il pourrait s'agir de Mario, le grand-oncle du comte Claudio, un frère cadet du vénérable Giuseppe. Il a eu deux fois maille à partir avec le comte parce qu'il ne peut pas, ou ne veut pas, se contrôler et qu'il a déjà saigné jusqu'à la dernière goutte plusieurs jeunes femmes. Son ombre a jeté

331

les cadavres dans le Tibre mais, comme souvent, le fleuve n'a pas tardé à les rejeter et il y a eu une enquête policière. Les journaux en ont parlé.

– À ce qu'on dirait, il se prépare aujourd'hui à festoyer aux dépens de cette jeune nonne, dit Ivy.

– C'est curieux qu'il soit sorti seul, remarqua Alisa. Où est son ombre ? »

Pendant un court instant, Alisa caressa l'idée d'arracher la femme aux griffes du vieux vampire et de lui conseiller vivement de ne plus venir se promener à proximité des ruines après la tombée de la nuit. Mais quelle pensée idiote ! Peu importait ce qui avait conduit cette humaine ici à de multiples reprises, la visite de ce soir serait probablement la dernière.

Luciano se mordit la lèvre.

« C'est très inhabituel. Les anciens ne vont jamais se promener seuls – et d'ailleurs ils ne sont jamais à pied ! Même les membres les plus vigoureux du clan se déplacent en chaise à porteurs. Et je n'aperçois pas le moindre serviteur. Bizarre.

– Ce n'est pas si inexplicable, dit Alisa, qui réfléchissait à voix haute. Puisque le comte lui a défendu de tuer ses proies, il les attire à l'écart, afin que personne ne le surprenne en train de se livrer à des actes interdits.

– Et en plus on aurait dit qu'il attendait la jeune femme ! remarqua Ivy.

– Étrange, très étrange », murmura Alisa.

À cet instant précis, trois heures sonnèrent au clocher de Santa Francesca Romana.

« Qui voyez-vous, là en bas ? demanda Luciano en désignant les ruines de la fontaine couverte, sur lesquelles se détachaient trois silhouettes.

– Ce sont nos adversaires, dit Ivy.

– Dans ce cas, tâchons d'arriver au but avant qu'ils n'aient eu le temps de nous mettre les bâtons dans les roues », déclara Alisa. Tous trois se mirent en route. Ils n'empruntèrent pas le chemin principal qui passait par le Forum et, malgré les innombrables buissons et blocs de pierre, n'offrait pas une couverture suffisante. Luciano les fit passer par le côté nord où ils longèrent un temple écroulé qui bordait le Forum Romanum. Puis ils traversèrent les ruines d'une basilique jusqu'à la Curie, où se réunissait le Sénat dans l'Antiquité et qui, quelques siècles plus tard – comment aurait-il pu en être autrement? –, avait été transformée en église catholique.

« Il y a quelqu'un là-bas, souffla Luciano en entraînant les jeunes filles à l'abri du sobre édifice rectangulaire. Plusieurs frères servants avec une chaise à porteurs. Il ne faut pas qu'ils nous découvrent, sinon nous sommes cuits. Ils nous ramèneront sans pitié à la maison dès que nous essaierons de passer par la colline du Capitole.

– Il me semble avoir vu deux hommes au pied du Palatin. On aurait presque dit une patrouille, dit Ivy en scrutant la paroi rocheuse couverte d'une végétation luxuriante qui se dressait au-dessus du temple écroulé.

– Oui, je sais, dit Luciano avec un soupir. Il y a toujours quelques ombres qui ont pour mission de nous garder à l'œil quand nous nous échappons de la Maison dorée. Et depuis la disparition de plusieurs membres du clan, qui ont probablement été anéantis, le comte a renforcé la garde. On peut le comprendre! Je préfère ne pas m'imaginer comment vos familles réagiraient s'il arrivait quelque chose à l'un d'entre vous, ici à Rome.

– Tu veux dire qu'ils vont nous rattraper dès que nous nous éloignerons, même à deux, de la Maison dorée? »

Luciano haussa les épaules.

« Je le crois, oui. Nous devons nous montrer très prudents et utiliser tous les moyens de ne pas nous faire repérer jusqu'à ce que nous ayons dépassé la colline du Capitole. »

Alisa, tapie derrière la Curie, jeta un coup d'œil alentour.

« Personne en vue.

– Ils sont sûrement quelque part par là, dit Luciano avec conviction. J'espère qu'ils attraperont plutôt les Dracas ! Maintenant suivez-moi, et en silence ! »

Il ne leur fit pas franchir l'arc de triomphe et emprunter l'escalier qui montait au Capitole, mais contourner la Curie en se faufilant au milieu des ronces et des hautes herbes, puis grimper une côte abrupte. Enfin Luciano se hissa lourdement par-dessus un mur et s'aplatit aussitôt au sol. Ne voyant personne, il fit signe aux autres de s'engager sur la place de l'église. Ils l'avaient presque traversée lorsqu'ils aperçurent une silhouette, au sommet du Capitole, qui s'apprêtait à descendre l'escalier, venant dans leur direction.

« Vite ! Par ici ! » murmura Luciano. Ivy et Alisa se faufilèrent avec lui sous le porche de l'église San Giuseppe. Ils se tapirent tous les trois à l'entrée d'un escalier qui partait du portail de l'église et s'enfonçait dans les profondeurs de la terre, et observèrent le vampire qui disparut vers l'arc de triomphe. Luciano s'apprêtait à dire que la voie était libre lorsque trois silhouettes se coulèrent par-dessus le mur du cimetière. Des murmures leur parvinrent.

« J'en suis sûr, disait une voix. Ils sont entrés dans cette église et n'en sont pas ressortis. »

Le plus grand des trois brandissait un bâton qu'il faisait claquer sur sa paume.

« Parfait ! On va les accueillir comme ils le méritent quand ils réapparaîtront. Ils ne risquent pas de voir le château Saint-Ange cette nuit, je vous le garantis ! »

Luciano jura à voix basse, et Alisa de même.

« Qu'est-ce qu'on fait, à présent ? murmura Ivy. Faut-il que je me montre et que j'aille parler avec eux? On ne peut pas accepter ça!

– Non!» répondirent les deux autres d'une même voix. Soudain, Luciano eut un sourire mauvais.

«On va leur mitonner une petite blague à notre façon. Les Dracas en resteront comme deux ronds de flan! Venez!» Il descendit l'escalier et déboucha dans un petit espace qui devait se trouver sous la nef de l'église. Ils reconnurent l'odeur typique de pierre humide et de moisissure.

«Qu'est-ce que c'est que cet endroit? demanda Alisa.

– C'est une partie du *mamertinum*, la prison, de sinistre réputation. C'était beaucoup plus grand autrefois, mais la zone qui nous importe s'est conservée. Suivez-moi.» Il les amena, une volée de marches plus bas, dans une sorte de chapelle aux murs bruts. Alisa entendait de nouveau ce vrombissement dans sa tête, qui devenait plus fort à chaque pas. Elle eut d'abord des picotements au bout des doigts, puis dans les mains, dans les bras et enfin dans les jambes. Des picotements qui devenaient douloureux. Même le visage d'Ivy exprimait une tension inhabituelle.

«Tu ne sens rien, Luciano? murmura Alisa.

– Si!» Le jeune Romain hocha convulsivement la tête. «Je suis désolé, mais c'est le seul chemin possible pour nous. Il paraît que les apôtres Pierre et Paul ont été emprisonnés ici.»

Alisa, le souffle court, se serrait contre Luciano. Ils dépassèrent vite la chapelle et descendirent encore plus bas.

«Là-haut, c'était la salle de garde, et ici la cellule où ils se tenaient, dit-on. Le vieux Giuseppe raconte que c'était une pratique courante, du temps des généraux romains, de promener en triomphe à travers la ville les hommes importants faits prisonniers dans les territoires conquis, puis de les conduire ici et de les assassiner dans leurs cellules ou de les y laisser mourir de faim.

335

« – Et maintenant, on sort comment? demanda Ivy, sur un ton presque amusé. Les cachots ne sont pas réputés pour la facilité avec laquelle on s'en évade!»

Luciano eut un petit rire.

«Venez par ici. Le secret de ce cachot, c'est qu'on avait trouvé une solution commode pour se débarrasser des cadavres.» Il s'agenouilla et entreprit de soulever un lourd couvercle de fer, mais Alisa dut lui prêter main-forte. Des relents d'eau putride leur montèrent aux narines. «C'est la partie la plus ancienne du cachot, autrefois ce devait être une citerne.»

Alisa se pencha au-dessus du puits.

«C'est là que nous devons descendre? Je ne vois rien qui ressemble à une issue!»

Ivy regarda par-dessus son épaule.

«Et Seymour? Cela me paraît trop étroit pour qu'il puisse sauter.»

Luciano blêmit.

«Je n'y avais pas pensé. Je vais passer le premier et je le rattraperai pour qu'il ne se brise pas les pattes.» Ivy acquiesça, mais elle faisait grise mine. Malgré ses babines retroussées, Seymour, lui, semblait résigné.

Luciano se glissa dans le trou, resta quelques instants en suspens, les mains cramponnées au rebord de pierre, puis se laissa tomber lourdement au fond. Alisa et Ivy soulevèrent le loup au-dessus du puits et le lâchèrent dans les bras tendus de Luciano. Le poids de l'animal le fit tomber à la renverse. Seymour poussa un bref hurlement et se remit sur ses pattes. Luciano se releva en gémissant.

«Est-ce que Seymour va bien? demanda Ivy, soucieuse.

– Oui, très bien, et je crois que je suis entier, moi aussi. Merci de t'inquiéter de mon sort.»

Les deux filles éclatèrent de rire.

«Allons, c'est costaud, un vampire!» s'écria Alisa en sautant à son tour. D'un bond élégant, elle atterrit à côté de Luciano. Ivy les rejoignit.

«Et maintenant, ne me dis pas que tu t'es trompé et qu'il nous faut hisser Seymour à travers ce trou, car ça me paraît nettement plus compliqué.

– Ne t'inquiète pas», répliqua Luciano. Il essayait de nettoyer son pantalon mais ne parvenait qu'à étaler davantage la vase puante qui le souillait. Il renonça. À leur retour au palais, il ne manquerait pas d'ombres prêtes à se charger de la lessive.

«Allons-y, le pressa Alisa. Montre-nous ta fameuse sortie. Nous n'avons pas l'éternité devant nous si nous voulons arriver les premiers au château Saint-Ange. Je tiens Franz Leopold et sa bande pour de dégoûtants personnages, mais certainement pas pour des idiots ou des incapables ! Ils auront vite compris qu'on leur a échappé.»

Luciano acquiesça et se dirigea vers une porte en fer. Le verrou était coincé par la rouille mais, en unissant leurs forces, ils parvinrent à le tirer. La porte s'ouvrit en grinçant. Ils entendirent un bruit d'eau courante.

«Ce canal souterrain s'appelle le Cloaca Maxima.

– Ah, le voilà, le moyen de se débarrasser discrètement des cadavres !» comprit soudain Ivy.

«Ils ont disparu à l'intérieur de l'église ! répéta Anna Christina.

– Tu es sûre ? demanda Franz Leopold, sceptique.

– Crois-tu qu'il y ait beaucoup de loups blancs qui se promènent par ici cette nuit ? D'ailleurs, ils étaient trois, répondit-elle d'un ton méprisant.

– Très bien. S'ils sont entrés, ils vont bien devoir ressortir.

– Silence, murmura Karl Philipp. En voilà encore deux qui descendent l'escalier.» Ils s'aplatirent derrière un mur en saillie et attendirent que les deux vampires soient passés.

«Tu as vu, là-bas de l'autre côté, il y en a deux autres, lui souffla Anna Christina.

– Ce n'est pas un hasard. Ils ne reviennent pas simplement de la chasse, ils surveillent le territoire.

– Ce bouffon le savait, j'en suis sûre, pesta Anna Christina.

– Notre gros Luciano? Évidemment. Cela lui vaudra quelques coups de bâton supplémentaires.

– Pour ça, il faudrait d'abord qu'il ressorte de cette église, rappela Franz Leopold.

– Je me demande ce qu'ils peuvent bien fabriquer là-dedans depuis tout ce temps.» Les doigts manucurés d'Anna Christina pianotaient sur une dalle de marbre.

«Entrons voir», proposa Karl Philipp et, franchissant le portail, il pénétra dans la nef de la petite église. Il n'avait pas remarqué l'escalier, sur la droite, qui menait sous terre.

«Où sont-ils passés?» demanda Anna Christina. Il leur avait suffi de quelques coups d'œil pour constater que leurs adversaires ne se trouvaient pas dans l'église.

«Je crois qu'ils sont descendus par là», déclara Franz Leopold qui, les narines dilatées, s'était immobilisé en haut de l'escalier abrupt et humait l'air. Lentement, ils descendirent. Le pouvoir sacré de la vieille église les enveloppait, leur rendant chaque pas plus difficile que le précédent. C'était encore pire que les catacombes! Ils trouvèrent une deuxième volée de marches, mais Franz Leopold avait la tête qui bourdonnait si fort qu'il ne savait plus si cette course vers les abîmes appartenait à la réalité ou si ce n'était qu'une invention de ses sens troublés. Où avaient-ils bien pu aller se perdre? Ceci était un cachot, construit pour y enfermer des prisonniers et les y oublier.

«Je veux sortir de là, gémit Anna Christina.

– Oui, allons-nous-en, renchérit Karl Philipp. Le Diable sait où ils ont disparu. À quoi bon chercher plus longtemps ? Nous perdons notre temps. »

Franz Leopold obtempéra à contrecœur et ils remontèrent tous les trois.

« Nous devons nous débarrasser de nos gardiens ! dit-il comme ils arrivaient en haut de l'escalier et regardaient prudemment autour d'eux. Si nous n'y parvenons pas, nous allons perdre le pari.

– Nous sommes plus forts et plus rapides que nos ombres. » Karl Philipp contemplait d'un air satisfait son corps svelte.

« Absurde, dit Franz Leopold. Ce n'est pas comme ça qu'on y arrivera. Il faut que nous utilisions les capacités qui nous distinguent d'eux. » Il sourit. « Oui, ça peut marcher, si nous nous coordonnons bien.

– De quoi parles-tu ? demanda vivement Anna Christina dont la patience n'était pas la vertu première.

– De notre esprit. Nous avons le pouvoir de lire dans les pensées des autres et d'influer sur leurs sentiments. Naturellement, à grande distance, c'est assez difficile, mais si nous conjuguons nos forces, ça peut coller. Nous devons leur suggérer qu'il n'y a aucune raison de nous garder à l'œil et de nous mettre des bâtons dans les roues. Ensuite, il faudra s'éclipser très vite. Je ne pense pas que nous pourrons maintenir l'illusion pendant plus de quelques instants. Mais ça devrait suffire. »

Karl Philipp tapa sur l'épaule de son cousin.

« Pas mal, dit-il, admiratif. Tu me surprendras toujours. Allez, on s'y met ! »

Anna Christina paraissait encore un peu sceptique, mais elle tendit les mains à ses cousins. C'est ainsi qu'ils s'avancèrent ensemble sur le parvis de l'église et projetèrent des pensées et des sensations lénifiantes par-delà le champ de ruines. Puis ils quittèrent les lieux. Franz Leopold marchait en tête. Ils se hâtèrent de grimper la colline, traversèrent en courant la place avec la statue équestre et descendirent le superbe grand escalier. C'est seulement lorsqu'ils eurent atteint l'ombre protectrice du *palazzo* di Venezia qu'ils firent une pause. Dans le plus grand silence, ils tentèrent de brancher leurs esprits sur ceux des frères servants lancés à leur poursuite, mais rien ne se passa.

« Allez, on continue, les pressa Franz Leopold.

– Et pour aller où ? voulut savoir Anna Christina. Tu sais où nous sommes ? Je n'ai aucune idée de l'endroit où se trouve le château Saint-Ange.

– Tout le monde sait ça, ici. Il suffit de poser la question aux dames là-bas. » Karl Philipp pointait le doigt vers deux femmes qui, si l'on en jugeait par leur tenue légère, n'appartenaient certainement pas à la bonne société romaine.

« Hors de question, rétorqua Franz Leopold, retenant par précaution le bras de son cousin. Tu as fréquenté assez de dames pour aujourd'hui. On trouvera le château nous-mêmes. » Il tira un papier de sa poche. La feuille jaunie avait manifestement été arrachée dans un livre ancien. On y voyait Rome et le Tibre, serpent sinueux qui coupait la ville en deux. Ils reconnurent le Colisée, l'ovale du Circus Maximus et la colline du Capitole.

« Nous sommes ici. » Le doigt de Franz Leopold suivait le fin ruban bleu. « Là-bas se trouve la basilique Saint-Pierre et ici, juste au bord du Tibre, le château Saint-Ange. »

Anna Christina se pencha pour mieux voir.

« Au moins, on dirait qu'il y a un pont. »

Franz Leopold acquiesça et replia sa carte. Maintenant qu'il avait mémorisé la disposition des ruelles, trouver son chemin ne lui posait plus de problème.

Ils évitèrent les rues animées où circulaient encore de luxueuses calèches privées ou des fiacres ramenant au bercail les derniers noctambules. Beaucoup d'entre eux étaient ivres et l'on en voyait quelques-uns qui titubaient sur le pavé. Des bribes de chansons parvenaient aux oreilles des jeunes vampires. À la suite de Franz Leopold, ils se hâtaient à travers des ruelles étroites et crasseuses descendant vers le Tibre. Arrivés sur la rive, ils la longèrent un moment, les pieds dans la fange. Ce qu'ils aperçurent en premier, ce fut la coupole de Saint-Pierre se découpant sur le ciel, de l'autre côté du fleuve. C'est là qu'était le pape. Le Tibre semblait mener tout droit à la plus importante église de la chrétienté, mais en fait il obliquait brusquement vers l'est.

Franz Leopold s'arrêta un instant.

« Regardez. Le voici, notre but. » La forteresse dressait sur la rive nord du fleuve sa silhouette arrogante, presque intimidante, les murs de brique se fondant dans la paroi rocheuse. Le château Saint-Ange ressemblait plus à une énorme tour ronde qu'aux châteaux forts que les vampires viennois avaient l'habitude de voir dans leur pays. Ils aperçurent, tout en haut, l'ange de bronze avec son épée.

Luciano progressait dans le tunnel, les deux filles et le loup derrière lui. L'obscurité était telle qu'ils ne discernaient que très vaguement les formes et les mouvements. Ils suivaient à tâtons le bord du grand égout collecteur où ruisselaient les eaux souillées. Si les vampires voient parfaitement la nuit lorsqu'ils se trouvent dehors, même sous un ciel couvert de nuages, leurs yeux ne leur servaient plus à grand-chose dans les ténèbres qui régnaient dans ce souterrain. Ici, il aurait fallu pouvoir utiliser les services d'une chauve-souris dont le radar aurait détecté les moindres détails.

Le son étouffé de la voix de Luciano se mêlait au murmure de l'eau tandis qu'il les précédait en leur racontant l'histoire du Cloaca Maxima. Il avançait sans hésiter, ce ne devait pas être la première fois qu'il s'aventurait par ici.

« On dit que l'origine de ce système d'écoulement remonte aux Étrusques, ou du moins que les Romains ont appris des Étrusques l'art de construire de telles canalisations. En tout cas, avant que le Cloaca Maxima n'existe, toute la vallée qui s'étend entre le Capitole et le Palatin n'était qu'un marécage, régulièrement inondé par le Tibre. C'est seulement après son assèchement que les Romains ont pu édifier le Forum. Aujourd'hui encore, les hautes eaux inondent très souvent en hiver la partie basse de la ville, surtout le port et le quartier juif, mais grâce au système d'égouts, l'eau s'écoule mieux. »

Les murs renvoyaient un écho assourdi de sa voix. Les trois jeunes vampires avançaient toujours à la queue leu leu. Bientôt, Alisa eut l'impression qu'elle distinguait mieux Luciano. L'air était plus vif. Ils approchaient de la sortie du tunnel. Ils virent des bateaux de pêcheurs à moitié pourris enlisés dans la vase, sur la berge. À part les chiens errants et les rats omniprésents, ils ne croisèrent pas âme qui vive. Même dans celui des trois ports de la ville qui se trouvait le plus au sud, un peu en amont du fleuve, tout était tranquille. Luciano leur fit signe de continuer. Ils durent bientôt cesser de longer la rive car les soubassements de certaines maisons s'étendaient jusqu'à l'eau. Sans un bruit, les trois jeunes vampires se faufilèrent à travers les rues désertes, jusqu'au moment où ils butèrent sur un étroit portail. À gauche, un pont menait à l'île Tibérine, à droite la rue décrivait une courbe puis longeait un mur continu de façades qui paraissait aussi infranchissable que les remparts d'une forteresse du Moyen Âge.

« Et maintenant, on va où ? » demanda Alisa.

Luciano hésita.

« Je ne sais pas. C'est le ghetto juif. En tout cas, le pape a levé il y a quelques années l'obligation de maintenir les portes fermées la nuit. Nous devrions donc trouver au moins un des portails ouvert de part et d'autre. Le quartier juif est un dédale de ruelles minuscules où vivent une quantité incroyable de gens ! L'autre possibilité consiste à emprunter le pont et à traverser l'île Tibérine pour aboutir de l'autre côté dans le quartier du Trastevere. Le trajet est plus long, mais je crois que nous progresserons plus rapidement là-bas sur la rive – et nous ne courrons pas le risque de rencontrer les Dracas sur le pont Saint-Ange, dans le cas où ils auraient découvert entre-temps que nous leur avons faussé compagnie. » Il regarda les deux filles d'un air interrogateur.

Alisa se tourna vers le pont.

« Nous sommes de bons marcheurs. »

Ivy acquiesça et s'engagea aussitôt avec Seymour sur le ponte Fabricio qui les mènerait sur l'île.

Latona frappa et entra aussitôt dans la chambre de Carmelo, dont elle referma la porte derrière elle. Elle portait une robe de soirée en soie rouge qui avantageait sa silhouette presque maigre. Ses cheveux noirs étaient relevés en un échafaudage sophistiqué qui avait peu de chance de résister au programme de sa soirée. Latona se sentait tout à coup adulte. Bannissant de sa mémoire le souvenir de Malcolm et du baiser échangé, elle s'efforça de se concentrer sur sa mission. Elle était l'assistante de Carmelo, le grand chasseur de vampires !

« Alors ? Dois-je à nouveau jouer les appâts ? Quelle est la proie du jour ? Un vieux ? J'espère seulement qu'il ne s'agit pas d'un de ces vieillards édentés. »

Carmelo sourit.

« S'il n'avait pas de dents, cela nous faciliterait beaucoup la tâche, mais je crains qu'il ne faille pas se faire d'illusions. » Avec un soin agaçant, il replia son journal et le posa à côté de son fauteuil. « Et pour en revenir à ta première question, non, tu ne feras pas l'appât aujourd'hui. D'ailleurs ta tenue est complètement inadaptée. Il faut que tu ailles te changer. »

Latona hésitait entre la déception et le soulagement, mais elle n'en répliqua pas moins vertement.

«Ainsi, tu ne veux plus de moi. Tu en as trouvé une meilleure?

– Il n'y a aucune raison de te fâcher ni d'oublier les bonnes manières que je me suis donné tant de mal à t'inculquer. La dernière fois, c'était moins une et je ne voudrais pas qu'une de ces créatures nous échappe ni que l'un de nous deux se fasse pincer. Tu vas m'aider. Alors va mettre une tenue pratique et discrète, qui ne t'empêche pas de courir le cas échéant. Et pas de ces chaussures meurtrières!»

Latona acquiesça.

«Et comment on s'y prend si on n'a pas d'appât, cette fois?

– Nous en avons un.

– Pardon? s'écria-t-elle d'une voix plus aiguë qu'elle n'aurait voulu.

– Le cardinal a ordonné à Nicola de nous ramener un vampire.

– La petite nonne?» Latona secoua la tête d'un air catastrophé. «Je n'y crois pas. Il ne peut pas être un authentique homme d'Église. Envoyer cette petite religieuse naïve? Je trouve déjà impardonnable de lui faire transmettre le courrier.»

Carmelo gratta sa tempe grisonnante.

«Tu crois que ça signifie qu'il n'est pas un homme d'Église? Il lui en a donné l'ordre et pour lui elle descendrait jusqu'en enfer sans sourciller. D'ailleurs, on n'est pas très loin du compte! Pour ma part, cela me confirmerait plutôt dans l'idée que c'est un véritable cardinal.

– Tu es bien cynique.» Latona soupira.

«Cela t'étonne? La vie de chasseur de vampires rend cynique.» Il fixait d'un air sombre la pointe de ses chaussures, mais soudain un frémissement passa sur ses lèvres. «Cynique, oui, mais très riche aussi. Encore quelques livraisons et puis nous pourrons nous la couler douce pour le restant de notre existence. Délivrer Rome de ces suceurs de sang, le jeu n'en vaut-il pas la chandelle?

– L'avons-nous seulement délivrée? objecta Latona. J'ai parfois l'impression que nous n'avons débusqué qu'une toute petite proportion des vampires de Rome. Nous, ou plutôt le cardinal, pour être tout à fait exacte. »

Carmelo hocha la tête d'un air pensif.

« Oui, c'est tout de même curieux. Je me demande comment il s'y prend. Moi, je n'ai réussi qu'une seule fois à démasquer un vampire et à l'entraîner dans un piège, et il m'a fallu presque deux ans.

– Alors que lui paraît les sortir de son chapeau à volonté, et il sait toujours ce qu'ils projetaient de faire pendant la dernière nuit de leur existence. Il ne nous laisse que la basse besogne. » Elle réfléchit un instant. « Je crois que ce soir, je vais m'habiller en noir.

– Tu veux porter le deuil de notre future victime? » L'ironie brillait dans les yeux sombres de Carmelo.

Latona repoussa avec énergie l'image de Malcolm qui venait de se glisser dans son esprit.

« Non, les taches de sang ne se voient pas sur le noir », répondit-elle, et elle quitta la pièce.

Le château Saint-Ange, résidence papale

«Par où est-ce qu'on entre?» voulut savoir Anna Christina. Question pertinente. Les trois vampires faisaient le tour de la muraille, en quête d'une ouverture.

«Il faut d'abord qu'on franchisse la muraille extérieure, déclara Franz Leopold. L'ancien rempart du fort est déjà presque englouti par la vase du côté du fleuve. Ce n'est plus un obstacle.

– D'accord, et après? Tu vois ces parois toutes lisses?

– Seulement le mur principal, pas les bastions qui sont aux angles, rétorqua Franz Leopold. Regardez, là-bas, le bastion qui se trouve juste à côté du portail est moins haut que les autres et les briques dans le coin sont tellement usées par les intempéries qu'on devrait pouvoir trouver des prises pour grimper.»

Anna Christina fit la grimace, mais imita sans un mot l'exemple de ses cousins qui s'apprêtaient déjà à escalader le mur. Il leur fallait se montrer prudents. Il y avait certes suffisamment d'anfractuosités et de saillies pour y prendre appui avec les pieds ou y accrocher les doigts, mais nombre de pierres étaient descellées, le mortier étant devenu friable au fil du temps. Ils atteignirent cependant le chemin de ronde, rapidement et sans trop de difficultés. Anna Christina se pencha au-dessus du parapet et jeta un coup d'œil au fond du boyau qui faisait le tour de la forteresse.

« Il doit bien y avoir un escalier quelque part, dit-elle.

– Pour quoi faire ? demanda Franz Leopold. Ce n'est pas si haut. Nous pouvons sauter. » Déjà il enjambait la balustrade. Il s'élança et atterrit adroitement sur ses pieds et ses mains. Les autres suivirent son exemple. Karl Philipp protesta bien un peu pour la forme avant de se lancer mais il s'en tira plutôt bien. Il n'eut ensuite qu'à remettre en place son ceinturon avec sa petite épée. Franz Leopold, lui, une fois relevé, épousseta son pantalon. Il avait renoncé à cette arme encombrante.

« Venez, faisons le tour, proposa-t-il. Peut-être trouverons-nous une porte ouverte ou une fenêtre par laquelle on puisse se glisser. »

Mais ils n'eurent pas cette chance et revinrent bredouilles à leur point de départ. Franz Leopold contemplait l'imposante paroi, qui semblait se prolonger à l'infini dans le ciel nocturne.

« Comment aller plus loin ? demanda Anna Christina, postée à côté de lui. Tu n'envisages tout de même pas de nous faire grimper ce mur ?

– C'est bougrement haut, renchérit Karl Philipp.

– Oui, mais regarde l'alternance de briques et de pierres de taille. Elles sont très vieilles, poreuses, et elles présentent des saillies si irrégulières que ce sera un jeu d'enfant. »

Anna Christina hocha la tête.

« Dans cette partie ancienne, oui. Mais la partie supérieure de la tour fortifiée me paraît plus malaisée. Regarde comme ces arceaux sont saillants. Ne crois-tu pas que la distance qui les sépare des niches des fenêtres est trop grande pour qu'on la franchisse ? »

Franz Leopold avait l'air perplexe.

« C'est possible. D'ici, on a du mal à évaluer. Mais je dirais a priori qu'on doit pouvoir y arriver. Si vous voulez, j'essaie tout seul pour commencer.

– À quoi ça nous avancera? objecta sa cousine. On est arrivés jusque-là, et toujours aucune trace de nos adversaires. Offrons-nous donc le triomphe qui nous est dû!»

Elle s'étira de toute sa hauteur, chercha une prise entre les morceaux de mortier qui s'émiettaient sous ses doigts, puis plaça ses pieds. Elle avait fière allure tandis qu'elle s'élevait peu à peu, le corps en extension, le ventre plaqué contre la muraille. Franz Leopold se hâta de la suivre. Il était le plus dégourdi des trois et eut bientôt dépassé ses deux compagnons. Karl Philipp, lui, rencontrait quelques difficultés. D'abord son épée l'entravait et ne cessait de s'accrocher. Et puis ses semelles faisaient céder le mortier et dérapèrent plusieurs fois. Il jurait tant et plus.

«Il faut que tu progresses plus lentement et de manière plus régulière, lui cria Franz Leopold, qui avait déjà presque atteint le sommet du mur. Et repousse ton épée derrière toi. Suis-moi!» Il s'arrêta et leva les yeux. Oui, ça devait pouvoir se faire. Franz Leopold se hissa jusqu'au niveau des arceaux cannelés et, déportant son poids sur le côté, il réussit à enrouler ses jambes autour du support d'un des arcs de pierre. Prenant appui dessus, il étira son corps et se pencha suffisamment vers l'extérieur pour agripper l'étroite corniche de l'arceau suivant. Pour un homme, cela aurait été un exploit, car ses muscles n'auraient pas résisté, mais pour un jeune vampire l'obstacle était tout à fait surmontable. Franz Leopold plaça ses pieds sur la corniche bombée et se redressa lentement. Comme il s'y attendait, il pouvait atteindre le bord externe de la niche. Et hop! Anna Christina, qui l'observait, fut bientôt assise à côté de lui dans l'embrasure de la fenêtre. Le temps que Karl Philipp, soufflant et pestant, les rejoigne, Franz Leopold avait déjà réussi à l'ouvrir.

348

« Bienvenue au château Saint-Ange ! Je savais qu'on y arriverait. Allons, venez, réservons-nous une jolie place sur le toit pour y attendre confortablement nos concurrents ! »

Les trois jeunes vampires et le loup blanc longeaient la rive. Seymour galopait devant. Ivy et Alisa allaient à peine moins vite. Seul Luciano se laissait peu à peu distancer.

« Allez, grouille, Luciano ! » s'écria Alisa avec impatience.

Le Nosferas gémit. Sa poitrine lui faisait mal et sa tête cognait. Pourquoi s'était-il laissé embringuer dans ce pari absurde ? Ce n'était pas une vraie question car il avait déjà la réponse : parce que quelqu'un devait remettre à sa place cet insupportable crâneur de Franz Leopold et toute sa clique ! Mais était-ce si important ? *Et pourquoi faut-il que ce soit toi ?* répétait une petite voix qui lui vrillait la tête avec un rire moqueur.

Luciano voyait les magnifiques boucles argentées qui se balançaient devant lui, au rythme des pas d'Ivy. Le capuchon brun de la jeune fille était rabattu et lui pendait maintenant sur les reins. Son corps élancé se mouvait en silence, leste et gracieux. On aurait dit que ses pieds nus flottaient au-dessus du sol. Ce spectacle, à lui seul, valait bien tous les efforts du monde !

Ah bon, tu fais ça pour Ivy ! T'imagines-tu vraiment que tu puisses l'impressionner en ce moment, alors que vous êtes justement en train de perdre à cause de toi, parce que tu es trop lent et trop lourd ? La voix dans sa tête ressemblait un peu à celle de Franz Leopold.

« Luciano ! Arrive ! Cesse de lambiner comme ça », s'écria Alisa par-dessus son épaule.

Luciano serra les poings mais essaya tout de même d'accélérer l'allure. Quand avait-il couru comme ça pour la dernière fois ? Il n'arrivait même pas à s'en souvenir. Il mettait tous ses efforts à éviter de trébucher et de s'écraser sur les pavés.

L'image floue de la basilique Saint-Pierre dansait devant ses yeux. Le fleuve décrivait une courbe vers l'est, remarqua-t-il. Très bien, ils ne tarderaient pas à apercevoir le château Saint-Ange, ils y seraient bientôt, et alors il pourrait enfin s'arrêter et prendre un peu de repos en attendant les Dracas.

Le château Saint-Ange apparut enfin. Les trois jeunes vampires dépassèrent l'ospedale di Santo Spirito qui avait été édifié ici plus de six cents ans auparavant par le pape de l'époque à l'intention des nécessiteux. Aujourd'hui encore, les femmes pauvres pouvaient venir y déposer de manière anonyme leurs enfants non désirés, les confiant ainsi aux soins de la collectivité au lieu de les noyer dans le Tibre comme elles le faisaient autrefois.

Mais à cet instant, même Alisa ne consacrait pas la moindre parcelle de son attention aux humains et à leurs problèmes. Seymour s'était arrêté et gémissait doucement, le museau levé. Ivy fut la première à le rejoindre.

« Qu'est-ce qu'il a ? » voulut savoir Alisa quand elle fut arrivée à leur niveau.

Ivy scruta le lointain et désigna la muraille du château Saint-Ange.

« Tu ne vois pas ?

– Par tous les démons de l'enfer !

– Quoi ? Qu'est-ce qui se passe ? » demanda Luciano qui accourait, à bout de souffle. Il se plia en deux, les deux mains pressées sur ses côtes. Alisa lui jeta un regard où il crut lire un mélange de surprise et de pitié. Les deux le blessèrent. Ivy désignait toujours le château. Quand Luciano aperçut ce qu'elle leur montrait, il oublia d'un coup la soif de sang qui, après une pareille course, le tenaillait plus que jamais. Pas de doute. Les trois vampires viennois escaladaient le mur d'enceinte. Ils reconnaissaient Franz Leopold en train de tendre une main secourable à Anna Christina. Puis les grimpeurs sortirent de leur champ de vision.

« Ce n'est pas possible, murmura Luciano. Comment ont-ils pu parvenir jusqu'ici aussi vite ? »

Alisa s'était remise à courir.

« Venez ! Nous ne sommes pas encore battus ! » Les deux autres la suivirent.

« Allons-nous devoir escalader le mur nous aussi ? demanda Ivy qui s'efforçait de ne pas distancer Luciano. Nous ne pouvons pas abandonner Seymour.

– Non, pas escalader le mur, articula Luciano. On prend le *passeto*.

– Le *passeto* ? C'est quoi ? demanda Ivy qui, au côté de Luciano, avait l'air d'aller au pas de promenade alors que lui courait comme un dératé.

– Un tunnel secret, pour permettre au pape de passer du palais au château, dit-il entre deux halètements. Là-bas, sous l'aile ouest. »

Luciano se dirigea vers le rempart à moitié écroulé du fort. Là où le mur croisait le *passeto*, les montants des arcades ne dépassaient pas de plus de cinq pas le niveau du sol. Luciano désigna un arbre dont les branches atteignaient le petit sentier de pierre. Ils y grimpèrent. Même Seymour réussit avec un peu d'aide à se hisser sur la plus grosse. La partie supérieure du tunnel était effondrée à cet endroit-là, ce qui leur permit de sauter dans le passage qu'avaient longtemps utilisé les papes pour s'enfuir. Ils le suivirent au pas de course et atteignirent le bastion San Marco. Ils dépassèrent la petite tour de défense avec sa plateforme où l'on pouvait encore voir plusieurs canons rouillés. Dans les coins gisaient des boulets de pierre, couverts de mousse et de lichens.

Luciano leur fit signe de continuer sur le chemin de ronde.

« Là-bas, il y a un petit sentier et je sais comment on ouvre la porte.

– Vous avez vu ? s'écria Alisa. Ils sont bel et bien en train d'escalader le mur d'enceinte ! » N'y avait-il pas de l'admiration dans sa voix ? Luciano n'accorda qu'un bref regard à leurs rivaux. Il avait mieux à faire que de s'extasier sur leurs corps souples et minces qui semblaient se mouvoir sur le rythme d'une musique qu'on n'entendait pas. « Quelle élégance ! Quel beau spectacle ! » Une des deux filles venait-elle de prononcer ces mots ou bien étaient-ce encore ces voix dans sa tête qui se jouaient de lui ?

Luciano trouva la porte. Elle n'était pas fermée, seulement coincée et il dut faire levier pour l'ouvrir.

« Venez ! »

Ils s'engagèrent sur une rampe composée de marches peu élevées qui montait à travers la forteresse. À gauche s'ouvrait une galerie qui descendait en décrivant une large spirale. Mais Luciano choisit de ne pas quitter la rampe. Un pont de bois surplombait un gouffre qui constituait une sorte de chambre au cœur de la forteresse. Alisa avait l'impression d'être dans un antique mausolée plutôt que dans le château fort d'un pape. Elle en fit la remarque à Luciano.

« Oui, dit-il, le château est effectivement construit au-dessus du mausolée d'Hadrien. Nous sommes dans la chambre funéraire et la galerie en spirale va jusqu'aux fondations. Mais nous n'avons pas le temps d'aller voir. Ce qui nous intéresse, nous, c'est l'archange, tout là-haut ! »

Luciano connaissait bien les lieux. Il tourna deux fois à gauche et prit un escalier menant à une cour. Les deux filles jetaient de brefs coups d'œil au passage sur ce qui avait dû être autrefois de splendides appartements qu'aucun pape n'occupait plus et qui servaient manifestement d'entrepôts et

352

de dépôts d'armes. Les plafonds peints rappelaient ceux de la Maison dorée.

Ils empruntèrent un large escalier qui s'élevait au-dessus de la cour. Alisa leva la tête. L'ange était là, tout près, sur son socle, presque à portée de main !

En haut de l'escalier, Luciano s'élança dans la galerie qui offrait un vaste panorama sur les toits de Rome. Encore quelques marches, qui les menèrent dans une salle au plafond voûté. Enfin, un étroit escalier en colimaçon leur donna accès à la plateforme. Nos trois jeunes vampires se ruèrent sur le toit-terrasse où ils tombèrent nez à nez avec les Dracas. Le temps d'un battement de paupières, ils échangèrent des regards médusés. Le grondement de Seymour rompit le charme.

« Sus à l'ange ! » s'écrièrent en même temps Alisa et Franz Leopold, et ils agrippèrent la première moulure décorative de pierre blanche qui offrait la seule prise possible sur la paroi du socle. Prudemment, ils se hissèrent jusqu'à la moulure suivante. Les autres les suivaient. Luciano et Karl Philipp glissaient tant et plus, tandis que leurs compagnons progressaient à grand-peine. Seymour allait et venait en gémissant sur la plateforme. Franz Leopold avait une courte longueur d'avance sur Alisa, ensuite venait Ivy qui n'avançait pas plus vite, car à l'endroit où ils étaient, il lui était impossible de dépasser Alisa. De même pour Anna Christina.

Le socle sur lequel se dressait l'archange de bronze, son épée dirigée vers le sol, prête à regagner son fourreau, n'était pas très haut. Alisa se mit sur la pointe des pieds et agrippa l'arête de pierre blanche. D'une seule poussée, elle se hissa sur le plateau et approcha sa main du genou nu de l'archange.

« Gagné ! » Au moment où elle poussait un cri de joie, sa paume ne rencontra pas, comme elle s'y attendait, la surface dure et glacée du bronze, mais quelque chose d'aussi froid peut-être, mais de beaucoup plus doux : un bras. Ses yeux se posèrent sur le visage le plus beau et le plus glacial qu'elle connût.

« Pas tout à fait, dit Franz Leopold avec un sourire. Nous avons été plus rapides.

– J'ai touché l'ange la première. » Elle se rendit compte que sa main serrait le poignet de Franz Leopold. Elle le lâcha si vite qu'elle faillit tomber en arrière, mais il la rattrapa par la manche et elle retrouva son équilibre.

« Tu veux déjà t'en aller ? susurra-t-il. Dans ce cas, je te souhaite un vol agréable. »

Et, de fait, il la lâcha, mais elle se tenait solidement sur ses pieds, à présent, et le fusillait du regard.

« Admets que nous avons été les plus rapides et que nous avons gagné le concours ! »

Franz Leopold avait repris ses airs supérieurs.

« Je vois juste notre gros lard qui est en panne, là en bas, et nous jette des regards de chien battu.

– Oui, il est avec Karl Philipp... »

Ivy termina sa phrase :

« ... et ils sont prêts à se battre, on dirait ! » D'un bond, elle regagna la plateforme. Mais Seymour s'était déjà interposé entre les deux jeunes vampires qui se montraient les dents en grondant.

« On se contente de regarder mon cousin réduire le gros lard en bouillie, ou bien on s'en mêle ? demanda Franz Leopold. Qu'en penses-tu, Alisa ? » Elle ne lui répondit pas et rejoignit Ivy. Franz Leopold haussa les épaules et sauta à son tour, non moins élégamment, sur la plateforme.

« Personne n'a gagné, déclara Ivy. » Comme les autres s'apprêtaient à protester, elle les réduisit au silence d'un geste énergique. Bien qu'elle fût la plus petite en taille, une autorité émanait d'elle qui faisait oublier sa silhouette délicate.

«Alisa et Franz Leopold ont touché l'ange exactement en même temps, nous devançant tous les quatre. Donc s'il faut établir un classement, il y a deux vainqueurs ex æquo, et nous juste derrière. À mon avis, cette épreuve a montré que nos familles se valent et se ressemblent. Nous avons des qualités différentes, mais qui ont toutes leur utilité et nous pouvons combattre tous ensemble aussi bien que les uns contre les autres. Contemplons encore un moment cette vue superbe que nous avons sur la Ville éternelle au clair de lune. Puis il faudra prendre le chemin du retour car je vois qu'à l'est, les étoiles commencent déjà à pâlir.

– Quelle tirade ! J'en ai la tête qui tourne, *signora professoressa*, dit Franz Leopold, mais son ton était loin d'être aussi ironique qu'il l'aurait voulu.

– Oui, le spectacle est magnifique», confirma Alisa, accoudée au parapet. Le Tibre coulait avec nonchalance entre ses rives boueuses. Dans celui des trois ports romains situé le plus au nord, on apercevait des barques et des bateaux de pêcheurs avec leurs lanternes dont la lueur se reflétait dans l'eau. À travers le labyrinthe des ruelles, sur la rive opposée, des lueurs mouvantes désignaient ici ou là des hommes qui, une lampe à la main, se dirigeaient vers la piazza Navona. Mais à cette heure-ci, la plupart des Romains dormaient encore. Bientôt, les premiers marchands se mettraient en route pour aller vendre leurs produits sur les différentes places de la ville. Nos trois jeunes vampires se laissèrent envelopper par cette atmosphère paisible, jusqu'au moment ou Karl Philipp rompit le silence.

«Rien n'est joué ! s'écria-t-il tout à coup. Peut-être n'avons-nous gagné que de justesse la première partie de l'épreuve, mais le trajet de retour nous désignera clairement comme les vainqueurs !» Il saisit par l'épaule son cousin Franz Leopold qui regardait le vaste panorama des toits avec Ivy et Alisa.

355

«Allons-y. Ne reste pas planté là comme si tu allais hurler à la lune. Le pari n'est pas gagné!»

Les yeux d'Anna Christina étincelèrent.

«Oui, on continue!» Et déjà les trois Dracas s'élançaient dans l'escalier.

«Hé! brailla Luciano. Cette deuxième épreuve n'était pas prévue au programme!» Il souffla bruyamment, manifestement furieux. «Pas question que je traverse encore une fois tout Rome au pas de course!

– Quoi? riposta Alisa, les yeux écarquillés. Tu veux leur laisser l'occasion de nous battre sur le trajet du retour? Allons, tu n'y penses pas sérieusement! Tout ça parce que tu as la flemme de te bouger!

– Luciano est trop fatigué», dit Ivy. Et bien qu'il n'y eût aucun reproche dans sa voix, Luciano protesta. Mieux valait succomber en chemin que d'accepter pareille honte. Il se redressa d'un air résolu.

«À la bonne heure! dit Alisa, radieuse. Montre-nous le trajet le plus court.»

Déjà il dégringolait l'escalier qui menait du toit-terrasse à la galerie, puis à la cour et aux appartements des papes de la Renaissance.

«À droite ou à gauche? demanda Alisa qui piaffait, attendant que Luciano les rejoigne.

– À droite! On descend la rampe!»

Ils quittèrent la forteresse, atteignirent la muraille extérieure et trouvèrent une petite porte que Luciano savait pouvoir ouvrir.

«Maintenant, on passe sur l'autre rive, dit-il d'une voix entrecoupée. Ce sera plus rapide. Prenons le pont!»

Le pont traversé – Seymour courant en tête –, les trois vampires eurent tôt fait de disparaître dans l'entrelacs des ruelles.

356

«Lave-toi les mains», dit Carmelo. Latona regarda ses paumes rouges de sang. «La prochaine fois, tu devrais peut-être mettre aussi des gants noirs.» Il n'y avait pas la moindre émotion dans sa voix.

«Peut-être, murmura-t-elle en évitant de regarder le corps qui gisait dans un coin de la cour. Je peux m'en aller, maintenant?»

Le visage de Carmelo s'adoucit. Il posa la main sur son épaule.

«Oui, va dans ta chambre, lave-toi, change-toi, et pendant ce temps j'effacerai les traces. Ensuite nous irons ensemble manger quelque chose. Je connais un bar qui nous préparera un petit en-cas malgré l'heure tardive.»

Elle acquiesça en silence. Pour l'instant elle n'arrivait même pas à imaginer qu'elle pourrait de nouveau avaler quoi que ce soit un jour. Cette fois, ç'avait été terrible. Pire que d'habitude? Ou bien était-ce elle qui devenait de plus en plus sensible? Elle avait cru qu'elle s'endurcirait avec le temps, qu'elle finirait par ne plus rien éprouver, surtout face à des vieillards et à des créatures hideuses, mais non, cela ne s'était pas vérifié. Elle avait beau se répéter qu'il ne s'agissait pas d'hommes mais de monstres qui n'avaient rien à faire sur la terre, pas moyen de s'en convaincre.

Carmelo lui pressa un instant la main.

«C'est une ruse, tu sais. Ils sont capables d'influer sur notre esprit, de nous rendre anxieux, indifférents, incapables de réagir, ou même de nous faire tout oublier. Et leur dernier atout, quand le danger devient trop grand, c'est d'éveiller notre pitié pour s'en sortir.»

Latona regarda le cadavre.

«Dans le cas de celui-ci, ça n'a pas trop bien fonctionné.

– Non, c'est un fait.»

Latona frotta l'une contre l'autre ses mains ensanglantées.

« Tu dois encore tout ranger et nettoyer. Est-ce que tu vas lui couper la tête ? »

Carmelo acquiesça.

« Tu sais bien que c'est nécessaire. Mais d'abord, il me faut la pierre. »

Il s'agenouilla à côté du corps froid et glissa ses doigts entre la veste et la chemise. Rien. Il défit les boutons dorés et écarta la chemise de soie. Le buste apparut, livide sous la lueur de la lune. L'étoffe sombre de la veste dissimulait la blessure infligée par l'épée. Aucune trace du rubis que les autres portaient en général au bout d'un lacet de cuir ou d'une chaîne en or fin.

« Va te laver, dit Carmelo d'un ton rude. Je vais l'examiner jusqu'à ce que je trouve cette fichue pierre. Ensuite je... ferai le ménage. Attends-moi dans ta chambre. »

Il dépouilla le vampire de sa veste et de sa chemise. Latona se détourna. Ces gestes lui paraissaient plus brutaux que le coup d'épée dans le cœur que Carmelo avait infligé à sa victime. *Mais non*, corrigea-t-elle en pensée. Ce sont les hommes, les victimes, le vampire est le prédateur. Elle se hâta de regagner sa chambre dans le petit hôtel en face de l'église San Nicola del Calcario à moitié écroulée. Deux chats l'accueillirent, qui vinrent se frotter contre ses pieds en chouinant.

Étrange, la quantité de chats qu'il y a ici, songea-t-elle, et elle concentra son attention sur les petites boules de poils noires tachées de roux pour éviter de penser au corps ensanglanté que Carmelo devait être en train de décapiter d'un ultime coup d'épée. Pour libérer son âme ?

Elle caressa les chats puis monta l'escalier jusqu'à sa chambre. L'eau dans la cuvette était froide, ce qui ne l'empêcha pas de se mettre nue et de se laver longuement avec le gant rêche. Elle frottait, frottait, et sa peau, depuis longtemps débarrassée de toute trace de sang, était à présent rouge et brûlante, à vif. Enfin elle s'arrêta, attrapa la serviette et se sécha. Elle venait tout juste d'enfiler ses dessous de fin coton quand Carmelo entra en trombe, sans avoir frappé. Il ne parut même pas remarquer sa tenue.

«Je l'ai examiné des pieds à la tête. Rien! J'ai exploré toute la place à la lumière d'une torche. Chou blanc! Il n'a pas pu le perdre pendant notre lutte.» Carmelo leva les bras au ciel et les laissa retomber, dans un geste de découragement extrême. Un sentiment qui se lisait également sur son visage, qu'il contrôlait si bien d'habitude. De la colère s'y mêlait. «Il ne portait pas le pendentif en rubis!»

Latona s'était enveloppée dans une grande cape.

«Peut-être que tous les vampires n'en ont pas.»

Carmelo se rua sur elle, l'attrapa par les épaules et la secoua sans ménagement.

«Tu ne comprends pas ce que cela signifie? Nous ne recevrons pas la plus petite pièce d'argent! Des clous! Le cardinal paie seulement à réception.»

Latona repoussa avec précaution les mains qui pétrissaient douloureusement ses épaules nues.

«C'est contrariant, mais que pouvons-nous faire là-contre? Je ne vois pas.

– Rien, effectivement! s'écria-t-il. Nous nous sommes mis en danger et nous avons débarrassé Rome d'un nouveau suceur de sang, et tout ça pour rien. Nous n'avons pas fait un pas de plus vers notre liberté.

– Dans ce cas, il faut continuer encore quelque temps, dit Latona avec toute la douceur possible.

– Et si jusqu'à présent nous avions eu de la chance? Si la plupart d'entre eux ne portaient pas de rubis et que désormais nous les traquions et chassions en vain nuit après nuit?»

Latona croisa ses bras contre son corps. Elle avait froid tout à coup. Et en même temps sa peau la cuisait. Elle se sentait abandonnée et sans défense.

« Alors il ne nous reste plus qu'à prier et à espérer que Dieu nous guide sur la bonne voie.

– Dieu ? hoqueta Carmelo. Tu veux dire plutôt ce cardinal du diable ! »

Piégés !

«Et maintenant?» Alisa, à l'extrémité du pont, attendait Luciano qui accourait hors d'haleine. Elle ne cherchait même pas à dissimuler son agacement. Comment Ivy pouvait-elle rester à ce point impassible, comme si rien n'était en jeu?

«Qu'est-ce qui est en jeu? Notre honneur face à Franz Leopold?» Ivy sourit en voyant le regard furieux d'Alisa. «Il n'est vraiment pas difficile de te percer à jour. Tu bous d'impatience. Pourquoi tiens-tu tellement à lui prouver ta supériorité?»

Luciano avait enfin atteint la rive. Il s'engagea aussitôt dans une étroite ruelle, suivi par les deux filles. Seymour courait devant, puis faisait demi-tour pour les rejoindre, dans des allers-retours incessants.

«Ce n'est pas ça, répondit Alisa avec un soupir. Il ne s'agit pas seulement de Franz Leopold, mais de toute sa famille qui se tient pour issue de la cuisse de Jupiter et nous écrase de son mépris.

– Et tu estimes important de rétablir les choses selon l'image que tu t'en fais.» Ivy ne lâchait pas prise. Alisa ne prêtait plus aucune attention à ce qui l'entourait. Les ruelles se ressemblaient toutes : étroites et tortueuses, le sol souillé d'immondices. Des rats détalaient sous leurs pas. Les maisons dressaient leurs murs gris et lépreux sur le ciel nocturne qui déjà commençait à pâlir.

« Oui, j'estime que les Dracas devraient enfin comprendre qu'ils ne valent pas mieux que nous. Car tant qu'ils seront convaincus du contraire, ils feront bande à part, oui, ils iront peut-être même jusqu'à se battre avec les autres clans pour établir leur suprématie sur nous tous. Regarde comment ils se comportent avec leurs impurs ! Ils en font des esclaves, prêts à se laisser anéantir sans broncher si cela peut servir le confort de leurs maîtres ! »

Ivy hocha la tête.

« Tu as hélas raison sur le fond, même si tu as une certaine propension à exagérer. »

Alisa ne releva pas.

« C'est seulement s'ils prennent conscience qu'ils ont des points forts, mais aussi des faiblesses qu'ils ne peuvent surmonter qu'avec l'aide des autres familles, qu'ils accepteront cette idée d'une école où mettre toutes nos connaissances en commun. C'est la condition même de notre survie. Ainsi nous établirons à nous tous une unique et puissante lignée ! »

Ivy acquiesça.

« Et pour cette raison précisément, je ne suis pas sûre que ce pari soit une bonne chose. Ne s'agit-il pas encore une fois d'attiser les inimitiés ? De pousser l'autre dans la boue et de railler sa défaite ? » Elles avaient à nouveau distancé Luciano. Ivy ralentit l'allure, le temps qu'il les rattrape.

« Pour ça, oui ! haleta-t-il. Je vais me repaître de leur défaite, et faire avaler nos railleries à ce crâneur, que le goût lui en reste dans la gorge comme un sang rance ! Cette pensée suffit à me donner le courage d'endurer l'épreuve ! »

Elles échangèrent un regard entendu.

« Oui, il y a encore du chemin..., reconnut Alisa. Faut-il que je jure de renoncer à toute forme d'hostilité et de me montrer toujours aimable à l'égard de ces... Dracas?»

Ivy éclata d'un rire cristallin.

«Je n'accorderai aucun crédit à ton serment. Les mots te restent déjà en travers de la gorge!»

Ils traversèrent le Campo dei Fiori sur lequel les marchands installeraient bientôt leurs étals de poissons et d'épices, de fruits, de légumes et aussi de fleurs – d'où son nom. Autrefois, cette place était une prairie où se déroulaient régulièrement des exécutions publiques. Les plus âgés des vampires se souvenaient encore du spectacle et des flammes des bûchers. Aujourd'hui, l'odeur du sang s'était depuis longtemps dissipée.

Luciano les fit passer devant de nombreuses auberges, toutes fermées à cette heure, et quitta la place en direction de l'est. Tout à coup, Seymour s'arrêta net, les oreilles dressées, le regard braqué sur une ruelle qui partait sur leur gauche.

«Qu'y a-t-il?» demanda Ivy et elle ajouta quelques mots en gaélique. Il y avait de l'inquiétude dans sa voix.

«Il aura repéré nos adversaires, estima Luciano. Cela signifie qu'ils n'ont pas réussi à nous semer! Continuons et regagnons le Capitole.»

Ivy secoua la tête. Sa main flottait au-dessus de l'échine du loup aux poils hérissés.

«Non, ce ne sont pas nos adversaires. Il y a longtemps que je ne l'avais plus vu aussi nerveux. Il a senti la présence de quelque chose... Lui-même ne sait pas quoi.

– Quelque chose de dangereux pour nous? voulut savoir Alisa, qui se tenait tout contre Ivy.

– Peut-être.

– Il a plus de flair que nous. Si c'était lui qui nous guidait, à partir de maintenant?»

363

Ivy s'apprêtait à répondre quand Seymour poussa un glapissement et détala.

Les trois jeunes vampires s'élancèrent derrière le loup, de toute la vitesse de leurs jambes. Il fonça vers une petite place avec une église et s'arrêta devant, aussi brusquement qu'il était parti. Il restait comme figé. Seul le bout de sa queue tremblait.

« Qu'est-ce qu'il a donc ? » demanda Alisa.

Ivy haussa les épaules.

« Je ne sais pas. Il ne s'est jamais comporté de cette façon. »

Alisa considéra la petite église délabrée et les maisons misérables qui entouraient la place. Avec la meilleure volonté du monde, il lui était impossible d'imaginer ce qui pouvait troubler à ce point le loup. Tout à coup il se remit à courir, dépassa l'église, s'engouffra au milieu d'épaisses broussailles et déboucha en haut d'un escalier qui s'enfonçait sous terre. Deux chats qui dormaient sur une antique colonne tronquée bondirent et se sauvèrent en crachant.

« Oncle Carmelo ! Tu as entendu ? » Un bruit insolite avait tiré Latona de ses rêveries où flottait un beau visage pâle aux yeux bleus. Sans attendre la réponse, elle alla à la fenêtre qui donnait sur la petite place de l'église et écarta le rideau. De nouveau elle entendit le même hurlement plaintif.

« Si ce n'était pas tout à fait impossible, je dirais que c'est un loup. Un loup blanc ! murmura-t-elle dans un souffle.

– Dans cette ville, rien n'est impossible », répondit Carmelo qui l'avait rejointe. Ils restèrent tous les deux silencieux un moment, à observer l'animal blanc et les trois silhouettes qui le suivaient. Elles se déplaçaient si vite que les deux humains ne percevaient que des ombres aux contours flous, jusqu'au moment où elles s'arrêtèrent juste devant l'église, dans le halo de la lampe qui éclairait le portail.

Carmelo toussota.

«Je ne saurais dire s'il s'agit véritablement d'un loup blanc ou seulement d'un gros chien, mais si je ne m'abuse, ces trois créatures là en bas sont des vampires !

– Regarde avec quelle grâce ils se déplacent, murmura Latona. Et comme ils sont jeunes !»

Carmelo jeta sur ses épaules sa cape sombre.

«Il faut que je voie ça de plus près !» Déjà sa silhouette trapue avait passé la porte.

«Attends ! Je viens avec toi !» s'écria Latona. L'oncle descendait l'escalier quatre à quatre. Latona enfila à la hâte un peignoir et son manteau et se précipita derrière lui. Arrivée en bas, elle se heurta à son large dos.

«Chut ! Ils sont juste là en face. Il faut essayer de nous approcher sans qu'ils nous repèrent. Ce ne sera pas facile. Ils ont les sens très aiguisés, et puis il y a le loup !»

Malgré sa carrure et son léger embonpoint, Carmelo se glissa sans un bruit jusqu'à la maison voisine et se plaqua dans l'ombre de l'entrée.

Latona le suivit.

«Je crois qu'ils ne nous ont pas vus.

– Oui, c'est curieux, marmonna le chasseur de vampires.

– Qu'as-tu l'intention de faire ?

– Je me demande plutôt ce qu'*eux* ont l'intention de faire. Oh mon Dieu ! Regarde où le loup les conduit !»

Latona plaqua sa main contre sa bouche. Une envie irrépressible lui venait de pousser un cri afin de prévenir les trois jeunes vampires qui ne se doutaient de rien, mais Carmelo ne le lui aurait jamais pardonné.

«Essaie un peu !» menaça-t-il d'une voix sifflante. Il percevait manifestement ce qui se passait en elle. « Ne bouge pas d'ici, je vais essayer d'atteindre la chaîne dès qu'ils seront en bas. »

Latona acquiesça en silence.

Seymour s'était engouffré dans les ténèbres. Ses cris plaintifs parvenaient jusqu'à eux.

«Faut-il le suivre?» Alisa regarda Ivy et, à sa grande surprise, lut de l'indécision dans son regard.

«Je ne sais pas trop. Il veut que nous l'attendions ici, mais je ne l'ai jamais vu aussi perturbé. Je dois rester auprès de lui!

– C'est un loup! dit Luciano. Tu ne sais pas dans quoi tu t'embarques. N'empêche que je suis curieux de savoir où mène cet escalier. Il ne semble pas faire partie de l'église. Je pense qu'il est beaucoup plus ancien – et donc ce qui se trouve en bas l'est aussi!»

Il descendit les marches. Les filles le suivirent.

«Regardez ces blocs de marbre gravés. Seymour a repéré le site d'un temple – édifié probablement plusieurs siècles avant la Maison dorée – et sur lequel, beaucoup plus tard, l'église a été construite.

– Oui, mais nous ne sommes pas les premiers à venir ici, déclara Ivy en effleurant la paroi de marbre du bout des doigts. Je sens le passage de membres de votre clan et aussi d'êtres humains. Un homme et une femme, qui ont dû longer bien souvent ce mur.

– Bizarre, murmura Luciano. Très bizarre.»

Ils virent plusieurs embranchements, des niches sur les côtés avec des statues de divinités depuis longtemps oubliées et des vases richement ornés.

Les trois jeunes vampires empruntèrent une galerie, couverte d'une voûte en berceau, qui ne cessait de tourner et de bifurquer, mais Ivy suivait sans hésiter la trace encore fraîche de Seymour.

«Le voilà!» Elle courut vers son loup et se laissa tomber à genoux à côté de lui. «Mais qu'est-ce qui t'arrive?» Les autres constatèrent eux aussi que le pauvre animal était l'image

366

même de la détresse. Ivy passa les bras autour de son cou mais il se dégagea et la tira par son manteau en gémissant.

«Oui, nous allons quitter cet endroit très vite. Mais d'abord, je dois voir ce qui te fait si peur.» Elle se pencha vers l'objet sur lequel Seymour avait le museau posé une seconde auparavant.

Le loup s'écarta aussitôt et ses dents vinrent happer le manteau d'Alisa. La jeune fille constata avec surprise qu'il avait la fourrure et le museau enduits d'une graisse noirâtre. C'est alors qu'Ivy poussa un cri. Un cri si alarmant que Luciano et Alisa se précipitèrent et se laissèrent tomber à genoux à côté d'elle. Seymour fit demi-tour et fila dans la galerie en glapissant.

«Qu'est-ce que tu...?» Alisa fut interrompue par un bruit métallique. Ils eurent beau se lever d'un bond et foncer vers l'arche qui ouvrait sur la galerie, il était trop tard – ils butèrent dans la grille qui venait de s'abattre du plafond. Ils se jetèrent contre les barreaux, les secouèrent de toutes leurs forces, mais en vain.

«Malédiction! Nous avons déclenché le mécanisme qui fait descendre la grille, et je ne vois pas comment nous allons pouvoir sortir d'ici», gémit Luciano d'une voix lamentable.

Alisa se tourna vers Ivy.

«Qu'est-ce qu'il y a là, contre le mur?

– C'est ce qui a tant perturbé Seymour.» Dans la voix d'Ivy perçait une profonde tristesse. Elle s'agenouilla de nouveau.

Alisa fit de même. Son regard suivit les contours de ce qui lui était apparu dans un premier temps comme les restes de deux troncs d'arbres calcinés. Deux formes familières, en réalité. Et puis il y avait ce parfum... La forte odeur de brûlé avait tout d'abord recouvert cette note, si reconnaissable, de décomposition et de sang.

« Par tous les démons de l'enfer, ce sont deux des vôtres, Luciano !

– Deux Nosferas ? » Luciano vint se glisser entre les deux filles pour voir. Il distinguait de mieux en mieux les contours d'une silhouette masculine un peu trapue, et d'une autre, plus petite et plus mince. Pas de doute. Il s'agissait bien des restes de deux vampires carbonisés.

« Mais comment cela a-t-il pu se produire ? » murmura Alisa.

Luciano désigna le plafond.

« Tu ne vois pas ? Il fait de plus en plus clair. Il y a une grille là-haut, et bientôt la lumière du soleil pénétrera jusqu'ici.

– Quoi ? » Les deux filles se levèrent d'un bond. Luciano avait raison. « Comment sont-ils tombés dans ce piège ? demanda Ivy.

– On aura tout le temps de se poser la question plus tard, pour l'instant il faut chercher à sortir d'ici le plus vite possible. » Luciano secoua à nouveau les barreaux. « Nous n'arriverons pas à les tordre et le mécanisme d'ouverture ne s'actionne naturellement que de l'extérieur. »

Ivy hocha la tête.

« C'est sûr. Sinon, tes deux malheureux parents n'auraient pas grillé si lamentablement. »

Alisa ne disait rien. Elle sentait la peur monter en elle et enserrer sa poitrine comme un étau. Il devait tout de même bien y avoir un moyen de s'enfuir ! Simplement, les vieux ne l'avaient pas trouvé. Tandis qu'eux étaient jeunes, et forts, et puis ils étaient trois ! Mais attention... *Les vieux* ? Certes, la silhouette la plus imposante pouvait être celle d'un des vénérables disparus, mais l'autre, la plus petite ? Elle s'approcha encore un peu et s'efforça d'assembler ces lignes charbonneuses en un visage... Alors elle poussa un cri.

« C'est Raphaela ! »

Ivy et Luciano se penchèrent à leur tour sur le corps.

«Oui, ce sont Raphaela et le vénérable Marcello!»

La bouche de Luciano se tordit et il pressa ses deux paumes contre sa poitrine.

«Pourquoi eux? C'est impossible. Je ne veux pas y croire.»

S'il avait été un humain, il aurait fondu en larmes. Il se détourna, tandis qu'Alisa s'agenouillait au contraire devant les deux corps. Quel était cet objet que Raphaela serrait encore entre ses doigts carbonisés? Avec précaution, Alisa réussit à le dégager. Elle n'eut pas à l'examiner longtemps. Cette couleur rouge, ce tissu velouté... C'était un lambeau de masque rouge. Un masque comme celui que Malcolm lui avait montré. Et si au lieu de tenir sa parole elle en avait parlé au comte? Cela aurait-il épargné à Raphaela et au vénérable de connaître ce sort tragique? La culpabilité la dévorait comme un poison. Mais il était trop tard pour les remords! Alisa fourra le bout de tissu dans sa poche et se releva.

«Nous ne finirons pas comme eux.» Elle se plaça bien au centre de leur geôle et leva les yeux. Les parois du puits qui les surplombait étaient parfaitement lisses, les interstices entre les pierres soigneusement comblés de mortier. Pas la moindre fissure, pas de plante dont les racines auraient pu creuser une brèche, même minuscule. Elle s'approcha du mur et essaya tout de même, mais elle ne parvint pas à grimper d'un centimètre.

«Quelle est la hauteur, à votre avis? Si on monte les uns sur les autres? Croyez-vous qu'on atteindra la grille?

– Il semble que non, mais de toute façon il faut essayer. Luciano?»

Leur ami se hâta de se placer contre le mur et Alisa se hissa sur ses épaules. Quand ils furent tous les deux bien stabilisés, Ivy monta à son tour sur les épaules d'Alisa. Si vite qu'Alisa eut à peine le temps de s'en apercevoir. Malgré les gémissements de Luciano, c'était comme si Ivy ne pesait pas plus lourd qu'une plume.

«Tu peux atteindre la grille?

– Non, mais à cette hauteur le mur est moins lisse. Je vais essayer de grimper plus haut.»

Déjà ses pieds n'étaient plus sur les épaules d'Alisa, qui pencha légèrement la tête en arrière. Elle n'en crut pas ses yeux! Les mains et les pieds nus d'Ivy semblaient adhérer comme des ventouses à la moindre anfractuosité. Elle progressait, lentement mais sûrement.

«Arrête! cria tout à coup Luciano. Comment veux-tu que je te porte dans cette position?»

Trop tard. Alisa avait déjà perdu l'équilibre. Elle sauta des épaules de Luciano et atterrit par terre.

«Ouah! Quelle idée de te pencher comme ça en arrière, gémit-il en se frottant les clavicules.

– Excuse-moi. J'étais distraite. Mais n'est-elle pas incroyable?» La bouche ouverte, ils contemplèrent tous deux Ivy qui avait presque atteint la grille.

«Alisa, tu sens?

– Quoi donc?» Alisa n'avait pas fini de parler que parvint à ses narines une senteur autre que l'odeur de brûlé.

«Des humains! souffla-t-elle, pleine d'effroi. Et ils sont tout près.»

Luciano acquiesça. Ils jetèrent un coup d'œil furtif vers la galerie.

«Homme ou femme?» demanda-t-il tout bas.

Alisa ferma les yeux.

«Je ne sais pas trop. Les deux, je crois. Et j'entends leurs voix comme s'ils étaient très loin.

– Alors ils sont deux?» Ils échangèrent des regards anxieux.

À cet instant précis, les doigts d'Ivy atteignirent la grille métallique. Elle tenta de la secouer, prudemment pour ne pas perdre l'équilibre.

«Elle est solide, cria-t-elle en direction de ses compagnons. Mais ne vous inquiétez pas, j'arriverai bien à l'ouvrir.»

Au moment où elle relevait la tête, un bras surgi du néant apparut entre les barreaux de la grille. Des doigts puissants lui entourèrent le poignet. Ivy poussa un cri.

Seymour courut comme un dératé dans la galerie jusqu'aux marches de pierre qui le ramenèrent sur la place de l'église. Il fit une courte pause avant de repartir, de s'engouffrer dans les ruelles et à travers des cours silencieuses jusqu'à ce qu'il ait trouvé ce qu'il cherchait. Quand il entendit les voix familières, il pointa les oreilles.

«Arrête de me chercher noise!

– Et pourquoi donc? Tu nous as égarés. Nous nous sommes enfoncés aveuglément dans un dédale de rues au lieu de reprendre tout simplement le trajet que nous avions suivi à l'aller. Maintenant nous avons perdu un temps fou et laissé à ces crétins le loisir de nous battre.» Anna Christina était hors d'elle. «J'ai peine à croire que tu puisses être idiot à ce point. Ou bien tu l'as fait exprès?

– Quelqu'un t'a-t-il jamais dit que tes criailleries perpétuelles te rendaient insupportable?» Franz Leopold pressait ses deux mains sur ses oreilles. Là-haut, au château Saint-Ange, il avait presque espéré qu'elle pourrait devenir une alliée précieuse. À présent il se jurait qu'il n'était pas près de s'infliger à nouveau sa compagnie. «On continue par là. Si on suit cette rue tout droit, on évite la colline et on parvient directement au champ de ruines et à la Maison dorée.»

Il s'arrêta et se tourna vers les deux autres. Anna Christina faisait toujours la tête tandis que Karl Philipp, impassible, attendait tranquillement que passe l'orage. Franz Leopold s'apprêtait à repartir quand un léger mouvement sur sa droite attira son attention. Tous les trois tournèrent en même temps la tête vers l'animal blanc qui accourait ventre à terre et langue pendante.

«N'est-ce pas l'horrible loup de cette Ivy? demanda Anna Christina.

– C'est Seymour, mais que vient-il faire ici?

– Ils sont peut-être derrière nous et il est chargé de nous empêcher d'avancer», s'écria Karl Philipp. Il écarta sa cape et tira de son fourreau la fine épée qu'il portait au côté. La lame affilée scintilla à la lueur des étoiles quand il la brandit face au loup. Seymour poussa un hurlement, freina des quatre fers et évita le coup.

– Tu vois, leur plan a échoué. S'il ose s'approcher, je l'embroche! Allez, sortez vos bâtons et tapez-lui sur la tête!» Le loup gémit pitoyablement et, décrivant un grand cercle pour contourner Karl Philipp, il sauta sur Franz Leopold et happa un pan de son manteau.

«Damnée bestiole! cracha Anna Christina en sortant son poignard dont le manche était orné de magnifiques pierres précieuses.

– Arrête! s'écria Franz Leopold. Il ne nous attaque pas. Il veut juste nous faire comprendre quelque chose!

– Tu n'es pas naïf à ce point! Ou bien prétendrais-tu que tu lis aussi dans les pensées des bêtes, à présent?» railla sa cousine.

Franz Leopold s'apprêtait à lancer quelque riposte cinglante quand il perçut très nettement l'intention du loup qui, serrant toujours entre ses dents le coin du manteau, cherchait à l'entraîner vers la rue d'où ils l'avaient vu surgir. En même temps, l'animal surveillait du regard les deux autres, ses yeux allant de l'épée au poignard, et du poignard à Franz Leopold.

De nouveau cette sensation. Cela ne passait pas par des mots, mais l'appel au secours était clair. Le loup le suppliait de le suivre, c'était évident. Et Franz Leopold n'imagina pas un seul instant qu'il puisse s'agir d'une ruse visant à empêcher leur victoire.

Anna Christina bondit, poignard au poing, prête à frapper, mais Franz Leopold la repoussa si violemment qu'elle faillit perdre l'équilibre et lâcha son arme.

« Arrête ! Il est venu nous chercher. Les autres sont en danger !

– En danger ? Tu perds la tête ou quoi ? » Anna Christina se penchait pour ramasser son poignard.

« Quel danger pourraient-ils bien courir ici ? intervint Karl Philipp.

– Tu sembles avoir oublié que plusieurs membres du clan des Nosferas ont disparu, sans doute anéantis par des chasseurs de vampires. »

Karl Philipp haussa les épaules.

« Quelle importance si ces vampires décadents, ces goinfres de Nosferas sont un peu moins nombreux ? Vas-tu t'apitoyer sur le sort de Luciano ? Moi pas, en tout cas. Quant aux Vamalia et aux Lycana, ce ne serait pas non plus une grosse perte. Je ne crois pas un mot de cette histoire de danger. Ils veulent nous tromper, tout simplement, et avec toi ils ont trouvé la victime idéale. »

Anna Christina vint se placer à côté de son cousin et désigna le ciel qui, à l'est, commençait déjà à pâlir.

« Le seul danger qui nous menace, pour l'instant, c'est le soleil qui ne va pas tarder à se lever. Aussi faut-il nous hâter de regagner nos sarcophages. Alors, tu te décides à venir ?

– Non, répondit Franz Leopold, têtu. Justement parce que le temps presse, je veux aller voir ce qui leur est arrivé. Je n'ai pas peur ! Si vous n'avez pas le courage de m'accompagner, très bien, retournez vous coucher. » Il fit demi-tour. Seymour lâcha son manteau et se mit à courir devant. Le jeune vampire

373

s'élança sur ses talons. Il espéra un moment que les autres allaient le suivre mais le vent lui apporta les paroles d'adieu de Karl Philipp :

« Espèce de fou ! »

Sauvés !

«Alors? Tu as réussi?» demanda Latona d'une voix pressante quand Carmelo ressurgit à côté d'elle. Elle tripotait nerveusement sa tresse de cheveux noirs, qui s'était défaite. Elle n'était pas très sûre de la réponse qu'elle espérait entendre.

Carmelo jubilait.

«Oui, nous les avons capturés!

– Ils sont tombés dans le piège tout seuls, constata Latona avec du regret dans la voix. Tout ce que tu as eu à faire, c'est de baisser la grille! Quel coup de chance pour toi. Trois vampires, et tout cela sans recourir aux manigances du cardinal.

– Pour *nous*, ma chère, quelle chance pour nous! Tu veux les voir?» Elle hésita avant de dire oui. «Alors viens!»

Une petite lampe à huile à la main, il lui fit descendre l'escalier de pierre et passer sous un portail voûté. À la bifurcation, il choisit l'autre chemin, pas celui qu'avaient pris les jeunes vampires. Devant une porte, il s'arrêta et souffla la lampe.

«Plus un mot, à présent! Tu pourras les voir à travers la glace. Elle atténue les bruits et surtout notre odeur, mais ne va pas sous-estimer ces créatures des ténèbres!»

Carmelo ouvrit la porte et fit entrer Latona. Ils longèrent le mur à tâtons jusqu'à atteindre la pierre que Carmelo avait remplacée par une vitre. Ils restèrent un long moment postés

375

au-dessus du puits de l'ancienne citerne, si bien que leurs prisonniers ne pouvaient pas se rendre compte de leur présence. Latona pressa son nez contre la glace.

« J'en vois deux. Un garçon brun et une fille rousse. »

Carmelo la poussa sur le côté pour regarder à son tour.

« Avons-nous capturé le loup, aussi?... Non, constata-t-il, déçu.

– Quoi? Le loup court encore en liberté dans les parages? » Latona saisit le poignard qu'elle portait toujours sous son manteau quand elle sortait la nuit.

« Tranquillise-toi, il a dû prendre le large. Mais je ne vois pas la seconde vampire. Elle n'a pas pu se volatiliser! » Carmelo inspecta du regard le fond du puits : cette citerne n'offrait pas la moindre cachette. De là où il était, il ne pouvait pas voir la grille, en haut.

« Volatilisée non, mais transformée en fumée, peut-être. J'ai déjà entendu parler de ce genre de phénomène.

– Moi aussi, dit-il lentement. Mais je n'y ai jamais cru. »

C'est alors qu'un cri perçant résonna dans le puits.

Ivy grimpait sur le mur lisse avec l'aisance d'une araignée. Elle n'avait pas le droit, en principe, et elle n'aimait pas faire ça, mais que valait une promesse quand c'était une question de vie ou de mort – et pas seulement pour elle! Alisa et Luciano aussi seraient anéantis si elle ne réussissait pas à les tirer de ce cachot avant que le soleil ne pénètre par la grille. On racontait que c'était une lutte horrible et qui durait des heures. Ivy sentait dans son dos les regards ébahis de ses compagnons, mais elle ne se laissa pas troubler. Même elle, elle pouvait tomber si elle se déplaçait avec trop de précipitation.

La grille au-dessus d'elle se rapprochait. Elle voyait le ciel et les dernières étoiles pâlissantes. Ivy se mit à penser à Seymour. Où était-il passé? Qu'allait-il faire? Et pourquoi diable les avait-il entraînés dans ce piège ? Mais non, Seymour ne voulait pas qu'elle le suive, se rappela-t-elle. Il le lui avait même interdit. Aussi était-elle plus furieuse contre elle-même que contre le loup. Et pourtant, il aurait dû savoir qu'elle n'allait pas l'abandonner dans ce labyrinthe de ruines !

Elle tendit la main vers les barreaux et tenta de les secouer. Ils tenaient bon. Tandis qu'elle inspectait la grille, une partie de son esprit explorait la place autour de l'église avec ses maisons tassées les unes contre les autres. Seymour devait se trouver dans les environs. Elle sentait sa présence. Et aussi quelque chose d'autre. Tout près ! Elle n'était pas encore allée jusqu'au bout de sa pensée quand soudain un bras surgit entre les barreaux et des doigts se refermèrent autour de son poignet. Ivy poussa un cri, auquel firent écho les hurlements d'Alisa et de Luciano. Si la main ne l'avait pas tenue avec fermeté, elle serait sans nul doute tombée.

« Tu pourrais au moins m'aider un peu et te tenir au mur, murmura une voix nasillarde à son oreille.

– Franz Leopold ! » Jamais encore elle n'avait été si heureuse de l'entendre.

« Qu'est-ce que tu attends ? N'est-ce pas dans ce but que tu m'as envoyé Seymour ?

– Il n'a pas eu besoin qu'on l'envoie ! Qu'il est intelligent, ce loup ! Les autres ne sont pas venus avec toi ?

– Non, dit-il, préférant éluder. Mais dis-moi, comment avez-vous réussi à vous mettre dans un pareil pétrin ?

– Je me le demande aussi, soupira Ivy. Es-tu capable de soulever la grille ? »

Franz Leopold agrippa les barreaux avec les deux mains et tira.

« Non, pas comme ça. Attends, je vais voir ce que je peux trouver. »

Il disparut. Ivy se sentit abandonnée tout à coup. C'était

absurde ! Jusqu'à présent elle s'était toujours tirée seule de n'importe quelle situation – sauf une fois. Mais elle préférait ne pas y penser en ce moment. Par chance, Franz Leopold venait de ressurgir, muni d'une longue tige de fer.

« Je vais te sortir de là. »

S'étant débarrassé de son manteau, il inséra une extrémité de la tige sous deux des barreaux, plaça la partie centrale en équilibre sur une pierre, et fit levier en appuyant de toutes ses forces sur l'autre extrémité. La grille, descellée, se souleva dans un long crissement. Sans lui laisser le temps de retomber, il lâcha la tige de fer, attrapa un des barreaux transversaux et parvint à ouvrir en grand.

« Tu es drôlement habile, lui dit Ivy avec un sourire.

– Et rapide », ajouta Franz Leopold qui lui avait déjà saisi le bras et la hissait hors du trou.

Ivy resta un instant debout contre lui et leva vers lui ses beaux yeux.

« Et fort, avec ça ! »

Le visage fermé de Franz Leopold s'éclaira et il lui rendit son sourire.

« Oui, je le suis aussi, même s'il n'est pas nécessaire d'être un athlète pour soulever une mouche. » Il reposa la grille métallique sur le sol comme s'il s'agissait d'une simple planche, mais ne bougea pas. Elle pouvait sentir le souffle frais du garçon sur sa joue. Comme malgré lui, il leva lentement la main et l'approcha du visage d'Ivy. Les doigts de la jeune fille entourèrent les siens avant qu'il ait touché sa joue. Il avait des mains magnifiques, fines, impeccables et pourtant puissantes.

« Merci, Leo. C'était très courageux de ta part. » Ivy lâcha sa main et promena le bout de ses doigts sur toute la surface de son beau visage. Elle le sentit qui frémissait sous sa caresse.

« Leo, répéta-t-il. Voilà qui me plaît. » Pour la première fois, on ne lisait plus dans son regard la moindre arrogance. Au contraire, ses yeux brillaient d'un éclat chaleureux.

« Eh, vous, là-haut ! Qu'est-ce que vous fabriquez ? » La voix étouffée de Luciano leur parvint du fond de l'abîme. « Vous pourriez peut-être nous tirer de là aussi, non ?

– Et puis quoi encore ? » dit Franz Leopold. Un ange passa. « Et toi, pas la peine de me supplier pour tes amis. Je sais bien que si on ne les ramène pas avec nous, ça va faire du grabuge. Attends-moi ici.

– Je n'avais pas l'intention de te supplier », répliqua Ivy, mais il était déjà parti. « Combien de temps ça va encore durer ? » C'était la voix de Luciano. Et Alisa ajouta, soucieuse : « Il fait déjà sacrément jour. Combien de temps nous reste-t-il ?

– Suffisamment, si vous ne grimpez pas comme des fers à repasser », répondit Franz Leopold. Il était de retour, une épaisse corde dans les mains.

« Parfait ! dit Ivy, admirative. Où as-tu trouvé ça ?

– Dans l'église. C'est la corde pour sonner la cloche », répondit-il sans plus d'explication. Déjà il en nouait une extrémité à la lourde grille et lançait l'autre dans le puits. Quelques instants plus tard, Alisa les avait rejoints dans la cour. Il fallut à Luciano de longues minutes. Ivy se proposait de lui venir en aide quand ses mains apparurent. Ahanant et soufflant, il se hissa à la surface. Il resta un moment allongé par terre.

« Dis donc, gros lard, il faudrait que tu te bouges, si nous ne voulons pas finir tout rôtis. »

Luciano se mit debout, non sans mal, et regarda son rival droit dans les yeux.

« Je te remercie, dit-il, sincère. C'était courageux de ta part de revenir nous chercher. Je n'aurais jamais cru avoir un jour l'occasion de te dire ça.

– Alors épargne ta salive. Filons plutôt d'ici au plus vite. »

« Plus vite ! Plus vite ! dit Carmelo d'une voix haletante, en progressant dans la galerie au pas de course. Ils ne doivent pas nous échapper !

– Que veux-tu faire ? T'attaquer à quatre adversaires en même temps ? Et n'oublie pas le loup.

– Ils sont jeunes. Allez, viens ! D'ailleurs mon intention n'est pas de les attraper pour le moment. Je veux savoir où est leur repaire. Le temps presse ! Ils doivent regagner leurs cercueils sans délai. Et à toutes fins utiles, j'ai toujours ça ! » Sans ralentir l'allure, il tira du fourreau son épée d'argent.

Latona trébucha derrière lui. Il faisait noir comme dans un four et elle voyait à peine où elle mettait les pieds. Elle se guidait en laissant sa main glisser le long du mur et espérait que le sol ne présente pas d'obstacles. Enfin, elle distingua vaguement devant elle les contours de l'escalier qui les mènerait à l'arrière de l'église. Relevant sa robe et son manteau pour ne pas être entravée, elle se hâta de rejoindre Carmelo qui avait déjà atteint la première marche.

« Ne lambine pas ! Où est ton poignard ? » Il ralentit l'allure pour longer l'église, l'œil en alerte, puis s'engagea dans le champ de ruines jusqu'à un endroit d'où ils pouvaient voir le passage qui débouchait dans la cour où se trouvait la citerne. « Ils arrivent ! Vite, il ne faut pas les rater ! Reste à couvert le plus longtemps possible. »

Quatre silhouettes surgirent du passage et traversèrent le cimetière. Elles tournèrent ensuite dans la première ruelle. Le loup galopait en tête. Carmelo et Latona suivaient derrière, mais ils ne cessaient de perdre du terrain.

Alisa saisit la main de Luciano.

« Allez, cours ! Par où devons-nous passer ? »

Il avançait aussi vite que possible, en direction de la place de l'église.

« On traverse, et puis à droite. »

Ivy et Franz Leopold les suivaient. Seymour les précédait toujours. Il gémissait. Soudain, il s'arrêta net et fit demi-tour.

« Nous sommes poursuivis, dit Franz Leopold à Ivy.

– Oui, je sais, deux humains. Que veux-tu faire, Seymour ? Reste ici ! » Le loup ne l'écouta pas. Il s'élança dans la ruelle, droit sur leurs poursuivants. « Reviens ici ! Seymour ! »

« Continuez à courir. On vous rejoint », cria Franz Leopold aux deux autres. Alisa acquiesça et entraîna Luciano. Franz Leopold attrapa le poignet d'Ivy.

« Il reviendra bien. Un loup n'a besoin de personne pour veiller sur lui. Viens !

– Non, ils sont armés. Des armes d'argent ! » Dans sa tête, elle voyait l'homme lever son épée. Seymour se rua sur eux. La femme poussa un cri et fit un pas en arrière. Le loup bondit, montrant les crocs. L'homme fit un écart pour l'éviter et frappa. Le loup hurla et s'écroula. Quand le chasseur de vampires remit son épée au fourreau, la lame était rouge de sang.

Franz Leopold serra un peu plus le poignet d'Ivy. Il s'apprêtait à répliquer que l'épée d'argent était moitié moins dangereuse pour un loup que pour eux-mêmes, quand Ivy lui mordit la main si fort que la surprise et la douleur lui firent lâcher prise. Il avait quatre plaies profondes d'où le sang gouttait sur le sol. À quelques rues de là, le loup geignait lamentablement.

« Ils l'ont blessé ! » Ivy s'élança. Sans hésiter, Franz Leopold lui emboîta le pas. Mais quand il arriva sur le lieu de l'affrontement, il ne trouva que la jeune Irlandaise agenouillée à côté d'une flaque de sang frais. C'était le sang du loup, son odorat le lui confirma aussitôt. Les humains semblaient s'en être tirés sains et saufs. Et pourtant ils détalaient comme si leur vie était en jeu. L'homme à l'épée venait de disparaître au coin de la plus proche ruelle et la femme, ou plutôt la jeune fille, car elle devait être à peine plus âgée qu'eux, jeta un dernier coup d'œil en arrière, complètement paniquée, avant de le suivre.

« Quelque chose les a fait fuir, dit Leopold en regardant d'un air interrogateur Ivy qui se relevait, comme en transe. Seymour les a pris en chasse ? »

Ivy secoua lentement la tête.

« Tu as raison, quelque chose leur a causé une peur mortelle, mais ce n'était pas Seymour. » Elle parlait d'une voix qu'il ne lui connaissait pas. « Il est grièvement blessé. Tu ne l'entends pas gémir ? Va le trouver, Leo, et ramène-le ici. Il est là. Tout près. »

Elle se détourna et, les jambes flageolantes, s'engagea dans un passage obscur entre deux maisons délabrées, qui devait mener à une arrière-cour. Franz Leopold la regardait, perplexe. De qui parlait-elle ? De son loup ? Pourquoi n'y allait-elle pas elle-même ?

« Elle est folle à lier, cette Irlandaise ! » pesta-t-il entre ses dents. Il venait de décider de la suivre quand il entendit les gémissements pitoyables du loup. Si l'animal ne revenait pas de lui-même, c'est qu'il devait être plus gravement blessé qu'il ne l'avait cru. Bon, d'accord, il allait le sauver, ce loup. Sans enthousiasme, Franz Leopold descendit la ruelle. Pas besoin de chercher. Les traces de sang le menèrent tout droit à Seymour.

« Ah, te voilà ! » Franz Leopold vit le pelage trempé de sang. La lame avait atteint une patte arrière du loup, et la plaie béante saignait toujours. L'animal devait beaucoup souffrir. Il léchait et mordillait sa blessure, geignait et tournait en rond sur lui-même, sa patte abîmée se dérobant sous lui.

« Ne bouge pas ! Il va falloir que je te porte, soupira Franz Leopold. Mon habit de soirée est bon pour la poubelle ! Les ombres n'arriveront jamais à enlever les taches de sang. » Quand il s'accroupit et mit un genou à terre, Seymour grogna et montra les dents. Il essaya même de lui mordre les mains.

«Hé! Je veux juste t'aider.» Le loup ne se laissa pas attraper. «Satanée bestiole!»

Franz Leopold fut tenté d'abandonner Seymour à son sort et de rentrer à la Maison dorée. Déjà le ciel, à l'est, se teintait de rose. Le loup se léchait toujours convulsivement, avec des geignements pitoyables. Franz Leopold décida de faire une dernière tentative. Les paumes tendues, il s'approcha.

«Qu'est-ce que tu crois qu'Ivy va me faire, si je reviens sans toi? Alors arrête de chercher à me mordre. Si tu continues comme ça, le soleil va nous surprendre. Tu te fiches sans doute complètement de ce qui peut m'arriver, mais tu ne penses tout de même pas sérieusement que ta valeureuse maîtresse va t'abandonner? Non, elle est assez folle pour se laisser carboniser ici à cause de toi!» Le loup baissa les oreilles. Il grognait encore un peu mais ne menaçait plus, pas même quand le jeune vampire passa les bras autour de son corps et le hissa sur ses épaules.

«Bon, maintenant on va retrouver Ivy et la ramener dans son sarcophage, de force si nécessaire. Il est grand temps!»

Ivy se dirigea à tâtons vers le porche obscur et voûté qui donnait accès à l'arrière-cour. Elle se sentait en miettes. Elle voulait rejoindre Seymour. Il fallait qu'elle y aille! Il allait très mal, elle en avait la certitude. Et pourtant elle ne pouvait s'empêcher d'obéir à la voix qui l'appelait. Comment Franz Leopold pouvait-il ne pas l'entendre? Elle était si puissante, si envahissante, qu'elle avait l'impression que sa tête était enserrée dans une cloche gigantesque contre laquelle on frappait à coups de marteau. La douleur était près de faire éclater son crâne.

«Cesse de te défendre, disait la voix, à présent d'une douceur surprenante. Tu ne peux rien faire pour te dérober à mon appel, toute résistance ne te causera que de la souffrance. Le garçon qui t'accompagne va s'occuper du loup. Laisse donc tes pensées suivre librement leur cours et approche-toi. »

Elle se laissa guider par la voix jusqu'au passage qui menait à la ruelle, derrière la maison. Il était là, debout dans l'ombre. L'aura de puissance qu'il dégageait était stupéfiante. Comme il était grand ! Elle ne pouvait pas distinguer son visage. Elle ne voyait que la longue et vaste cape avec le capuchon rabattu sur la tête. Les mains larges et décharnées. À l'annulaire gauche, un lézard d'or aux yeux d'émeraude. Ivy s'agenouilla malgré elle, croisa les mains sur son giron, les yeux baissés. Son bracelet vert glissa sous sa manche jusqu'à son poignet. Elle entendit un feulement. Les sentiments obscurs qui émanaient de l'obscure silhouette l'atteignirent comme une bourrasque.

« C'est donc vous qui avez fait fuir les chasseurs de vampires. Ils étaient morts de peur. »

Il eut un petit rire glacé. Une sorte de grincement.

« Oui, c'était moi. Jusqu'à présent je m'étais contenté de les observer, mais aujourd'hui ils m'importunaient comme des mouches qui vous tournent autour de la figure et qu'on doit chasser.

– Alors vous auriez pu empêcher les meurtres commis à l'encontre des Nosferas. Pourquoi ne l'avez-vous pas fait ? »

Il eut un grand geste désinvolte qui fit étinceler les yeux du lézard.

« Il faut concentrer son intelligence et ses forces sur l'essentiel. Oh, je sens ta fureur, mais tu devras apprendre cette leçon toi aussi au cours de ton existence éternelle, si tu ne veux pas disparaître.

– Que me voulez-vous ?

– Ah ! Nous en venons enfin aux choses sérieuses ! À toi et moi. Ainsi, nous allons enfin faire connaissance, Ivy-Máire. Il y a longtemps que je brûle de te rencontrer, mais – disons qu'il ne m'était pas permis de te trouver.

– Que voulez-vous de moi ?

– Ne sois pas si pressée. Je te le dirai bien assez tôt. Ce que tu dois savoir, en tout premier lieu... » Il s'arrêta net.

« Ivy ? Où es-tu ? » C'était la voix de Franz Leopold. « Cesse ce petit jeu ! Viens maintenant, bon sang, sinon je te laisse là ! »

Non, ne pars pas ! pensa-t-elle de toutes ses forces, car il lui paraissait impossible de parler, à plus forte raison de crier.

« Peut-être ai-je un peu oublié le temps, dit l'ombre géante. Pour l'instant, je te libère. Tu ne parleras à personne de notre rencontre ! Réjouis-toi, Ivy-Máire, nous nous reverrons bientôt. »

Ivy leva aussitôt les yeux, mais il ne restait plus trace de l'imposante présence. Pas un bruit, pas une odeur. Même son aura de puissance s'était dissipée. Elle se remit debout, non sans mal, et marcha vers l'endroit où il s'était tenu. Il y avait quelque chose par terre. Un anneau, semblable à celui qu'il portait, mais en plus petit. Ivy le ramassa et le passa à son doigt. Il lui allait, comme s'il avait été fait pour elle. Ce qui était peut-être le cas.

« Ivy ! Par le ciel et l'enfer, bon sang de bonsoir, mais à quoi penses-tu donc ? »

Elle sursauta.

« Seymour ! Comment va-t-il ? » Elle se précipita vers lui. Le loup glapit.

« L'entaille est profonde, mais ça ne devrait pas être trop grave. Viens, nous tirerons tout cela au clair quand nous serons rentrés. Je sens déjà venir le soleil ! » Ivy hocha la tête et se mit en route. Malgré le fardeau sur ses épaules, Franz Leopold ne se laissa pas distancer.

La clarté du petit matin les aveuglait. Le jour apporterait une chaleur torride dont les signes annonciateurs enveloppaient leurs corps et minaient leurs forces. C'était comme s'ils marchaient dans l'eau, à contre-courant. L'allure des deux jeunes vampires restait beaucoup plus rapide que celle de n'importe quel humain, mais chaque pas leur coûtait davantage.

«Mieux vaut ne pas traverser le champ de ruines à découvert», dit Franz Leopold, oppressé. La tension plissait son front. «Dans les ruelles étroites, l'ombre nous protégera plus longtemps.

– Oui, mais à cette heure il y a déjà des humains dehors. Regarde-les, ils sont partout, ils quittent leurs maisons pour entamer leur journée de travail.»

Ils se baissèrent à l'abri d'un pan de mur à moitié écroulé, le temps de laisser passer deux hommes vêtus de toile grossière, des ouvriers sans doute, et attendirent qu'ils soient hors de vue pour poursuivre leur route. Enfin ils virent surgir devant eux les murs du Colisée et, derrière, la colline d'un vert tendre qui cachait la Maison dorée. Deux silhouettes se ruèrent sur eux. L'une massive et sombre, l'autre mince comme un fil, avec des boucles blondes qui, pour une fois, lui voletaient autour de la tête.

Hindrik les atteignit le premier.

«L'enfer soit loué! Vous êtes sains et saufs?

– Seymour est grièvement blessé!»

Matthias souleva le loup des bras de son jeune maître et l'emporta. Hindrik prit Ivy dans les siens et s'élança, sans se soucier de ses protestations. Le soleil du matin caressait déjà la partie supérieure du Colisée, teintant de rouge les premières arcades, au moment où les vampires, se glissant par la porte dérobée, retrouvaient l'asile protecteur de la Domus Aurea.

«Vous voilà enfin!» s'écria Alisa, étreignant Ivy à lui briser les côtes. Franz Leopold restait debout à côté d'elle. Alisa bâilla; elle titubait de fatigue. «Qu'est-ce qui s'est passé?

Racontez! Vous avez vu les chasseurs de vampires? Vous êtes revenus entiers?

– Oui, répondit Franz Leopold. Un homme et une jeune fille, à peine plus âgée que nous.»

Alisa s'adossa à son sarcophage. La fatigue s'emparait d'elle, c'est tout juste si elle arrivait à tenir les yeux ouverts. Derrière Ivy entra Hindrik, suivi de Matthias qui tenait dans ses bras le loup ensanglanté. Ce spectacle arracha pour un instant Alisa à la torpeur de plomb qui la gagnait.

«Par tous les démons! Que lui est-il arrivé? C'est grave?»

Ivy prit le loup des mains de l'impur.

«Je ne sais pas encore comment je peux l'aider», dit-elle. Le désespoir qui émanait d'elle l'isolait comme un mur infranchissable.

Franz Leopold voulut tendre la main vers Ivy, mais son serviteur s'interposa.

«Il est grand temps pour vous, mon maître!» Son attitude et son ton traduisaient une détermination inhabituelle. Il passa son bras sous le coude de son protégé et l'entraîna hors de la chambre. Alisa se rendit compte que Franz Leopold aussi luttait contre le sommeil, avec de moins en moins d'efficacité. Elle se força à ramener son attention sur Ivy et Seymour, et se dirigea vers eux d'un pas chancelant, avec l'intention de leur apporter consolation et soutien, malgré le brouillard qui s'épaississait dans sa tête et la sensation que le sol se mettait à onduler doucement.

Hindrik passa le bras autour de ses épaules.

«Pour toi aussi, c'est l'heure!» Alisa tenta de se rebiffer mais elle réussit tout juste à bâiller et se laissa porter sans broncher jusqu'à sa couche. Hindrik l'allongea dans le sarcophage et tapota les oreillers.

«C'est assez pour aujourd'hui!» D'une poussée énergique, il referma le couvercle. Les ténèbres familières l'enveloppèrent et elle ne put lutter plus longtemps contre sa nature de vampire : ses yeux se fermèrent, sa respiration s'arrêta, son corps se figea dans une léthargie dont elle ne sortirait qu'à l'heure où s'éteindraient les derniers rayons du soleil sur l'autre rive du Tibre.

Seymour

Elle attendit que tous les bruits se soient tus, alors seulement elle souleva avec précaution la dalle qui fermait son sarcophage. Elle prêta l'oreille à la respiration laborieuse de Seymour, qui disait sa souffrance aussi bien que des mots ou des cris. Accroupie à côté de lui, elle pressa ses mains fines autour de la tête de son loup.

« C'était une épée d'argent, je sais, je l'ai vue. Mais tu vas t'en sortir ! Nous arriverons tous les deux à te guérir, mais d'abord je dois trouver un lieu sûr pour ta convalescence. Reste bien tranquillement ici. Il ne faudrait pas que tu perdes encore du sang. Je reviens tout de suite. »

Le loup répondit par un faible gémissement. Ivy le caressa encore une fois puis s'éloigna à pas feutrés. Les sens en alerte, elle se projeta en esprit dans toutes les directions. Personne nulle part. Elle perçut bien encore quelques pensées confuses émanant des quartiers des serviteurs, mais frères servants et domestiques semblaient avoir tous regagné leurs tombeaux et s'être abandonnés au sommeil. Ivy parcourut les couloirs et explora du regard les pièces, jusqu'au moment où elle repéra un petit réduit qui lui parut convenir. Elle gagna en hâte la salle octogonale, chargea sur sa tête un des étroits lits de repos sur lesquels les vénérables avaient coutume de s'allonger, et le transporta dans le réduit. Elle n'aurait pas pu déménager toute seule un sarcophage de pierre mais, dans un dortoir de l'aile ouest dévolu aux impurs, elle trouva un cercueil de bois inoccupé. Il était vieux et vermoulu, la garniture de tissu, humide et moisie, tombait en poussière, mais cela ne la dérangeait pas. Elle alla chercher des oreillers dans son sarcophage puis aida Seymour à se lever et le traîna jusqu'au petit réduit dont l'avantage principal consistait en un solide système de verrouillage grâce auquel on pouvait fermer la porte aussi bien de l'extérieur que de l'intérieur. Elle examina d'un air soucieux la profonde blessure qui saignait toujours. Elle tamponna la plaie avec une boule de tissu et lui fit un pansement si serré que le loup gémit.

« Hélas, mon protecteur bien-aimé, il faut en passer par là. » Elle lui parlait dans un gaélique aux accents gutturaux, raboteux, mais sa voix était terriblement faible. Elle se sentait lessivée et sans force et aspirait au repos. Seymour la poussa vers le vieux cercueil.

« Oui, je t'obéis ! Mes yeux se ferment tout seuls. Je m'occuperai de tout dès mon réveil. » Elle poussa le verrou, embrassa Seymour sur le front et s'allongea dans le cercueil. Le couvercle se referma.

Alisa ouvrit les yeux. Tout cela était-il vraiment arrivé ? Quelle nuit incroyable ! Sa pensée suivante fut pour Seymour. Il fallait espérer qu'il se remettrait. Elle devait vérifier comment il allait. Alisa essaya en vain de repousser le pesant couvercle. Elle tambourina dessus avec ses poings, déjà furieuse, jusqu'à ce qu'enfin il se mette à bouger. Le visage de Hindrik apparut.

« Je vous souhaite le bonsoir !

– Pourquoi mets-tu tout ce temps ! » l'apostropha-t-elle, se levant aussitôt. Un rapide coup d'œil autour d'elle lui apprit que Chiara et Joanne sortaient à l'instant de leurs tombeaux. Aucune trace par contre de Seymour ni d'Ivy. Son sarcophage était ouvert et vide. Complètement vide! Même les oreillers avaient disparu. Hindrik paraissait aussi surpris qu'Alisa. Il haussa les épaules.

« Ce n'est pas à moi qu'il faut poser des questions! Quand je vous ai laissées, elle était là où elle devait être, et la dalle était en place. »

Le loup et sa maîtresse ne s'étaient cependant pas évanouis sans laisser de traces. Des gouttes de sang, tel un collier de perles rouges, menaient jusqu'à la porte puis dans le couloir. Alisa les suivit.

« Hé, il faut t'habiller! Tu ne peux pas aller en classe dans cette tenue! » s'écria Hindrik, mais elle l'ignora et continua son chemin, suivant toujours la fine piste sanglante, qui la mena devant une porte fermée par d'épaisses barres de fer. Alisa frappa contre le bois.

« Ivy? Seymour? Vous êtes là? » Elle essaya de faire fonctionner la serrure, mais c'était manifestement fermé de l'intérieur.

« J'arrive, Alisa! Pars devant, je te rejoins tout de suite. » C'était la voix d'Ivy.

Alisa frappa de nouveau.

« Comment va Seymour? Je peux faire quelque chose pour lui? Pourquoi t'es-tu enfermée là-dedans?

– Il ne va pas bien. Il lui faut du repos. Va, je te rejoins! »

La main encore levée, Alisa se figea. Elle se sentait blessée que son amie, dans ce moment douloureux, ne veuille pas de sa présence. Elle s'apprêtait à frapper encore une fois et à demander qu'on la laisse entrer, quand elle sentit qu'elle n'était plus seule dans ce corridor à l'écart de tout. Elle se retourna vivement.

« Ah, c'est toi », dit-elle sans enthousiasme en reconnaissant

Franz Leopold. Bien que la soirée fût à peine entamée, il avait déjà l'air de sortir d'un salon de mode. Plus de vêtements tachés de sang, mais une chemise et un frac impeccables, les cheveux bien peignés et attachés sur la nuque par une épingle ornée d'un diamant.

« Elle est là-dedans avec Seymour, n'est-ce pas ? dit-il, la rejoignant.

– Quelle déduction subtile ! » Elle n'avait pu s'empêcher de lui envoyer une pique.

« Et toi, tu es furieuse qu'elle ne veuille pas te laisser entrer. » Franz Leopold avait à nouveau cette expression hautaine qui donnait à Alisa envie de le gifler, mais elle se contint.

« Non, je me fais juste du souci. Seymour a l'air d'avoir pris un mauvais coup.

– J'en sais quelque chose ! Avec son sang il a bousillé ma chemise en soie. »

Alisa le fusilla du regard.

« Si tu n'as pas de souci plus grave que celui-là ! Je me demande bien comment c'est arrivé, d'ailleurs. À peine Ivy se retrouve-t-elle en ta compagnie que Seymour est blessé et elle à deux doigts d'être anéantie. Tu m'impressionnes ! »

Franz Leopold s'approcha si près que leurs nez se touchaient presque.

« Si je n'avais pas fait demi-tour, vos trois héros ne seraient plus qu'un tas de cendres à l'heure qu'il est ! Alors ne me reproche pas que le loup soit blessé. Je les ai tous les deux sauvés de justesse de l'ardeur du soleil. Où étiez-vous au moment critique ? Depuis longtemps à l'abri dans vos sarcophages. La belle amitié que voilà ! »

Alisa se sentait d'autant plus furieuse que le reproche était fondé. N'était-elle pas coupable d'avoir choisi de filer devant avec Luciano au lieu de rester au côté d'Ivy ? Mais comment pouvait-elle prévoir que sa fuite aurait des conséquences aussi dramatiques ? Sa fierté lui interdisait de reconnaître son erreur et d'avouer ses remords à Franz Leopold. Il était plus simple de lui jeter un regard assassin et de se taire.

Le verrou fut tiré et la porte s'entrouvrit juste assez pour qu'Ivy puisse se glisser dehors. Alisa essaya d'apercevoir le loup, mais Ivy referma très vite et verrouilla la porte de l'extérieur.

« Comment va-t-il ? Pouvons-nous faire quelque chose ? » Ivy secoua la tête. Ses cheveux paraissaient presque gris et la fatigue lui creusait le visage. Alisa craignit un instant que son amie ne fût blessée, elle aussi, mais la jeune Irlandaise la rassura.

« Non, c'est juste le souci. Venez, allons dans la grande salle. Ensuite, j'apporterai à Seymour de quoi reprendre des forces.

– Oui, il faut que nous lui procurions de la viande. » Pourquoi n'y avait-elle pas pensé plus tôt ? Ivy les précéda dans le couloir sans faire de commentaire. Franz Leopold les suivait à quelque distance.

Dans la salle au plafond doré, presque tous les élèves étaient déjà réunis. Chiara donna un coup de coude à Luciano quand elle les vit entrer tous les trois. On voyait à sa mine qu'elle était dévorée de curiosité. Elle donna un deuxième coup de coude à Tammo, assis de l'autre côté, si fort qu'il faillit tomber de son banc. Franz Leopold alla s'installer plus loin, près de ses cousines.

« Asseyez-vous, ordonna Chiara en tendant deux gobelets aux filles. Vous voilà en une compagnie bien inhabituelle ! Avez-vous réussi à guérir notre beau gosse de sa méchanceté ? Ou alors comment dois-je m'expliquer cette nouvelle amitié ? » Luciano, à côté d'elle, poussa un grognement involontaire.

« Il n'est pas question d'amitié ! se défendit Alisa. J'avais simplement envie de savoir ce qu'il faisait devant la chambre d'Ivy. » Elle interrogea son amie du regard mais celle-ci vida

393

son gobelet en silence, puis en demanda un deuxième. Zita s'exécuta. Aucun des trois vampires ne s'étonna de la mine grave qu'arborait ce soir la servante. Elle avait certainement appris entre-temps que Raphaela ne reviendrait jamais.

« Où étiez-vous ? Que s'est-il passé ? Un pari, prétendent certains. Luciano ne veut rien me dire. Il paraît frappé de mutisme depuis hier et ne communique plus qu'en jetant des regards mauvais ! »

Ce qu'il était précisément en train de faire, comme le constata sa cousine. Elle pointa le menton d'un air agressif que son sourire démentit aussitôt : les jolies fossettes dans ses joues rondes étaient charmantes. Avec son corset très ajusté et son décolleté profond, la dentelle noire soulignant la naissance de ses seins, elle était d'ailleurs d'une féminité évidente et irrésistible.

« J'exige que vous me racontiez les événements de la nuit dernière avec tous les détails. Vous ne vous imaginez pas l'inquiétude ici quand la nuit a commencé à pâlir et que vous n'étiez toujours pas rentrés. Les rumeurs les plus folles se sont mises à courir ! On dit que le vieux Marcello et Raphaela ont été anéantis ! Lui, je ne pouvais pas le sentir, mais elle, ce serait vraiment dommage. »

Alisa hésita. Elle ne voulait pas parler, et pas seulement à cause de ce piège où ils étaient tombés.

« Plus tard, peut-être, dit-elle, espérant freiner l'impatience de Chiara.

– Tu es encore pire que Luciano, répondit celle-ci avec une moue boudeuse. Je devrais peut-être aller interroger Franz Leopold ?

– C'est ça, n'hésite surtout pas ! » riposta Luciano, sarcastique. Sans doute espérait-il mettre ainsi un terme à cet échange afin de pouvoir demander des nouvelles de Seymour. Mais il n'en eut pas le temps : au même instant entrèrent dans la salle la *professoressa* Enrica, le *professore* Ruguccio et le comte Claudio. Les professeurs firent respectueusement place au chef de clan. Le comte s'avança. Le silence s'abattit sur l'auditoire. Luciano rentra la tête dans les épaules. Tout cela n'annonçait rien de bon !

Si les acteurs de la compétition nocturne avaient espéré jusque-là que leur petite escapade au château Saint-Ange n'aurait aucune suite, il n'y avait plus d'illusions à se faire. Alisa ne se souvenait pas d'avoir jamais vu le comte dans cet état. Son visage était le masque même de la fureur. La jeune fille donna un coup de coude à Luciano et lui glissa quelques mots à l'oreille.

Luciano secoua la tête, manifestement anxieux.

« Non, je ne l'ai vu comme ça qu'à deux occasions, et ce n'était pas agréable. Mieux valait ne pas croiser son chemin ! »

« Anna Christina, Alisa, Ivy-Máire, Franz Leopold, Karl Philipp et Luciano, cria le comte d'une voix de stentor, venez par ici ! »

Les Dracas eux-mêmes n'osèrent pas protester. Alisa croisa le regard compatissant de Malcolm. Bon, c'était toujours mieux que la joie mauvaise qui illuminait plusieurs autres visages. N'empêche qu'elle ne voulait pas de sa pitié ! Elle s'appliqua à sourire d'un air assuré et suivit les autres, la tête haute.

Escorté de leurs professeurs, le comte emmena les six élèves dans une salle luxueusement décorée. Lui-même s'assit dans une chaise d'apparat, les autres restèrent debout.

« À quoi avez-vous pensé ?! »

Il n'attendait probablement pas de réponse, aussi Alisa préféra-t-elle se taire, comme ses camarades, se contentant de baisser les yeux. Le comte se leva d'un bond et se mit à aller et venir, les bras croisés. Il parlait tout en marchant. Et quand il eut terminé, la salle elle-même parut retenir son souffle.

« Venons-en à votre châtiment. Ce soir, nous allons nous

rendre au théâtre Valle avec tous les jeunes vampires pour voir une pièce de Carlo Goldoni. Tous – sauf vous ! Vous allez regagner vos sarcophages séance tenante et vous y resterez cette nuit et les deux suivantes, le temps de réfléchir à votre imprudence ! »

C'était cruel ! Trois nuits enfermés sans bouger – tenaillés par la soif de sang ! Ça, il savait ce qu'il faisait ! Et pourtant le comte eut un sourire qui traduisait plus d'amertume que de méchanceté.

« Et n'essayez pas de quitter vos tombes quand nous serons partis. J'ai donné des instructions aux impurs pour qu'ils mettent des pierres sur les couvercles. À présent, vous pouvez partir. »

Alisa jeta un regard à Ivy. Que deviendrait Seymour, si elle ne pouvait pas prendre soin de lui ?

Ivy s'avança courageusement.

« Comte Claudio, je ne peux pas accepter votre punition. Pas maintenant.

– Comment ça, tu ne peux pas ? Crois-tu que tu ne l'as pas méritée ? »

Ivy baissa la tête.

« J'accepte n'importe quelle punition – mais pas maintenant. Il faut d'abord que je soigne Seymour et qu'il guérisse. Non, ne me dites pas que vos ombres vont s'en charger. Moi seule peux l'approcher. Aussi je vous prie de reporter mon châtiment. » Elle leva la tête, prête à l'affronter du regard. Le regard froid de ses yeux turquoise contre celui, plein de maturité, du comte. À la surprise d'Alisa, et de tous les autres sans doute, ce fut le comte qui se détourna le premier et regagna sa chaise.

« Bien, va rejoindre ton loup. Tu n'as qu'à demander conseil à Leandro. Il regardera s'il peut trouver dans la bibliothèque de quoi t'aider. Parles-en aussi avec le vénérable Giuseppe. Il n'y a guère de situations qu'il n'ait pas rencontrées à l'époque où il était chef de clan. Allez, vas-y, maintenant. »

Ivy s'inclina avec grâce.

« Je vous remercie pour votre largeur d'esprit, comte Claudio. » Et sur ces paroles étranges, elle quitta la pièce. Il y eut un long silence que personne n'osa rompre.

Le comte Claudio se redressa de toute sa taille.

« Eh bien, il est temps. Nous devons nous changer pour partir au théâtre. Le *professore* Ruguccio vous accompagnera jusqu'à vos chambres. Allez ! »

Luciano quitta la pièce la tête basse. Les trois Dracas, eux, n'avaient rien perdu de leur superbe. Alisa fit de son mieux pour les imiter.

« Professeur ? risqua-t-elle d'une voix qui lui parut étrangement frêle et haut perchée.

– Oui ? » La rudesse du ton ne la surprit pas.

« Dans le cachot il y a des restes carbonisés, articula-t-elle, la bouche sèche. Les restes de Raphaela et du vénérable Marcello. Et j'ai trouvé un morceau de masque. » Elle sortit de sa poche le lambeau de velours rouge froissé et le déposa dans la main tendue. Le professeur eut un bref hochement de tête.

« Oui, je suis déjà au courant. Le comte va s'en occuper. »

Alisa acquiesça en silence, ravalant les questions qui lui brûlaient la langue. Peut-être valait-il mieux attendre un moment plus opportun, quand l'agitation serait un peu retombée.

« Bon, eh bien à dans trois jours », murmura Luciano alors qu'ils atteignaient la chambre d'Alisa et Ivy. Le professeur donna quelques instructions à Hindrik et à Rajka, la servante d'Anna Christina, puis il entraîna Luciano et les autres vers leurs propres chambres.

« Couche-toi, dit Hindrik d'un ton sec.

– Tu es fâché contre moi ? » Elle ne l'avait encore jamais vu aussi sombre.

« Oui – enfin non. Je comprends très bien que vous êtes jeunes et que vous avez le droit d'agir inconsidérément, mais vous avez échappé de si peu à l'anéantissement... Cela me terrifie.

– Moi aussi. Comment une chose pareille a-t-elle pu se produire ? Voilà des mois que ces chasseurs de vampires infestent Rome, ils ont déjà plus d'une demi-douzaine de Nosferas sur la conscience, et le comte n'arrive pas à mettre fin à leurs agissements ? » Alisa saisit la main de Hindrik. Ils étaient seuls tous les deux dans la chambre.

« Qu'a-t-il fait pendant tout ce temps ? J'entends parler de ses patrouilles de serviteurs, mais ne les envoie-t-il que pour la forme ? Peut-être n'était-il pas vraiment fâché, jusqu'à présent, de voir disparaître tel ou tel vieillard plus gênant qu'autre chose ? Cette fois, c'est une impure. Quelle importance ? Il ne sera pas difficile de trouver une remplaçante à Raphaela ! » Sa voix était pleine d'amertume.

Hindrik haussa les épaules.

« Je me suis posé les mêmes questions que toi. Je pense que le problème réside dans sa nature indolente. Mais les récents événements devraient l'avoir secoué. En tout cas je vais le tenir à l'œil. Si je constate que rien ne se passe de son côté, j'avertirai dame Elina. Peut-être devrons-nous mettre un terme à l'année scolaire un peu plus tôt que prévu.

– Quoi ? Tu nous ramènerais à Hambourg ? s'indigna Alisa.

– Si je crains ici pour votre sécurité, oui, je le ferai.

– Et les autres élèves ? Ils peuvent tomber tranquillement sous l'épée d'argent du chasseur de vampires ou périr enfermés au fond d'une vieille citerne, brûlés par l'éclat du soleil !

– Eh bien je vois que l'enseignement a porté ses fruits ! » Hindrik sourit. « Ainsi tu t'inquiètes du sort des jeunes membres des autres clans ?

– De quelques-uns, au moins. Je ne serais pas trop chagrinée d'avoir à me passer de certains autres...» Elle fit une grimace éloquente.

«En tout cas je ne peux parler que pour mes Vamalia, poursuivit Hindrik. Ce qui arrive aux autres est l'affaire de leurs chefs de clan.»

Le retour du professeur Ruguccio mit un terme à la conversation. Hindrik se hâta de pousser le couvercle et posa dessus une énorme pierre de taille, alors qu'Alisa n'aurait de toute façon pas eu la force de le soulever. Ainsi se retrouva-t-elle toute seule au fond de son sarcophage. Comme chaque matin, elle croisa les mains sur sa poitrine. Seulement voilà, ce n'était pas le matin, et elle ne sombra pas dans la léthargie habituelle. Elle ne tarda pas à se tourner et se retourner d'un flanc sur l'autre. On n'entendait pas le moindre bruit. Étaient-ils tous en route pour le théâtre? Ou bien le couvercle était-il à ce point étanche qu'il faisait obstacle à tous les sons? Elle ne s'en était jamais aperçue jusque-là.

Comme la nuit était longue, quand on n'avait d'autre compagnie que ses pensées – et puis la faim, qui n'allait pas tarder à se manifester! Comment s'en sortaient les autres? Pour Luciano, ce devait être un tourment insupportable. Les Dracas étaient sans doute trop fiers pour s'abandonner à pareille faiblesse. Et Ivy? Elle tremblait pour Seymour, soignait sa blessure et lui portait à manger. De nouveau, Alisa s'étonna que le comte ait accédé à sa prière. Seymour était certes un fidèle compagnon et un bel animal, mais ce n'était jamais qu'un loup, et un frère servant aurait tout aussi bien pris soin de lui pendant ces trois nuits. Étrange, très étrange. Alisa avait beau aimer énormément Ivy, il y avait une foule de questions au sujet de la jeune Irlandaise pour lesquelles elle n'avait pas de réponses. De même que les humains étaient enveloppés d'une aura de chaleur, Ivy gardait autour d'elle une aura de mystère.

Ses pas étaient parfaitement silencieux tandis qu'il s'approchait de la porte donnant accès au petit réduit. Il devinait encore la trace ensanglantée du loup et, par-dessus, le parfum d'Ivy. Franz Leopold pressa la pointe des doigts contre le bois rugueux et concentra son esprit sur l'espace situé de l'autre côté de la paroi, jusqu'à ce qu'il distingue sa voix. Ivy devait marcher de long en large car ses paroles étaient tantôt sonores, tantôt étouffées.

« Je ne m'excuse de rien du tout ! Oui, c'était imprudent, mais tu n'exiges tout de même pas sérieusement que je laisse tomber mes amis ? Toi-même, tu n'avais pas mesuré le risque que nous prenions. Certes, nous l'avons échappé de justesse, et il y a de quoi s'effrayer, mais nous sommes sains et saufs – enfin, à part toi, naturellement. Et puis il est hors de question que je te fasse un serment que je ne suis pas sûre de pouvoir tenir – ou de vouloir tenir ! » Sa voix se fit plus douce. Elle s'était sans doute agenouillée près de son loup. « Il y a une chose que je te jure, c'est que je n'aurai de cesse de te voir complètement guéri, mon cher protecteur. »

Soudain un cri lui échappa.

« Franz Leopold ! Je sens tes pensées ! Disparais immédiatement et ne te risque plus jamais à m'épier ! »

La colère de la jeune fille l'atteignit si violemment qu'il dut presser ses deux mains contre ses tempes. Il recula en chancelant et l'arrière de sa tête alla donner contre le mur. Il se tâta le crâne. Non, il ne saignait pas. Qu'est-ce qu'elle se figurait, cette fille ? Personne n'avait le droit de lui parler sur ce ton ! Personne ! Il s'efforça d'attiser sa propre colère mais ne put l'empêcher de retomber mollement. Il leva la main, sur laquelle on voyait encore les marques de la profonde morsure qu'elle lui avait infligée, et toucha sa joue.

« Leo », murmura-t-il malgré lui et il esquissa un sourire involontaire.

« Qu'est-ce que tu fabriques encore ici ? » La voix du professeur Ruguccio l'arracha brutalement à ses rêves. « J'avais donné à Matthias des instructions très strictes. Comment oses-tu te soustraire au châtiment que tu as encouru ? » Il ne laissa pas à Franz Leopold le temps de répondre. « Si tu ne regagnes pas sur-le-champ ton sarcophage, je t'inflige trois jours d'enfermement supplémentaires. »

Franz Leopold préféra obéir. Cette nuit, décidément, il n'en était plus à une défaite près.

Un châtiment mérité

Ce fut encore pire que ce qu'elle s'était imaginé. Jamais elle n'était restée enfermée trois nuits ! Dès la deuxième, elle crut ne pas pouvoir supporter plus longtemps la soif de sang qui la tenaillait. Presser son épaule de la sorte contre le couvercle, c'était absurde, elle le savait bien. Alors elle se mit à tambouriner à coups de pieds et de poings, mais la dalle ne bougea pas d'un millimètre. Jamais, en treize années d'existence, elle ne s'était sentie aussi démunie ! Par moments, dans un sursaut d'orgueil, elle serrait courageusement les dents, mais elle se remettait vite à gémir et se roulait en boule comme un animal blessé. Les autres étaient-ils dans le même état ? Comme elle aurait aimé échanger sa place avec Ivy et prendre soin de Seymour ! Elle souffrait non seulement d'une faim torturante qui lui ravageait le corps au point de brouiller ses sens, mais aussi de solitude. Ivy, elle, avait son loup, dont le pelage soyeux sous ses doigts devait être une belle consolation.

La troisième nuit, son orgueil ne lui fut plus d'aucun secours. Alisa geignait. Elle raclait avec ses ongles la paroi de pierre au-dessus de sa tête. Cette nuit-là, elle aurait fait n'importe quoi pour que quelqu'un la délivre enfin de sa prison et lui donne un peu de sang à boire. Mais il n'y avait personne à supplier. Personne qui puisse lui apporter ne fût-ce qu'un mot de consolation.

Ce n'est pas vrai, je suis là. Tu n'es pas seule !

Alisa réprima ses gémissements et tendit l'oreille. Elle n'entendait toujours rien, mais elle sentait très nettement sa présence.

« Ivy ? » Alisa pressa ses paumes contre la dalle. Oui, elle était là.

Partage ta souffrance et ta solitude avec moi. Confie-moi ton désespoir pour que je le soulage.

Ses pensées s'infiltraient à travers la pierre. C'était comme un doux nuage qui enveloppait Alisa. Un court instant, elle fut tentée de prétendre que tout allait bien, de dire à son amie de ne pas se soucier d'elle, mais la douleur était trop forte.

Oui, laisse-la s'écouler. Ne la retiens pas. De cette façon seulement je pourrai la partager avec toi et te la rendre supportable.

Comment était-ce possible ? se demanda Alisa, et pourtant le fait est qu'elle se sentait déjà mieux. La sensation de solitude s'était dissipée et même la soif de sang était devenue moins violente. Elle sentait les mains d'Ivy posées au-dessus d'elle. La dalle de pierre ne pouvait manifestement pas empêcher le flux d'énergie de passer au travers.

Essaie de te détendre. Oui, allonge-toi sur le dos, de tout ton long. Le matin n'est plus très loin et il t'apportera l'oubli. Et quand tu te réveilleras de nouveau, l'épreuve sera terminée.

Ce n'était pas si difficile d'obéir à la voix qui résonnait dans sa tête.

Oui, voilà, c'est bien. À présent je vais voir les autres.

Alisa sentit Ivy se détacher d'elle et s'éloigner, mais la sensation d'apaisement demeura.

Ivy allait de sarcophage en sarcophage. Son pas était chaque fois plus lourd, les traits de son visage plus creusés. Prendre sur elle une part du fardeau de chacun, ce n'était pas si facile, mais elle était fermement résolue à apporter son soutien à ses compagnons − y compris les Dracas −, et à rendre leur sort moins pénible, autant que ses forces le lui permettaient.

Elle s'approcha du sarcophage de Franz Leopold. Comme elle l'avait fait pour Alisa, elle posa les paumes de ses mains sur la dalle et l'appela en pensée. Franz Leopold lui répondit de la même manière.

Que veux-tu ?

Ivy savait que c'était la souffrance qui le rendait brutal. *Je voudrais t'aider, toi aussi. Ouvre ton esprit et partage ta douleur avec moi, elle deviendra plus légère.*

Au lieu de suivre son conseil, elle le sentit qui se fermait.

Ce n'est pas une question de faiblesse, Leo. Ne suis-je pas digne de partager votre souffrance à tous ? S'il te plaît, laisse-moi éprouver une part de ton tourment, il en sera allégé.

Il ne baissa pas la garde. *Non ! Je n'en ai pas besoin. Je suis tout à fait capable de supporter encore cette nuit. Occupe-toi donc des autres si tu as tant envie de souffrir et d'être tenaillée par la soif.*

Ivy renonça. *Je ne peux pas te forcer,* dit-elle. *Mais si tu n'as rien contre, je reste tout de même là un petit moment.*

Non, je n'ai pas d'objection. Pendant quelques secondes, Ivy perçut le soulagement et la reconnaissance du garçon, comme une vague tiède qui la submergeait. Puis il se ressaisit.

La quatrième nuit vit s'achever le martyre des jeunes fugueurs. Enfin, ils retournèrent en classe. Sauf Ivy, qui s'enferma une fois de plus avec Seymour, ne sortant du réduit que le soir et tôt le matin pour quérir un pichet de sang, de l'eau chaude et des serviettes propres. Ils eurent d'abord deux heures d'italien avec la *signora* Valeria, puis le professeur Ruguccio entra dans la classe, les bras chargés de crucifix, en vue d'une séance d'entraînement. Karl Philipp et

Anna Christina se montrèrent un peu moins arrogants que d'habitude, mais ils continuaient à se tenir à l'écart des autres. À la grande joie d'Alisa, Malcolm lui demanda par deux fois de se mettre en tandem avec lui pour réaliser un exercice.

« Franz Leopold l'a vue, lui murmura-t-elle à l'oreille alors que le professeur avait le dos tourné.

– Qui ça ?

– La fille à qui appartient le masque. La chasseuse de vampires ! »

Malcolm la fixa, éberlué.

« Quoi ? Tu es sûre ? Elle portait le masque ?

– Non, mais combien de filles y a-t-il à Rome qui pourchassent les vampires armées d'un poignard en argent et les font griller au fond d'une citerne ? » Malcolm se tut. « Tu aurais dû le dire au comte.

– Ah oui ? Et tu crois que ça aurait empêché quoi que ce soit ? »

Alisa haussa les épaules.

« Je n'en sais rien. Mais je me sens une part de culpabilité dans la mort de Raphaela. »

Elle lut une profonde tristesse dans les yeux bleus de Malcolm.

« Non, pas toi. Si quelqu'un doit assumer une responsabilité, c'est moi. Je suis désolé ! Je n'ai pensé qu'à moi et à l'école.

– Maintenant le comte est au courant pour l'homme et la fille qui nous ont pourchassés », dit Alisa qui éprouvait tout à coup le besoin de le réconforter.

Malcolm acquiesça.

« Oui, et j'espère qu'il va enfin réussir à les capturer. » Mais il y avait plus d'amertume que d'espoir dans sa voix. « Viens, reprenons l'exercice. » Son regard dur montrait bien qu'il n'avait pas l'intention de s'appesantir sur ce sujet. Alisa obtempéra à contrecœur.

Vers le matin, le *signore* Ruguccio brandit une hostie sur laquelle plusieurs élèves se roussirent les ongles et le bout des doigts. Une puanteur de chair brûlée se répandit dans la classe.

Après le cours, accompagnée d'un Luciano morose, Alisa regagna la grande salle au plafond doré. Au cours de la nuit, Luciano avait dû faire plusieurs exercices avec Franz Leopold et il s'était méchamment brûlé les doigts sur l'une des croix. Son visage ne s'éclaira que lorsqu'il aperçut Ivy debout à côté de Zita. Alisa et lui se hâtèrent de la rejoindre.

«Comment va Seymour?»

Ivy soupira.

«Aucune amélioration. Je ne sais pas ce que je dois faire. Le bibliothécaire n'a pas pu m'aider, malgré les deux livres qu'il m'a donnés qui traitent des plantes médicinales et des maladies d'origine magique. Et vous, c'était comment? J'ai raté quelque chose d'important?

– Des ongles brûlés et des doigts noircis.»

Ivy éclata de rire.

«Je ne me consolerai jamais d'avoir loupé ça!» Elle se détourna mais Luciano la retint par le bras.

«Est-ce qu'on peut aller le voir? Si on y allait avec toi? On te tiendrait compagnie.

– On ne le dérangera pas du tout, assura Alisa.

– C'est gentil à vous, mais je préfère ne pas prendre de risque. Je vous en prie, ne me pressez plus, je vous répondrai toujours la même chose. Et n'essayez pas de me suivre!

– Je ne te comprends pas, murmura Alisa.

– Oui, comment un loup pourrait-il reprendre des forces sans manger de viande? répliqua Luciano, qui avait mal interprété la réflexion d'Alisa. Il faudrait que je lui dise.»

Alisa le prit par le bras.

«Ne te donne pas cette peine. Elle ne veut pas de nous.

– Oui, je le crains.» Le visage de Luciano s'assombrit à nouveau. Ils gagnèrent sans enthousiasme le grand salon où ils s'assirent un peu à l'écart des autres, dans deux fauteuils fatigués dont les pieds étaient autrefois dorés. La lueur d'une unique lampe à pétrole faisait danser les ombres sur les murs. Ils restèrent silencieux un moment, chacun suivant le fil de ses pensées.

«Tu sais ce qui m'étonne? dit tout à coup Alisa. C'est que le comte ne vienne même pas parler avec nous.

– Ça ne me dérange pas du tout, répondit Luciano. Je me passe très bien d'un nouveau sermon.

– Ce n'est pas ce que je voulais dire, fit Alisa avec impatience. Il faut qu'il entreprenne quelque chose contre ces chasseurs de vampires!

– Il le fait sûrement.» Luciano lorgnait d'un air morne ses doigts noircis. «Il a envoyé plusieurs impurs mener l'enquête et interdit à quiconque d'aller se promener tout seul. Quant aux élèves, ils sont menacés des pires châtiments s'ils risquent seulement le bout du nez hors de la Maison dorée.» Il fit la grimace.

«Oui, les mesures habituelles, commenta Alisa d'un ton las. Celles qu'il avait déjà prises lors des précédentes disparitions de vénérables ou de serviteurs. Sans aucun succès, ce qui ne me surprend pas outre mesure.»

Luciano se dressa dans son fauteuil.

«Qu'est-ce que tu sous-entends? Tu as un reproche à faire au comte?

– Non. Simplement je m'étonne qu'il ne manifeste pas davantage de zèle et ne nous ait même pas demandé où se trouve la citerne où nous avons découvert les corps carbonisés. Voilà tout. Tu ne vas tout de même pas me voler dans les plumes pour défendre l'honneur de ton chef de clan!

407

– Pourquoi pas ? Ce serait le couronnement de cette superbe nuit ! » Tous deux sursautèrent. Une fois de plus, Franz Leopold avait réussi à s'approcher sans se faire remarquer.

« Disparais, Leo, où je te casse la figure », siffla Luciano entre ses dents.

Franz Leopold continuait à sourire d'un air blasé.

« Leo, répéta-t-il, songeur. Non, dit par toi, ça ne me plaît guère. Elle a une façon si douce et mélodieuse de prononcer ce mot. » Les deux garçons se fusillèrent du regard. Ce fut Luciano qui baissa les yeux le premier.

« D'ailleurs, laissez-moi vous dire, afin de remédier à votre pitoyable ignorance, que si le comte ne vous a pas posé de questions c'est parce qu'il avait déjà parlé avec moi.

– Il t'a interrogé à propos du cachot ? demanda Alisa, interloquée. Mais tu n'y étais pas enfermé, que je sache.

– Exact. Je ne suis pas assez bête pour me jeter la tête la première dans un tel piège. En revanche, j'ai délivré ceux qui étaient moins malins que moi. » Son arrogance était insupportable mais, hélas, on ne pouvait guère le contredire sur les faits. Alisa crut qu'elle allait étouffer de dépit, et l'étincelle amusée qu'elle vit dans les yeux du garçon lui montra qu'il n'était pas dupe. Elle prit une inspiration profonde pour se calmer.

« Que voulait savoir le comte ? Et que lui as-tu raconté ? demanda-t-elle d'un ton égal. Et puis assieds-toi, maintenant, et cesse de nous toiser avec cet air supérieur comme si nous étions de la vermine qui grouille à tes pieds. » À sa grande surprise, il obtempéra et renonça à lui asséner une de ses piques habituelles.

« Le comte nous a cherchés à la fin du cours, mais vous vous étiez déjà éclipsés. Il m'a emmené dans ses appartements où nous attendaient le vénérable Giuseppe et Leandro. Le comte a demandé où se trouvait la citerne et comment vous aviez atterri là. Et puis il voulait tout savoir sur les chasseurs de vampires. Malheureusement, je n'ai pas pu lui dire grand-chose. Sinon que l'un des deux était une fille et qu'ils étaient armés d'épées en argent. Ensuite, il a aussi voulu savoir comment le loup avait été blessé.» Franz Leopold haussa les épaules. «Voilà tout. J'ai demandé si je devais aller vous chercher, mais il a estimé que ce n'était plus nécessaire. Le vénérable Giuseppe a chargé Leandro de s'occuper de tout ça, le comte était d'accord, et le bibliothécaire a dit qu'il allait faire une sortie avec quelques impurs, régler le problème et ramener les restes des corps brûlés.

– Comment avez-vous réussi à venir à bout des chasseurs de vampires, après qu'ils ont blessé Seymour? Vous ne les avez pas mordus, par hasard?

– Non, pas mordus, Alisa.» Une expression étrange passa dans son regard. Était-il en train de se demander jusqu'à quel point il pouvait leur confier la vérité?

«Je l'aurais fait, ajouta-t-il doucement après une pause, mais on n'en est pas arrivés là. Il y avait autre chose, cette fameuse nuit. Une aura inconnue, puissante, oh oui, vraiment puissante. Ivy l'a sentie, elle aussi, mais elle n'en parlera pas. Ni à moi ni à vous.»

Luciano allait protester mais Alisa le retint.

«C'était quoi? Un humain?» Franz Leopold secoua la tête. «Quoi, alors? Un vampire étranger?»

Le jeune Dracas se leva brusquement. Il était redevenu inaccessible.

«Assez bavardé», dit-il d'un ton désinvolte. Alisa le suivit des yeux tandis qu'il s'éloignait d'un pas nonchalant.

«Je vais le ramener ici et lui arracher de force une réponse!» s'écria Luciano. Alisa ne prêta aucune attention à cette menace gratuite.

«Tu crois que c'était un vampire étranger?»

Luciano haussa les épaules.

« S'il appartenait à un des six clans, il l'aurait identifié à l'odeur.

– Un vampire qui n'appartient à aucun clan... » Alisa repensa à la nuit près du Colisée, quand Ivy, très anxieuse, l'avait pressée de faire demi-tour.

« Est-ce que ça existe encore de nos jours ? demanda Luciano, sceptique. Moi, en tout cas, je n'ai jamais entendu parler d'un vampire sans clan.

– Moi non plus », reconnut Alisa, mais elle se proposa d'aller vérifier tout cela à la bibliothèque.

Pendant toute la semaine suivante, Ivy ne se montra pas en classe. Sa présence manqua cruellement, et pas seulement à Alisa. L'humeur de Luciano oscillait entre l'apathie et l'agressivité. Son instinct belliqueux s'exerçait le plus souvent contre Franz Leopold, et il dut encaisser plusieurs fois des coups douloureux parce que Karl Philipp se trouvait par hasard dans les parages. Alisa le tira deux fois d'une situation épineuse, mais elle n'était pas toujours là à temps. Ainsi les nuits passèrent. Pour empêcher que Luciano ne perde tout à fait la boussole, elle le prit comme partenaire à la place de Malcolm, qui se proposait à chaque cours pour faire les exercices avec elle, si bien qu'une nuit il finit par se tourner vers Chiara, qui accepta, ravie, de travailler en tandem avec lui. Alisa détourna le regard et étouffa un soupir. Elle ne pouvait pas en vouloir à Malcolm.

« Allons-y », dit-elle à Luciano, sur un ton plus sec qu'elle n'en avait l'intention.

Les professeurs se succédaient, la *signora* Enrica et le *signore* Ruguccio, la *signora* Valeria et aussi, hélas, le duo des tortionnaires, Letizia et Umberto, qui se comportaient néanmoins de manière presque correcte. Peut-être le comte les avait-il rappelés à l'ordre.

« J'espère qu'il leur a fait goûter de leurs bâtons, déclara Luciano au terme d'une nuit passée en leur compagnie et dont ils étaient sortis à peu près indemnes.

– Ils ne l'auraient pas volé ! » renchérit Alisa en rangeant ses affaires dans son cartable. Aujourd'hui elle se sentait nerveuse, irritable. Rien d'étonnant à cela. Plus d'une semaine qu'elle n'avait pas respiré l'air frais de la nuit ! La Maison dorée lui faisait de plus en plus l'effet d'une prison. Elle prêtait l'oreille aux moindres bribes de conversations, mais sans rien apprendre qui lui aurait permis de conclure que les deux chasseurs de vampires avaient été mis hors d'état de nuire. Cependant, aucune nouvelle disparition n'était à signaler parmi les clans, ce qui était tout de même une consolation.

« Qu'est-ce qu'on fait, maintenant ? demanda Luciano d'un ton morne.

– Je vais retourner à la bibliothèque.

– Ça te servira à quoi ?

– Je trouverai peut-être quelque chose à propos des vampires indépendants, ceux qui n'appartiennent à aucun clan. Jusqu'à présent, Leandro n'a hélas pas pu m'aider.

– Il n'a pas pu, ou il n'a pas voulu ? » demanda Luciano.

Alisa se mordit la lèvre inférieure.

« Tu as raison. Et si tu essayais de détourner son attention un moment, le temps que j'aille jeter un œil aux rayonnages dont il m'a toujours tenue écartée ?

– J'aurais mieux fait de me taire ! » soupira Luciano. Il la suivit néanmoins et s'acquitta à merveille de sa mission, mais Alisa ne trouva rien d'intéressant. Résignée, elle remettait en place le dernier volume quand surgit Vincent, qui sifflotait entre ses dents.

« Tiens ! Alisa. On dirait que tu aimes les livres, toi aussi », dit-il de sa voix claire et enfantine qui s'accordait mal avec son langage châtié et son accent british. De même que ses yeux las, qui disaient l'éternité qu'il avait déjà passée parmi les morts vivants. « Tu ne trouveras rien de passionnant ici. Que cherches-tu exactement ? »

Alisa hésita un instant. Après tout, pourquoi pas ? S'il y avait quelqu'un qui s'y connaissait en livres sur les vampires, c'était bien Vincent. Elle se reprocha même de ne pas avoir songé à lui plus tôt. Mais jusqu'à quel point devait-elle le mettre au courant ?

« Je cherche quelque chose sur les vampires qui... je veux dire ceux qui sortent de l'ordinaire », dit-elle prudemment.

Le regard de Vincent survola les rayonnages.

« Tu n'as aucune chance de trouver ça ici. Mais je connais quelques bouquins fascinants qui sont d'ailleurs en ma possession. Ils se trouvent dans mes affaires. Si tu veux, je te les montre. Ce sont des histoires qui mettent en scène des spécimens de notre race assez pittoresques et hauts en couleur. Elles ne correspondent certes pas à la réalité mais contiennent tout de même une part de vrai. Ces histoires remontent jusqu'au XVe siècle.

– Non, dit Alisa. Ce n'est pas à ça que je pense. Je suis en quête d'ouvrages traitant d'une époque beaucoup plus récente. Existe-t-il de nos jours des vampires qui n'appartiennent à aucun clan, ou qui du moins vivent en dehors ? »

Les yeux de Vincent s'étrécirent.

« D'où te vient cette idée ? Tu dois faire un devoir là-dessus ?

– Non, dit-elle, et elle s'en voulut aussitôt de n'avoir pas saisi cette échappatoire. Non, c'est simplement que nous en avons parlé, et cela a éveillé ma curiosité.

– Qui ça, "nous" ?

– Luciano, Ivy et moi. »

Vincent hocha longuement la tête.

« Ivy, la fille aux cheveux d'argent avec son loup blanc. En tout cas, tu ne trouveras rien ici. Il y a des semaines que Leandro a fait disparaître des rayonnages les titres intéressants pour les cacher Dieu sait où.

– Quoi ? Tu es sûr ? » Alisa le regarda, stupéfaite, mais avant qu'il ait eu le temps de répondre, la silhouette gigantesque du bibliothécaire surgit au coin de l'allée.

« Que cherches-tu ici ? Je t'ai pourtant dit que ces livres n'étaient pas pour toi.

– Bon, restons-en là pour aujourd'hui », dit prudemment Vincent et il entraîna Alisa vers la sortie. Leandro referma la porte derrière eux et poussa le verrou.

« Il semblerait qu'on ne soit pas près de remettre les pieds ici », commenta Luciano qui les attendait dehors. Ensemble ils se dirigèrent vers la cour principale où ils trouvèrent les derniers noctambules rentrant au bercail. Plusieurs vénérables retournaient en clopinant vers leurs appartements. Il était temps de regagner les sarcophages.

Ils s'approchaient tous les trois de la grande salle octogonale quand Vincent s'immobilisa brusquement.

« Une femme ! s'écria-t-il.

– Tu as perdu la tête ! » Luciano éclata de rire. « Comment une humaine aurait-elle pu atterrir dans la Maison dorée ?

– Je sens nettement sa présence. »

Alisa ferma les yeux et se concentra sur les différentes pistes olfactives. Il y avait effectivement quelque chose qui ne rentrait pas dans la vaste catégorie des effluves de vampires. Un parfum plus chaud, plus suave.

« Je crois qu'il a raison », balbutia-t-elle, et elle le suivit dans la salle où l'odeur était de plus en plus forte. Alors ils la virent : une vieille femme de petite taille, avec deux loups gris assis à ses pieds.

« Tara, la druidesse », souffla Vincent, impressionné.

Ivy surgit à cet instant à l'autre bout de la salle et vint se jeter au cou de la vieille femme.

«Tara! Mon cœur me le disait mais je n'arrivais pas à y croire!»

La femme l'étreignit à son tour.

«Est-il dans un état grave?

– Viens vite! Je t'emmène auprès de lui.» Elle prit la vieille femme par la main et l'entraîna derrière elle. «À présent, tout va s'arranger», dit encore Ivy. Alisa et Luciano se regardèrent, éberlués.

Latona leva les yeux de la lettre qu'elle était en train d'écrire. Un seul regard lui suffit pour interpréter la mine dépitée de Carmelo.

«Rien de neuf, cette fois encore?»

Il secoua la tête, se laissa tomber dans son fauteuil et étendit devant lui ses bottes crottées.

«Non, c'est le deuxième rendez-vous qui tourne court.

– Ils vont encore se montrer prudents quelque temps, mais tout redeviendra bientôt comme avant, dit Latona pour lui remonter le moral.

– Bientôt, bientôt... Que signifie "bientôt" pour eux? Ne crois-tu pas que les vampires ont une conception du temps différente de la nôtre? Ils ont l'éternité devant eux, pas nous! Le temps nous file entre les doigts. Le cardinal est hors de lui. Il a peur de voir ses plans échouer.

– Je me fiche pas mal des plans du cardinal», riposta vertement Latona.

Carmelo se leva d'un bond, lui saisit le bras et la secoua violemment.

«Tu t'en fiches? Eh bien tu ne devrais pas, car si le cardinal perd la boule, il se pourrait qu'il fasse quelque chose de très stupide et dans ce cas nous aurions peut-être plus à perdre que quelques bourses remplies de pièces d'or !

– Et que ferait-il donc ? » demanda Latona en se dégageant.

Le visage de Carmelo se ferma.

« Qui sait », dit-il avec un haussement d'épaules. Mais elle soupçonnait qu'il avait au contraire une idée très précise.

« Peut-être devrions-nous nous contenter de ce que nous avons maintenant et lever le camp, proposa-t-elle. Qui dit que nous ne pourrions pas continuer ailleurs et tirer profit de notre expérience ?

– Où donc ? Tu as une idée ? demanda Carmelo et il se dirigea vers la fenêtre, lui tournant le dos.

– Paris ou Londres ? Je retournerais volontiers à Londres et j'aimerais connaître Paris, et je te parie tout ce que tu voudras qu'il y aurait là-bas du travail pour nous. »

Il resta longtemps silencieux, alluma sa pipe et s'appliqua à souffler des petits nuages de fumée à travers la pièce.

« Tu as peut-être raison, dit-il enfin. Attendons la prochaine réunion des masques. Si le cardinal n'a toujours pas de mission à nous confier, nous quitterons Rome.

– Et sinon ?

– Sinon, nous accomplirons notre mission, nous livrerons au cardinal le rubis qu'il convoite, nous remplirons une dernière fois notre cassette avec son or, puis nous partirons. »

Malentendus

Pie IX repoussa l'épaisse couverture de duvet et enjamba le bord du lit. Pieds nus, sans enfiler ses pantoufles, il marcha à petits pas jusqu'à la fenêtre et écarta les lourds rideaux. Une fois encore, il n'arrivait pas à trouver le sommeil. Impossible de compter les nuits qu'il avait passées sans dormir. Et pourtant, au lieu de se sentir fatigué, épuisé, le pape était plus en forme que jamais et c'était justement ce qui l'inquiétait. Était-ce bien normal? Il était un vieil homme, tout de même! Peut-être s'agissait-il d'une grâce particulière que Dieu lui accordait parce qu'il y avait encore une mission sur cette terre à laquelle Il souhaitait que Son représentant Pie IX consacre ses forces?

La lune se montra derrière les nuages et fit scintiller les pierres rouges autour de son cou. Le pape effleura du bout des doigts le poli parfait des rubis et sentit de nouveau la nausée l'envahir. D'un geste brusque, il fit passer le collier par-dessus sa tête et le déposa sur la petite table près de la fenêtre. Il se frotta la nuque et la poitrine. Il avait l'impression de s'être libéré d'un fardeau insupportable.

Contemplant le jardin plongé dans les ténèbres, le pape songeait au roi et à ses projets visant à donner à Rome un nouveau visage en accord avec les temps modernes. Pie IX n'avait rien contre la modernité, ni contre le progrès. N'avait-il pas préconisé que Rome soit reliée au réseau ferroviaire et possède sa propre gare ? Lui-même avait d'ailleurs son train personnel avec des wagons peints en blanc et or ! Et Sa Sainteté ne s'était-elle pas rendue en personne à l'inauguration du nouveau pont de chemin de fer en acier qui enjambait le Tibre, afin de s'informer des nouveautés technologiques en bavardant avec le ministre de l'Industrie britannique ? Mais ce que le roi projetait relevait du blasphème ! Un péché contre la Rome antique ! Non seulement il voulait creuser sans vergogne une percée dévastatrice à travers les anciens quartiers d'habitation et les ruines pour y tracer ses larges rues neuves, mais il envisageait de construire un monument à sa propre gloire d'une prétention inimaginable. Le pape n'était pas hostile a priori à l'idée d'un mémorial ni à une certaine autocélébration royale, mais ce monument en l'honneur de Victor-Emmanuel était censé s'élever devant la colline du Capitole. En dérobant aux regards le centre historique de la ville, il éradiquerait le passé de la mémoire des Romains, pour ne plus laisser place qu'au nouveau roi et à son pouvoir ! Malgré sa fureur, le pape sentit la fatigue le gagner. Il bâilla et regagna son lit. À peine eut-il posé la tête sur ses oreillers qu'il s'endormit et il ne bougea plus jusqu'au matin, quand son valet de chambre vint ouvrir les rideaux et que la lumière du soleil inonda d'un coup les appartements pontificaux.

« Avez-vous bien dormi ? s'informa-t-il poliment.

– Oui, merveilleusement, répondit le pape. Et j'ai même fait un beau rêve. Il y était question de fouilles et de grandes découvertes !

– Magnifique, dit le valet de chambre en lui tendant sa robe de chambre.

– Oui, c'était magnifique », murmura le pape. Peut-être devait-il reparler avec de Rossi. Quels dégâts pouvait-on causer en creusant un peu ? La Rome antique devait pouvoir ressurgir à la lumière du jour ! Sous ce beau soleil, les arguments du cardinal lui paraissaient absurdes. De sombres puissances infernales ! Ce ne pouvait être qu'une survivance des superstitions du Moyen Âge !

Trois nuits durant, la présence de la druidesse à la Domus Aurea fut une source d'excitation générale. Non seulement les jeunes vampires se montrèrent exceptionnellement turbulents et batailleurs, mais les Nosferas adultes paraissaient eux aussi agités, perturbés. Rien d'étonnant à cela. Luciano ne se souvenait pas qu'un humain ait jamais été invité à la Maison dorée. Alisa et lui eurent beau se trouver le plus souvent possible à proximité de la petite pièce où s'étaient retranchés Ivy et Seymour, c'est tout juste s'ils aperçurent une ou deux fois la vieille druidesse irlandaise. Du couloir, on percevait des murmures incompréhensibles et des parfums d'herbes inconnues. Alisa aurait donné cher pour savoir ce qui se tramait derrière cette porte, mais ni la druidesse ni Ivy ne fournirent la moindre information. En tout cas, Ivy semblait moins inquiète et elle eut même bientôt retrouvé sa gaieté habituelle.

« On a réussi ! dit-elle, rayonnante. Elle a réussi.

– Vos druides sont très forts pour s'occuper des animaux et pour les soigner, dit Luciano.

– Des animaux et d'autres créatures magiques », murmura Alisa avec un regard appuyé en direction d'Ivy, mais la jeune Irlandaise ne releva pas.

Le comte Claudio ne fut pas le seul à être soulagé quand, la quatrième nuit, la druidesse prit enfin congé et repartit dans son pays. Ivy retourna en classe. La *signora* Valeria venait juste d'entamer un nouveau chapitre du cours d'italien quand la porte s'ouvrit et Seymour bondit dans la classe en jappant. Ivy entra derrière lui et referma la porte.

« Excusez-moi, *professoressa*, j'étais en entretien avec le comte Claudio. »

La *signora* Valeria accueillit l'information avec un hochement de tête.

« Assieds-toi, à présent, qu'on puisse continuer. »

C'était une chance que cette première heure de cours n'ait pas lieu avec les deux tortionnaires, songea Alisa en adressant un sourire radieux à son amie qui le lui rendit avant d'aller s'asseoir à sa place, à côté de Franz Leopold.

Cette nuit-là, les cours se terminèrent avant minuit, car une fête exceptionnelle se déroulait à Rome. Le prince Camillo Borghese conviait la bonne société à un bal, accompagné de rafraîchissements, dans le château de plaisance familial avec son parc somptueux que le cardinal Scipione Caffarelli-Borghese avait fait aménager au XVIIe siècle. Outre les plaisirs de la bouche, les hôtes se verraient offrir un autre genre de délice : le prince souhaitait leur présenter quelques-uns des objets d'art de sa prestigieuse collection. Un événement que la plupart des membres des clans ne voulaient pas manquer, pas plus que les frères servants. Les professeurs ne faisaient pas exception, et même les vénérables se firent transporter en nombre à travers la ville jusqu'au petit château dans son vaste écrin de verdure. Malgré la fraîcheur de la saison, la multitude de pavillons et de temples en ruines plus ou moins reconstruits avaient été joliment décorés et éclairés, invitant ainsi les hôtes échauffés par la danse à une petite promenade rafraîchissante. Au cours de telles nuits, on pouvait échapper à la cohue des salles de bal ou des foyers de théâtres en se promenant à loisir partout dans le parc. Aucun des Nosferas adultes n'aurait voulu rater ça ! Aussi le comte fit-il volontiers grâce aux élèves d'une partie des cours avant d'aller se préparer, ainsi que sa suite, pour cette nuit festive.

« Et nous, qu'est-ce qu'on fait cette nuit pour fêter tout ça ? demanda Luciano, tandis qu'ils marchaient dans les couloirs.

– Fêter ? Qu'y a-t-il donc à fêter ? s'étonna Ivy.

– Tu poses la question ? Ton retour, évidemment, et la guérison de Seymour. J'aurais grande envie de célébrer ça sous un ciel étoilé.

– Oui, ce serait merveilleux, renchérit Alisa. J'ai l'impression que je vais étouffer si je reste enfermée plus longtemps dans ces couloirs. »

Ivy les regarda l'un après l'autre, incrédule.

« Vous êtes sérieux ? Alors toutes ces heures de fringale et de solitude n'ont pas été un châtiment suffisamment sévère ? »

Alisa et Luciano se récrièrent d'une même voix et lui reprochèrent amèrement ces paroles injustes.

Ivy leva la main en riant.

« D'accord, d'accord, dit-elle, battant en retraite. Ça va, j'ai compris. Arrêtez, tous les deux.

– Tu ne brûles pas d'envie d'être dehors, toi aussi ? De retrouver la nuit, la fraîcheur de la rosée sous le ciel étoilé ? »

Ivy poussa un gros soupir.

« Oh si ! À un point que vous ne pouvez même pas imaginer.

– Alors allons-y, sortons ! dit Luciano. Et pas de promenade au château Saint-Ange, cette fois, ajouta-t-il avec une grimace. Mais si nous restons dans les ruines, où est le problème ? »

Ivy hésita un instant et regarda Seymour qui paraissait tout à fait calme.

« Eh bien soit. Je ne pense pas qu'il puisse nous arriver grand-chose là-bas. »

Dans la cour, ils tombèrent sur le vénérable Giuseppe et le bibliothécaire Leandro. Les jeunes vampires les saluèrent tous deux avec respect. Le vieillard les gratifia chacun d'un sourire et tapota la joue d'Alisa.

« Apporte-moi ma canne ! » dit-il à Leandro.

«Vous sortez? demanda Alisa. Tout le monde ce soir ne parle que de la somptueuse fête qui se donne à la villa Borghese, et la nuit est merveilleusement claire!» Elle leva la tête et regarda le ciel constellé d'étoiles. «Voulez-vous que nous allions vous quérir une chaise à porteurs?

– Non, merci, mon enfant, c'est inutile. Leandro me prêtera son bras puissant... et puis j'ai ça!» Le vénérable s'empara de sa canne au pommeau en ivoire sculpté et, s'appuyant sur le bras du bibliothécaire, franchit en clopinant le grand portail.

Alisa secoua la tête.

«Je croyais avoir entendu dire que la villa Borghese se trouvait à l'autre bout de la ville, sur une colline au nord.

– C'est exact, confirma Luciano.

– Une sacrée distance pour le vénérable, vous ne trouvez pas?»

Luciano haussa les épaules.

«Peut-être que toutes les chaises à porteurs sont déjà prises? Dans ce cas, le comte Claudio va encore une fois se faire remonter les bretelles par son grand-père! Avoir oublié ainsi l'ancien chef de clan, quel manque de respect!»

De couloir en couloir, ils s'étaient acheminés discrètement jusqu'à la porte dérobée.

«As-tu demandé au comte où il en était de sa chasse aux chasseurs?» voulut savoir Alisa.

– J'ai posé la question mais sans obtenir vraiment de réponse. Le comte a employé de grands mots mais la vérité, c'est qu'il n'a toujours pas réussi à coincer les chasseurs de vampires.

– Peut-être parce qu'il ne veut pas», énonça une voix derrière eux. Ils se retournèrent tous les trois et découvrirent Franz Leopold.

«Que viens-tu faire ici?» grinça Luciano. Franz Leopold l'ignora.

«Et pourquoi ne le voudrait-il pas? demanda Ivy. Laisser deux chasseurs de vampires hanter Rome et y commettre leurs méfaits ne saurait être dans l'intérêt du comte Claudio.

– On pourrait le croire, reconnut Franz Leopold. Alors peut-être qu'il est simplement trop maladroit ou trop paresseux pour régler la question une bonne fois.» Il fit comme s'il ne voyait pas la mine furibonde de Luciano. «Et puisque le comte se défile devant ses obligations, c'est à nous de prendre le relais!» La soif d'aventure faisait étinceler ses yeux sombres.

Ivy sourit.

«Tu es complètement fou!» dit Alisa avec mépris.

Sans leur demander leur avis, Franz Leopold leur emboîta le pas et franchit la porte derrière eux.

«Ah oui? Je suis fou? Et pourquoi? Nous connaissons l'endroit. Nous savons dans quel secteur ils vont épier leurs victimes et rien ne nous empêche de leur tendre un piège.

– Dans lequel ils vont se précipiter tête baissée parce qu'ils sont naïfs ou idiots, compléta Alisa d'un ton sarcastique.

– Ce sont des humains, répliqua Franz Leopold comme si, disant cela, il avait tout dit.

– En plus, il paraîtrait que la citerne a été démolie, ajouta Alisa.

– N'empêche qu'ils ont réussi à blesser Seymour avec leur épée, rappela Ivy, tandis qu'ils descendaient la colline en direction du Colisée.

– Ce n'est jamais qu'un loup», dit Franz Leopold avec flegme. Seymour sauta en grondant pour attraper sa main, si bien qu'il fit un écart et heurta Ivy. «Pardon!» Il la retint par l'avant-bras, le temps qu'elle retrouve son équilibre.

«Tu peux la lâcher maintenant», grogna Luciano.

Alisa mit fin à cet échange aigre-doux.

«De nouveau cette odeur bizarre, vous sentez?»

Ivy acquiesça.

«Des humains sont passés par-là aujourd'hui. Ils sont montés sur la colline et ont fait le tour du Colisée. Des hommes, en nombre.

– Peut-être des voyageurs curieux de voir les ruines de la Rome antique, suggéra Luciano. Ça arrive très souvent. Aucune raison de s'inquiéter. Ils disparaissent dès que le soir tombe.

– Et comment c'était, à l'époque où il y avait ces ouvriers qui faisaient des fouilles près du Colisée? voulut savoir Alisa. Ils étaient également ici, au sommet de la colline et autour de la Maison dorée?

– Oui, c'étaient des archéologues. Mais comme tous les autres avant eux, ils ont renoncé au bout de quelques jours et plié bagage. J'imagine que les serviteurs du comte y étaient pour quelque chose. Si bien qu'ils vont nous laisser tranquilles un bon paquet d'années. Je ne m'en fais pas pour ça.

– Eh bien peut-être que nous devrions nous en faire, justement. Cette carriole, là-bas, il y a longtemps qu'elle est là?» Ils s'approchèrent du véhicule, qui était chargé de planches, de pelles et de pioches.

«Sans doute ne s'agissait-il pas aujourd'hui de simples promeneurs poussés par la curiosité, disait Ivy au moment où Alisa l'attrapa par le bras.

– Chut! Voilà quelqu'un. Vite, cachons-nous!» Alisa s'accroupit derrière la carriole. Les autres la suivirent et se tapirent entre le véhicule et un tas de gravats. «C'est Leandro, murmura-t-elle en reconnaissant la silhouette imposante du bibliothécaire.

– Mais où est le vénérable? demanda Ivy. Je ne le vois nulle part.

– Il ne peut pas l'avoir conduit en si peu de temps jusqu'à la villa Borghese», estima Luciano.

Ils restèrent cachés tant que le bibliothécaire ne fut pas hors de vue, puis ils poursuivirent leur chemin en direction de la colline du Palatin. Seymour était de plus en plus nerveux. Il trottait devant, en éclaireur, puis faisait demi-tour, s'arrêtait et gémissait doucement.

« Ça ne lui plaît pas de nous voir nous éloigner de la Maison dorée », dit Alisa en lui caressant l'échine.

Ivy secoua la tête.

« Non, ce n'est pas ça. Il a flairé quelque chose. Vous ne sentez pas ? » Ils s'immobilisèrent tous les quatre, le nez en l'air.

« Je crois que le vénérable Giuseppe est passé par ici, déclara Luciano.

– Avec une jeune femme, dit Ivy.

– Celle qui ne s'est déjà que trop souvent promenée dans les parages ! » précisa Franz Leopold.

Alisa s'agenouilla et caressa le sol avec sa main.

« Tu as raison. C'est la nonne. Et cette fois elle tient le vénérable Giuseppe dans ses griffes. Vous vous rappelez, quand on l'a vue avec l'autre vieillard ? Et en plus, on s'apitoyait sur elle.

– Moi, je ne m'apitoyais pas sur elle », grogna Luciano. Alisa lui jeta un regard sévère.

Ivy hochait la tête.

« Oui, et maintenant il a disparu pour toujours !

– Alors, c'est qu'elle est de mèche avec les deux chasseurs de vampires, avança Franz Leopold. Oui, ça colle tout à fait. Elle est l'appât qui attire les victimes vers le piège. » Ils se regardèrent tous les quatre en ouvrant de grands yeux.

« Mais alors pourquoi Leandro l'a-t-il abandonné ? Le comte a bien spécifié que plus personne ne devait sortir seul ! » Luciano secoua la tête, désemparé. « Comment peut-il se montrer à ce point irresponsable ?

– À moins que ce ne soit intentionnel ? suggéra Franz Leopold.

– Il faut faire quelque chose, dit Alisa. Nous ne pouvons pas laisser le vénérable Giuseppe se faire ainsi piéger ! »

Là-dessus un débat s'engagea pour savoir s'ils devaient se lancer à la recherche du vénérable ou rentrer au contraire à la Maison dorée et donner l'alarme. Ils n'avaient pas encore tranché quand tout à coup une petite silhouette déboula du tas de gravats, heurtant Alisa au passage, et atterrit brutalement par terre au milieu des mauvaises herbes.

«Je m'en doutais bien, que vous vous étiez encore éclipsés en douce sans m'emmener!

– Tammo! s'écria Alisa. Mais qu'est-ce que tu viens faire ici? Disparais! Nous n'avons pas le temps de jouer les nounous. Rentre à la maison!»

Tammo se releva et se campa, les bras croisés sur la poitrine.

«Vous seriez trop contents! Cette fois, si vous ne m'emmenez pas, je vous dénonce aux gardes postés près du portail.» Derrière lui venait d'apparaître Joanne.

«Quelle idée géniale! ironisa Alisa.

– Quoi? Tu veux bien que je vienne?

– Non! En fait, je parlais sérieusement. Retournez au portail aussi vite que vous le pourrez et informez les gardes. Il faut qu'ils aillent avertir le comte et que tous ceux qui sont à la Maison dorée se mettent en chasse. Vous devez les convaincre que c'est une question de vie ou de mort. Le vénérable Giuseppe est en grand danger!»

Tammo échangea avec sa sœur un regard sceptique puis considéra les autres.

«Si c'est tellement important, pourquoi n'y allez-vous pas vous-mêmes?

– Parce que nous devons suivre la piste de ces deux-là avant qu'elle ne s'efface, riposta Franz Leopold avec impatience. Et maintenant, filez!

– Tu n'as pas d'ordres à me donner!» répliqua le petit vampire, qui, en taille, faisait une tête de moins que le Dracas.

425

Franz Leopold leva la main pour le gifler mais Alisa fut plus rapide et s'interposa.

«Tu n'as pas à frapper mon frère.» Tammo eut un sourire de triomphe vite interrompu, car Alisa lui flanqua une claque derrière les oreilles. «C'est à moi de le faire», ajouta-t-elle. Elle le fusilla du regard. «Ce n'est pas un jeu. Mais si tu n'es qu'un sale gosse, trop immature pour comprendre quand les choses deviennent sérieuses, on se passera de toi. Va jouer avec tes poupées!

– Je n'ai jamais joué à la poupée, protesta Tammo, ulcéré. Et puis je ne suis pas un sale gosse!»

Ivy lui posa la main sur l'épaule.

«Nous le savons, et c'est pour cela que vous allez vous dépêcher de rentrer à la Maison dorée et de trouver le chef de clan. Dites-lui qu'entre-temps nous suivons la piste pour essayer de savoir où ces chasseurs de vampires emmènent leurs victimes maintenant que la citerne a été démolie.»

Son ton posé et la gravité de ses propos firent étinceler les yeux du petit vampire.

«Vous pouvez nous faire confiance. Nous allons vous faire envoyer du secours aussi vite que possible. Viens, Joanne, dépêchons-nous!» Et ils s'éclipsèrent.

«Nous non plus, nous n'avons pas de temps à perdre», dit Franz Leopold, et ils se remirent en route. Avec l'aide de Seymour, ils n'eurent aucune difficulté à retrouver la trace du vieux vampire et de la jeune humaine qui l'accompagnait. Ils aperçurent bientôt devant eux leurs silhouettes se découpant sur la pâle clarté des étoiles. Ils les suivirent à une distance suffisante pour que le vénérable ne puisse pas les repérer.

«Comment réussis-tu à te faire obéir de Tammo aussi vite? Tu m'épates, déclara Alisa à son amie. Moi, il me fait toujours sortir de mes gonds!

– C'est normal entre une sœur et un frère plus petit, répon-

426

dit Ivy en souriant. S'il était mon frère, c'est toi qui aurais réglé le problème, car j'aurais vu rouge et je lui aurais arraché les cheveux!

– Tu parles comme si tu connaissais très bien cette situation. Tu n'aurais pas laissé un frère cadet en Irlande, par hasard?

– Non, dit Ivy d'un air absent.

– Naturellement. Dame Elina nous a bien dit que Tammo était le plus jeune parmi les six clans.»

Toutes deux se turent et concentrèrent à nouveau leur attention sur les deux silhouettes. Elles avaient choisi le chemin qui longeait le pied du Palatin et venaient juste de disparaître derrière les arches à demi écroulées de l'aqueduc. À leur droite s'élevaient les ruines des thermes.

«Où vont-ils donc? s'interrogea Luciano. Je n'en ai pas la moindre idée.

– Si toi, tu n'en sais rien, comment le saurions-nous? dit Franz Leopold dans un accès de modestie bien surprenant de sa part.

– Ils vont entrer dans l'arène du Circus Maximus, constata Luciano un instant plus tard, au moment où les deux silhouettes tournaient à droite pour s'engager sur la longue piste ovale couverte d'herbe. Il n'y a rien, par là! En tout cas rien qui puisse fournir un piège comme l'était la citerne.

– Mais c'est le lieu idéal pour un affrontement sans témoins! suggéra Franz Leopold. Le chasseur de vampires a une épée en argent. Qu'est-ce qui l'empêcherait de s'attaquer au vénérable ici, en pleine arène? À cette heure de la nuit, il n'y a pas âme qui vive.

– Pourquoi ferait-il cela? demanda Alisa

– Pour le plaisir de la chasse, dit Franz Leopold. Pour ce frisson d'exaltation, quand on est là à attendre sa proie, la main sur le pommeau de l'épée. Et puis survient le moment où on lui coupe la route en brandissant son arme, prêt à engager l'ultime combat. Rien que le chasseur et sa victime, qui pour l'affrontement mortel trouve en elle des ressources insoupçonnées. Et dans les veines du chasseur aussi bouillonne une énergie nouvelle, tous ses sens sont en éveil. C'est comme si chaque seconde durait un siècle. Le combat s'engage. Avec un sentiment d'extase, le voilà qui enfonce sa lame dans un cœur où depuis longtemps aucune vie ne bat plus. D'un dernier et puissant coup, il détache la tête des épaules et met ainsi fin à la destinée de ce vampire, créature maudite à ses yeux.» Franz Leopold se tut. Alisa et Luciano le fixaient, interloqués.

«Tu as une imagination bizarre», murmura Alisa en avalant sa salive et en lui jetant un regard méfiant.

Mais Ivy, elle, avait pris sa tirade au sérieux.

«Oui, il se pourrait que ce soit la raison. Nous devons nous montrer très prudents. La femme aussi porte une arme en argent, ce métal qui s'avère fatal pour nous et pour tous les morts vivants en général.»

Nos quatre vampires suivaient maintenant la longue piste où avaient autrefois lieu les courses de chars. Ils étaient contraints de maintenir une distance de plus en plus grande pour ne pas être vus et, au pied du Palatin, ils durent se faufiler parmi les ruines car le terrain découvert ne leur offrait aucune protection. La femme ne les aurait certainement pas repérés dans la nuit, mais ils voulaient éviter que le vénérable, s'il détectait leur présence, ne la révèle à quelque chasseur tapi dans l'ombre, aux aguets. La nonne et sa proie atteignirent enfin l'autre extrémité de l'arène et se mirent à grimper la colline. Au-dessus d'eux, on apercevait la pointe du clocher de Santa Maria in Cosmedin.

«Nous nous étions trompés. Tant mieux, dit Ivy avec un soupir de soulagement. Au point où ça en était, nous n'aurions pas pu empêcher le pire.

« – Alors essayons de regagner du terrain et de nous rapprocher d'eux », proposa Alisa en accélérant le pas. Soudain, les deux silhouettes disparurent dans un passage menant à une rangée de maisons délabrées. Alisa voulut se ruer vers le portail ouvert, mais Seymour poussa un grondement d'avertissement et lui attrapa la manche avec ses dents, si vivement qu'il la déchira presque.

« Doucement, recommanda Ivy. Mieux vaut rester à couvert. »

Les jeunes vampires avancèrent prudemment jusqu'à ce qu'ils aperçoivent de nouveau la nonne et le vénérable. Tapis derrière un pan de mur, tous deux semblaient avoir les yeux braqués sur une porte fermée, à moitié dissimulée derrière une colonne de la cour. La scène était figée, mais les vampires percevaient nettement la tension de la jeune humaine.

Tammo et Joanne coururent de toute la vitesse de leurs jambes, contournant le Colisée en direction de la Maison dorée. Ils ne se donnèrent pas la peine de passer par la porte dérobée, mais se dirigèrent tout droit vers le portail principal, qui était d'ailleurs presque invisible pour un éventuel promeneur. Tammo arriva le premier au but et donna de grands coups de poings dans le battant de bois.

« Ouvrez ! Vite, ouvrez ! »

Le portail ne s'ouvrit pas tout de suite, même si les gardes – à supposer qu'ils soient à leur poste – n'avaient pu manquer d'entendre ses cris. Joanne désigna du doigt une étroite fente qui s'ouvrait dans la porte, sur leur droite, révélant un œil rougeâtre.

« Laissez-nous entrer ! Nous avons une information importante à communiquer au comte Claudio ! »

Le battant s'entrouvrit, mais Tammo n'avait pas eu le temps d'ouvrir la bouche pour prononcer son petit discours préparé avec soin que les deux jeunes vampires étaient attrapés par le col et tirés à l'intérieur. Le portail se referma sur ses gonds.

« Hé ! Lâchez-moi ! » hurlait Tammo en battant désespérément des bras et des jambes. Le gigantesque frère servant le tenait par la peau du cou comme un jeune lapin. « Ce n'est pas une plaisanterie !

– Non, justement ! rugit l'impur d'une voix de stentor en le secouant. Qu'est-ce que vous fichiez dehors ? Le comte ne s'est-il pas exprimé assez clairement ? Mais non, on dirait que ses propos ne s'appliquent pas à vous, les Vamalia et les Pyras. Et si votre comportement nous met tous en danger, vous vous en moquez pas mal ! »

Il se remit à secouer le jeune garçon comme un prunier, si fort que les dents du malheureux s'entrechoquaient sans qu'il arrive à articuler un seul mot compréhensible.

Joanne réussit à mordre la main du second garde qui l'avait attrapée. Il poussa un cri et la lâcha, si bien qu'elle tomba durement sur le sol de pierre. Elle se releva indemne.

« Lâche Tammo, ordonna-t-elle en montrant les dents. Il a des choses importantes à dire au comte.

– Ah oui ? Et quoi donc ? voulut savoir le garde, peu disposé à obtempérer.

– Oui, ça m'intéresserait aussi de le savoir », intervint un nouveau venu. Le bibliothécaire venait de sortir de l'ombre pour se joindre aux deux gardes.

« Lâche le garçon. » Le garde s'exécuta. « Et maintenant, parle ! Qu'y a-t-il de si important qui justifie que des enfants comme vous soient dehors à se balader la nuit et déclenchent un tel tumulte ?

– Quelqu'un est en grand danger, et il faut que nous en informions le comte ou bien la personne la plus haut placée parmi les membres des clans ici présents aujourd'hui.

– Ah ah, et qui vous a confié cette mission ? » Leandro les fixait d'un œil inquisiteur.

« Ivy et Alisa. Elles sont restées avec Luciano et Franz Leopold, ils continuent leur filature pour qu'il n'arrive rien au vénérable. »

Le bibliothécaire écarquilla les yeux.

« On dirait qu'il s'agit d'une bien méchante histoire et je suis très désireux d'en apprendre davantage. Je me charge de ces deux-là. Vous n'avez plus à vous soucier de l'incident. Et inutile de mentionner quoi que ce soit au comte ou à un autre membre des clans. »

Les deux gardes semblaient soulagés. Qui savait comment le comte aurait réagi ? S'il ne risquait pas de les rendre responsables de cette nouvelle escapade des enfants ?

Leandro saisit les deux jeunes vampires par le bras et les entraîna à sa suite. Avec sa poigne d'airain, pas question de lui fausser compagnie.

« Racontez-moi. Dites-moi tout ce dont vous vous souvenez. »

Tammo ignorait où le bibliothécaire les emmenait, mais il se mit à parler. Son récit partait un peu dans tous les sens, et fut entrecoupé de récriminations à propos de sa teigne de sœur, de Franz Leopold, qui était encore plus insupportable, et des élèves plus âgés qui lui interdisaient de s'amuser et l'excluaient de toutes les aventures, mais Leandro obtint les informations qu'il voulait. Quant Tammo eut terminé son récit, le colosse ouvrit la porte de la bibliothèque et les poussa tous deux à l'intérieur.

Que venaient-ils faire ici ? Leandro répondit à la question avant même que Tammo l'ait posée. Il souleva le couvercle d'un énorme sarcophage qui se trouvait contre le mur.

« Vous m'avez dit tout ce que j'avais besoin de savoir. Je vous remercie ! » L'ironie perçait dans sa voix. « Je m'occupe de la suite, faites-moi confiance. Je sais ce qu'il me reste à faire.

Et d'abord, vous empêcher de vous lancer dans de nouvelles aventures qui risqueraient de vous coûter très cher. Ne le prenez pas mal. C'est pour votre bien.»

Sur ces mots, il les jeta dans le sarcophage, les pressa au fond avec ses mains gigantesques et laissa retomber le couvercle dont le fracas, répercuté par les parois, résonna longtemps dans leurs oreilles. Puis tout redevint silencieux. Les deux prisonniers essayèrent d'étendre leurs membres autant que l'espace réduit le permettait et s'immobilisèrent, blottis l'un contre l'autre dans les ténèbres.

«Je crois que ce n'était pas à lui qu'il aurait fallu donner nos informations, dit Joanne au bout d'un moment.

– Je n'aurais jamais trouvé ça tout seul, ironisa Tammo. Et maintenant, qu'est-ce qu'on fait?»

Il sentit Joanne qui haussait les épaules, désemparée.

Le temple de Mithra au Circus Maximus

«Bonsoir, Saint-Père. Il y a du nouveau au gouvernement et au palais du roi!»

Le cardinal venait d'entrer en trombe. Il était dans un état de fièvre et d'exaltation dans lequel Pie IX ne l'avait encore jamais vu.

«Asseyez-vous et racontez-moi ce qui se passe», dit le pape en lui désignant d'une main tremblante la chaise devant son bureau.

Le cardinal s'inclina.

«Vous avez mal dormi?»

Le pape secoua la tête.

«Au contraire. J'ai dormi comme un bébé ces dernières nuits.

– Pourtant vous avez mauvaise mine, si vous m'autorisez cette remarque.

– Je suis vieux et je me sens vieux! C'est ainsi que Dieu a fait le monde et c'est une bonne chose.»

Le cardinal bondit. Une expression d'effroi se peignit sur son visage.

«Saint-Père, dit-il d'une voix pressante. Auriez-vous ôté de votre cou le collier avec les rubis que je vous ai donné?

– Oui, déclara le pape, depuis plusieurs jours déjà. On

devient peut-être un peu capricieux sur ses vieux jours, mais le fait est que je l'avais en horreur.»

Le cardinal se laissa retomber sur sa chaise.

«Comment avez-vous pu? Je vous ai prié instamment de ne jamais l'enlever. Pas étonnant que vous soyez marqué des stigmates du délabrement physique.

– Mon Dieu, Angelo, que racontez-vous là? Dieu seul nous donne la vie et nous la reprend quand il lui plaît. Vous ne croyez tout de même pas sérieusement au pouvoir magique des amulettes et des pierres précieuses? Il est déjà bien assez regrettable que l'on ne puisse extirper du bas peuple la foi en ces contes de bonnes femmes.

– Il ne s'agit pas de superstitions hérétiques, Saint-Père. De très anciennes forces sont ici à l'œuvre, des forces autrefois obscures et maléfiques, mais que nous pouvons utiliser pour réaliser nos desseins.»

Le visage amène du pape se ferma d'un coup.

«Vous voulez encore parler de ces créatures démoniaques qui, selon vous, ont été naguère tirées de leur sommeil par les fouilles du Colisée?

– Oui! s'écria le cardinal. J'ai trouvé un moyen de combattre le mal par le mal! Croyez-vous que tous les décès survenus dans l'entourage du roi et dans le gouvernement soient le fait du hasard? Que c'est la main de Dieu qui élimine l'un après l'autre vos adversaires? Oh que non! Nous faisons travailler pour notre profit les démons des ténèbres, jusqu'à ce que nous ayons atteint notre but sacré. Ensuite, nous les éliminerons pour la gloire de Dieu.»

Il avait débité sa tirade avec un enthousiasme fanatique. Le pape, qui était devenu blanc comme un linge, se signa.

«Puisse le Seigneur pardonner à vos âmes égarées et les ramener dans le droit chemin.

– Nous *sommes* dans le droit chemin!» rugit le cardinal. Il

434

saisit le Saint-Père par l'épaule. «Nous sommes en train d'installer le royaume de Dieu en Italie. Il ne pourra qu'être satisfait!

– Hélas, pauvres âmes aveuglées, dit le pape avec une infinie tristesse. Rebroussez chemin et faites pénitence avant qu'il ne soit trop tard.»

Le cardinal jeta un coup d'œil à la pendule murale.

«Il est tard, oui, et je dois donner mes instructions. Remettez le collier, je vous en conjure! Nous reparlerons de tout cela demain. Je vous expliquerai et vous y verrez plus clair!» Et le cardinal quitta la pièce aussi vite qu'il était entré, faisant voler sa cape.

«J'y vois clair! J'y vois tout à fait clair à présent, murmura le pape. Bien plus que je ne voudrais!»

«Apporte-moi mon manteau! Je suis en retard.»

Latona fit la grimace mais obtempéra et posa sur les épaules de Carmelo la vaste pèlerine à double capuche. Elle était démodée mais avait l'avantage d'envelopper totalement, jusqu'aux pieds, celui qui la portait, et de pouvoir dissimuler une épée, car on risquait de se faire appréhender par une patrouille de police quand on circulait armé dans les ruelles de Rome, la nuit. Devoir répondre à la curiosité des policiers, c'était bien la dernière chose dont Carmelo avait besoin ce soir!

«Où est encore passé ce damné masque? pesta-t-il.

– Ici, mon oncle, répondit Latona en lui tendant le masque couleur de sang. Est-ce qu'on partira aussitôt après pour le carnaval de Venise?»

Il ne répondit pas et se contenta de fourrer le masque dans sa poche. La cloche de l'église sonna. Carmelo vérifia que sa vaste pèlerine cachait bien le fourreau de son épée.

«Je ne sais pas quelle heure il sera à mon retour. Ne m'attends pas, dit-il en se hâtant vers la porte.

« – Ne pas t'attendre? Et qu'est-ce que je devrais faire d'autre? Dormir, peut-être? Je n'y songe même pas, tant que tu n'auras pas franchi cette porte pour me raconter ce qui se sera passé.»

Il s'arrêta, se retourna et fit deux pas vers elle. Une certaine douceur se lisait sur son visage.

«Ne t'inquiète pas.» Il se pencha et ses lèvres effleurèrent la joue de sa nièce.

«Je m'inquiéterais moins si j'avais le droit de t'accompagner.»

Il se raidit.

«Hors de question. Tu ne quitteras pas cette chambre avant mon retour. Je n'accorde aucune confiance à ces hommes masqués, et au cardinal moins qu'à tous les autres! Ils ne font pas mystère de ce qu'ils pensent de toute intervention féminine, alors ne te mets pas en tête de faire une bêtise!

– Une bêtise? répéta-t-elle d'un air innocent. Bien sûr que non, jamais de la vie je ne ferais une chose pareille!»

Carmelo lui jeta un regard méfiant, mais le temps pressait et il devait se hâter pour ne pas arriver en retard au lieu de rendez-vous secret. Il se détourna donc et disparut dans l'escalier.

Latona attendit sans bouger que la porte extérieure se soit refermée. Alors elle fut prise d'une agitation fiévreuse. Elle décrocha son manteau, fourra son poignard d'argent dans sa poche et s'élança sur les traces de Carmelo.

«Tout dépend de ce qu'on entend par "bêtise", murmura-t-elle pour elle-même. Je tiens au contraire pour tout à fait sensé de garder un œil sur toi et sur cette fameuse réunion.»

«Voilà quelqu'un!» siffla Franz Leopold entre ses dents en se recroquevillant encore un peu pour mieux se dissimuler derrière le pan de mur délabré. Les autres suivirent son exemple.

« Des humains, à en juger par le bruit qu'ils font en se déplaçant », remarqua Luciano.

Ivy leva la tête.

« Ils sont déjà venus souvent par ici. Je reconnais l'odeur qui imprégnait les pierres. »

Tapis à l'affût, ils aperçurent deux hommes qui s'engageaient dans le passage. Ils portaient de longs manteaux flottants et des masques rouges. Un léger grincement leur parvint, et déjà les deux silhouettes avaient franchi la porte derrière la colonne. Peu après surgit une troisième dans la même tenue et qui pénétra dans la maison à son tour. Comme aucune lumière ne venait éclairer les trouées des fenêtres, ils en déduisirent que tout ce beau monde se rendait dans une cave ou un passage souterrain.

« Encore des cachots et des fosses, murmura Alisa.

– J'espère que ce n'est pas une citerne fermée par une grille, ajouta Ivy.

– Vous croyez que ce sont tous des chasseurs de vampires ? dit Luciano dans un souffle, tandis que deux autres hommes masqués se faufilaient dans la cour.

– Aurais-tu la frousse, par hasard ? »

Ivy regarda Franz Leopold d'un air sévère, si bien qu'il se tut et baissa les yeux.

« Si tous ces hommes se préparent pour la chasse aux vampires, ça risque de devenir assez inconfortable pour nous !

– En effet, ce sont exclusivement des hommes, remarqua Alisa, songeuse. La jeune fille n'était pas parmi eux. Et ce qui me préoccupe surtout, c'est que le vénérable et la nonne sont toujours cachés là-bas, derrière le mur. Eux aussi semblent observer en cachette l'arrivée de ces hommes. Pourquoi donc ? »

Un dernier arrivant surgit au pas de course, le souffle court, son manteau flottant au vent. Il ne se donna pas la peine de vérifier si quelqu'un pouvait le voir. Il se précipita droit sous la voûte, gagna la porte, l'ouvrit à la volée et la laissa se refermer bruyamment derrière lui.

« Vous l'avez reconnu ? demanda Franz Leopold.

– C'est le chasseur de vampires de l'autre nuit », murmura Alisa.

« À présent ils sont tous réunis », entendirent-ils. C'était la voix de la nonne. Elle se redressa et sortit de derrière le mur. Le vieux Giuseppe fit de même. Il se dirigea vers la porte, mais s'arrêta en constatant qu'elle ne le suivait pas.

« Vous ne venez pas, sœur Nicola ? »

Elle secoua la tête.

« Non, ma présence n'est pas tolérée là en bas. Je ne fais pas partie du cercle. » Elle eut un petit rire. « Je suis une femme. Vous n'aviez pas remarqué ? Sur ce, je prends congé de vous. » Elle croisa les mains sur sa poitrine et inclina la tête.

Les jeunes vampires se regardaient, ébahis. Qu'avait-elle bien pu lui raconter pour qu'il se précipite de son plein gré, tel l'agneau du sacrifice, dans ce cachot où se tenait une réunion dont le but était la guerre contre les vampires !

Le vénérable suivit des yeux la jeune nonne jusqu'à ce qu'elle ait disparu dans la nuit. Puis il ouvrit la porte.

« Nous devons l'avertir ! On ne peut pas le laisser courir ainsi à sa perte sans se douter de rien ! » Luciano voulut se lancer à sa poursuite mais Franz Leopold le retint par sa veste.

« Rien ne nous garantit qu'il ne se doute de rien, dit-il d'un ton sec.

– Il a bien vu les hommes qui sont entrés là, ajouta Alisa.

– Il faut rester ici, attendre l'arrivée des gardes de la Maison dorée, proposa Ivy. Tammo les a certainement avertis, à l'heure qu'il est. Ils ne vont sûrement plus tarder.

– Quoi ? Tu veux attendre ici alors qu'il se trame des choses là en dessous, le diable sait quoi ! »

Ivy leva la main dans un geste d'apaisement.

«Je dis seulement ce que nous devrions faire. Ce qui serait le plus raisonnable. Je n'ai pas dit que je ne brûlais pas moi aussi de découvrir à quel jeu jouent ces hommes masqués.» Elle se redressa. «Allons les épier un peu.»

Sans prêter attention à Seymour, qui ne semblait pas d'accord et aurait volontiers enfoncé ses crocs dans leurs manches pour les entraîner le plus loin possible, elle passa crânement sous le portail voûté, pénétra dans la cour intérieure et marcha vers la porte.

«Leo, envoie ton esprit en éclaireur. Essaie de sentir l'atmosphère qui règne là-derrière», murmura-t-elle avant d'ouvrir la porte doucement. Les vampires descendirent sans bruit un escalier étroit, suivis du loup blanc.

«Il ne s'agit pas de n'importe quelle cave, souffla Luciano. C'est un ancien temple de Mithra.

– L'endroit idéal pour une réunion!» dit tout bas Ivy.

Ils n'avaient pas à craindre d'être découverts. Les sens du vénérable, d'une acuité surhumaine il est vrai, étaient occupés ailleurs, comme ils purent le constater une fois passée la première volée de marches. Sa voix leur parvint, claire et distincte. Ils s'immobilisèrent tous les quatre pour ne pas perdre un mot de ce qu'il disait.

«Je vous ai averti plus d'une fois, cardinal!» Le ton était impérieux, dénué des tremblements du grand âge et de cette faiblesse qui caractérisait le timbre de la plupart des vénérables.

«Hier, il y avait de nouveau des hommes sur le mont Oppius et au Colisée. Non, ne me dites pas que c'étaient de simples promeneurs inoffensifs qui ne présentent aucun danger et sur lesquels vous n'avez aucune influence. Je ne saurais tolérer que vous ne respectiez pas nos conventions. N'y a-t-il pas quelques semaines à peine que l'équipe de fouilles de de

439

Rossi a fait son apparition chez nous avec ses véhicules et ses caisses remplies de matériel?

– C'est exact, dit une voix profonde. Le pape a promis son soutien à l'archéologue sans que je sois au courant et l'a envoyé trouver le roi avec son projet. Nous avons mis fin à cette fantaisie dès que nous en avons entendu parler. Et cette fois encore, vous n'avez rien à craindre. Je vais m'en occuper. Mais dites-moi – on sentait l'attente fébrile qui perçait dans sa voix – où se trouvent les entrées du domaine de votre clan, afin que nous puissions les protéger tout particulièrement.»

Les vampires échangèrent des regards inquiets. Que se passait-il au juste? Qu'est-ce que l'ancien chef de clan fabriquait avec ces humains?

Le vénérable Giuseppe éclata d'un rire âpre.

«Voilà votre plus grave erreur, cardinal. Vous me tenez pour un naïf et pour un imbécile. Prenez bien garde que ce jugement erroné ne fasse pas échouer vos plans ambitieux! Alors, qui sont ces hommes et quand auront-ils plié bagage? Pouvez-vous me donner enfin la garantie que les ruines entre le Capitole, le Palatin et le mont Oppius sont notre propriété exclusive?

– Je veillerai à ce qu'ils s'en aillent. Comme je l'ai toujours fait.» Le cardinal semblait sur des charbons ardents.

«Vous? Lors des fouilles du Colisée, n'avons-nous pas dû intervenir nous-mêmes pour que plus personne ne soit tenté de revenir sur les lieux? Non, ne dites pas que nous n'avons qu'à recommencer. Bien entendu, nous n'aurions aucun mal à surprendre quelques ouvriers attardés, à les vider de leur sang et à laisser leurs cadavres sur place, dans des postures grotesques, afin d'effrayer les humains. Mais à quel prix? Un prix exorbitant! Je sais de quoi je parle, car il y a assez longtemps que je hante ce monde pour avoir vécu plus d'une fois pareille situation!»

Ivy continua à descendre l'escalier à pas de velours, suivie par ses trois compagnons. Ils se déplaçaient sans faire le moindre bruit et, malgré le flambeau dans son support métallique qui brûlait sur le mur qu'ils longeaient, ils n'avaient pas à redouter de projeter des ombres susceptibles de les trahir. Ivy s'agenouilla et risqua d'abord un coup d'œil avant de faire signe aux autres de se faufiler comme elle en rampant dans l'antichambre d'où ils pouvaient voir ce qui se passait dans la pièce où se tenait la réunion des hommes masqués. Cachés derrière des blocs de marbre poli, ils observèrent le vénérable qui poursuivait son discours.

« Cela commence par la crainte qui se glisse à la dérobée dans le regard des hommes. Puis vient la peur pure et simple, et enfin l'hystérie. D'abord, ils se ruent à l'église et ils prient, puis ils envoient des exorcistes. Autrefois, ils brûlaient une ou deux sorcières par-ci par-là, maintenant il y a les chasseurs de vampires. Des bouchers et des vautours, comme celui-ci ! » Il se retourna. La pointe de son index effleura la poitrine de l'homme qui sursauta et fit un pas de côté. C'était celui qui était arrivé le dernier au rendez-vous. Celui qui avait presque tué Seymour avec son épée. Alisa vit le pommeau qui saillait sous sa cape. L'homme ouvrit la bouche, mais le vénérable s'était déjà détourné et continuait sa tirade :

« Des nuées de chasseurs de vampires arrivent de tous les pays, tels des aventuriers ou des chercheurs d'or, dès que la rumeur commence à se répandre. » Le vieux Giuseppe se tenait droit comme un I tandis qu'il allait et venait devant la rangée de tables où étaient assis les hommes encapuchonnés, jusqu'à ce qu'il se retrouve de nouveau face au cardinal qui portait une robe d'un rouge éclatant. Aussi rouge que les masques qu'ils exhibaient tous. Le vieux vampire se pencha vers lui.

« Vos motifs peuvent être différents, mais votre action commune est dévastatrice ! Je ne peux ni ne veux tolérer que notre famille ait à connaître à nouveau une chose pareille. C'est la seule raison pour laquelle j'ai conclu ce pacte avec le diable – oh, pardonnez-moi, monsieur le cardinal, le mot m'a échappé. Je voulais dire : ce pacte avec la Sainte Église, n'est-ce pas ? J'ai toujours respecté nos conventions. C'est à vous, désormais, de faire enfin le nécessaire pour que nous puissions jouir d'une tranquillité durable ! »

À ces mots le cardinal bondit et se dressa de toute sa hauteur, sans égaler toutefois la taille du vieux vampire.

« Ah oui ? Combien de temps s'est écoulé depuis que vous nous avez livré le dernier représentant de votre espèce ? Nous attendons ! Vous nous en devez encore plusieurs pour atteindre la douzaine de rubis. Vous avez fait échouer trois rencontres ! »

Alisa était stupéfaite. Et dans les yeux de ses compagnons se lisait le même sentiment.

« J'ai livré bien assez de proies à vos épées ! Le pouvoir de ces rubis suffit pour maintenir un homme en vie pendant une éternité. Que voulez-vous de plus ?

– Que vous cessiez de prendre tout cela au tragique ! Il s'agit d'un marché conclu entre nous, un point c'est tout. D'ailleurs, vous n'étiez pas si mécontent d'être débarrassé de ceux de vos semblables qui ne vous obéissaient plus au doigt et à l'œil, ou bien oseriez-vous le nier ? »

« Ce n'est pas faux », souffla Franz Leopold. Ivy lui jeta un regard d'avertissement.

Le vénérable explosa.

« Bien sûr, je vous ai livré ceux dont on pouvait se passer, ceux qui n'étaient plus d'aucune utilité pour notre famille ou qui même intriguaient contre notre chef. C'étaient des victimes nécessaires pour protéger le reste du clan. Et alors ?

– Alors cessez de vous lamenter !

– Oui, mais ce n'est pas tout. Puis-je venir au secours de

442

votre mémoire défaillante? Nous avons éliminé pour vous les membres de la maison du roi et du gouvernement dont vous n'osiez même pas vous approcher. Un travail rapide, propre et discret. Peu nous importe, à nous, que l'Italie soit gouvernée par un pape ou par un roi, mais tenez-vous aux termes de notre contrat et faites en sorte que nous ne soyons pas une nouvelle fois dérangés, car sinon, il se pourrait que ce soit votre cadavre que l'on retire du Tibre, vidé de son sang. C'en serait bel et bien fini, alors, de vos rêves de gloire!

– Vous me menacez? siffla le cardinal. Prenez garde! Un simple signal du pape, et tout ce qu'il y a d'impie et de contre-nature dans son royaume sera définitivement éradiqué. Il se pourrait qu'il soit tenté de lancer une vaste croisade contre le mal!»

Le vénérable parut un instant ébranlé.

«Ce n'est pas une idée qui lui vient subitement, souffla Ivy dont la voix s'étranglait. Le cardinal a tout planifié depuis le début.»

Luciano se borna à secouer la tête.

«Comment le vénérable a-t-il pu faire une chose pareille? Pourquoi l'a-t-il cru et a-t-il accepté de se salir les mains à ce point?

– Il a dû penser que ce serait le seul moyen de consolider le pouvoir de son petit-fils et de protéger le clan – le reste du clan», répondit Alisa, qui avait à cet instant devant les yeux l'image des corps carbonisés.

Que devaient-ils faire à présent? Retourner ventre à terre à la Maison dorée et exposer au comte Claudio la trahison de son grand-père?

«Tu penses peut-être qu'il nous croirait? objecta Franz Leopold avec une moue dédaigneuse.

– Allons-nous regarder sans broncher le cardinal lancer sa grande offensive? répliqua Alisa.

443

– Chut!» fit Ivy, mais il était trop tard. Le silence s'était abattu d'un coup sur la salle souterraine du Circus Maximus, et tous les regards des conjurés se tournèrent vers l'antichambre. Le vieux Giuseppe poussa un gémissement et une grimace lui déforma le visage.

Les quatre jeunes vampires n'avaient pas encore décidé de la conduite à tenir quand Seymour brusquement se raidit, les oreilles dressées. La porte, en haut, se referma avec un petit bruit. Des pas légers descendirent l'escalier. Ils étaient pris au piège. Franz Leopold fut le premier à réagir, avec le loup, et ils se ruèrent dans l'escalier.

La jeune humaine resta un instant comme paralysée, les yeux braqués sur le loup et sur le vampire, en bas des marches, puis elle dégaina son poignard d'argent.

Ivy poussa un cri.

«Non! Seymour, recule!»

«Ce sont des vampires! Anéantissez-les, ce sont des vampires!» rugit un des hommes masqués.

Le chasseur dégaina son épée d'argent, aussitôt imité par deux autres conjurés. Le chasseur de vampires fut le plus rapide. Il fondit sur Ivy dont l'attention était concentrée sur Seymour. Luciano se contenta de lui crier «Attention!», mais Alisa n'hésita pas une seconde. D'un bond de géant, elle vint s'interposer entre son amie et l'épée qui, sinon, ne l'aurait pas manquée. Dans son élan, elle détourna la lame de sa trajectoire. L'homme ne réussit pas même à freiner. La pointe de l'épée vint donner contre un bloc de marbre où elle se brisa avec un bruit sec. Le chasseur de vampires poussa un hurlement de douleur car le choc lui avait cassé le poignet. L'épée gisait au sol, en deux morceaux. Mais l'homme était un combattant. De la main gauche, il ramassa le moignon d'épée. Il n'avait pas dit son dernier mot!

Portée par son élan, Alisa alla heurter le mur. Son premier

regard fut pour Ivy, qui avait l'air indemne. Seul l'effroi qu'elle lut dans ses yeux turquoise l'amena à baisser les yeux vers sa propre veste et sa chemise blanche qui, de la hanche gauche à l'épaule droite, portaient une large déchirure. Du sang rouge sombre ruisselait sur sa poitrine et sur son ventre. Alisa se sentit suffoquer. Tout à coup la douleur la submergea et ses jambes se dérobèrent. Ivy la retint avant que ses genoux ne touchent le sol. Elle la prit par le bras.

« Il faut se sauver d'ici ! Viens, sinon nous sommes perdus ! » Un regard en arrière leur montra que Seymour et Franz Leopold avaient terrassé la jeune humaine. Luciano se rua sur le chasseur, visant son bras, si bien que l'épée tomba de nouveau par terre. Puis il aida Ivy à entraîner Alisa en direction de l'escalier.

« Ne laissez pas échapper ces suceurs de sang. Attrapez-les ! Abattez-les ! » bramait le cardinal. Le chasseur se baissa une fois encore pour ramasser son épée, tandis que les autres hommes hésitaient toujours.

« Laissez-nous passer ! ordonna le cardinal au vénérable en le repoussant d'une bourrade. Ils nous appartiennent !

– Non ! Vous ne porterez pas la main sur nos enfants. Ils sont l'unique espoir qui nous reste. » Soudain, il ne paraissait plus vieux du tout. Ses dents blanches étincelaient entre ses lèvres entrouvertes. Il rugissait comme un fauve blessé. Alors il s'attaqua au premier homme. Ses longs doigts se refermèrent sur sa poitrine et sur son cou. L'épée tomba au sol.

Entre-temps, les deux vampires avaient atteint le pied de l'escalier.

« Vite, portez-la en haut ! cria Franz Leopold. Nous nous chargeons de barrer la route à ces bouchers ! »

Ce n'était pas le moment de se chamailler. Ivy et Luciano sautèrent sur la première marche, entraînant la pauvre Alisa chancelante – et se heurtèrent à quelqu'un qui descendait les marches quatre à quatre. Ils allèrent valdinguer contre le mur. Alisa eut un étourdissement. Elle se sentit sur le point de tomber dans les pommes. Tout devint d'un seul coup lointain, irréel. Le corps était très grand, large et froid. Elle connaissait ce vampire. Alisa plissa les yeux et, dans le brouillard qui l'environnait, s'efforça de distinguer ses traits.

Alors elle entendit le vieux Giuseppe crier :

« Vite, Leandro, emmène les enfants en lieu sûr. Il faut les sortir d'ici ! » Son crâne douloureux lui jouait-il des tours ou bien l'imposant bibliothécaire venait-il bien de secouer la tête avec un air de défi ?

« Leandro !

– Eh bien non ! Personne ne leur a dit de venir mettre leur nez là-dedans. Celui qui va au-devant du danger peut se faire éliminer. C'est aussi simple que cela.

– Sauve-les ! Ce sont nos héritiers !

– Luciano est notre héritier ! Le sort des autres m'indiffère », répliqua le bibliothécaire. Alisa sentit qu'une main la lâchait, pour attraper Luciano. Elle ploya les genoux, recula en titubant et se retrouva dans l'antichambre avec Ivy. Luciano eut beau protester, se débattre et enfoncer ses dents dans l'épaule de Leandro, rien n'y fit. Le bibliothécaire disparut avec Luciano au détour de l'escalier, si vite que les trois amis eurent à peine le temps de s'en rendre compte. La porte en haut se referma en claquant.

« Sortez d'ici ! Courez ! » ordonna le vénérable en mordant le deuxième homme, qui s'écroula. Franz Leopold abandonna au loup la jeune humaine qui gisait au sol et se précipita sur Alisa.

« Laisse-la, cria-t-il à Ivy. Je me charge d'elle. »

Alisa fut incapable d'opposer la moindre résistance. Son corps se pelotonna sur lui-même et parut s'abandonner de bonne grâce à l'étreinte puissante et pourtant étonnamment douce de Franz Leopold. Arrivés sur le palier supérieur, ils s'immobilisèrent, incapables de s'arracher au spectacle effroyable qui se jouait en bas.

«Je vous aurai!» braillait le chasseur. Tenant le moignon d'épée à l'horizontale devant sa poitrine comme un bélier, il fonça. Le vieux Giuseppe était juste derrière lui. Seymour sauta des bras d'Ivy en hurlant et attaqua. Il évita la lame mortelle et mordit le mollet de l'homme qui cria et tenta de riposter, mais le vénérable retint à temps son bras. Les mâchoires de Seymour claquèrent une seconde fois et arrachèrent l'épée. Mais le chasseur ne se tenait pas encore pour vaincu. Il sortit un poignard de sous son manteau et essaya de frapper le vieux vampire. Le vénérable esquiva habilement le coup, bondit de nouveau et planta ses dents dans le cou de l'homme. Un gargouillement terrifié monta jusqu'au plafond voûté. Le cardinal et les trois conjurés encore vivants restaient plantés là, comme pétrifiés, et observaient l'affrontement en silence. Aucun d'eux n'était versé dans le maniement des armes, aussi l'idée ne leur vint-elle même pas de se saisir des épées des hommes tombés et d'intervenir dans le combat. Seule la jeune fille, qui s'était à présent relevée, ne semblait pas prête à regarder sans réagir le loup et le vieux vampire tuer le chasseur. Elle ramassa son poignard d'argent qui avait glissé dans un coin, et le lança de toutes ses forces dans le dos du vénérable. La lame d'argent s'enfonça profondément, jusqu'au cœur. Le vieux Giuseppe poussa un hurlement qui fit trembler la voûte de pierre et lâcha sa victime.

«Va rejoindre les héritiers et veille à ce qu'ils rentrent sains et saufs, dit-il dans un souffle, s'adressant au loup. C'était une erreur...», eut-il le temps d'ajouter avant que ses yeux ne s'éteignent à jamais.

Seymour enjamba d'un bond les deux chasseurs de vampires et grimpa l'escalier. Il ne jeta pas un regard en arrière. Il ne pouvait pas ramener le corps du vénérable à la Maison dorée, où l'on aurait peut-être réussi à le ranimer. Ainsi s'acheva l'histoire du vénérable Giuseppe, en ce lieu et à cette heure.

Seymour montait les marches quatre à quatre et rejoignit Ivy qui l'attendait en haut, indemne. Elle entoura de ses bras le cou du loup. Il la regarda dans les yeux. Puis ils se tournèrent vers les deux autres. Affalée contre le mur, Alisa avait du mal à respirer. Franz Leopold la tenait toujours par la taille pour la soutenir. La nausée s'était un peu dissipée, de même que le brouillard dans sa tête, si bien qu'elle percevait à peu près ce qui l'entourait. Elle aurait aimé pouvoir dire qu'elle était tout à fait capable de se redresser sans l'aide de personne, mais elle n'était pas très sûre que ce soit le cas. Et elle ne voulait pas s'infliger la honte de s'écrouler dans la poussière sous les yeux de Franz Leopold. Aussi fit-elle comme si elle ne remarquait pas ce bras passé autour de sa taille tandis qu'il l'aidait à se diriger vers la sortie. Ivy ramassa un morceau de bois qui traînait et s'en servit pour coincer la porte.

«Allons-nous-en, dit-elle d'un ton grave. Il n'y a plus rien que nous puissions faire ici.»

La fin du Cercle

« Avez-vous besoin d'autre chose, Saint-Père ? »

Pie IX secoua la tête en silence.

« Excusez-moi de vous le dire, mais vous ne semblez pas dans votre assiette. Vous devriez vous allonger. Ce que vous vouliez écrire pourra bien attendre jusqu'à demain ! »

Le pape adressa à son camerlingue un sourire las. Il n'y aurait plus de lendemain pour lui – du moins en ce monde. Quant à l'autre, comment y serait-il accueilli ? Le Seigneur lui pardonnerait-Il son aveuglement ? Il s'était bien douté que quelque chose d'impie se tramait sous ses yeux, mais il avait préféré ne rien voir. Son souhait de redonner à la Sainte Église la place et la signification qui lui revenaient dans la vie des hommes avait troublé son jugement et son regard. À présent, il ne lui restait plus qu'à s'en remettre au Juge Suprême et à espérer Sa miséricorde.

« Je termine juste cette lettre et je vais me coucher. Vous pouvez vous retirer. Je n'ai plus besoin de vous. »

Le secrétaire s'inclina et partit en refermant la porte derrière lui. Quand le son de ses pas se fut éteint au loin, Pie IX trempa sa plume d'acier dans l'encrier et se remit à écrire.

Moi, pape Pie IX par la grâce de Dieu, exprimant ici ma dernière volonté, j'ordonne que mon corps ne repose pas à Saint-Pierre aux côtés de ceux de mes prédécesseurs dans cette charge. N'élevez aucune statue de marbre à mon effigie comme on célèbre un souverain. Enterrez mon corps en toute humilité à San Lorenzo hors les murs, car moi aussi, je ne suis qu'un pauvre pécheur soumis à la grâce de Dieu et ma place est auprès de mon peuple au cimetière de Campo Verano.

Il signa et pressa l'anneau dans la cire molle pour imprimer le sceau papal au bas de sa lettre. Puis il se leva et, d'un pas mal assuré, gagna sa chambre à coucher. Il s'allongea sur le couvre-lit sans se déshabiller, dans sa robe de pape, et croisa les mains sur sa poitrine. Les cloches de Saint-Pierre n'avaient pas encore sonné minuit quand le pape Pie IX rendit l'esprit.

Le bibliothécaire, tenant Luciano d'une poigne de fer, fonçait à travers la nuit d'un pas rapide et régulier. Les protestations du garçon restaient vaines. Son esprit battait la campagne. Qu'est-ce que Leandro voulait faire de lui ? Il tourna la tête et aperçut des pans de murs et des tronçons de colonnes qui lui parurent familiers. Leandro le ramenait-il vraiment à la maison ? Ils franchirent le Palatin, s'engagèrent sur le chemin pentu qui menait vers le Colisée. La colline qui cachait la Maison dorée fut atteinte plus vite que Luciano ne l'aurait cru possible. À son grand étonnement, Leandro ne prit pas la direction du portail mais l'entraîna jusqu'à une sorte de galerie maçonnée, dissimulée dans les buissons, et qui dégringolait à pic dans les profondeurs de la terre. Le bibliothécaire, serrant Luciano à le broyer, sauta avec lui et atterrit trois ou quatre mètres plus bas, dans une salle souterraine. Enfin il desserra son étreinte et le lâcha. Luciano fit la culbute et se retrouva accroupi, les jambes écartées, sur le sol de pierre.

« Bon sang, mais qu'est-ce que ça veut dire ? »

Leandro n'avait toujours pas dit un mot et ne semblait nullement disposé à fournir à Luciano la moindre explication. Il marcha résolument vers la porte sans lui adresser un regard. Voulait-il l'enfermer ici ? Luciano se redressa d'un bond et courut derrière le bibliothécaire.

« Hé ! Je te parle ! Qu'est-ce qu'on fait ici ? Que vas-tu faire de moi ? »

Se plaquant derrière Leandro, il franchit la porte avec lui et constata non sans surprise qu'elle donnait dans la bibliothèque. Cet accès-là était certainement un secret jalousement gardé par le bibliothécaire ! Luciano se cramponna à sa veste et Leandro, enfin, consentit à le regarder – ou, pour être plus exact, à baisser les yeux vers lui comme on considère une punaise à ses pieds.

« Arrête de brailler ! dit-il sur un ton que Luciano jugea très menaçant. Je t'ai tiré de là parce que tu es un Nosferas et parce que le vieux le voulait, même si tout ce que tu mérites, c'est une volée de coups pour avoir fourré ton nez dans des affaires qui ne te regardent pas !

– Ça ne me regarde pas ? Que vous ayez vendu des membres du clan à ces chasseurs de vampires ? Que vous les ayez menés à l'abattoir sans qu'ils aient le moindre soupçon ? s'écria Luciano.

– Il s'agissait d'éléments sans importance. Des gêneurs et des importuns, des vieillards qui avaient fait leur temps depuis déjà belle lurette. Ce n'est pas une grosse perte pour la famille qui doit demeurer puissante et unie.

– Et c'est toi qui décides qui est utile à la famille et qui peut être sacrifié ?

– C'était l'affaire du vieux Giuseppe. J'aurais peut-être choisi différemment, mais je n'ai fait que suivre ses directives.

– Giuseppe voulait que tu sauves les autres également ! »

451

Devant le mépris qui se peignit sur les traits de Leandro, Luciano battit en retraite.

« Les autres ? Que sont-ils donc ? Les rejetons insignifiants de ces familles que nous avons combattues à juste titre pendant des siècles ! Pourquoi devrais-je les sauver alors que c'est leur propre bêtise qui les a précipités dans le piège ? Je n'étais pas favorable au projet de faire pénétrer cette vermine dans la Maison dorée, mais ce n'était pas non plus mon idée de les laisser courir tout seuls à leur perte cette nuit. Cependant, s'il doit en être ainsi... eh bien soit ! Je n'ai jamais compris pourquoi le vieux n'avait pas décidé d'éliminer en tout premier lieu les étrangers.

– Parce que, contrairement à toi, il avait compris que tous ensemble nous représentons l'avenir et la seule chance pour les vampires de survivre et de venir à bout des hommes ! »

Leandro haussa les épaules d'un air excédé.

« Oui, je connais par cœur le discours du comte. Là-dessus non plus, nous ne sommes pas d'accord. Le vieux voulait de toutes ses forces protéger ses petits-enfants et éliminer ses adversaires. Je n'aurais pas été contre un changement à la tête de la famille.

– Mais tu n'es qu'un impur et tu n'as pas ton mot à dire », siffla Luciano d'une voix haineuse, et il recula quand il vit Leandro lever le poing. Il esquiva le premier coup, mais le second l'envoya valdinguer dans les airs. Son dos heurta un rayonnage. Le temps qu'il se relève, Leandro s'était éclipsé, refermant la porte derrière lui. Furieux, Luciano secoua ses manches couvertes de poussière. Le bibliothécaire ne s'en tirerait pas comme ça, il allait voir un peu ! Même si c'était la seule chose que lui, Luciano, pouvait encore faire. La pensée de ses amis lui revint tout à coup et son cœur se serra – une sensation d'oppression plus forte encore que celle que lui avait infligée la poigne de fer de Leandro.

452

Alisa, Ivy et Franz Leopold se mirent en route. Ils ne couraient pas, cette fois, ils se traînaient lamentablement. Ivy regardait sans arrêt par-dessus son épaule. Pour l'instant, le morceau de bois qui coinçait la porte avait l'air de tenir bon. Ils approchaient de la piste ovale du Circus Maximus quand ils aperçurent une douzaine de silhouettes au pied du Palatin, venant dans leur direction. Elles se déplaçaient plus vite que des hommes et aucune aura de chaleur ne les enveloppait. Un instant plus tard ils reconnurent le comte Claudio qui, en dépit de sa corpulence, ouvrait la marche. Il paraissait hors d'haleine et furieux quand il attrapa Ivy par le bras et se mit à la secouer.

« Qu'est-ce que vous fabriquez encore ? N'avez-vous pas tiré les leçons de vos erreurs ? »

Ivy se dégagea d'un geste vif et recula d'un pas.

« Que savez-vous exactement, comte ?

– Nous étions à la fête des Borghese quand l'impur Hindrik est venu nous demander de rentrer. Il a dit avoir trouvé son protégé Tammo ainsi que Joanne, du clan des Pyras, enfermés dans un sarcophage à la bibliothèque. Impossible d'obtenir des enfants la moindre explication sensée, si ce n'est que vous les aviez envoyés donner l'alarme. Que c'était une question de vie ou de mort et qu'il fallait que nous suivions vos traces. S'ils ont exagéré, je vais vous botter le derrière de mes propres mains ! » Il étirait le cou, agité de mouvements spasmodiques. Ce devait être l'odeur du sang. Ceux qui l'accompagnaient ne paraissaient pas plus calmes.

« Ils n'exagéraient pas, hélas ! déclara Ivy. Le vénérable Giuseppe gît probablement au fond d'un temple de Mithra, dans les sous-sols d'une vieille maison, amputé de sa tête et de son cœur.

– C'est l'œuvre d'une conjuration, des hommes avec des

masques rouges, ajouta Franz Leopold. Les chasseurs de vampires étaient là aussi. »

Alors seulement, ils virent leurs vêtements déchirés et ensanglantés. Un murmure courut parmi les rangs des vampires des différentes familles et des frères servants qui accompagnaient le comte. Alisa découvrit parmi eux Malcolm, qui faisait son possible pour ne pas attirer l'attention du chef du clan romain. Le comte ne lui avait certainement pas demandé de participer à cette mission. Ils échangèrent un bref regard.

Hindrik poussa un cri d'effroi et se précipita. S'agenouillant devant Alisa, il souleva du bout des doigts le tissu collé par le sang.

« Je crois que c'est moins grave que ça n'en a l'air, dit-elle d'une voix oppressée et elle tenta un pâle sourire. La lame n'a pas pénétré très profond.

– Non, déclara Hindrik, mais ce n'était pas une épée ordinaire, à voir comme le sang continue à couler.

– Une épée en argent, confirma Franz Leopold. La même lame qui a blessé Seymour. »

Hindrik hocha la tête.

« Tu peux la laisser maintenant. Je vais la ramener à la maison. »

Franz Leopold parut hésiter une seconde puis, un peu à contrecœur, il s'écarta. Ignorant les protestations d'Alisa, Hindrik la souleva dans ses bras. Le regard du comte passa en revue les jeunes vampires.

« Luciano n'était-il pas avec vous ? Où est-il ? »

Franz Leopold cracha par terre.

« Votre bibliothécaire Leandro l'a transporté en lieu sûr, dit-il avec du dépit dans la voix. Luciano était le seul à ses yeux qui méritait d'être sauvé.

– Ne sois pas si sévère, protesta le comte. Pourquoi lui prêter de pareilles intentions?

– Parce qu'il l'a dit lui-même avant d'emmener Luciano et de nous abandonner, déclara Ivy sur un ton qui ne laissait pas de place au doute, si bien que le comte ne chercha pas à la contredire.

– Et maintenant, que fait-on? s'écria Franz Leopold avec véhémence. On ne va tout de même pas les laisser s'échapper et continuer à commettre leurs forfaits à travers Rome jusqu'à ce que nous soyons tous éliminés!

– Non, nous ne les laisserons pas faire», répondit le comte. Malgré ses grosses joues et son double menton, son expression était glaciale.

«Très bien. Je vous guide. Ivy, tu devrais rentrer avec Alisa.»

Le comte hocha la tête.

«Allons-y.»

Tandis que Hindrik ramenait Alisa à la Maison dorée, Franz Leopold conduisit le comte et son escorte jusqu'à la porte qui menait au vieux sanctuaire. Le verrouillage improvisé par Ivy n'avait pas tenu. Ce fut leur première constatation quand ils atteignirent l'entrée de l'antique temple de Mithra.

«Les oiseaux se sont envolés», grommela le comte en s'engageant le premier dans l'escalier. Les autres le suivirent. Comme il fallait s'y attendre, les conjurés avaient tous levé le camp, emmenant les corps de leurs deux complices. Seul gisait encore dans l'antichambre le cadavre mis en pièces du vénérable Giuseppe.

Très ému, le comte s'agenouilla à côté de son grand-père qui avait dirigé le clan des Nosferas pendant tant d'années et assisté à tant de changements. Il posa le bout de ses doigts sur la poitrine froide.

Les autres se tenaient à quelque distance, dans un silence

respecteux, mais Franz Leopold s'avança vers lui et lui toucha l'épaule. Le comte le repoussa.

« Pas maintenant ! »

Franz Leopold se tut mais son regard restait braqué sur le passage donnant accès à la salle de réunion.

« Vous m'avez beaucoup appris, et à présent vous vous êtes sacrifié au nom de la seule chose qui compte : notre avenir, qui réside dans nos enfants. Je vous remercie. »

Franz Leopold tenta à nouveau de parler mais à présent, il n'était plus le seul : ses compagnons aussi avaient perçu l'aura humaine.

« C'est leur chef. Ils l'appellent le cardinal », murmura Franz Leopold au comte quand l'homme à la robe rouge franchit la porte voûtée. Il avait ôté son masque. Le visage dessous était vieux et dur. Le comte Claudio se redressa de toute sa taille mais l'homme le dépassait d'une demi-tête.

« Vous n'avez aucune raison de le louer de la sorte, dit le cardinal d'une voix âpre. Il vous a trahis et vendus. Mais peut-être le saviez-vous depuis longtemps ? »

Le comte Claudio fixait le cardinal, la mine impassible.

« Non, j'ignorais que c'était lui. Mais je me doutais que ce n'était pas le hasard qui menait les victimes tout droit dans la gueule du loup.

– Il avait conclu un pacte avec ces gens, intervint Franz Leopold. Il leur livrait les vampires et leurs rubis, en échange d'un arrêt définitif des fouilles archéologiques. »

Le comte Claudio hocha la tête.

« Oui, l'intention était louable, mais c'était une erreur. Aucun membre de notre communauté ne peut être sacrifié de la sorte. Jusqu'à présent, nous avons toujours réussi à tenir tête aux hommes et nous continuerons, sans devoir nous abaisser à des accords déshonorants comme celui-là. » Il posa une main lourde sur l'épaule de Franz Leopold. « La vieille druidesse a raison. C'est vous, les jeunes, qui êtes le pouvoir de demain, vous représentez notre avenir et nous allons vous rendre plus forts afin que vous soyez capables en tout temps de tenir bon face aux hommes, malgré leurs progrès techniques et toutes leurs inventions.»

Les lèvres du cardinal se tordirent en un sourire railleur.

«Quelle sentimentalité ridicule! Vous n'aurez pas l'occasion de dorloter votre engeance diabolique. Je sais que votre repaire se trouve quelque part là-dehors. Nous le découvrirons bientôt et nous vous anéantirons tous jusqu'au dernier. Rome est une ville sainte! Il n'y a pas de place ici pour les créatures démoniaques de la nuit.» Sur ces mots, il passa devant eux la tête haute et se dirigea vers l'escalier.

«Vous n'allez tout de même pas le laisser filer comme ça? s'écria Franz Leopold. Si vous ne le tuez pas, je m'en charge!»

Le comte le retint d'une main de fer.

«Non, nous n'allons pas le tuer. J'ai édicté des règlements pour protéger le clan et je dois être le premier à m'y tenir. Quand bien même il aurait mille fois mérité d'être saigné jusqu'à la dernière goutte.

– Alors vous le laissez partir, tout simplement?» protesta le jeune vampire, stupéfait.

Se frayant un chemin parmi l'escorte du comte, le cardinal commençait à monter l'escalier.

Le comte secoua la tête et, haussant la voix afin que l'homme aussi l'entende :

«Non, nous n'allons pas le laisser partir. Je me demande si nous n'aurions pas besoin d'un impur supplémentaire. Le cardinal est sans aucun doute un homme cultivé, qui pourrait rendre de précieux services à la bibliothèque. Une fois qu'il sera devenu vampire, on lui formera aisément le caractère!»

Franz Leopold entendit le cardinal qui se mettait à courir. La porte claqua et l'homme détala dans la nuit.

Le comte lui laissa prendre un peu d'avance, puis il ordonna à deux frères servants de le poursuivre. Un autre fut chargé de ramener les restes du vénérable à la Maison dorée.

« Et que faisons-nous maintenant ? demanda Franz Leopold.

– Nous allons rendre une petite visite aux chasseurs de vampires ! »

Carmelo pesait lourd dans les bras de Latona. Son cou ne saignait presque plus mais le choc, et sans doute aussi le sang qu'il avait perdu, le rendaient désemparé et démuni comme un enfant. Curieusement, Latona se sentait calme, lucide et déterminée. Le temps de la peur et des larmes était révolu. Il fallait agir, et vite, s'ils voulaient sortir vivants de cette histoire. Toute la soirée, elle avait eu un fâcheux pressentiment, mais c'est en vain qu'elle avait supplié Carmelo de quitter Rome une bonne fois pour toutes.

« Encore une dernière mission, répondait-il toujours. Encore une bourse pleine d'or. »

Et voilà. À force d'atermoiements, il y avait presque laissé sa vie et – peut-être pis encore – son âme, et Latona aussi avait failli être mise en pièces par le monstre livide. Elle avait l'impression de sentir encore les canines contre sa gorge et le souffle putride sur son visage. La salive collante maculait son cou et les ruchés de sa robe. Elle éprouvait une envie irrépressible de se frotter avec de l'eau brûlante et du savon, mais pour ce genre de frivolité, il faudrait attendre. Attendre d'être en sûreté.

« Oncle Carmelo, essaie de te faire moins lourd. Je ne peux plus te porter ! » gémit-elle.

Il ne répondit pas, se contentant de regarder droit devant lui, les yeux grands ouverts. La voyait-il seulement ? Son silence la rendait encore plus inquiète. Ce n'était pas son genre. Il aurait plutôt dû râler, pester, jurer de se venger ou au moins se plaindre de ses blessures. Enfin il se redressa tout de même un petit peu et se mit à marcher. Latona le guida le long du Teatro di Marcello puis à travers les ruelles tortueuses jusqu'à leur logis derrière l'église San Nicola del Calcario. Quand ils pénétrèrent dans la maison, il avait repris suffisamment de forces pour pouvoir grimper l'escalier sans son aide.

« Assieds-toi ici, sur le lit », dit-elle quand elle eut réussi, non sans mal, à ouvrir la serrure coincée par la rouille. « Je vais emballer nos affaires, je ne prendrai que l'indispensable. » Avec une pointe de regret, elle laissa dans l'armoire robes, chapeaux et gants et se contenta de fourrer dans le plus petit de ses sacs de voyage les bourses de cuir contenant l'argent et un minimum de linge. Elle était en train de sortir du coffre une chemise propre pour Carmelo quand elle s'arrêta au milieu de son geste. La chemise de soie blanche flotta jusqu'au sol. Latona n'avait pas entendu de bruit venant de l'escalier et pourtant toutes les fibres de son corps lui disaient qu'ils étaient là, dehors. Elle recula jusqu'à ce que ses jambes heurtent le bord d'un fauteuil. Paniquée, incapable d'émettre un son, elle vit la poignée de la porte s'abaisser lentement.

Ainsi qu'elle l'avait dit-elle-même, la blessure sur la poitrine d'Alisa était impressionnante, mais peu profonde. La lame en argent maintenait la plaie ouverte si bien qu'elle avait perdu beaucoup de sang, le temps qu'ils atteignent la Maison dorée. Hindrik la porta aussitôt dans son sarcophage et envoya Ivy chercher du sang. Zita accourut avec un plateau lourdement chargé et ne repartit qu'après qu'Alisa eut tout bu jusqu'à la dernière goutte. Alors elle s'inclina devant elle et lui caressa les cheveux d'un geste maternel.

« À présent dors bien, ma chérie, et ce sera bientôt cicatrisé. »

Elle se retira en entraînant aussi Ivy et le loup hors de la pièce, pour qu'Alisa puisse dormir un peu. Comme si elle était capable de se reposer dans un moment pareil ! Le matin était encore loin et elle était tellement bouleversée qu'elle aurait arpenté la chambre de long en large si sa blessure n'avait pas continué à saigner et à la faire souffrir. Aussi était-elle obligée de rester allongée sans bouger, repassant dans sa tête les événements de la nuit.

Un léger bruit du côté de la porte l'incita à glisser un coup d'œil par-dessus le bord du sarcophage resté ouvert. Le visage joufflu de Luciano épiait dans l'entrebâillement de la porte. Quand il se vit découvert, il recula.

« Entre ! » s'écria Alisa, heureuse de pouvoir enfin parler avec quelqu'un et soulagée qu'il ne soit rien arrivé de fâcheux au garçon. Luciano poussa timidement la porte et entra, mais il resta collé contre le mur, les yeux baissés.

« Qu'y a-t-il ? Tu as été blessé ? demanda Alisa.

– Non, murmura-t-il d'une voix à peine audible.

– Viens plus près, ça me fait mal de me contorsionner comme ça pour te voir. »

Il obéit, mais sans pour autant relever la tête. Il n'osait pas la regarder en face.

« C'est très grave ? » demanda-t-il enfin.

Alisa voulut hausser les épaules, mais elle y renonça quand une douleur fulgurante lui transperça le corps.

« Non, ce n'est pas profond, mais ça va mettre un bout de temps à guérir. Qu'est-ce que Leandro t'a fait ?

– Il m'a sauvé ! dit Luciano, plein d'amertume. Il vous a abandonnés à votre sort et il m'a traîné ici, mais il va le payer, je te le jure ! Je vais dénoncer au comte le traître à qui il a confié sa bibliothèque !

– Il y a des choses plus graves que d'être sauvé, dit Alisa avec un tout petit rire. Et il n'est certes pas le seul à penser qu'aucune autre famille que la sienne n'est digne de séjourner sur cette terre.» Elle songeait à Franz Leopold et à sa clique.

«Que pourrait-il y avoir de plus grave que d'abandonner ses amis dans le plus grand des périls?» s'écria Luciano, véhément.

Alisa se redressa dans son sarcophage et lui prit la main. Il voulut reculer mais elle le tint fermement.

«Regarde-moi!»

Il hésita, puis obéit.

«Tu ne nous as pas abandonnés! Ce n'était pas une décision que tu as prise et tu ne t'es pas non plus enfui lâchement. Tu as été emmené contre ton gré. C'est la seule chose qui importe! Et aussi le fait que nous nous en soyons tous tirés sains et saufs – enfin presque. C'est clair? Nous sommes des amis qui peuvent compter les uns sur les autres en toutes circonstances. C'est ainsi que je te considérais auparavant et mon point de vue sur toi n'a pas changé.»

Un pâle sourire éclaira la figure ronde de Luciano.

«Merci de me dire ça, mais la vérité c'est que j'avais terriblement peur et que je brûlais d'envie de prendre mes jambes à mon cou.

– Et alors? Est-ce que tu crois que je n'avais pas peur, moi aussi? La vérité, c'est que tu n'as pas obéi à cette impulsion – et que tu serais resté avec nous jusqu'à la fin si Leandro n'avait pas mis la main sur toi.»

Luciano se contenta de lui presser la main en silence, mais il la lâcha très vite quand il sentit que quelqu'un s'approchait. Pris de panique, il recula si brusquement que son dos heurta le sarcophage voisin, mais c'était simplement Ivy, qui revenait accompagnée de Seymour.

«Il n'a pas été facile d'échapper à la sollicitude de Zita, ni à sa curiosité, encore plus grande», dit-elle. Elle s'assit en tailleur sur la dalle de son propre sarcophage richement sculpté. «Malheureusement, il ne nous reste rien d'autre à faire, à présent, que d'attendre Franz Leopold pour qu'il nous raconte la fin de l'histoire. Voulez-vous que je vous lise quelque chose pour passer le temps?»

Alisa acquiesça, même si elle ne voyait pas très bien comment une lecture pourrait détourner son attention des événements de la nuit. Pourtant, non seulement ses pensées ne tardèrent pas à s'envoler vers des mondes imaginaires et de palpitantes aventures, mais son esprit glissa peu à peu dans le royaume des rêves. Quand Luciano et Ivy poussèrent la dalle qui fermait son sarcophage, elle ne s'en rendit même pas compte.

Adieux

Les vampires couraient en silence à travers la nuit. Bien que les humains aient une bonne longueur d'avance, il était facile de suivre leur trace, et l'odeur de sang et de sueur de plus en plus distincte leur indiqua qu'ils regagnaient du terrain.

« Je sais où ils vont. Ils habitent à proximité de la citerne où nous avons trouvé les corps carbonisés », déclara Franz Leopold au chef du clan des Nosferas.

Le comte acquiesça.

« Aucun d'entre nous ne périra plus jamais dans ce puits. On s'en est occupé. » Il accéléra l'allure, mais Franz Leopold n'avait aucun mal à rester à sa hauteur. Le numéro un de la famille de Luciano n'était pas, lui non plus, un excellent coureur. Ils atteignirent la porte de la maison et se ruèrent dans l'entrée. Un escalier montait jusqu'aux deux pièces qu'occupaient les chasseurs. Les vampires qui composaient l'escorte du comte le laissèrent respectueusement passer le premier : il ouvrit la porte et entra.

« Vous partez en voyage ? » demanda-t-il poliment à la jeune fille qui le fixait, bouche bée. La peur formait autour d'elle comme un nuage de parfum âcre. Mais une expression de défi se peignit sur son visage.

«Oui, nous quittons Rome. Ce que nous aurions dû faire depuis longtemps!»

Le regard du comte se porta sur l'homme allongé sur le lit, qui à cet instant ne ressemblait guère au dangereux chasseur de vampires responsable de l'anéantissement d'une bonne demi-douzaine des membres de son clan.

«Oui, cela aurait mieux valu pour tout le monde, et pour vous deux – et sa santé à lui – en particulier.»

Détachant les yeux du petit vampire corpulent qui était manifestement une sorte de chef, Latona considéra ceux qui l'accompagnaient et dont certains étaient entrés dans la pièce juste derrière lui. Elle reconnut le jeune homme aux cheveux sombres, d'une beauté surnaturelle, qui l'avait attaquée avec l'aide du loup. Elle n'avait jamais vu les autres. Rien que des visages étrangers, fermés. Certains menaçants, d'autres plutôt ennuyés. Et puis tout à coup... ces yeux bleus. Son cœur fit un bond. Malcolm! Il était encore sur le palier et semblait se cacher derrière un vampire à la large carrure, mais ses yeux étaient braqués sur elle. Le temps d'un battement de paupières – toute une éternité –, ils se regardèrent. Un espoir fou traversa l'esprit de Latona : il allait franchir la pièce d'un bond pour la rejoindre, il la prendrait dans ses bras, ils s'enfuiraient ensemble... Mais ce fut le chef des vampires qui s'approcha d'elle, dérobant Malcolm à sa vue. Il s'inclina devant elle, sembla inspirer profondément; sa bouche exhalait des relents de pourriture. D'un geste rapide, il lui arracha un morceau de sa manche. Alisa poussa un cri d'effroi. Son espoir de voir son oncle venir à son secours fut également déçu. Carmelo contemplait les vampires d'un œil vide. Comprenait-il seulement ce qui était en train de se passer?

D'un seul coup, il parut revenir à lui. Il se redressa sur sa couche et se mit debout.

«Vous êtes donc venus exercer votre vengeance... Eh bien,

mon épée est brisée, les puits qui me servaient de pièges ont été comblés, je n'ai plus rien à vous opposer. J'ai tenté ma chance une fois de trop. »

Le vampire se dirigea vers lui, les lèvres retroussées, exhibant ses canines. Latona se laissa tomber sur le fauteuil. Il attrapa Carmelo par le bras et l'attira brusquement contre sa poitrine.

« Oui, vous avez tous deux mérité la mort ou une vie de damnation éternelle, mais il n'y a déjà eu ici que trop de cadavres suspects. Le moindre mort supplémentaire pourrait signifier la fin de notre espèce. Ne vous réjouissez pas trop vite cependant ! » Il agrippa la manche de Carmelo, en arracha un bout, et mit les deux morceaux de tissu sous son nez. « Nous avons pris votre empreinte olfactive à tous deux, et nous ne l'oublierons plus jamais. Ne vous risquez pas à revenir dans cette ville ! Car nous vous repérerons aussitôt et ferons de vous nos esclaves pour l'éternité. Emmenez-les ! »

Des mains puissantes s'emparèrent des deux humains et les entraînèrent hors de la maison. Un court instant, Latona sentit la présence de Malcolm à côté d'elle. La main du garçon se posa sur la sienne.

« Ne te défends pas », lui murmura-t-il à l'oreille. Il y avait du regret dans son regard. Il ne l'aiderait pas. Il ne pouvait pas l'aider !

« Où nous emmenez-vous ? » osa demander Latona. Elle avait eu la présence d'esprit d'attraper son sac au passage et de le serrer contre sa poitrine.

« Là d'où vous partirez pour votre long voyage, répondit le chef des vampires et il fit un signe à l'intention de son escorte. Soyez contents, vous irez en train. Aussi loin que peut mener le réseau ferré ! » Et, tourné vers ses hommes, il ajouta : « Faites en sorte qu'ils soient dans l'incapacité de descendre avant d'avoir atteint leur destination ! »

Latona chercha à apercevoir Malcolm une dernière fois. Il posa l'index sur ses lèvres et lui dit au revoir d'un signe de la tête. Puis ils furent emmenés, elle et son oncle, et le jeune vampire disparut de sa vue.

Les vampires prirent le chemin de retour. Devant l'entrée de la Maison dorée, ils tombèrent à nouveau sur les deux fidèles que le comte avait envoyés à la poursuite du cardinal, mais Franz Leopold ne vit aucune trace du vieil homme à la robe rouge. L'avaient-ils vidé de son sang et transformé en vampire dès l'instant où il était tombé entre leurs mains ? L'hypothèse qu'ils n'aient pas réussi à le rattraper était exclue. Mais alors pourquoi ne le ramenaient-ils pas avec eux ? Il fallait qu'il reste couché dans un cercueil le temps que s'opère la douloureuse métamorphose. Cela pouvait prendre plusieurs nuits et il n'était pas souhaitable de laisser seule pendant tout ce temps une future créature de la nuit – même s'il ne devait s'agir que d'un frère servant. Franz Leopold regarda le comte d'un air interrogateur. Celui-ci ne paraissait pas du tout surpris de ne pas voir le cardinal.

« Eh bien, qu'avez-vous donc à me raconter ? » demanda-t-il quand ils eurent franchi le portail et furent entrés dans la grande cour. L'un des frères servants s'inclina avant de prendre la parole.

« Nous l'avons vite rattrapé et nous l'avons suivi assez discrètement pour qu'il ne puisse pas nous repérer. Il est descendu jusqu'au Tibre et s'est mis à longer la rive. Là, nous avons commencé à le serrer de près, puis nous nous laissions à nouveau distancer, mais pas trop, pour qu'il continue à se sentir traqué.

– Il ne marchait vraiment pas vite ! précisa son compagnon. Même pour un homme de son âge.

– Arrivé à la hauteur de Saint-Ange, reprit le premier, il a voulu traverser le fleuve. Nous l'avons talonné jusqu'à ce qu'il se soit engagé sur le pont et puis nous nous sommes immobilisés entre les deux premières statues. Il s'est arrêté, s'est retourné vers nous. Et là, à notre grande surprise, il a escaladé prestement le parapet.

– Oui, il a fait ça si vite qu'il s'est pris le pied dans sa longue robe rouge.

– Nous n'avons même pas eu besoin d'approcher et de le regarder dans les yeux. Il n'y a pas eu à le convaincre !

– En somme, il est tombé plus qu'il n'a sauté ? » demanda le comte.

Les deux frères servants haussèrent les épaules.

« Quelle importance ? Il a fait son choix au moment où il a grimpé sur le parapet. En tout cas, les eaux du Tibre l'ont emporté. Elles sont hautes et le courant est fort. Quand son corps refera surface, son âme l'aura quitté depuis longtemps ! »

D'un signe de tête, le comte Claudio donna congé à Franz Leopold et aux autres. Debout au milieu de la cour, le dos bien droit, il attendit que tous se soient égaillés dans les couloirs et les appartements de la Domus Aurea. Puis ses épaules s'affaissèrent.

« C'est très bien ainsi », murmura-t-il, si doucement que Franz Leopold, qui était resté embusqué derrière une colonne, comprit à peine ce qu'il disait. « Comment aurais-je pu avoir chaque nuit ce visage sous les yeux sans que la colère me submerge ? Franz Leopold ! Tu devrais retourner toi aussi dans ton sarcophage. Je crois que nous avons tous eu assez d'émotions pour cette nuit ! » Le comte ne tourna même pas la tête dans sa direction, et quitta la cour par l'autre côté.

Le comte Claudio se rendit à l'appartement du vénérable Giuseppe et referma la porte derrière lui. Son serviteur avait déposé les restes dans le sarcophage sculpté puis remis en

467

place le couvercle de marbre. Le comte souleva la lourde dalle qu'il cala contre le mur. Les mains appuyées sur le rebord, il resta un moment silencieux, à contempler les coussins de velours au milieu desquels gisait à présent l'ancien chef du clan, son grand-père et mentor. Le serviteur avait fait de son mieux pour dissimuler les mutilations infligées au corps. Il avait revêtu le vénérable d'une chemise propre avec des ruchés sur la poitrine et un col montant qui cachait les blessures et donnait l'impression que la tête était encore reliée au buste. Pourtant, la dégradation avait déjà commencé son œuvre ; impossible de l'ignorer sous cette lumière glauque. La peau se détachait et tombait en menus fragments. Le comte savait que le même processus se poursuivait à l'intérieur. Avant que l'aube ne pointe, il ne resterait plus que des vêtements et un petit tas de poussière pour attester qu'avait un jour existé Giuseppe di Nosferas, vampire de pur lignage.

Le comte Claudio soupira. Il était seul. Rien ne l'obligeait en cet instant à sauver la face, à se comporter en chef de famille plein d'assurance. Il pouvait pour un moment donner libre cours à son chagrin et à son désespoir.

« Pourquoi as-tu fait ça ? Pourquoi ? » Les mots résonnèrent entre les murs de pierre de cet appartement qui était un des plus grands de la Domus Aurea. Qui viendrait s'installer ici après Giuseppe ? se demanda-t-il tout à coup. Étranges, les pensées qui vous passent par la tête quand vous cherchez à contenir votre douleur.

« Tu n'as aucune excuse ! » s'écria-t-il en fixant le corps martyrisé au fond de son sarcophage. Un peu de poussière se répandit sur les coussins rouges. « Pourquoi ne m'en as-tu pas parlé ? Parce que tu savais que je n'aurais jamais été d'accord avec un tel plan. Il n'y a rien en ce monde, rien, qui puisse justifier ta trahison ! Combien de temps t'es-tu bercé de l'illusion d'agir pour le plus grand bien de la famille ? Tes mains sont poisseuses du sang des Nosferas. Ce n'était pas le cardinal, ce n'étaient pas non plus les chasseurs, c'était toi ! C'est ce crime qu'il t'a fallu payer ! Croyais-tu sincèrement qu'un pacte pouvait être conclu entre nous et l'Église ? Pauvre fou ! Oui, peut-être n'étais-tu plus après tout qu'un vieillard sénile, un vieux fou qui avait fait son temps ! »

Le comte se redressa et remit le couvercle en place. Le son se propagea comme le tintement d'une cloche qui répugne à s'éteindre.

« Et moi, j'étais un fou trop accommodant, qui préférais ne pas savoir ce qui se passait dans sa propre maison. »

Il quitta l'appartement sans se retourner. Derrière lui, la porte se referma en claquant.

Lorsque Alisa se réveilla le soir venu, il lui fallut bien constater qu'elle se sentait à peine mieux. Une blessure ordinaire aurait été complètement refermée. Mais dans son cas, cela allait durer des jours, voire des semaines ! Le comte avait fait mettre trois rubis dans son sarcophage, afin de l'aider à rassembler ses forces et à se concentrer sur sa guérison, et Zita veillait à ce qu'elle boive le plus de sang possible, jusqu'à ce qu'elle soit gavée et incapable d'avaler une gorgée de plus.

Lorsqu'une Zita très perplexe eut quitté la chambre, Ivy adressa à son amie un sourire compatissant.

« Ça ne va toujours pas mieux ? Dis-moi franchement. »

Alisa fut tentée un instant de mentir, mais elle finit par secouer la tête.

« Non, malheureusement pas. » Luciano, qui venait d'entrer pour lui tenir compagnie, avait l'air consterné. La culpabilité continuait à le torturer, même si ce n'était plus ce feu dévorant qui lui ravageait la moelle.

« Je peux peut-être t'aider, déclara Ivy. Il me reste un peu de la teinture qui est venue à bout du poison que l'argent avait introduit dans le corps de Seymour. Tara est une grande druidesse et une magicienne hors pair. J'imagine que son art pourrait t'être utile.

– Essayons toujours », soupira Alisa.

Luciano se détourna, gêné, le temps qu'Ivy défasse le bandage, applique la teinture puis panse à nouveau la plaie avec un linge propre.

« Tu peux te retourner, maintenant, dit-elle à Luciano d'un ton amusé. Si je ne me trompe pas, la cicatrisation devrait se faire en quelques nuits.

– Espérons-le », murmura Alisa.

Le quatrième soir, alors qu'Ivy, escortée de Seymour, avait regagné la salle au plafond doré et qu'Alisa était tout à fait seule, Franz Leopold entra dans la chambre. Il avait de nouveau sur le visage cette expression qu'elle trouvait si agaçante. Elle était assise dans son sarcophage, adossée à plusieurs oreillers, dans sa longue chemise de nuit blanche. Devant elle, le journal que Hindrik lui avait apporté. Elle avait appris assez d'italien à présent pour comprendre en gros de quoi traitaient les articles.

« Que veux-tu ? » demanda-t-elle d'un ton rude. Elle était contrariée qu'il ait dû une fois encore la tirer d'une situation critique – eh oui, il l'avait une fois encore tenue et transportée dans ses bras !

« Il faut que je sache si ça valait la peine de te sauver la vie une fois de plus, dit-il en s'approchant.

– Merci, articula Alisa à contrecœur. Tu n'auras plus l'occasion de te donner tout ce mal pour moi. »

Il rejeta son affirmation d'un geste nonchalant.

« Ne parle pas trop vite. Qui sait ce qui nous attend dans les prochaines années. Telle que je te connais, tu trouveras bien le moyen de te mettre à nouveau dans le pétrin un jour ou l'autre. »

Il se pencha un peu et glissa un coup d'œil au fond de l'imposant sarcophage. Alisa remonta pudiquement le drap sous son menton.

« Qu'est-ce qu'il y a ? Pourquoi tu me regardes comme ça ?

– J'ai peine à croire que ta blessure justifie encore que tu n'assistes pas aux cours. Mais je comprends parfaitement, ajouta-t-il, condescendant. C'est un prétexte tout à fait plausible pour se débiner devant notre tandem de bourreaux.

– Je ne me débine pas du tout ! » protesta Alisa avec véhémence, bien que Hindrik ait précisément utilisé cet argument pour la faire rester cette nuit encore au fond de son lit. Mais Franz Leopold ne pouvait pas le savoir, de même qu'il ignorait que la teinture de la druidesse avait opéré un véritable miracle ! Il lui adressa un sourire entendu.

Si seulement je pouvais lire dans ses pensées, songea Alisa qui bouillait de rage. Elle se sentait toujours si démunie et inférieure quand il la scrutait de cette façon et lui donnait le sentiment d'être transparente.

« Oui, je veux bien croire que tu aimerais pouvoir faire ça. Mais tu auras beau t'exercer, je crains que tu n'en sois jamais capable. Vous, les Vamalia, vous avez consacré beaucoup trop de temps à étudier les hommes et leurs inventions absurdes, en négligeant de perfectionner – que dis-je – de prendre en compte des talents autrement plus importants pour les vampires ! Je regrette de devoir t'asséner cette vérité mais, sans nous, ta famille serait condamnée à disparaître à court terme. »

Alisa sortit de ses gonds. Son bras jaillit de sous le drap. Son doigt désignait la porte.

« Va-t'en ! Sors d'ici ! Et ne te risque plus à franchir le seuil de cette chambre. Ta seule vue me rend malade. Oui, tu peux lire dans mes pensées tant que tu veux, car tout ce que je ressens en ta présence, c'est de la colère et un profond mépris ! »

Le sourire arrogant s'était effacé de son visage quand il esquissa une révérence.

«Très bien, voilà qui a le mérite d'être clair. Eh bien adieu! Je m'en vais faire ce à quoi nous sommes censés occuper notre temps depuis que nous sommes ici: suivre des cours afin de renforcer mes pouvoirs!»

Il s'en alla. Alisa le suivit des yeux. Impossible de se concentrer à nouveau sur son journal. Elle se sentait vide, épuisée et affreusement triste.

Les deux dernières semaines passèrent à toute vitesse. Alisa revint en classe, refit avec ses camarades des exercices où il fallait manipuler crucifix, eau bénite et hosties, prit une ultime leçon d'italien et récolta encore quelques coups de bâton de la part du tandem infernal Umberto et Letizia. À l'issue de ce cours-là, Tammo, Sören et les Pyras étaient tellement excédés qu'ils se livrèrent à une délicieuse petite bagarre dans la grande salle.

Alisa et Ivy secouaient la tête d'un air consterné.

«On pourrait penser qu'ils se réjouiraient à la perspective d'échapper pour quelques mois aux coups de bâton, eh bien, non, ils semblent avoir déjà la nostalgie de la castagne!»

Puis le soir arriva où ils devaient chacun regagner leurs pénates. Caisses et cercueils furent dûment préparés et portés dans la cour principale où des frères servants les chargèrent sur des chaises à porteurs ou des carrioles. Les premières voitures franchirent le portail.

Alisa et Ivy s'étreignirent avec chaleur.

«Je me réjouis beaucoup à l'idée de te revoir bientôt dans ton pays. S'il ne tenait qu'à moi, nous partirions tout de suite ensemble en Irlande!»

Luciano approuva d'un signe de tête. Il s'inclina cérémonieusement devant elles puis les serra brièvement dans ses bras, mais recula aussitôt, un peu gêné, en baissant les yeux.

«Vous allez me manquer toutes les deux – tous les trois! corrigea-t-il avec un sourire en direction de Seymour.

– Oui, toi aussi tu me manqueras.» Alisa posa un genou en terre et entoura de ses bras la nuque velue du loup. «Veille bien sur notre Ivy-Máire. Elle nous est chère et précieuse!»

Les yeux jaunes pleins d'intelligence la regardèrent avec tant de sérieux qu'Alisa se sentit comme paralysée. On aurait dit que le loup avait jeté sur elle un charme qu'elle ne pourrait plus jamais rompre. Un frisson lui parcourut le dos. Enfin, l'animal détourna le regard et Alisa se releva en titubant.

«C'est un ami et un protecteur excellent», dit-elle, le souffle court.

«Ivy-Máire! Dépêche-toi de venir dans ton cercueil. Il faut partir. La marée ne nous attendra pas!» Mervyn s'impatientait.

«Oui, j'arrive! Alors, rendez-vous en septembre – pour retrouver les croix et l'eau bénite et nos passionnants exercices!» Elle regarda une dernière fois ses amis puis, de sa démarche dansante qui faisait virevolter sa robe et flotter au vent ses boucles argentées, se hâta de rejoindre Mervyn, suivie de près par Seymour. Elle s'allongea dans sa caisse de voyage avec le loup. On ferma et cloua le couvercle. Deux frères servants chargèrent la caisse sur la voiture qui devait la transporter jusqu'au port sur le Tibre. Là, les cercueils seraient embarqués sur une goélette, un voilier très rapide qui assurait le service postal des îles Britanniques.

Les chevaux démarrèrent, la carriole se mit à tanguer et cahoter sur le pavé inégal. Ivy était allongée sur le dos, une main plongée dans l'épaisse toison du loup. Elle le sentit qui dressait les oreilles.

«L'as-tu entendu? murmura-t-elle. Moi aussi, je sens sa

473

présence. Je sais qu'il est dans la carriole, mais je me demande bien ce qu'il a en tête!»

Ivy tendit l'oreille et ne fut pas surprise quand une pince fit sauter les premiers clous du couvercle de son cercueil. Le couvercle se souleva et elle découvrit le visage inexpressif de Matthias. Cela l'étonna tout de même un peu. La main sur la poitrine, il s'inclina sans rien perdre de son air impassible puis recula pour laisser la place à son maître.

«Je n'ai plus besoin de toi, dit Franz Leopold. Tu peux rentrer à la Maison dorée et veiller aux préparatifs.» Le serviteur sauta de la voiture en marche.

Franz Leopold la regardait d'un air grave. Ivy s'assit et étala sa robe jusqu'à ses chevilles, ne laissant apercevoir que ses pieds nus.

«Eh bien?» demanda-t-elle, comme s'il était tout à fait normal qu'il soit là, dans cette carriole qui se dirigeait en cahotant vers le port pour embarquer sa cargaison sur un navire en partance pour l'Irlande. «Nous ne sommes pas dans le train de Vienne, au cas où cela t'aurait échappé.

– Merci pour l'information, mais je m'en étais rendu compte. Notre train ne part que dans quelques heures.» Une ébauche de sourire flotta sur ses lèvres, éclaira son visage tout entier et donna à ses yeux bruns un éclat doré. «Il y a des fois où j'aimerais vraiment savoir ce que tu penses.

– Je veux bien te croire, mais je saurai l'empêcher! répondit-elle non sans brusquerie. Pourquoi es-tu venu?» Ivy entoura ses genoux de ses bras. Elle regardait le jeune Dracas avec tant d'attention qu'il baissa les yeux et se mit à fixer le bout de ses souliers vernis bien astiqués.

«Je me suis dit qu'il était convenable que je vienne te dire au revoir si nous ne devons pas nous voir plusieurs mois. Personne ne peut prétendre que nous n'avons pas reçu une excellente éducation, à Vienne.»

Ivy éclata d'un rire cristallin.

« Certes. Et je me réjouis que tu respectes avec tant de civilité les formes de la courtoisie. »

Il lui jeta un regard méfiant.

« Te moquerais-tu de moi, par hasard ? »

Elle secoua la tête.

« Pas du tout. Je me demande seulement pourquoi tu n'as pas pensé à me dire au revoir dans la cour de la Maison dorée, tout à l'heure.

– J'y ai pensé, bien sûr, mais l'endroit ne me paraissait pas s'y prêter. »

Ivy comprit aussitôt.

« Parce que je n'étais pas seule ?

– Dans un pareil moment, je préfère vraiment éviter de m'exposer à l'animosité de Luciano et au mépris d'Alisa », dit-il avec plus de véhémence qu'il n'aurait voulu.

Ivy soupira.

« Je vois qu'en Irlande, nous aurons bien des malentendus à dissiper ! » Elle lui adressa un chaleureux sourire. « Je suis convaincue que nous y arriverons. Nous aurons tout le temps. Mais à présent il ne nous en reste plus guère. J'entends déjà les cris des débardeurs. » Elle lui tendit ses deux mains. « Nous nous reverrons bientôt. Je te souhaite un bon retour à Vienne et, cet automne, un excellent voyage qui t'amène sain et sauf en Irlande. »

Franz Leopold saisit le bout de ses doigts délicats avec précaution, comme s'ils risquaient de se briser. Il tremblait un peu.

« Je me réjouis de découvrir ton pays.

– Ah bon ? Tu as changé d'avis ? Tu ne juges plus que notre peuple est composé de paysans arriérés, tout juste bons à garder les moutons ? » Ses yeux turquoise brillaient de malice.

« Non, je n'ai pas changé d'avis. Mais prêter quelque attention aux peuples qui n'ont pas encore franchi le seuil de la civilisation ne peut pas faire de mal. Disons que c'est un intéressant sujet d'étude. » Les mots étaient conformes à ce qu'on pouvait attendre de lui, mais le ton était celui d'une déclaration d'amour.

Ivy lui pinça le bras.

« Leo, tu es et tu resteras un monstre de prétention ! »

Le jeune vampire esquissa une courbette.

« Je me suis un petit peu laissé aller de temps en temps mais je vais travailler pendant l'été à retrouver mon allure et ma morgue. Je ne voudrais pas priver les autres de l'objet de leur aversion ! »

Le véhicule s'arrêta dans un hoquet. Franz Leopold se pencha et ses lèvres froides effleurèrent les doigts délicats. Ivy sursauta et retira ses mains.

« Notre temps est écoulé, à ce qu'il semble. Prends bien soin de ton cœur et de ta vie, Ivy-Máire, jusqu'à ce que nous nous retrouvions − et de ton loup aussi. C'est une... j'ai failli dire *bête*, mais le terme de *créature* est plus approprié : c'est une créature d'exception ! » Ivy le regarda sans rien dire.

Franz Leopold rabattit le couvercle et le recloua. Il eut tout juste le temps de se faufiler sous la bâche quand les débardeurs s'approchèrent pour décharger les caisses. Il les regarda faire, caché derrière un empilement de tonneaux.

« Nous ferions mieux de rentrer si nous ne voulons pas rater le train de Vienne. » Franz Leopold retint la réprimande qu'il avait sur le bout de la langue. N'avait-il pas ordonné à son serviteur de retourner à la maison sans l'attendre ?

« Je dois vous obéir mais je dois aussi vous protéger. Parfois les deux ne sont pas conciliables », ajouta Matthias.

Franz Leopold se hâta de rendre ses pensées inaccessibles car Matthias ne devait pas savoir ce qui agitait son esprit en ce moment.

« Alors, allons-y », dit-il d'un ton rude.

Rapides et silencieux comme des feuilles emportées par le vent, ils regagnèrent la Maison dorée, où les attendait l'équipage qui devait les emmener à la gare.

Le train fonçait dans la nuit. Allongée dans sa caisse, Alisa sentait dans son corps les jointures des traverses, comme des vagues régulières qui glissaient sur elle. Tout le jour, ils avaient roulé à travers le royaume d'Italie en direction du nord, et franchi le Pô, le large fleuve qui sinuait paresseusement dans la plaine à laquelle il avait donné son nom. Depuis que la nuit était tombée, le train ralentissait de plus en plus, soufflant et ahanant tandis qu'il se frayait un chemin entre les montagnes, vers le col. Alisa fredonnait sur le rythme des roues, peut-être parce qu'elle se sentait seule et qu'elle avait le cœur lourd. Elle aurait pourtant dû se réjouir de rentrer à la maison et de retrouver sa famille !

Soudain, elle se tut. Un léger bruit se fit entendre par-dessus celui du train et elle sentit une présence. Quelqu'un était là, oui, un vampire. Un Vamalia, sans aucun doute.

Hindrik ? Elle cligna des yeux, surprise, quand le couvercle se souleva brusquement et qu'elle vit le frère servant qui lui souriait d'un air moqueur.

« Quoi ? Tu es encore au fond de ta caisse alors que le soleil est couché depuis près de deux heures ?

– Où devrais-je donc être ? demanda Alisa sans faire mine de se lever. Je croyais que dame Elina en personne nous avait ordonné de ne bouger ni pied ni patte durant tout le voyage. »

Hindrik écarquilla les yeux.

« Et depuis quand accordes-tu autant d'importance aux ordres qui contrecarrent tes désirs ? Votre petite mésaventure t'a-t-elle à ce point effrayée ? »

Cette fois, Alisa s'assit dans sa caisse et lui sourit.

« Et depuis quand nous exhortes-tu à la désobéissance ? J'ai toujours cru que ton devoir était de nous tenir la bride courte !

– Demain, peut-être, quand nous serons de retour à Hambourg, sous le regard sévère de dame Elina et de ses hommes de confiance. Mais cette nuit nous sommes libres – nous ne sommes plus dans le pays des Nosferas, et pas encore dans le royaume de dame Elina. Nous voilà libres, oui, quelque part entre ciel et terre.

– *Entre des gorges encaissées et les cimes des glaciers*, chantonna Alisa en sautant à bas de sa caisse. Si on grimpait sur le toit ? » Hindrik s'efforça de prendre un air grave et responsable, mais il échoua lamentablement.

« Justement ! C'était ce que j'allais proposer. Mais chut ! » Il posa l'index sur ses lèvres en désignant du menton les deux caisses où se trouvaient Tammo et Sören.

Alisa se plaqua la main sur la bouche pour réprimer son envie de rire. Elle se faufila par la porte entrebâillée donnant sur la plateforme entre les wagons et se hissa avec dextérité sur le toit. Hindrik la suivit.

« Quelle nuit magnifique ! » soupira Alisa. Elle leva la tête et pivota doucement sur elle-même. Les étoiles au-dessus d'elle se fondaient en de larges cercles de clarté. Elle était enveloppée du parfum entêtant des fleurs printanières. Un animal surgit de la forêt et se posta sur un piton rocheux. La harde tout entière le suivait.

« Ce sont des chamois ? » demanda Alisa.

Hindrik acquiesça. Il s'assit en tailleur sur le toit du wagon. Le vent de la course plaquait ses longs cheveux sur son visage, ce qui ne semblait pas le gêner. Il observait Alisa qui ne cessait de changer de place pour avoir un meilleur point de vue et scruter de plus près chaque gorge, chaque crevasse. Tout à coup, alors qu'elle venait de se retourner, elle écarquilla les yeux, puis éclata de rire.

«Hindrik, couche-toi!» Elle se laissa tomber à côté de lui et lui plaqua la tête contre le toit du wagon. La locomotive siffla dans la nuit au moment où ils pénétraient dans le tunnel. Ils restèrent ainsi allongés, main dans la main, jusqu'à ce que, laissant la dernière chaîne de montagnes derrière lui, le train s'élance dans la plaine, tout droit vers le nord. Alors seulement ils se rassirent. Dans un même mouvement, chacun sortit son mouchoir pour le donner à l'autre. Ils se frottèrent le visage puis regardèrent le tissu couvert de suie. Alisa se mit à rire. Hindrik rit avec elle.

«Je crains d'être dans le même état que toi. Quelle image allons-nous donner, revenant de la lointaine Rome, quand nous sortirons de nos caisses à Hambourg, en présence du grand comité d'accueil?

– Une image très digne, dit Alisa pince-sans-rire, et... très noire!»

Nouveaux plans d'action

*Il était déjà là. Comme lors de leurs rencontres précédentes, il avait
si bien enfoncé sur son visage le bord de son chapeau qu'elle ne pouvait pas distinguer ses traits. La cape à l'ancienne avec ses cols super-
posés enveloppait son corps qui paraissait d'une taille imposante.*

*« J'espère que vous m'apportez de bonnes nouvelles ? » La voix ton-
nante lui traversa le corps et se répercuta dans sa tête. Les doigts fins,
dans leurs gants de dentelle, se crispèrent sur le délicat éventail en
peau de cygne. Elle n'avait pas besoin de parler. Il savait – dès le
moment où elle avait formulé la pensée dans son esprit.*

« Non, vous n'êtes pas venue me dire ce que je voulais entendre.

*– J'ai tout essayé », dit-elle en matière d'excuse. Sa voix résonna à
ses propres oreilles, stridente, artificielle. Elle toussota et s'efforça de
retrouver le ton supérieur et affecté qui était habituellement le sien,
mais la présence de cet homme faisait fondre sa présomption, la rédui-
sait en cendres telle une bûche. Elle aurait voulu le regarder en face
mais, comme hypnotisée, n'arrivait pas à détacher ses yeux du lézard
en or qui s'enroulait autour de son annulaire long et fin. C'était
comme si l'animal la fixait de ses yeux d'émeraude.*

*« Quelle est la suite du programme ? » demanda-t-il avec une dou-
ceur trompeuse.*

*Elle se redressa de toute sa taille et arrangea ses jupes bouffantes.
La soie fraîche et douce lui caressa les jambes avec un léger froufrou.*

« À l'heure qu'il est, les enfants des différents clans regagnent leurs foyers. En septembre prochain, cette expérience absurde doit se poursuivre.

– Cela n'a rien d'absurde, vous auriez tout de même dû finir par le comprendre – même vous ! répliqua la créature dans l'ombre. Où vont-ils se retrouver ? Vous avez entendu mes instructions ? »

Elle perdit pied. Sa fière posture s'affaissa d'un coup. Même sa peau paraissait soudain flétrie, usée.

« J'ai tout essayé, croyez-moi, mais je n'ai pas pu l'empêcher : ils partent en Irlande ! » Voilà, c'était dit. Le moment qu'elle avait tant redouté était arrivé. Elle ne se faisait aucune illusion sur la manière dont il allait accueillir cette nouvelle. Sa colère était si grande que l'air entre eux parut vibrer, mais il resta assis et n'éleva même pas la voix.

« Vous avez donc failli, alors que vous saviez combien c'était important pour moi ! »

Elle se fit plus petite encore, croisa les mains devant les ruchés de soie rose qui bouillonnaient sur sa poitrine et baissa les yeux.

« Oui, j'ai failli. Mais j'espère cependant que vous m'accorderez la possibilité de vous être encore utile.

– L'avez-vous jamais été ? Je veux dire : utile. »

La peur lui tordit les tripes.

« Mais oui ! protesta-t-elle d'une voix tremblante. Vous ne trouverez aucune femme qui vous soit plus dévouée. Je vous vénère ! »

Il eut un geste d'impatience.

« Épargnez-moi vos serments creux. Je ne vous estimerai que si vous êtes vraiment prête à me servir.

– Je peux partir en Irlande et les tenir à l'œil. »

Il éclata d'un rire méprisant.

« Pour quoi faire ? Pour que rien ne lui arrive en Irlande ? Ce ne sera pas nécessaire.

– Mais l'année passera très vite et ensuite ils iront à Hambourg ou à Paris, ou à Vienne ! Alors je pourrai vous aider. » Elle se haïssait de prendre ce ton suppliant de mendiante qui, chez les autres, suscitait toujours son mépris.

« Nous verrons. Rentrez chez vous et tenez-vous prête pour le jour où je ferai appel à vous. Pour l'instant, vous ne m'êtes plus d'aucune utilité. »

Elle sentit l'intérieur de ses yeux qui la brûlait. Elle aurait voulu se précipiter vers lui, se jeter à ses pieds et le supplier de l'emmener, mais elle réussit à rassembler le peu qui lui restait de maîtrise d'elle-même et fit une profonde révérence.

« J'attendrai donc vos ordres avec joie », parvint-elle à articuler, et elle s'éloigna à la hâte. Elle sentit dans son dos son regard aussi ardent que la lumière du soleil.

ANNEXES

Fiction et réalité

Nosferas n'est pas seulement un roman fantastique dont les héros sont des vampires, c'est aussi un voyage à travers l'Europe du XIXe siècle, celle des hommes avec leur histoire. Ainsi mes lecteurs auront-ils l'occasion de plonger dans ce monde d'autrefois. J'ai tenu à leur apporter quelques éléments d'information sur la politique de l'époque, sur l'art et sur l'état de la science et des découvertes, aussi bien dans le domaine de la médecine que de l'architecture ou de la technique. Un certain nombre de personnages présents dans ce livre ont réellement existé. Des hommes politiques, des artistes – musiciens, peintres ou écrivains dont l'influence est encore sensible aujourd'hui. Je me suis également appliquée à décrire les lieux tels qu'ils étaient au XIXe siècle. Hambourg avec son port et ses quartiers mal famés, et Rome avec ses ruines antiques qui en ce temps-là étaient encore en grande partie enfouies sous terre et recouvertes de terrains vagues. Même si, dans l'un et l'autre lieu, pas mal de changements sont intervenus depuis, on peut encore aujourd'hui, si l'on voyage à Hambourg ou à Rome, retrouver beaucoup de choses de ce temps-là. Et cela en vaut la peine ! J'ai moi-même parcouru tous les chemins et vu tous les édifices que je décris et qui sont encore debout, j'ai vu de mes yeux chaque ruine, chaque cimetière – et j'ai naturellement visité les catacombes aux portes de Rome ! Quand on s'engage dans ce genre d'aventure, on se laisse captiver par l'ambiance qui vous emmène très loin dans le passé, jusqu'à des époques depuis longtemps révolues.

Quelques célébrités de passage

Le poète anglais Lord Byron (1788-1824) était une personnalité brillante et tapageuse dont la presse people – si elle avait existé à l'époque telle que nous la connaissons aujourd'hui – aurait parlé bien souvent, car il n'était pas seulement un poète doué. Ce beau ténébreux faisait rêver les jeunes femmes, c'était un dandy dont la vie privée alimentait toutes sortes de rumeurs scandaleuses. Eut-il véritablement une liaison amoureuse avec sa demi-sœur Augusta ?

La société prude de l'Angleterre puritaine le poussa à s'exiler sur le continent. En 1816, il s'installa dans une villa au bord du lac Léman en compagnie de trois amis : le médecin et écrivain John Polidori, le poète Percy Bysshe Shelley et Mary Wollstonecraft Godwin, la future Mary Shelley. Ils passaient leurs nuits à discuter, dans les vapeurs du vin et de l'opium, évoquant les tentatives de certains scientifiques pour ramener à la vie des organismes morts par le biais de l'électricité. Ils lisaient aussi des histoires de revenants. Finalement, Lord Byron suggéra que chacun d'entre eux écrivît une histoire macabre. Des productions de Lord Byron et de Shelley, ne demeurent que des fragments, tandis que Mary, elle, donna le jour à *Frankenstein*. Précisons qu'elle avait tout juste seize ans, la petite Mary, quand elle se sauva en Suisse avec Shelley.

486

Polidori écrivit *Le Vampire*, qui parut sans nom d'auteur en 1819 et inspira nombre de pièces de théâtre et d'opéras.

Nos quatre auteurs n'eurent pas des destins très heureux : Polidori se suicida à vingt-six ans, Shelley, qui toute sa vie avait redouté de se noyer, périt à vingt-neuf ans lors d'un naufrage, et Lord Byron mourut à trente-six ans d'une fièvre maligne. Seule Mary Shelley atteignit l'âge de cinquante-quatre ans.

Dans son roman *Le Vampire*, Tom Holland fit de Lord Byron un mort vivant suceur de sang, condamné à errer à travers le monde.

Le grand compositeur d'opéras Giuseppe Verdi

Giuseppe Verdi (1813-1901) était d'origine modeste. Son talent se révéla très tôt ; le maître d'école et organiste de l'église de son village des Roncole l'initia à la musique et un mécène lui permit d'entrer au lycée. Il devint organiste et maître de musique, étudia les bases de la composition et la littérature. À vingt-six ans, il composa son premier opéra, *Oberto, conte di San Bonifacio*, qui fut représenté avec succès à la Scala de Milan. Son opéra suivant, *Un giorno de regno, o Il finto Stanislas* (*Un jour de règne ou le Faux Stanislas*), fut accueilli par des sifflets. Profondément déprimé après la mort de sa femme et de ses enfants, Verdi décida de renoncer à la composition. Un an plus tard, le directeur de la Scala réussit à le convaincre de revenir sur sa décision : *Nabucco* fait un triomphe et vaut à Verdi d'être élu champion de l'opéra italien. Le chœur des esclaves ne tarde pas à devenir l'hymne de combat de la Lombardie occupée par l'Autriche. L'opéra est perçu comme un manifeste de l'Italie en lutte pour sa liberté contre toute forme de domination étrangère. La chanteuse qui jouait le rôle d'Abigaïlle lors de la première devient la compagne de Verdi.

À partir de ce jour, Verdi se mit à travailler « comme un galérien » – c'est lui qui le dit –, composant plusieurs opéras d'affilée. Son but était de gagner suffisamment d'argent pour pouvoir retourner vivre en gentilhomme sur ses terres. Cependant il resta fidèle à la cause de l'unité italienne et, après 1848, année des révolutions en Europe, il écrivit *La Battaglia di Legnano* (*La Bataille de Legnano*). Avec ce livret qui raconte la victoire des villes lombardes sur l'empereur d'Autriche Frédéric Barberousse, Verdi est célébré comme le « chantre du Risorgimento ». Le chœur des esclaves de *Nabucco* devient l'hymne national clandestin.

Verdi atteint le sommet de son art avec *Rigoletto* en 1851, *Il Trovatore* (*Le Trouvère*) en 1853 et, la même année, *La Traviata*. Il puise ses thèmes dans des œuvres de Shakespeare, de Victor Hugo, d'Alexandre Dumas, de Schiller, de Voltaire et de Lord Byron.

Après l'unification italienne, Verdi se laissa convaincre par le comte Cavour de poser sa candidature à la Chambre des députés, mais il ne tarda pas à se retirer et à se rendre en France pour travailler à l'Opéra de Paris.

Il composa *Aïda*, une de ses œuvres les plus célèbres, à la demande du vice-roi d'Égypte Ismail Pacha. Mais la première représentation eut lieu au Caire en 1871 et non pour l'inauguration du canal de Suez en 1869. Ce fut *Rigoletto* qui fut choisi pour marquer l'événement.

Déçu par la politique du royaume d'Italie, Verdi se retira ensuite sur ses terres, où il ne composa plus que quelques opéras, se consacrant surtout à la musique sacrée.

BRAM STOKER, LE PÈRE DU COMTE DRACULA

Bram Stoker (1847-1912) grandit à Dublin, en Irlande. C'était un enfant chétif, sans cesse malade, qui ne fut capable de se tenir debout et de marcher qu'à l'âge de huit ans. Par la suite il se développa normalement, étudia à l'université de Dublin où il pratiqua même l'athlétisme et le football. Devenu journaliste et critique théâtral, il fit la connaissance du comédien Henry Irving, le plus célèbre interprète shakespearien de son époque. Jusqu'à la mort d'Irving, Stoker fut son manager et son secrétaire privé. Irving l'introduisit dans la haute société londonienne où il retrouva notamment Oscar

Wilde, originaire de Dublin comme lui. Les deux hommes courtisèrent la même femme, Florence Balcombe, qui choisit Bram Stoker. S'il écrivait des récits fantastiques dès les années soixante-dix, c'est avec la publication de *Dracula*, en 1897, que Bram Stoker apparaît véritablement sur la scène littéraire. Depuis toujours passionné d'occultisme, il était membre de la Golden Dawn in the Outer, une société secrète. Sa rencontre avec l'orientaliste hongrois Arminius Vanbéry fut déterminante : c'est Vanbéry qui lui raconta l'histoire du comte Vlad Tepes de Valachie, qui inspira à Stoker son vampire Dracula. *Dracul* signifie en roumain « diable » et « dragon ». En 1431, l'empereur Sigismond fit entrer le père du comte dans l'Ordre du Dragon ; c'est alors qu'il reçut le surnom de *Dracul*, son fils devenant par conséquent « le petit dragon ». La cruauté du personnage fit que l'on passa de « fils du dragon » à « fils du diable ». Le Dracula de Bram Stoker devint le modèle de tous les vampires suivants, même si nombre de ses caractéristiques n'ont pas été reprises. Le vampire de Stoker peut apparaître pendant la journée et la lumière du soleil ne le réduit pas en cendres ; la lumière du jour l'affaiblit néanmoins et il ne retrouve toutes ses forces qu'avec l'obscurité de la nuit.

IGNÁC FÜLÖP SEMMELWEIS : UNE GRANDE AVANCÉE DE LA MÉDECINE

Ce n'est pas par hasard que le médecin austro-hongrois Ignác Fülöp Semmelweis (1818-1865) fut surnommé « le sauveur des mères ». Jusqu'au milieu du XIXe siècle, l'accouchement faisait courir un risque mortel aussi bien à la mère qu'à l'enfant – surtout en milieu hospitalier. Dans l'hôpital viennois où il était assistant, Semmelweis relevait un taux de mortalité due à la fièvre puerpérale de 12 à 17 % ! Les femmes qui accouchaient à domicile, assistées d'une sage-femme, avaient une chance de survie bien supérieure. Semmelweis, voulant trouver l'explication de ce mystère, se mit à ausculter ses patientes de manière plus approfondie. Avec pour résultat une augmentation du nombre des décès dans son service... Les femmes refusaient de plus en plus souvent d'y être soignées. Un jour, lors d'une dissection de cadavre, un de ses collègues se blessa avec un scalpel et mourut d'un empoisonnement du sang qui se traduisit par des symptômes très semblables à ceux de la fièvre puerpérale. Cet incident mit Semmelweis sur la bonne voie : dans son service, les étudiants pratiquaient des dissections sur les corps des femmes mortes en couches avant d'aller, dans la foulée et sans se laver les mains, ausculter celles qui étaient en train d'accoucher. Les élèves sages-femmes au contraire n'avaient aucun contact avec des cadavres. On ne comprit pas à l'époque la nature véritable du mal, à savoir une infection due à la transmission de bactéries, mais le médecin établit néanmoins le lien. Il demanda à ses étudiants de se laver les mains à l'eau de Javel avant d'ausculter. Le taux de mortalité tomba à 2 ou 3 %. Cette découverte apportait la preuve de la responsabilité des médecins dans la mort de nombreuses mères. Beaucoup de collègues de Semmelweis refusèrent de l'admettre et lui manifestèrent leur hostilité. Les étudiants considéraient les mesures d'hygiène comme superflues et les médecins ne voulaient pas reconnaître qu'ils causaient souvent eux-mêmes les maladies qu'ils prétendaient guérir. Le patron de Semmelweis intrigua tant et si bien que celui-ci dut quitter la clinique de Vienne et partir pour la Hongrie.

En 1855, Semmelweis devint professeur d'obstétrique à l'université de Pest et rassembla ses découvertes sur la fièvre puerpérale dans un livre, mais cette fois encore, il n'obtint pas la reconnaissance de ses pairs. Les médecins considéraient l'hygiène comme une perte de temps. Semmelweis se mit à souffrir de troubles psychiques qui n'avaient rien à voir avec de l'aliénation mentale. Pourtant, sans même poser de diagnostic, trois de ses collègues le firent interner à l'asile Döbling, à Vienne, après qu'il eut menacé, dans une lettre adressée au corps médical, d'intenter une action contre les obstétriciens pour homicide. Deux semaines après son internement, Semmelweis mourut – d'un empoisonnement du sang, causé par une petite blessure qu'il s'était faite lors d'une altercation avec le personnel de la clinique !

Giovanni Maria Mastai Ferretti (1792-1878), fils du comte Girolamo Mastai Ferretti, devint le pape Pie IX.

Il occupa le siège de saint Pierre pendant trente et un an et huit mois, ce qui constitue le plus long pontificat de l'histoire – et sans la moindre intervention magique !

Il avait été élu par le conclave, en 1846, à la surprise générale. Il fut le dernier *Papa Re*, c'est-à-dire un pape-roi qui, à côté de son rôle de chef religieux, exerçait également le pouvoir temporel sur les États de l'Église – du moins pendant quelques années, jusqu'à la conquête de Rome et des États pontificaux et la fondation du royaume d'Italie.

Après son élection, Pie IX ébaucha quelques réformes, mais il prit position contre l'esprit républicain et, après lui avoir manifesté quelque sympathie, contre le mouvement en faveur de l'unité italienne. Lorsque, dans son État comme dans beaucoup d'autres parties de l'Europe, une révolution éclata en 1848, il s'enfuit avec ses cardinaux à Gaëte, dans le royaume des Deux-Siciles. Une république, qui dura quelques mois, fut proclamée à Rome avec le concours du révolutionnaire et fervent démocrate Giuseppe Mazzini, mais dès le milieu de l'année 1849, les troupes françaises et espagnoles entraient dans la ville et mettaient fin à cet intermède républicain. Pie IX regagna Rome. Quand, en 1870, l'armée d'occupation franco-prussienne se retira, ce sont les troupes du nouvel État italien qui prirent la ville et liquidèrent les États de l'Église. Le pape se retira dans son palais du Vatican. Sa suzeraineté ne fut plus tolérée que dans le complexe du Vatican autour de la basilique Saint-Pierre et du palais, au Latran et dans sa résidence d'été de Castel Gandolfo. Ce n'est qu'en 1929 que l'État italien restitua officiellement au pape la souveraineté sur ces territoires.

Sa vie durant, Pie IX refusa de reconnaître l'État italien, son monarque et son Parlement, et se considéra comme « prisonnier au Vatican ».

Sa protestation s'exprime à travers l'encyclique *Quanta cura* (1864) où il condamne la liberté de culte et se déclare hostile à la

491

séparation de l'Église et de l'État, se positionnant par là même contre la sécularisation qui progresse partout en Europe.

Un pas important est franchi avec l'instauration du dogme de « l'Immaculée Conception » puis avec le concile Vatican I qui, en 1870, proclame l'infaillibilité pontificale.

En Allemagne, cette proclamation heurte les protestants. Craignant que l'unité du nouvel empire allemand ne soit menacée par ces tensions entre protestants et catholiques, Bismarck s'appuie sur les propos de Pie IX pour justifier le *Kulturkampf*, « combat pour la culture », qu'il engage contre les catholiques. Ceux-ci n'eurent pas seulement à souffrir de mesures discriminatoires : nombre de dignitaires catholiques furent arrêtés ou chassés d'Allemagne.

Pie IX mourut en février 1878, quelques jours seulement après le premier roi de l'Italie unifiée, Victor-Emmanuel II. Il fut béatifié en 2000 par Jean-Paul II.

Remerciements

Les vampires me fascinent! Depuis toujours. Mon premier vampire littéraire s'appelait Peter von Borgo et, sous mon pseudonyme Rike Speemann, je l'ai fait hanter la ville de Hambourg dès l'année 2002. Peu de temps après, j'ai eu l'idée d'un cycle de romans pour la jeunesse sur le thème des vampires. J'ai commencé à la creuser, mais je n'ai pas rencontré l'enthousiasme des éditeurs. Les vampires? Non, le temps n'était pas encore venu. Pourtant je n'ai pas renoncé et, ayant changé d'éditeur, j'ai fait une nouvelle tentative. Et là, c'était apparemment le bon moment.

Je remercie Jürgen Weidenbach, directeur de ma maison d'édition, Susanne Krebs, directrice éditoriale, et mon éditrice Susanne Evans de s'être laissé contaminer par mon enthousiasme et d'être maintenant eux aussi sous le charme des vampires!

Merci de tout cœur à mon agent Thomas Montasser, qui se délecte de sang depuis longtemps déjà et n'a pas permis que j'abandonne mon projet. Lui et mon mari Peter Speemann ont été mes premiers lecteurs et critiques, et ils m'ont donné quelques précieux conseils. Merci mille fois!

Lors de mes recherches, j'ai bénéficié à Hambourg de l'assistance affectueuse de Carl Krüger et de mes collègues Wiebke Lorenz et Sybille Schrödter.

J'ai été reçue à Rome par Andrea Hocke. Merci à elle de m'avoir merveilleusement guidée à travers la ville! Merci aussi à Cristiana

Pazienti et à l'Ufficio Promozione, qui ont répondu aux dernières questions que je me posais encore sur Rome et son histoire et m'ont donné les indications décisives qui m'ont permis d'avoir le grand plaisir de visiter certaines parties de la Domus Aurea, la Maison dorée. Et puis il y a aussi tous ceux qui, dans les librairies et les musées, dans les églises et à l'accueil des monuments, m'ont toujours apporté leur aide avec patience et gentillesse. Merci de tout cœur !

D'autres livres

Nina BLAZON, *Jade, fille de l'eau*
Fabrice COLIN, *La Malédiction d'Old Haven*
Fabrice COLIN, *Le Maître des dragons*
Fabrice COLIN, *Bal de Givre à New York*
Melissa DE LA CRUZ, *Les Vampires de Manhattan*
Melissa DE LA CRUZ, *Les Sang-Bleu*
Melissa DE LA CRUZ, *Les Sang-d'Argent*
Melissa DE LA CRUZ, *Le Baiser du Vampire*
Melissa DE LA CRUZ, *Le Secret de l'Ange*
Melissa DE LA CRUZ, *Bloody Valentine*
Melissa DE LA CRUZ, *La Promesse des Immortels*
Neil GAIMAN, *Coraline*
Neil GAIMAN, *L'Étrange Vie de Nobody Owens*
Neil GAIMAN, *Odd et les géants de glace*
Rachel HAWKINS, *Hex Hall*
Rachel HAWKINS, *Hex Hall : Le Maléfice*
Rebecca MAIZEL, *Humaine*
Melissa MARR, *Ne jamais tomber amoureuse*
Melissa MARR, *Ne jamais te croire*
Melissa MARR, *Ne jamais t'embrasser*
Jackson PEARCE, *Sisters Red*
Rick RIORDAN, *Percy Jackson, Le Voleur de foudre*
Rick RIORDAN, *Percy Jackson, La Mer des Monstres*
Rick RIORDAN, *Percy Jackson, Le Sort du Titan*
Rick RIORDAN, *Percy Jackson, La Bataille du Labyrinthe*
Rick RIORDAN, *Percy Jackson, Le Dernier Olympien*
Rick RIORDAN, *Héros de l'Olympe, Le Héros perdu*
Rick RIORDAN, *Kane Chronicles, La Pyramide rouge*
Angie SAGE, *Magyk, Livre Un*
Angie SAGE, *Magyk, Livre Deux : Le Grand Vol*
Angie SAGE, *Magyk, Livre Trois : La Reine maudite*
Angie SAGE, *Magyk, Livre Quatre : La Quête*
Angie SAGE, *Magyk, Livre Cinq : Le Sortilège*
Angie SAGE, *Magyk Book*
Jonathan STROUD, *La Trilogie de Bartiméus I. L'Amulette de Samarcande*
Jonathan STROUD, *La Trilogie de Bartiméus II. L'Œil du golem*
Jonathan STROUD, *La Trilogie de Bartiméus III. La Porte de Ptolémée*
Jonathan STROUD, *L'Anneau de Salomon*
Jonathan STROUD, *Les Héros de la vallée*

www.wiz.fr
Logo Wiz : Cédric Gatillon

Composition IGS-CP
Impression CPI Bussière en janvier 2012
à Saint-Amand-Montrond (Cher)
Éditions Albin Michel
22, rue Huyghens, 75014 Paris
ISBN : 978-2-226-20863-7
ISSN : 1637-0236
N° d'édition : 18381/01. – N° d'impression : 114198/4.
Dépôt légal : février 2012.
Loi n° 49-956 du 16 juillet 1949 sur les publications destinées à la jeunesse.
Imprimé en France.